SYNOPSIS

OF THE FIRST THREE

GOSPELS

ALBERT HUCK

Ninth Edition Revised by
HANS LIETZMANN
English Edition by
F. L. CROSS

BASIL BLACKWELL
OXFORD
1976

Reprinted by photolitho from
the 9th edition by permission of
J. C. B. MOHR, Tübingen

ISBN 0 631 02970 2

PRINTED IN GREAT BRITAIN BY
THE CAMELOT PRESS LTD, SOUTHAMPTON
AND BOUND BY
THE KEMP HALL BINDERY, OXFORD

Preface.

The first book I bought in the Summer Term of 1893, when I began my studies at the University, was the original edition of Albert Huck's *Synopsis*. From that day forward I have found it in its succesive editions a companion and indispensable tool through years of study and teaching. It was a source of quite exceptional happiness to me, therefore, when the respected author, in conjunction with the publisher, entrusted me with the new revision of a treatise to which, in common with more than 30,000 theologians of all countries, I personally owe so much; and I publish this new edition of the work in the hope that it will continue as hitherto both to be the basis of all theological work on the Synoptic Evangelists and to honour the name of its original compiler. The plan of this *Synopsis* differs from that of other similar works in that each of the three Gospels is printed continuously word for word in its proper column and in unaltered order, and the corresponding parallel passages are repeated as many times as this principle demands. As a result, the form it is independent of any particular theory about sources and can be readily used for studies from any angle.

In only a very few instances has this new revision required changes either in the grouping of parallels or in the form of the text itself, or demanded any increase in the material from the Apocryphal parallels (this chiefly from new discoveries). It has been concerned mainly with the *apparatus criticus* which, after very extensive curtailment, has been set out on an improved plan. From the enormous range of textual variants, only the most important have been selected, — namely, such as are of serious weight for the determination of the text or such as could be the basis of fruitful discussion. In particular, variants due to mutual assimilations of the texts of the different Gospels have been omitted. In order to give the teacher opportunity, however, for introducing his pupils to the method of textual criticism we have provided Sections Nos. 122—129, 235, 236, 249—251 with a fuller apparatus than is our usual practice: these sections we have denoted by a †. All *data* concerning the readings have been derived afresh from original sources and not merely copied from the *apparatus critici* of other editions. The Introduction has also been much curtailed, since today we are in the fortunate position of being able to name well-established works to assist the beginner in textual criticism. The Parallels from the Fourth Gospel, which in the latter editions of this *Synopsis* have been included in an Appendix, have not been reprinted, but instead we have indicated the parallel passages from that Gospel by a reference inserted in a small square frame in the text. We therefore ask the reader to set his Greek New Testament at the side of his *Synopsis* at the points in question. He will find this method of procedure more convenient than any other.

The considerable amount of work which this revision has entailed could not have been carried out without the assistance of a number of younger friends and pupils who generously offered me their services. To them I express my sincerest thanks. The chief burden has been borne by Privatdozent Lic. HANS GEORG OPITZ, to whom I am indebted for carrying through the undertaking down to its details. Herrn stud. phil. WALTER JACOB and stud. theol. GÜNTER GENTZ have co-operated in collating the Greek and Latin MSS; the references from the Coptic Text have been verified by Dr. ALEXANDER BÖHLIG; while Dr. WALTER MATZKOW has subjected the proofs to a final revision. A particular sense of obligation is felt to Geheimrat ADOLF JÜLICHER, who has allowed us to make use of his manuscript reconstruction of the Itala text of the Gospels. This has enabled a useful reduction in the readings of the Old Latin Version. It is hoped that in the not too distant future Dr. JÜLICHER's work will appear in print.

All who wish well to the study of theology will unite with us in thanking the publisher for his generous decision to encourage a wide circulation for this work in all countries by issuing it at a most modest figure.

Berlin, October 22, 1935.

Hans Lietzmann.

Note to the English Edition.

English students of the Gospels are too familiar with HUCK'S *Synopsis* to profit from any enumeration of its merits, but they will probably discover in the present edition a number of advantages not to be found in its predecessors. Unhappily the number of English theologians who at an early stage in their career are able to read German is still small, and there is good ground for believing that hitherto they have been often hampered in their use of 'HUCK' by finding parts of it indecipherable. It is hoped that these difficulties will henceforward be obviated.

It will be observed that for both the German and the English editions the body of the *Synopsis* has been printed from a common set of plates. In consequence a few German words or abbreviations without their English equivalents will be noticed scattered here and there. The appended 'Dictionary' is intended to provide for the non-Germanist the clue to such mysteries. To the *Prolegomena*, which have been translated from the complete recasting of it prepared by Professor LIETZMANN, references to the relevant English literature have been added in a few places; these have been inserted in square brackets.

Pusey House, Oxford.   F. L. C.
November 15, 1935.

A Minature German-English Dictionary.

auch	= also	s. ('siehe')	= see
fehlt	= is wanting	s. o. ('siehe oben')	= see above
Fortsetzung	= continuation	s. u. ('siehe unten')	= see below
Hs, Hss	= MS, MSS	stehen	= stand
haben	= have	vgl. ('vergleichen')	= compare
läßt . . . aus	= omits	Wort	= word
lautet	= reads:	Zeuge	= witness
nach	= after	zu	= to
S ('Seite')	= page		

Biblical Books.

I, II, Reg	= I, II, Sam.	Sir	= Ecclus.
III, IV, Reg	= I, II, Kings	Mc	= Mark
Jes	= Isaiah	Joh	= John
Hes	= Ezekiel		

Contents.

Prolegomena.

I. The Earliest Witnesses to the Synoptic Gospels.

Fuller information concerning the earliest witnesses mentioned below to the existence of our first three Gospels, in relation to both their importance and their bearing, will be found in the sections of the 'Introductions' to the New Testament of HOLTZMANN, JÜLICHER, WEISS, ZAHN, etc., which deal with the history of the Canon. Compare particularly HARNACK, *Die Entstehung des Neuen Testaments* (1914), pp. 46 f.; and also ZAHN, *Geschichte des ntl. Kanons* I (1888), pp. 849 ff., II (1890), pp. 1 ff. The text of the witnesses preserved in EUSEBIUS in given from the Prussian Academy (*G. C. S.*) edition of E. SCHWARTZ and T. MOMMSEN, *Eusebius' Werke*, Vol. II; this Volume, which is divided into two halves, published in 1903 and 1908 respectively, contains the Greek text of the *Ecclesiastical History* side by side with Rufinus' Latin translation. (The pagination of the small edition of 1908 is added in brackets to the ensuing references.)

1. The evidence of PAPIAS, Bishop of Hierapolis, a contemporary of Justin, in EUSEBIUS, *Hist. Eccl.*, III, 39. *G. C. S.*, Vol. II, i, pp. 284, 290 f. (119, 121 f.).

1 Τοῦ δὲ Παπία συγγράμματα πέντε τὸν ἀριθμὸν φέρεται, ἃ καὶ ἐπιγέγραπται Λογίων κυριακῶν ἐξηγήσεως . . .

14 Καὶ ἄλλας δὲ τῇ ἰδίᾳ γραφῇ παραδίδωσιν 'Αριστίωνος τοῦ πρόσθεν δεδηλωμένου τῶν τοῦ κυρίου λόγων διηγήσεις καὶ τοῦ πρεσβυτέρου 'Ιωάννου παραδόσεις· ἐφ' ἃς τοὺς φιλομαθεῖς ἀναπέμψαντες, ἀναγκαίως νῦν προσθήσομεν ταῖς προεκτεθείσαις αὐτοῦ φωναῖς παράδοσιν, ἣν περὶ Μάρκου τοῦ τὸ εὐαγγέλιον γεγραφότος ἐκτέθειται διὰ τούτων·

15 „Καὶ τοῦθ' ὁ πρεσβύτερος ἔλεγεν· Μάρκος μὲν ἑρμηνευτὴς Πέτρου γενόμενος, ὅσα ἐμνημόνευσεν,
„ἀκριβῶς ἔγραψεν, οὐ μέντοι τάξει τὰ ὑπὸ τοῦ κυρίου ἢ λεχθέντα ἢ πραχθέντα. οὔτε γὰρ ἤκουσεν
„τοῦ κυρίου οὔτε παρηκολούθησεν αὐτῷ, ὕστερον δὲ, ὡς ἔφην, Πέτρῳ· ὃς πρὸς τὰς χρείας ἐποιεῖτο
„τὰς διδασκαλίας, ἀλλ' οὐχ ὥσπερ σύνταξιν τῶν κυριακῶν ποιούμενος λογίων, ὥστε οὐδὲν ἥμαρτεν
„Μάρκος οὕτως ἔνια γράψας ὡς ἀπεμνημόνευσεν. ἑνὸς γὰρ ἐποιήσατο πρόνοιαν, τοῦ μηδὲν ὧν
„ἤκουσεν παραλιπεῖν ἢ ψεύσασθαί τι ἐν αὐτοῖς."

16 Ταῦτα μὲν οὖν ἱστόρηται τῷ Παπίᾳ περὶ τοῦ Μάρκου· περὶ δὲ τοῦ Ματθαίου ταῦτ' εἴρηται·
„Ματθαῖος μὲν οὖν Ἑβραΐδι διαλέκτῳ τὰ λόγια συνετάξατο, ἡρμήνευσεν δ' αὐτὰ ὡς ἦν δυνατὸς ἕκαστος."

The text of all the Papias Fragments will be found also in A. HARNACK and O. VON GEBHARDT, *Patrum Apostolicorum Opera*, ed. maj. I 2 ², pp. 87 ff.; [J. B. LIGHTFOOT, *Apostolic Fathers*, ed. J. R. HARMER, pp. 513—535 (with English translation)]; E. PREUSCHEN, *Antilegomena* ² (1905), pp. 91—99, 195—202 (German translation); *Die apostolischen Väter*, ed. by BIHLMEYER, I (1924), pp. 133 f. Bibliography in PREUSCHEN, p. 121 and BIHLMEYER, p. xliv [also in Article "Papias", *Dict. of Christ and the Gospels*, ii, p. 312)].

2. *The Oldest Anti-Marcionite Gospel Prologues.*

The Prefaces to the Gospels of Mark, Luke, and John, — the Matthean Prologue has been lost, — are extant in 38 Latin Biblical MSS. The Prologues were written originally in Greek, but only the Prologue to Luke has survived in its Greek form, in a single MS. They must have been written after Papias and before Irenaeus, that is, between the years A. D. 160 and 180. DOM DONATIEN DE BRUYNE discovered their Anti-Marcionite tendency and edited them for the first time in irreproachable fashion, —

DE BRUYNE, "Les plus anciens Prologues latins des Évangiles", — in the *Revue Bénédictine*, 1928, pp. 193 ff. A. VON HARNACK thoroughly examined the Prologues from the point of view of their historical significance, and issued a careful reprint of them in the *Sitzungsberichte* of the Prussian Academy, `Phil.-hist. Kl.`, 1928, p. 322 ff.; the text printed here follows this edition.

The Marcan Prologue.

. . . Marcus adseruit, qui colobodactylus est nominatus, ideo quod ad ceteram corporis proceritatem digitos minores habuisset, iste interpres fuit Petri, post excessionem ipsius Petri descripsit idem hoc in partibus Italiae evangelium.

The Lucan Prologue.

Ἔστιν ὁ Λουκᾶς Ἀντιοχεὺς Σύρος, ἰατρὸς τῇ τέχνῃ, μαθητὴς ἀποστόλων γενόμενος καὶ ὕστερον Παύλῳ παρακολουθήσας μέχρις τοῦ μαρτυρίου αὐτοῦ, δουλεύσας τῷ κυρίῳ ἀπερισπάστως, ἀγύναιος, ἄτεκνος ἐτῶν ὀγδοήκοντα τεσσάρων ἐκοιμήθη ἐν τῇ Βοιωτίᾳ, πλήρης πνεύματος ἁγίου.

οὗτος προυπαρχόντων ἤδη εὐαγγελίων, τοῦ μὲν κατὰ Ματθαῖον ἐν τῇ Ἰουδαίᾳ ἀναγραφέντος, τοῦ δὲ κατὰ Μάρκον ἐν τῇ Ἰταλίᾳ, [οὗτος] προτραπεὶς ὑπὸ πνεύματος ἁγίου ἐν τοῖς περὶ τὴν Ἀχαίαν τὸ πᾶν τοῦτο συνεγράψατο εὐαγγέλιον, δηλῶν διὰ τοῦ προοιμίου τοῦτο αὐτὸ ὅτι πρὸ αὐτοῦ ἄλλα ἐστὶ γεγραμμένα καὶ ὅτι ἀναγκαῖον ἦν τοῖς ἐξ ἐθνῶν πιστοῖς τὴν ἀκριβῆ τῆς οἰκονομίας ἐκθέσθαι διήγησιν ὑπὲρ τοῦ μὴ ταῖς ἰουδαϊκαῖς μυθολογίαις περισπᾶσθαι αὐτούς, μήτε ταῖς αἱρετικαῖς καὶ κεναῖς φαντασίαις ἀπατωμένους ἀστοχῆσαι τῆς ἀληθείας. ὡς ἀναγκαιοτάτην οὖν οὖσαν εὐθὺς ἐν ἀρχῇ παρειλήφαμεν τὴν τοῦ Ἰωάννου γέννησιν, ὅς ἐστιν ἀρχὴ τοῦ εὐαγγελίου, πρόδρομος τοῦ κυρίου γενόμενος καὶ κοινωνὸς ἔν τε τῷ καταρτισμῷ τοῦ εὐαγγελίου (lat.: ad perfectionem populi) καὶ τῇ τοῦ βαπτίσματος διαγωγῇ (lat.: inductionem = εἰσαγωγῇ) καὶ τῇ τοῦ πνεύματος (lat.: passionis = παθήματος) κοινωνίᾳ. ταύτης τῆς οἰκονομίας μέμνηται προφήτης ἐν τοῖς δώδεκα.

καὶ δὴ μετέπειτα ἔγραψεν ὁ αὐτὸς Λουκᾶς Πράξεις Ἀποστόλων· ὕστερον δὲ Ἰωάννης ὁ ἀπόστολος ἐκ τῶν δώδεκα ἔγραψεν τὴν Ἀποκάλυψιν ἐν τῇ νήσῳ Πάτμῳ καὶ μετὰ ταῦτα τὸ εὐαγγέλιον.

The Johannine Prologue.

Evangelium Johannis manifestatum et datum est ecclesiis ab Iohanne adhuc in corpore constituto sicut Papias nomine Hierapolitanus, discipulus Iohannis carus, in exotericis (id est in extremis) quinque libris retulit, descripsit vero evangelium dictante Iohanne recte; verum Marcion hereticus, cum ab eo fuisset improbatus eo quod contraria sentiebat, abiectus est ab Iohanne. Is vero scripta vel epistulas ad eum pertulerat a fratribus qui in Ponto fuerunt.

3. IRENAEUS, *Adv. Haer.*, III i 1, in EUSEBIUS, *H. E.*, V viii, 2–6. *G. C. S.* Vol. II i, pp. 442 f. (189 ff.).

2   Ὁ μὲν δὴ Ματθαῖος ἐν τοῖς Ἑβραίοις τῇ ἰδίᾳ αὐτῶν διαλέκτῳ καὶ γραφὴν ἐξήνεγκεν εὐαγγελίου, τοῦ Πέτρου καὶ τοῦ Παύλου ἐν Ῥώμῃ εὐαγγελιζομένων καὶ θεμελιούντων τὴν ἐκκλησίαν·
3 μετὰ δὲ τὴν τούτων ἔξοδον Μάρκος, ὁ μαθητὴς καὶ ἑρμηνευτὴς Πέτρου, καὶ αὐτὸς τὰ ὑπὸ Πέτρου κηρυσσόμενα ἐγγράφως ἡμῖν παραδέδωκε· καὶ Λουκᾶς δέ, ὁ ἀκόλουθος Παύλου, τὸ ὑπ' ἐκείνου
4 κηρυσσόμενον εὐαγγέλιον ἐν βίβλῳ κατέθετο. ἔπειτα Ἰωάννης, ὁ μαθητὴς τοῦ κυρίου, ὁ καὶ ἐπὶ τὸ στῆθος αὐτοῦ ἀναπεσών, καὶ αὐτὸς ἐξέδωκεν τὸ εὐαγγέλιον, ἐν Ἐφέσῳ τῆς Ἀσίας διατρίβων.

4. *The Muratorium Canon.* A fragment of 85 lines in barbarous Latin. The work was composed about A. D. 200, or perhaps even a little earlier; whether or not it is a translation from the Greek is uncertain. The MS., which belonged at one time to the Monastery at Bobbio, is now at Milan in the Bibliotheca Ambrosiana (Cod. Ambr. J. 101. Sup.); it is of the Eighth Century, and was first published by L. A. Muratori (hence the name of the fragment) in *Antiquitates Italicae Medii Aevi*, Vol. III, pp. 851 to 854 (Mediol. 1740). An edition with a photographic reproduction of the fragment was produced by S. Ritter in the *Rivista di archaeologia christiana*, iii (1926), pp. 215 ff. The very extensive literature on the subject is here listed in full. Convenient editions of the text in E. Preuschen, *Analecta*, (² 1910) ii, pp. 27 f.; H. Lietzmann, *Kleine Texte für Theologische Vorlesungen* etc., I ² (1933); [A. Souter, *The Text and Canon of the N. T.*, pp. 208—213]; Zahn, *Ges. Neutest. Kanons*, II, pp. 1—143, 1007 f.; cp. also Hauck's *PRE* ³, Vol. IX, pp. 796 ff.

The lines which treat of the Synoptic Gospels run as follows:

. . . (ali ?) quibus tamen interfuit et ita posuit. *Tertium evangelii librum secundum Lucam.* Lucas iste medicus post ascensum Christi, cum eum Paulus quasi ut iuris studiosum (itineris socium ? litteris stud. ?) secum adsumsisset, nomine suo ex opinione conscripsit, dominum tamen nec ipse vidit in carne. Et ideo prout assequi potuit ita et a nativitate Johannis incipit dicere.

Note. The words *italicized* are written in red.

5. Clement of Alexandria, *Hypotyposes*, in Eusebius, H. E., VI, xiv, 5–7; *G. C. S.*, Vol. II ii. p. 550 (235).

5 Αὖθις δ᾽ ἐν τοῖς αὐτοῖς ὁ Κλήμης βιβλίοις περὶ τῆς τάξεως τῶν εὐαγγελίων παράδοσιν τῶν ἀνέκα-θεν πρεσβυτέρων τέθειται, τοῦτον ἔχουσαν τὸν τρόπον· προγεγράφθαι ἔλεγεν τῶν εὐαγγελίων τὰ περι-
6 έχοντα τὰς γενεαλογίας. τὸ δὲ κατὰ Μάρκον ταύτην ἐσχηκέναι τὴν οἰκονομίαν. τοῦ Πέτρου δημοσίᾳ ἐν ῾Ρώμῃ κηρύξαντος τὸν λόγον καὶ πνεύματι τὸ εὐαγγέλιον ἐξειπόντος, τοὺς παρόντας, πολλοὺς ὄντας, παρακαλέσαι τὸν Μάρκον, ὡς ἂν ἀκολουθήσαντα αὐτῷ πόρρωθεν καὶ μεμνημένον τῶν λεχθέντων, ἀνα-
7 γράψαι τὰ εἰρημένα· ποιήσαντα δέ, τὸ εὐαγγέλιον μεταδοῦναι τοῖς δεομένοις αὐτοῦ· ὅπερ ἐπιγνόντα τὸν Πέτρον προτρεπτικῶς μήτε κωλῦσαι μήτε προτρέψασθαι.

6. Origen, in Eusebius, *H. E.*, VI, xxv, 3–6; *G. C. S.*, Vol. II ii, p. 576 (245 f.).

3 ᾽Εν δὲ πρώτῳ τῶν εἰς τὸ κατὰ Ματθαῖον, τὸν ἐκκλησιαστικὸν φυλάττων κανόνα, μόνα τέσσαρα εἰδέναι εὐαγγέλια μαρτύρεται, ὧδέ πως γράφων·
4 „ὡς ἐν παραδόσει μαθὼν περὶ τῶν τεσσάρων εὐαγγελίων, ἃ καὶ μόνα ἀναντίρρητά ἐστιν ἐν „τῇ ὑπὸ τὸν οὐρανὸν ἐκκλησίᾳ τοῦ θεοῦ, ὅτι πρῶτον μὲν γέγραπται τὸ κατὰ τόν ποτε τελώνην, „ὕστερον δὲ ἀπόστολον ᾽Ιησοῦ Χριστοῦ Μ α τ θ α ῖ ο ν, ἐκδεδωκότα αὐτὸ τοῖς ἀπὸ ᾽Ιουδαϊσμοῦ
5 „πιστεύσασιν, γράμμασιν ἑβραϊκοῖς συντεταγμένον· δεύτερον δὲ τὸ κατὰ Μ ά ρ κ ο ν, ὡς Πέτρος „ὑφηγήσατο αὐτῷ, ποιήσαντα, ὃν καὶ υἱὸν ἐν τῇ καθολικῇ ἐπιστολῇ διὰ τούτων ὡμολόγησεν φάσκων·
6 „ἀσπάζεται ὑμᾶς ἡ ἐν Βαβυλῶνι συνεκλεκτὴ καὶ Μάρκος ὁ υἱός μου· καὶ τρίτον τὸ κατὰ Λ ο υ κ ᾶ ν, „τὸ ὑπὸ Παύλου ἐπαινούμενον εὐαγγέλιον τοῖς ἀπὸ τῶν ἐθνῶν πεποιηκότα· ἐπὶ πᾶσιν τὸ κατὰ ᾽Ιω-„άννην"

7. Eusebius, *H. E.*, III, xxiv, 5–8; *G. C. S.*, II i, p. 246 (102).

5 ῾Ομως δ᾽ οὖν ἐξ ἁπάντων τῶν τοῦ κυρίου διατριβῶν ὑπομνήματα Μ α τ θ α ῖ ο ς ἡμῖν καὶ ᾽Ιω-
6 ά ν ν η ς μόνοι καταλελοίπασιν· οὓς καὶ ἐπάναγκες ἐπὶ τὴν γραφὴν ἐλθεῖν κατέχει λόγος. Μ α τ θ α ῖ ό ς τε γὰρ πρότερον ῾Εβραίοις κηρύξας, ὡς ἤμελλεν καὶ ἐφ᾽ ἑτέρους ἰέναι, πατρίῳ γλώττῃ γραφῇ παραδοὺς τὸ κατ᾽ αὐτὸν εὐαγγέλιον, τὸ λεῖπον τῇ αὐτοῦ παρουσίᾳ, τούτοις ἀφ᾽ ὧν ἐστέλλετο, διὰ τῆς γραφῆς
7 ἀπεπλήρου· ἤδη δὲ Μ ά ρ κ ο υ καὶ Λ ο υ κ ᾶ τῶν κατ᾽ αὐτοὺς εὐαγγελίων τὴν ἔκδοσιν πεποιημένων. ᾽Ι ω ά ν ν η ν φασὶ τὸν πάντα χρόνον ἀγράφῳ κεχρημένον κηρύγματι, τέλος καὶ ἐπὶ τὴν γραφὴν ἐλθεῖν,
8 . . . Τοὺς τρεῖς γοῦν εὐαγγελιστὰς σ υ ν ι δ ε ῖ ν πάρεστιν μόνα τὰ μετὰ τὴν ἐν τῷ δεσμωτηρίῳ ᾽Ιωάν-

νου τοῦ βαπτιστοῦ κάθειρξιν ἐφ' ἕνα ἐνιαυτὸν πεπραγμένα τῷ σωτῆρι συγγεγραφότας αὐτό τε τοῦτ' ἐπισημηναμένους κατ' ἀρχὰς τῆς αὐτῶν ἱστορίας.

8. JEROME, Comm. in Mattheum, Proemium. §§ 5—7.

5   Primus omnium M a t t h e u s est publicanus cognomento Levi, qui evangelium in Iudaea hebraeo sermone edidit: ob eorum vel maxime causam. qui in Jesum crediderant ex Judaeis et nequaquam legis umbra succedente evangelii veritatem servabant.

6   Secundus M a r c u s interpres apostoli Petri et Alexandrinae ecclesiae primus episcopus, qui dominum quidem salvatorem ipse non vidit, sed ea quae magistrum audierat praedicantem iuxta fidem magis gestorum narravit quam ordinem.

7   Tertius L u c a s medicus natione Syrus Antiochensis, cuius laus in evangelio, qui et ipse discipulus apostoli Pauli in Achaiae Boeotiaeque partibus volumen condidit, quaedam altius repetens et, ut ipse in prooemio confitetur, audita magis quam visa describens.

The text in LIETZMANN, *loc. cit.*, p. 10; E. PREUSCHEN, *Analecta*, p. 170.

II. The Critical Apparatus.

In the *Apparatus Criticus* only the more important readings in the history of the text are recorded, and in preparing it the selection made in the *Handbuch zum Neuen Testament* has been of valuable assistance. For the construction of the *Apparatus* the following authorities have been used: S A B C D W Θ λ φ 𝔐 it vg sy^{cs} pe sa bo; only in a few isolated cases have these limits been transgressed. The *Apparatus* enables the student to discover at every point which reading is attested by the witnesses named. In the very great majority of cases the witnesses are set out in full, so that exact information about the attestation of the text printed above in the *Synopsis*, — as well as about the readings which diverge from it, — is at once obtained. When, however, as frequently happens through considerations of space, a reading is recorded as a variant of the printed Synoptic-text without all the witnesses for this text itself being named, it is possible in such cases to deduce by a mere process of subtraction which MSS. transmit the text printed in the Synopsis itself. *In order to give some instances of the whole range of the MS. tradition, the section numbered 122—129, 235, 236, 249—251 have been provided with a complete critical apparatus: these sections are distinghuished by a †.*

It may be added that the readings of the MSS. and of the Versions have not been taken over from the Apparatus of the earlier editions of this work, but have all been newly established on the basis of photographic reproductions of the MSS. and the best critical editions of the Versions. The Old Syriac Version is from BURKITT's edition of the *Evangelion da Mepharreshe*, the two Coptic Versions are from HORNER's text, and the Old Latin from the text reconstructed by ADOLF JÜLICHER (for the use of the manuscript of which the German editors tender the author their best thanks). φ and λ indicate the text of the FERRAR and LAKE Groups, without regard being paid to variants between the different MSS. of each of these groups.

On the history of the text of the N. T. the best orientation is to be found in E. von DOBSCHÜTZ-EBERHARD NESTLE's *Einführung in das Griechische N. T.*, ed. 4, Göttingen, 1923; LIETZMANN in R. KNOPF, *Einführung in das N. T.*[3], pp. 21 ff.; and JÜLICHER, *Einleitung in das N. T.*[7], pp. 559 ff. [The English reader may also consult BURKITT's article "Texts and Versions" in the *Encyclopaedia Biblica*, Vol. IV, cols. 4977 to 5031, as well as A. SOUTER, *The Text and Canon of the N. T.* and (in more detail) C. R. GREGORY, *The Canon and Text of the New Testament.*]

Abbreviations.

+   = Addition.
>   = Omission.
~   = Transposition.
vg^{var} = Some MSS. of the Vulgate.
Diat^{ar} = The text of the Arabic Diatessaron edited by CIASCA, derived from BURKITT's citations of it in the *Evangelion da Mepharreshe.*

The Sigla of the Manuscripts.

S (**א 01**, δ 2), S i n a i t i c u s; formerly Imp. Lib., St. P('ersburg, now in the British Museum; IV (V ?); TISCHENDORF denoted it by **א** because he believed it to be the oldest and best MS., though no one accepts this view of it today. It contains the O. T. nearly complete and the N. T. complete, with Barnabas and Hermas. Discovered in 1844 at St. Catherine's Monastery on Mt. Sinai by TISCHENDORF, who first made use of it, but also overestimated its importance. Seven different correctors, who cannot be noted in this Synopsis. The latest facsimile edition is that of K.LAKE,1911.

A (**02**, δ 4), A l e x a n d r i n u s; London, Brit. Mus.; V; O. T., N. T. from Mt. xxv, 6 onwards and Epp. Clem. Rom.; of Egyptian origin. In 1098 it was presented to the Patriarch of Alexandria; and in 1628 Cyril Lucar, Patriarch of Constantinople (formerly of Alexandria), gave it to Charles I of Englar d. The text is less good, particularly in the Gospels. Photolithographic facsimile edition by A. M. THOMPSON, 1879; in reduced (⅔) size by KENYON, 1909.

B (**03**, δ 1) V a t i c a n u s; Rome, Vatican Lib.; IV; O. T. (31 leaves wanting at the beginning, down to *Gen.* xlvi, 28; also 20 in the Psalter, from *Ps.* cv, 28 to cxxxvii, 7); N. T. as far as *Heb.* ix, 14. The o l d e s t uncial; 2 correctors; many scribal mistakes; the most important witness for the H-Recension of VON SODEN. Phototype facsimile edition prepared by the Vatican Library, 1904.

C (**04**, δ 3) C o d e x E p h r a e m i; Paris, Bibl. Nat.; V; palimpsest; O. T. and N. T., but incomplete. Probably written in Egypt, and belonging to VON SODEN's H-text. In the 12th Century, a Greek translation of 38 treatises of the Syriac Church Father, Ephraem († 373), was written upon it. Edited by TISCHENDORF, 1843.

D (**05**, δ 5) B e z a e C a n t a b r i g i e n s i s; Camb., Univ. Lib.; VI (V ?); Graeco-Latin (GK. on the left). Many gaps, partly filled in the 9th Cent. Several correctors. In the 16th Cent., the MS. was in the possession of Theodore Beza, who presented it in 1581 to the University of Cambridge. Edited by F. H. SCRIVENER, 1864; facsimile edition. 2 vols, by the Camb. Univ. Press, 1899.

W (**032**, ε 014*); formerly at Detroit, Michigan (in the possession of C. L. Freer), now at Washington; V; contains a long addition to Mk xvi, 14 (the so-called "Freer Logion"); edited and investigated by H. A. SANDERS, "The Washington Manuscript of the Four Gospels", in the *University of Michigan Studies*, Human., Ser. IX, 1912. Facsimile edition of it by SANDERS, also 1912. See also C. R. GREGORY, *Das Freer Logion. Versuche und Entwürfe*, i, 1908.

Θ (**038**, ε 050, formerly 1360); at Tiflis (since 1 Sept., 1911); earlier in a Monastery at Koridethi in the Caucasus (Swanetia); VII—IX; the Gospels nearly complete, gaps only in *Mt.* i, iv and v. Investigated and edited by G. BEERMANN and C. R. GREGORY, *Die Koridethi Evangelien* Θ 038, 1913. On the history and text, cf. K. LAKE and R. P. BLAKE, "The Text of the Gospels and the Koridethi Text", in the *Harvard Theol. Review*, XVI (1923), pp. 267—286.

(λ) The "Lake Group". Cod. 1, 118, etc. Edited by K. LAKE, "Codex 1 of the Gospels and its Allies", *Texts and Studies*, VII, iii, 1902.

(φ) The "Ferrar Group". Cod. 13, 69, etc. Edited by W. H. FERRAR, *A Collation of Four Important MSS. of the Gospels*, 1877.

(𝕽) The Koine ["Byzantine"] text.

L (**019**, ε 56), *Regius* or *Parisiensis*; Paris, Bib. Nat.; VIII; nearly complete; many corrections and marginal notes. The text frequently agrees with that of B and belongs to the H-Recension of VON SODEN. It has a dual ending to *Mark*.

Φ (**043**, ε 17), *Beratinus*; Berat (Albania); VI. Like Σ, purple parchment with silver script. It contains *Mt.* and *Mk.* with gaps, and has the same long additions as D to *Mt.* xx, 28.

Ψ (**044**, δ 6); Athos; VIII/IX; contains nearly all the N. T., though *Mt, Mk.* i, 1—ix, 4, and *Rev.*, are wanting, and there are gaps in *Hebr.* K. LAKE published the text of *Mk* together with a collation of *Lk, Jn,* and *Col.* in "Texts from Mount Athos". *Studia Biblica et Ecclesiastica*, V, 1902; see also *J. T. S.*, Vol. I (1900), pp. 290—292. After *Mk.* xvi, 8 the double ending, as in L, **099**, and **0112**; H-type.

099 (ε 47, formerly T¹); Paris, Bibl. Nat. Copt.; VII (VIII ?); *Mk.* xvi, 6-18; it has the shorter ending of *Mk.* before the longer one. See on *Mk.* xvi, 9. Egyptian; H-text.

0112 (ε 46, formerly ٦ 12); Sinai, St. Catherine's Monastery; VII; fragment of *Mk.* xiv—xvi. Double ending to *Mk*; H-type.

33 (δ 48). Parisinus gr. 14; IX/X; "the Queen of the Cursives".

124 (ε 1211). Vienna, nr. 188 (Nessel); XII.

162 (ε 214). Rome, Vaticanus, Barb. IV, 31; A. D. 1153; contains the prayer for the Spirit in the Lord's Prayer.

274 (ε 1024). Parisinus supp. gr. 79; X; has an ending to *Mk*.

579 (ε 376). Parisinus gr. 97; XIII; has an ending to *Mk*.

700 (ε 133). London, Brit. Mus., Egerton 2610; XI.

713 (ε 351). Wisbech, Peckover; XIII; Ferrar-Group.

Papyri: $\mathfrak{P}$ ¹ (ε 01, formerly Tᵃ); Philadelphia; III/IV; *Mt.* i, 1–9, 12, 13, 14–20; H-text. Printed in *The Oxyrhyncus Papyri*, ed. by Grenfell and Hunt, Vol. I, pp. 4—7.

$\mathfrak{P}$ ³ (formerly *l* 348); Vienna; VI; *Lk.* viii, 36–45, and x, 38–42. Printed by Wessely, *Wiener Studien*, Vol. IV (1882), pp. 198 ff.

$\mathfrak{P}$ ⁴ (ε 34, formerly *l* 943), Vienna; IV; *Lk.* i, 74–80 v, 30–vi, 4; H-text. Printed in the *Revue Biblique*, Vol. I (1892), pp. 113 ff.

$\mathfrak{P}$ ³⁷ (—, —), Ann-Arbor (Michigan); III; *Mt.* xxvi, 19–52; text pre-Hesychian. Edited by H. A. SANDERS in *Harvard Theol. Review*, XIX (1926), pp. 215 ff.

$\mathfrak{P}$ ⁴⁵ The Chester Beatty Collection, No. I; III Printed in *The Chester Beatty Biblical Papyri*, fasc. ii (edited by Sir F. KENYON, London, 1933).

it Itala, the Old Latin Version as reconstructed by ADOLF JÜLICHER.

a V e r c e l l e n s i s; V: silver on purple; some gaps in all the Gospels; a good text; belongs to the European Family.

b V e r o n e n s i s; IV/V; silver on purple; defective; European.

c C o l b e r t i n u s; Paris; XII; the Gospels are Old Latin.

d C a n t a b r i g i e n s i s; the Latin Text of D; clearly not a *translation* of D.

e P a l a t i n u s; Vienna and Dublin; V; purple, with gold and silver writing; a very good text; African Family.

f B r i x i a n u s; Brescia; VI; the text which perhaps approximates most closely to that underlying the Vulgate. It belongs to a special branch of the European Family.

g S a n g e r m a n e n s i s I; Paris; VIII; Old Latin only in *Mt.* otherwise a Vulgate text.

k B o b i e n s i s, Turin; IV/V; perhaps the most valuable Itala MS., the chief representative of the African Family. Unfortunately it is much damaged. It contains only *Mk.* viii, 8–xvi, 8, and *Mt.* i, 1 to xv, 36, with gaps; shorter ending of *Mk.* A facsimile edition by C. CIPOLLA appeared at Turin, 1913.

q M o n a c e n s i s; VI/VII; the text is related to that of f; belongs to the Italian Family.

vg   = The Vulgate, after the edition of WORDSWORTH and WHITE, *Novum Testamentum Latine* Oxford, 1889—98.

sy ᶜˢ   = The Old Syriac Version of the Codex Curetonianus (= sy ᶜ) and of the palimpsest in St. Catherine's Monastery on Mt. Sinai (= sy ˢ). Edited by F. C. BURKITT, *Evangelion da-Mepharreshe*, 2 vols., Cambridge, 1904.

sy ᵖᵉ   = The so-called Peshitta Syriac Version, after the text of G. H. GWILLIAM, *Tetraevangelium Sanctum*, Oxford, 1901.

bo   = The Bohairic Version, after G. HORNER, *The Coptic Version of the New Testament in the Northern Dialect, otherwise called Memphitic and Bohairic*. Oxford, 1898 ff.

sa   = The Sahidic Version, after G. HORNER, *The Coptic Version of the New Testament in the Southern Dialect, otherwise called Sahidic and Thebaic*. Oxford, 1911 ff.

aeth   = The Ethiopic Version.

Citations from the Church Fathers.

Iren   = Irenaeus, c. 190.
Clem   = Clement of Alexandria, c. 200.
Orig   = Origen, † 254.
Tert   = Tertullian, c. 200.
Cyp   = Cyprian of Carthage, † 258.
doctr. Addai = Doctrina Addai, Fifth Cent.
Epiph   = Epiphanius of Salamis, † 403.
Eus   = Eusebius of Caesarea, † 340.
Ephraem   = Ephraem Syrus, † 373.
Greg. Nyss.   = Gregory of Nyssa, † 394.

The Citations from the Old Testament have been confirmed from the text of the Septuagint edited by A. RAHLFS (Württ. Bibelanstalt, Stuttgart). The parallels from the Apocryphal Gospels and the Agrapha are taken from KLOSTERMANN's edition in LIETZMANN, *Kleine Texte*, 3, 8, 11, 31. The two fragments relating to *Mt.* viii, 2 ff. and xxii, 15 ff. which are derived from Pap. Egerton, No. 2, are to be found in *Fragments of an Unknown Gospel*, ed. by H. I. Bell and T. C. Skeat, London, 1935.

III. Index of the Synoptic Parallels.

Introductory Note.

The Index of Parallels which follows is a double one. The first set of references contains the main passages, while the second set contains those sections which may be held to be parallels apart from considerations of their context. *Italics* denote those passages in the Synopsis indicated only by cross-references (i. e., without the printing of the text).

The Infancy Narratives.

A. The Matthean Infancy Narrative. Matth 1. 2.

B. The Lucan Infancy Narrative. Luke 1. 2.

I. The Galilean Period. Matth 3—18 = Mark 1—9 = Luke 3 1—9 50.

		Matth	Mark	Luke	Parallels and Doublets Matth	Mark	Luke	Page
1	John the Baptist	3 1–6	1 1–6	3 1–6	*11 10*	*1 15*	*7 27*	9
2	John's Preaching of Repentance .	7–10	—	7–9	*7 19*			10
3	John's Sociological Teaching . . .	—	—	10–14				11
4	John's] Messianic Preaching	11–12	7–8	15–18				——
5	John's Imprisonment	—	—	19–20	*14 3–4*	*6 17–19*		12
6	The Baptism of Christ	13–17	9–11	21–22				
7	The Genealogy of Christ	—	—	23–38	*1 1–16*			13
8	The Temptation	4 1–11	12–13	4 1–13				14
9	The First Preaching in Galilee .	12–17	14–15	14–15				16
10	The Rejection at Nazareth	—	—	16–30	*13 53–58*	*6 1–65*		17
11	The Call of the First Disciples .	18–22	16–20	—			*5 1–11*	19
12	Christ at Capernaum	—	21–28	31–37	*7 28–29*			——
13	The Healing of Peter's Wife's Mother	—	29–31	38–39	*8 14–15*			20
14	The Sick healed at Evening . . .	—	32–34	40–41	*4 24 8 16–17* *12 16*	*3 10–12*		21
15	Christ departs from Capernaum .	—	35–38	42–43				——
16	A Preaching Journey in Galilee . .	23–25	39	44	*8 16 9 35 12 15* *14 35*	*3 7 8 10* *6 54 55*	*6 17–19*	22
17	The Miraculous Draught of Fishes	—	—	5 1–11	*4 18–22*	*1 16–20*		23

The Sermon on the Mount. Matth 5—7.

		Matth	Mark	Luke	Parallels and Doublets Matth	Mark	Luke	Page
222	Mark's Ending to the Discourse	—	33–37	—	24 42 / 25 13–14 15 *l*		12 38 40 / 19 12–13	176
223	TheLucan Ending to theDiscourse	—	—	34–36				177
224	The Need of Watchfulness	37–41	—	—			17 26–27 34–35	—
225	The Watchful Householder	42–44				13 33 35	12 39–40	178
226	The Faithful and Wise Servant ..	45–51	—	---			12 42–46	—
227	The Parable of the Ten Virgins ..	25 1–13	—	—		13 35–37	12 35–36 13 2?	179
228	The Parable of the Talents	14–30	—	—	13 12	4 25 13 34	8 18 19 12–27	—
229	The Last Judgement	31–46	---	—				181
230	A Summary of the Days spent in Jerusalem	—	---	37–38	21 17	11 19		—

3. The Passion Narrative.

Matth 26—27 = Mark 14—15 = Luke 22—23.

		Matth	Mark	Luke	Matth	Mark	Luke	Page
231	The Conspiracy of the Jews ...	26 1–5	14 1–2	22 1–2				182
232	The Anointing at Bethany	6–13	3–9	—			7 36–50	—
233	The Betrayal by Judas	14–16	10–11	3–6				183
234	Preparation for the Passover	17–19	12–16	7–13				184

The Last Supper.

Matth 26 20–29 = Mark 14 17–25 = Luke 22 14–38.

		Matth	Mark	Luke	Matth	Mark	Luke	Page
† 235	The Traitor	26 20–25	14 17–21	22 14			22 21–23	—
† 236	Institution of the Lord's Supper .	26–29	22–25	15–20				185
237	Last Words	—	—	21–38				187
—	a) The Betrayal Prophesied ..	—	—	21–23	26 21–25	14 18–21		—
—	b) Greatness in the Kingdom of God	---	—	24–30	19 28 20 25–28	9 35 10 42–45	9 48 *b*	—
—	c) Peter's Denial Prophesied ..	—	—	31–34	26 30–35	14 26–31		188
—	d) The Two Swords	—	—	35–38				—
238	The Way to Gethsemane; Peter's Denial Prophesied	30–35	26–31	39			22 31–34	—
239	Christ in Gethsemane	36–46	32–42	40–46				189
240	Christ taken Captive	47–56	43–52	47–53				191
241	Christ before the Sanhedrin. Peter's Denial	57–75	53–72	54–71	27 1	15 1		192
242	Christ delivered to Pilate	27 1–2	15 1	23 1			22 66	196
243	The Death of Judas	3–10	—	—				—
244	The Trial before Pilate	11–14	2–5	2–5				197
245	Christ before Herod	—	—	6–16	27 12	15 3		—
246	The Sentence of Death	15–26	6–15	17–25				198
247	The Mocking by the Soldiers ...	27–31	16–20	—			23 26	200
248	The Road to Calvary	32	21	26–32	27 38	15 27		—
† 249	The Crucifixion	33–44	22–32	33–43	27 48	15 36		201
† 250	The Death on the Cross	45–56	33–41	44–49			8 3 23 36	204
† 251	The Burial of Christ	57–61	42–47	50–56		16 1		206
252	The Guard at the Tomb	62–66	—	—				207
253	The Resurrection	28 1–10	16 1–8	24 1–12				208

The Post-Resurrection Narratives.

Die Vorgeschichten.

The Infancy Narratives.

A. Die matthäische Vorgeschichte. Matth 1. 2.

A. The Matthean Infancy Narrative.

Ahnentafel Jesu.
The Genealogy of Christ.

Matth 1 1–17	Luk 3 23–38 *(7. S. 13)*
	in umgekehrter Reihenfolge
	(in the reverse order)

¹ Βίβλος γενέσεως 'Ιησοῦ Χριστοῦ υἱοῦ Δαυἱδ υἱοῦ 'Αβραάμ

² 'Αβραὰμ ἐγέννησεν τὸν 'Ισαάκ,

  'Ισαὰκ δὲ ἐγέννησεν τὸν 'Ιακώβ,

  'Ιακὼβ δὲ ἐγέννησεν τὸν 'Ιούδαν καὶ τοὺς ἀδελφοὺς αὐτοῦ,

³ 'Ιούδας δὲ ἐγέννησεν τὸν Φάρες καὶ τὸν Ζαρὰ ἐκ τῆς Θαμάρ,

  Φάρες δὲ ἐγέννησεν τὸν 'Εσρώμ,

  'Εσρὼμ δὲ ἐγέννησεν τὸν 'Αράμ,

⁴ 'Αρὰμ δὲ ἐγέννησεν τὸν 'Αμιναδάβ,

  'Αμιναδὰβ δὲ ἐγέννησὲν τὸν Ναασσών,

  Ναασσὼν δὲ ἐγέννησεν τὸν Σαλμών,

⁵ Σαλμὼν δὲ ἐγέννησεν τὸν Βόες ἐκ τῆς 'Ραχάβ,

  Βόες δὲ ἐγέννησεν τὸν 'Ιωβὴδ ἐκ τῆς 'Ρούθ,

  'Ιωβὴδ δὲ ἐγέννησεν τὸν 'Ιεσσαί,

⁶ 'Ιεσσαὶ δὲ ἐγέννησεν τὸν Δαυἱδ τὸν βασιλέα.

  Δαυὶδ δὲ ἐγέννησεν τὸν Σολομῶνα ἐκ τῆς τοῦ Οὐρίου.

⁷ Σολομὼν δὲ ἐγέννησεν τὸν 'Ροβοάμ,

  'Ροβοὰμ δὲ ἐγέννησεν τὸν 'Αβιά,

  'Αβιὰ δὲ ἐγέννησεν τὸν 'Ασάφ,

⁸ 'Ασὰφ δὲ ἐγέννησεν τὸν 'Ιωσαφάτ,

  'Ιωσαφὰτ δὲ ἐγέννησεν τὸν 'Ιωράμ,

  'Ιωρὰμ δὲ ἐγέννησεν τὸν 'Οζίαν,

⁹ 'Οζίας δὲ ἐγέννησεν τὸν 'Ιωάθαμ,

  'Ιωάθαμ δὲ ἐγέννησεν τὸν 'Αχάζ,

  'Αχὰζ δὲ ἐγέννησεν τὸν 'Εζεκίαν,

¹⁰ 'Εζεκίας δὲ ἐγέννησεν τὸν Μανασσῆ,

  Μανασσῆς δὲ ἐγέννησεν τὸν 'Αμώς,

  'Αμὼς δὲ ἐγέννησεν τὸν 'Ιωσίαν,

Luk (in der rechten Spalte):

³⁴ 'Αβραάμ

  'Ισαάκ

  'Ιακώβ

³³ 'Ιούδα

  Φάρες

  'Εσρώμ, 'Αρνί,

  'Αδμίν, 'Αμιναδάβ

³² Ναασσών

  Σάλα

  Βόος

  'Ιωβήδ

  'Ιεσσαί

³¹ Δαυίδ

  Ναθάμ

  Ματταθά

  Μεννά

  Μελεά

³⁰ 'Ελιακίμ

  'Ιωνάμ

  'Ιωσήφ

  'Ιούδα

  Συμεών

²⁹ Λευί

  Μαθθάτ

  'Ιωρίμ

2–6: I. Chr 2 1–15.   3–6: Ruth 4 18–22.   7–12: I. Chr 3 10–19.

¹¹ Ἰωσίας δὲ ἐγέννησεν τὸν Ἰεχονίαν καὶ τοὺς ἀδελφοὺς αὐτοῦ ἐπὶ τῆς μετοικεσίας Βαβυλῶνος.

¹² Μετὰ τὴν μετοικεσίαν Βαβυλῶνος Ἰεχονίας ἐγέννησεν Σαλαθιήλ, Σαλαθιὴλ δὲ ἐγέννησεν τὸν Ζοροβαβέλ,

¹³ Ζοροβαβὲλ δὲ ἐγέννησεν τὸν Ἀβιούδ, Ἀβιοὺδ δὲ ἐγέννησεν τὸν Ἐλιακίμ Ἐλιακὶμ δὲ ἐγέννησεν τὸν Ἀζώρ,

¹⁴ Ἀζὼρ δὲ ἐγέννησεν τὸν Σαδώκ, Σαδὼκ δὲ ἐγέννησεν τὸν Ἀχίμ, Ἀχὶμ δὲ ἐγέννησεν τὸν Ἐλιούδ,

¹⁵ Ἐλιοὺδ δὲ ἐγέννησεν τὸν Ἐλεάζαρ, Ἐλεάζαρ δὲ ἐγέννησεν τὸν Μαθθάν,

Μαθθὰν δὲ ἐγέννησεν τὸν Ἰακώβ,

¹⁶ Ἰακὼβ δὲ ἐγέννησεν τὸν Ἰωσὴφ τὸν ἄνδρα Μαρίας, ἐξ ἧς ἐγεννήθη Ἰησοῦς ὁ λεγόμενος Χριστός.

Ἐλιέζερ, Ἰησοῦ, ²⁸ Ἦρ, Ἐλμαθάμ, Κωσάμ, Ἀδδί, Μελχί, ²⁷ Νηρί

Σαλαθιήλ
Ζοραβαβέλ

Ῥησά
Ἰωανάν
²⁶ Ἰωδά
Ἰωσήχ
Σεμεΐν
Ματταθίου
Μάαθ, ²⁵ Ναγγαί, Ἐσλί, Ναούμ, Ἀμώς, Ματτα-θίου, ²⁴ Ἰωσήφ, Ἰανναί, Μελχί, Λευί
Ματθάτ, ²³ Ἡλί
Ἰωσήφ

¹⁷ πᾶσαι οὖν αἱ γενεαὶ ἀπὸ Ἀβραὰμ ἕως Δαυὶδ γενεαὶ δεκατέσσαρες καὶ ἀπὸ Δαυὶδ ἕως τῆς μετοικεσίας Βαβυλῶνος γενεαὶ δεκατέσσαρες καὶ ἀπὸ τῆς μετοικεσίας Βαβυλῶνος ἕως τοῦ Χριστοῦ γενεαὶ δεκατέσσαρες.

Die Geburt Jesu. Matth 1 18–25

The Birth of Christ.

¹⁸ Τοῦ δὲ Ἰησοῦ Χριστοῦ ἡ γένεσις οὕτως ἦν. μνηστευθείσης τῆς μητρὸς αὐτοῦ Μαρίας τῷ Ἰωσήφ, πρὶν ἢ συνελθεῖν αὐτοὺς εὑρέθη ἐν γαστρὶ ἔχουσα ἐκ πνεύματος ἁγίου. ¹⁹ Ἰωσὴφ δὲ ὁ ἀνὴρ αὐτῆς, δίκαιος ὢν καὶ μὴ θέλων αὐτὴν δειγματίσαι, ἐβουλήθη λάθρα ἀπολῦσαι αὐτήν. ²⁰ ταῦτα δὲ αὐτοῦ ἐνθυμηθέντος, ἰδοὺ ἄγγελος κυρίου κατ' ὄναρ ἐφάνη αὐτῷ λέγων· Ἰωσὴφ υἱὸς Δαυίδ, μὴ φοβηθῇς παραλαβεῖν Μαρίαν τὴν γυναῖκά σου· τὸ γὰρ ἐν αὐτῇ γεννηθὲν ἐκ πνεύματός ἐστιν ἁγίου. ²¹ τέξεται δὲ υἱόν, καὶ καλέσεις τὸ ὄνομα αὐτοῦ Ἰησοῦν· αὐτὸς γὰρ σώσει τὸν λαὸν αὐτοῦ ἀπὸ τῶν ἁμαρτιῶν αὐτῶν. ²² τοῦτο δὲ ὅλον γέγονεν ἵνα πληρωθῇ τὸ ῥηθὲν ὑπὸ κυρίου διὰ τοῦ προφήτου λέγοντος· ²³ *ἰδοὺ ἡ παρθένος ἐν γαστρὶ ἕξει καὶ τέξεται υἱόν, καὶ καλέσουσιν τὸ ὄνομα αὐτοῦ Ἐμμανουήλ,* ὅ ἐστιν μεθερμηνευόμενον *μεθ' ἡμῶν ὁ θεός.* ²⁴ ἐγερθεὶς δὲ Ἰωσὴφ ἀπὸ τοῦ ὕπνου ἐποίησεν ὡς προσέταξεν αὐτῷ ὁ ἄγγελος κυρίου, καὶ παρέλαβεν τὴν γυναῖκα αὐτοῦ. ²⁵ καὶ οὐκ ἐγίνωσκεν αὐτὴν ἕως οὗ ἔτεκεν υἱόν, καὶ ἐκάλεσεν τὸ ὄνομα αὐτοῦ Ἰησοῦν.

23: Jes 7 14 8 8.

Matth 1, 16 τὸν Ἰωσὴφ τὸν ἄνδρα Μαρίας, ἐξ ἧς ἐγεννήθη Ἰησοῦς (> λ) ὁ λεγόμενος Χριστός (ἣ ἐγέννησε I. τὸν λεγ. Χ. bo) S B C W ℵ λ sy^{pe} sa bo   τὸν Ἰωσὴφ ᾧ μνηστευθεῖσα πορθένος Μαριὰμ ἐγέννησε Ἰησοῦν τὸν λεγόμενον Χριστόν Θ it   τῷ Ἰωσὴφ ᾧ μνητευθεῖσα ἦν πορθένος Μαριὰμ ἣ ἐγέννησε Ἰησοῦν τὸν Χριστόν sy^c   τὸν Ἰωσήφ· Ἰωσὴφ ᾧ μνηστευθεῖσα ἦν πορθένος Μαριάμ, ἐγέννησεν Ἰησοῦν τὸν λεγόμενον Χριστόν sy^s   **18** γένεσις S B C W Θ λ Ψ¹   γέννησις ℵ φ   **19** δειγματίσαι B λ Ψ¹   παραδειγματίσαι S C W Θ φ ℵ   **25** υἱόν S B λ it sy^{cs} sa bo   τὸν υἱὸν αὐτῆς τὸν πρωτό-τοκον C D W ℵ φ vg sy^{pe}

Die Weisen aus dem Morgenland. Matth 2 1–12
The Visit of the Magi.

[1] Τοῦ δὲ ᾽Ιησοῦ γεννηθέντος ἐν Βηθλέεμ τῆς ᾽Ιουδαίας ἐν ἡμέραις ῾Ηρῴδου τοῦ βασιλέως, ἰδοὺ μάγοι ἀπὸ ἀνατολῶν παρεγένοντο εἰς ῾Ιεροσόλυμα [2] λέγοντες· ποῦ ἐστιν ὁ τεχθεὶς βασιλεὺς τῶν ᾽Ιουδαίων; εἴδομεν γὰρ αὐτοῦ τὸν ἀστέρα ἐν τῇ ἀνατολῇ, καὶ ἤλθομεν προσκυνῆσαι αὐτῷ. [3] ἀκούσας δὲ ὁ βασιλεὺς ῾Ηρῴδης ἐταράχθη, καὶ πᾶσα ῾Ιεροσόλυμα μετ᾽ αὐτοῦ, [4] καὶ συναγαγὼν πάντας τοὺς ἀρχιερεῖς καὶ γραμματεῖς τοῦ λαοῦ ἐπυνθάνετο παρ᾽ αὐτῶν ποῦ ὁ Χριστὸς γεννᾶται. [5] οἱ δὲ εἶπαν αὐτῷ· ἐν Βηθλέεμ τῆς ᾽Ιουδαίας· οὕτως γὰρ γέγραπται διὰ τοῦ προφήτου· ⎡Joh 7 41 f.⎤ [6] *καὶ σὺ Βηθλέεμ, γῆ ᾽Ιούδα, οὐδαμῶς ἐλαχίστη εἶ ἐν τοῖς ἡγεμόσιν ᾽Ιούδα· ἐκ σοῦ γὰρ ἐξελεύσεται ἡγούμενος, ὅστις ποιμανεῖ τὸν λαόν μου τὸν ᾽Ισραήλ.* [7] τότε ῾Ηρῴδης λάθρα καλέσας τοὺς μάγους ἠκρίβωσεν παρ᾽ αὐτῶν τὸν χρόνον τοῦ φαινομένου ἀστέρος, [8] καὶ πέμψας αὐτοὺς εἰς Βηθλέεμ εἶπεν· πορευθέντες ἐξετάσατε ἀκριβῶς περὶ τοῦ παιδίου· ἐπὰν δὲ εὕρητε, ἀπαγγείλατέ μοι, ὅπως κἀγὼ ἐλθὼν προσκυνήσω αὐτῷ. [9] οἱ δὲ ἀκούσαντες τοῦ βασιλέως ἐπορεύθησαν· καὶ ἰδοὺ ὁ ἀστήρ, ὃν εἶδον ἐν τῇ ἀνατολῇ, προῆγεν αὐτοὺς ἕως ἐλθὼν ἐστάθη ἐπάνω οὗ ἦν τὸ παιδίον. [10] ἰδόντες δὲ τὸν ἀστέρα ἐχάρησαν χαρὰν μεγάλην σφόδρα. [11] καὶ ἐλθόντες εἰς τὴν οἰκίαν εἶδον τὸ παιδίον μετὰ Μαρίας τῆς μητρὸς αὐτοῦ, καὶ πεσόντες προσεκύνησαν αὐτῷ, καὶ ἀνοίξαντες τοὺς θησαυροὺς αὐτῶν προσήνεγκαν αὐτῷ δῶρα, *χρυσὸν καὶ λίβανον* καὶ σμύρναν. [12] καὶ χρηματισθέντες κατ᾽ ὄναρ μὴ ἀνακάμψαι πρὸς ῾Ηρῴδην, δι᾽ ἄλλης ὁδοῦ ἀνεχώρησαν εἰς τὴν χώραν αὐτῶν.

Flucht nach Ägypten, Herodes' Kindermord und Rückkehr Jesu nach Nazaret. Matth 2 13–23
The Flight into Egypt the Massacre of the Innocents, and the Return.

[13] ᾽Αναχωρησάντων δὲ αὐτῶν, ἰδοὺ ἄγγελος κυρίου φαίνεται κατ᾽ ὄναρ τῷ ᾽Ιωσὴφ λέγων· ἐγερθεὶς παράλαβε τὸ παιδίον καὶ τὴν μητέρα αὐτοῦ, καὶ φεῦγε εἰς Αἴγυπτον, καὶ ἴσθι ἐκεῖ ἕως ἂν εἴπω σοι· μέλλει γὰρ ῾Ηρῴδης ζητεῖν τὸ παιδίον τοῦ ἀπολέσαι αὐτό. [14] ὁ δὲ ἐγερθεὶς παρέλαβεν τὸ παιδίον καὶ τὴν μητέρα αὐτοῦ νυκτὸς καὶ ἀνεχώρησεν εἰς Αἴγυπτον, [15] καὶ ἦν ἐκεῖ ἕως τῆς τελευτῆς ῾Ηρῴδου· ἵνα πληρωθῇ τὸ ῥηθὲν ὑπὸ κυρίου διὰ τοῦ προφήτου λέγοντος· *ἐξ Αἰγύπτου ἐκάλεσα τὸν υἱόν μου.*

[16] Τότε ῾Ηρῴδης ἰδὼν ὅτι ἐνεπαίχθη ὑπὸ τῶν μάγων ἐθυμώθη λίαν, καὶ ἀποστείλας ἀνεῖλεν πάντας τοὺς παῖδας τοὺς ἐν Βηθλέεμ καὶ ἐν πᾶσι τοῖς ὁρίοις αὐτῆς ἀπὸ διετοῦς καὶ κατωτέρω, κατὰ τὸν χρόνον ὃν ἠκρίβωσεν παρὰ τῶν μάγων. [17] τότε ἐπληρώθη τὸ ῥηθὲν διὰ ᾽Ιερεμίου τοῦ προφήτου λέγοντος· [18] *φωνὴ ἐν ῾Ραμὰ ἠκούσθη, κλαυθμὸς καὶ ὀδυρμὸς πολύς· ῾Ραχὴλ κλαίουσα τὰ τέκνα αὐτῆς, καὶ οὐκ ἤθελεν παρακληθῆναι, ὅτι οὐκ εἰσίν.*

[19] Τελευτήσαντος δὲ τοῦ ῾Ηρῴδου, ἰδοὺ ἄγγελος κυρίου φαίνεται κατ᾽ ὄναρ τῷ ᾽Ιωσὴφ ἐν Αἰγύπτῳ [20] λέγων· ἐγερθεὶς παράλαβε τὸ παιδίον καὶ τὴν μητέρα αὐτοῦ καὶ πορεύου εἰς γῆν ᾽Ισραήλ· τεθνήκασιν γὰρ οἱ ζητοῦντες τὴν ψυχὴν τοῦ παιδίου. [21] ὁ δὲ ἐγερθεὶς παρέλαβεν τὸ παιδίον καὶ τὴν μητέρα αὐτοῦ καὶ εἰσῆλθεν εἰς γῆν ᾽Ισραήλ. [22] ἀκούσας δὲ ὅτι ᾽Αρχέλαος βασιλεύει τῆς ᾽Ιουδαίας ἀντὶ τοῦ πατρὸς αὐτοῦ ῾Ηρῴδου ἐφοβήθη ἐκεῖ ἀπελθεῖν· χρηματισθεὶς δὲ κατ᾽ ὄναρ ἀνεχώρησεν εἰς τὰ μέρη τῆς Γαλιλαίας, [23] καὶ ἐλθὼν κατῴκησεν εἰς πόλιν λεγομένην Ναζαρέτ· ὅπως πληρωθῇ τὸ ῥηθὲν διὰ τῶν προφητῶν ὅτι Ναζωραῖος κληθήσεται. *(3 1 ff. S. 9 ff.)*

2 2: vgl. Num 24 17.　　6: Mi 5 1.　　11: Jes 60 6.　　15: Hos 11 1.　　18: Jer 38 15.　　23: vgl. Jes 11 1 hebr.

Matth 2, 18 κλαυθμὸς S B λ i℧ vg sy pe sa bo　　θρῆνος καὶ κλαυθμὸς C D W 𝕽 φ sy cs　κλαυθμὸς – πολύς > Ło

Zu Matth 2 15 u. 23: **Hebr. Evang.:** ex Aegypto vocavi filium meum; et: quoniam Nazaraeus vocabitur (Hieronymus, de viris inlustr. 3). Cod. 1424 am Rande: τὸ ἵνα πληρωθῇ τὸ ῥηθὲν ὑπὸ κυρίου διὰ τοῦ προφήτου λέγοντος· ἐξ Αἰγύπτου ἐκάλεσα τὸν υἱόν μου ἔν τισιν ἀντιγράφοις ἐνταῦθα κεῖται.

B. Die lukanische Vorgeschichte. Luk 1. 2.

B. The Lucan Infancy Narrative.

Der Prolog. Luk 1 1–4

The Prologue.

[1] Ἐπειδήπερ πολλοὶ ἐπεχείρησαν ἀνατάξασθαι διήγησιν περὶ τῶν πεπληροφορημένων ἐν ἡμῖν πραγμάτων, [2] καθὼς παρέδοσαν ἡμῖν οἱ ἀπ' ἀρχῆς αὐτόπται καὶ ὑπηρέται γενόμενοι τοῦ λόγου, [3] ἔδοξε κἀμοὶ παρηκολουθηκότι ἄνωθεν πᾶσιν ἀκριβῶς καθεξῆς σοι γράψαι, κράτιστε Θεόφιλε, [4] ἵνα ἐπιγνῷς περὶ ὧν κατηχήθης λόγων τὴν ἀσφάλειαν.

Verheißung der Geburt des Täufers. Luk 1 5–25

The Promise of the Baptist's Birth.

[5] Ἐγένετο ἐν ταῖς ἡμέραις Ἡρῴδου βασιλέως τῆς Ἰουδαίας ἱερεύς τις ὀνόματι Ζαχαρίας ἐξ ἐφημερίας Ἀβιά, καὶ γυνὴ αὐτῷ ἐκ τῶν θυγατέρων Ἀαρών, καὶ τὸ ὄνομα αὐτῆς Ἐλισάβετ. [6] ἦσαν δὲ δίκαιοι ἀμφότεροι ἐναντίον τοῦ θεοῦ, πορευόμενοι ἐν πάσαις ταῖς ἐντολαῖς καὶ δικαιώμασιν τοῦ κυρίου ἄμεμπτοι. [7] καὶ οὐκ ἦν αὐτοῖς τέκνον, καθότι ἦν ἡ Ἐλισάβετ στεῖρα, καὶ ἀμφότεροι προβεβηκότες ἐν ταῖς ἡμέραις αὐτῶν ἦσαν. [8] Ἐγένετο δὲ ἐν τῷ ἱερατεύειν αὐτὸν ἐν τῇ τάξει τῆς ἐφημερίας αὐτοῦ ἔναντι τοῦ θεοῦ, [9] κατὰ τὸ ἔθος τῆς ἱερατείας ἔλαχε τοῦ θυμιᾶσαι εἰσελθὼν εἰς τὸν ναὸν τοῦ κυρίου, [10] καὶ πᾶν τὸ πλῆθος ἦν τοῦ λαοῦ προσευχόμενον ἔξω τῇ ὥρᾳ τοῦ θυμιάματος. [11] ὤφθη δὲ αὐτῷ ἄγγελος κυρίου ἑστὼς ἐκ δεξιῶν τοῦ θυσιαστηρίου τοῦ θυμιάματος. [12] καὶ ἐταράχθη Ζαχαρίας ἰδών, καὶ φόβος ἐπέπεσεν ἐπ' αὐτόν. [13] εἶπεν δὲ πρὸς αὐτὸν ὁ ἄγγελος· μὴ φοβοῦ, Ζαχαρία, διότι εἰσηκούσθη ἡ δέησίς σου, καὶ ἡ γυνή σου Ἐλισάβετ γεννήσει υἱόν σοι, καὶ καλέσεις τὸ ὄνομα αὐτοῦ Ἰωάννην. [14] καὶ ἔσται χαρά σοι καὶ ἀγαλλίασις, καὶ πολλοὶ ἐπὶ τῇ γενέσει αὐτοῦ χαρήσονται. [15] ἔσται γὰρ μέγας ἐνώπιον κυρίου, καὶ *οἶνον καὶ σίκερα οὐ μὴ πίῃ*, καὶ πνεύματος ἁγίου πλησθήσεται ἔτι ἐκ κοιλίας μητρὸς αὐτοῦ, [16] καὶ πολλοὺς τῶν υἱῶν Ἰσραὴλ ἐπιστρέψει ἐπὶ κύριον τὸν θεὸν αὐτῶν· [17] καὶ αὐτὸς προελεύσεται ἐνώπιον αὐτοῦ ἐν πνεύματι καὶ δυνάμει Ἡλίου, *ἐπιστρέψαι καρδίας πατέρων ἐπὶ τέκνα* καὶ ἀπειθεῖς ἐν φρονήσει δικαίων, ἑτοιμάσαι κυρίῳ λαὸν κατεσκευασμένον. [18] καὶ εἶπεν Ζαχαρίας πρὸς τὸν ἄγγελον· *κατὰ τί γνώσομαι* τοῦτο; ἐγὼ γάρ εἰμι πρεσβύτης καὶ ἡ γυνή μου προβεβηκυῖα ἐν ταῖς ἡμέραις αὐτῆς. [19] καὶ ἀποκριθεὶς ὁ ἄγγελος εἶπεν αὐτῷ· ἐγώ εἰμι Γαβριὴλ ὁ παρεστηκὼς ἐνώπιον τοῦ θεοῦ, καὶ ἀπεστάλην λαλῆσαι πρὸς σὲ καὶ εὐαγγελίσασθαί σοι ταῦτα· [20] καὶ ἰδοὺ ἔσῃ σιωπῶν καὶ μὴ δυνάμενος λαλῆσαι ἄχρι ἧς ἡμέρας γένηται ταῦτα, ἀνθ' ὧν οὐκ ἐπίστευσας τοῖς λόγοις μου, οἵτινες πληρωθήσονται εἰς τὸν καιρὸν αὐτῶν. [21] καὶ ἦν ὁ λαὸς προσδοκῶν τὸν Ζαχαρίαν, καὶ ἐθαύμαζον ἐν τῷ χρονίζειν ἐν τῷ ναῷ αὐτόν. [22] ἐξελθὼν δὲ οὐκ ἐδύνατο λαλῆσαι αὐτοῖς, καὶ ἐπέγνωσαν ὅτι ὀπτασίαν ἑώρακεν ἐν τῷ ναῷ· καὶ αὐτὸς ἦν διανεύων αὐτοῖς καὶ διέμενεν κωφός.

[23] καὶ ἐγένετο ὡς ἐπλήσθησαν αἱ ἡμέραι τῆς λειτουργίας αὐτοῦ, ἀπῆλθεν εἰς τὸν οἶκον αὐτοῦ. [24] μετὰ δὲ ταύτας τὰς ἡμέρας συνέλαβεν Ἐλισάβετ ἡ γυνὴ αὐτοῦ, καὶ περιέκρυβεν ἑαυτὴν μῆνας πέντε, λέγουσα [25] ὅτι οὕτως μοι πεποίηκεν κύριος ἐν ἡμέραις αἷς ἐπεῖδεν ἀφελεῖν ὄνειδός μου ἐν ἀνθρώποις.

Verheißung der Geburt Jesu. Luk 1 26–38

The Annunciation.

[26] Ἐν δὲ τῷ μηνὶ τῷ ἕκτῳ ἀπεστάλη ὁ ἄγγελος Γαβριὴλ ἀπὸ τοῦ θεοῦ εἰς πόλιν τῆς Γαλιλαίας ᾗ ὄνομα Ναζαρέθ, [27] πρὸς παρθένον ἐμνηστευμένην ἀνδρὶ ᾧ ὄνομα Ἰωσήφ, ἐξ οἴκου Δαυίδ, καὶ τὸ ὄνομα τῆς

Lc 1 5: I. Chr 24 10.   15: Num 6 3 I. Reg 1 11.   17: Mal 3 22 23 Sir 48 10.   18: Gen 15 8.

παρθένου Μαριάμ. ²⁸ καὶ εἰσελθὼν πρὸς αὐτὴν εἶπεν· χαῖρε, κεχαριτωμένη, ὁ κύριος μετὰ σοῦ. ²⁹ ἡ δὲ ἐπὶ τῷ λόγῳ διεταράχθη, καὶ διελογίζετο ποταπὸς εἴη ὁ ἀσπασμὸς οὗτος. ³⁰ καὶ εἶπεν ὁ ἄγγελος αὐτῇ· μὴ φοβοῦ, Μαριάμ· εὗρες γὰρ χάριν παρὰ τῷ θεῷ. ³¹ *καὶ ἰδοὺ συλλήμψη ἐν γαστρὶ καὶ τέξῃ υἱόν, καὶ καλέσεις τὸ ὄνομα αὐτοῦ Ἰησοῦν.* ³² οὗτος ἔσται μέγας καὶ υἱὸς ὑψίστου κληθήσεται, καὶ δώσει αὐτῷ κύριος ὁ θεὸς τὸν θρόνον Δαυὶδ τοῦ πατρὸς αὐτοῦ, ³³ καὶ βασιλεύσει ἐπὶ τὸν οἶκον Ἰακὼβ εἰς τοὺς αἰῶνας, καὶ τῆς βασιλείας αὐτοῦ οὐκ ἔσται τέλος. ³⁴ εἶπεν δὲ Μαριάμ πρὸς τὸν ἄγγελον· πῶς ἔσται τοῦτο, ἐπεὶ ἄνδρα οὐ γινώσκω; ³⁵ καὶ ἀποκριθεὶς ὁ ἄγγελος εἶπεν αὐτῇ· πνεῦμα ἅγιον ἐπελεύσεται ἐπὶ σέ, καὶ δύναμις ὑψίστου ἐπισκιάσει σοι· διὸ καὶ τὸ γεννώμενον ἅγιον κληθήσεται υἱὸς θεοῦ. ³⁶ καὶ ἰδοὺ Ἐλισάβετ ἡ συγγενί σου καὶ αὐτὴ συνείληφεν υἱὸν ἐν γήρει αὐτῆς, καὶ οὗτος μὴν ἕκτος ἐστὶν αὐτῇ τῇ καλουμένῃ στείρᾳ· ³⁷ *ὅτι οὐκ ἀδυνατήσει παρὰ τοῦ θεοῦ πᾶν ῥῆμα.* ³⁸ εἶπεν δὲ Μαριάμ· ἰδοὺ ἡ δούλη κυρίου· γένοιτό μοι κατὰ τὸ ῥῆμά σου. καὶ ἀπῆλθεν ἀπ' αὐτῆς ὁ ἄγγελος.

Besuch der Maria bei Elisabet. Luk 1 39–56
The Visitation.

³⁹ Ἀναστᾶσα δὲ Μαριάμ ἐν ταῖς ἡμέραις ταύταις ἐπορεύθη εἰς τὴν ὀρεινὴν μετὰ σπουδῆς εἰς πόλιν Ἰούδα, ⁴⁰ καὶ εἰσῆλθεν εἰς τὸν οἶκον Ζαχαρίου καὶ ἠσπάσατο τὴν Ἐλισάβετ. ⁴¹ καὶ ἐγένετο ὡς ἤκουσεν τὸν ἀσπασμὸν τῆς Μαρίας ἡ Ἐλισάβετ, ἐσκίρτησεν τὸ βρέφος ἐν τῇ κοιλίᾳ αὐτῆς, καὶ ἐπλήσθη πνεύματος ἁγίου ἡ Ἐλισάβετ, ⁴² καὶ ἀνεφώνησεν κραυγῇ μεγάλῃ καὶ εἶπεν· εὐλογημένη σὺ ἐν γυναιξίν, καὶ εὐλογημένος ὁ καρπὸς τῆς κοιλίας σου. ⁴³ καὶ πόθεν μοι τοῦτο ἵνα ἔλθῃ ἡ μήτηρ τοῦ κυρίου μου πρὸς ἐμέ; ⁴⁴ ἰδοὺ γὰρ ὡς ἐγένετο ἡ φωνὴ τοῦ ἀσπασμοῦ σου εἰς τὰ ὦτά μου, ἐσκίρτησεν ἐν ἀγαλλιάσει τὸ βρέφος ἐν τῇ κοιλίᾳ μου. ⁴⁵ καὶ μακαρία ἡ πιστεύσασα ὅτι ἔσται τελείωσις τοῖς λελαλημένοις αὐτῇ παρὰ κυρίου.

⁴⁶ Καὶ εἶπεν Μαριάμ·

Μεγαλύνει ἡ ψυχή μου τὸν κύριον,

⁴⁷ καὶ *ἠγαλλίασεν τὸ πνεῦμά μου ἐπὶ τῷ θεῷ τῷ σωτῆρί μου·*

⁴⁸ *ὅτι ἐπέβλεψεν ἐπὶ τὴν ταπείνωσιν τῆς δούλης αὐτοῦ.*

ἰδοὺ γὰρ ἀπὸ τοῦ νῦν μακαριοῦσίν με πᾶσαι αἱ γενεαί·

⁴⁹ ὅτι ἐποίησέν μοι μεγάλα ὁ δυνατός.

καὶ *ἅγιον τὸ ὄνομα αὐτοῦ,*

⁵⁰ *καὶ τὸ ἔλεος αὐτοῦ εἰς γενεὰς καὶ γενεὰς*

τοῖς φοβουμένοις αὐτόν.

⁵¹ *Ἐποίησεν κράτος ἐν βραχίονι αὐτοῦ,*

διεσκόρπισεν ὑπερηφάνους διανοίᾳ καρδίας αὐτῶν·

⁵² *καθεῖλεν δυνάστας ἀπὸ θρόνων καὶ ὕψωσεν ταπεινούς,*

⁵³ *πεινῶντας ἐνέπλησεν ἀγαθῶν καὶ πλουτοῦντας ἐξαπέστειλεν κενούς.*

Lc 1 31: Jes 7 14.   32 f: vgl. Jes 9 5 6 II. Reg 7 12–16.   37: Gen 18 14.   46–55: vgl. I. Reg 2 1–10.   47: Hab 3 18.   48: I. Reg 1 11.   48 b: vgl. Gen 30 13.   49 b: Ps 110 9. :0: Ps 102 17.   51: Ps 88 11.   52: Sir 10 14   Hes 21 31.   53: Ps 106 9.

Luk 1, 28 μετὰ σοῦ S B W λ sa bo   μετὰ σοῦ εὐλογημένη σὺ ἐν γυναιξίν A C D Θ ℜ φ it vg sy ᵖᵉ aus l 42   **46** Μαριάμ] Ἐλισάβετ it ᵛᵃʳ Iren Orig   **49** μεγάλα S B D W it vg sy ˢ ᵖᵉ   μεγαλεῖα A C Θ λ φ ℜ sa bo vgl. Ps 70 19   **50** εἰς γενεὰς καὶ γενεάς B C W sy ˢ ᵖᵉ bo   εἰς γενεὰν καὶ γενεάν S λ φ it εἰς γενεὰς γενεῶν A Θ ℜ   εἰς γενεὰν γενεῶν D   ἀπὸ γενεᾶς εἰς γενεὰν sa

⁵⁴   Ἀντελάβετο Ἰσραὴλ παιδὸς αὐτοῦ,

μνησθῆναι ἐλέους,

⁵⁵   καθὼς ἐλάλησεν πρὸς τοὺς πατέρας ἡμῶν,

τῷ Ἀβραὰμ καὶ τῷ σπέρματι αὐτοῦ εἰς τὸν αἰῶνα.

⁵⁶ ἔμεινεν δὲ Μαριὰμ σὺν αὐτῇ ὡς μῆνας τρεῖς, καὶ ὑπέστρεψεν εἰς τὸν οἶκον αὐτῆς.

Geburt des Täufers. Luk 1 57–80
The Birth of the Baptist.

⁵⁷ Τῇ δὲ Ἐλισάβετ ἐπλήσθη ὁ χρόνος τοῦ τεκεῖν αὐτήν, καὶ ἐγέννησεν υἱόν. ⁵⁸ καὶ ἤκουσαν οἱ περίοικοι καὶ οἱ συγγενεῖς αὐτῆς ὅτι ἐμεγάλυνεν κύριος τὸ ἔλεος αὐτοῦ μετ’ αὐτῆς, καὶ συνέχαιρον αὐτῇ. ⁵⁹ καὶ ἐγένετο ἐν τῇ ἡμέρᾳ τῇ ὀγδόῃ ἦλθον περιτεμεῖν τὸ παιδίον, καὶ ἐκάλουν αὐτὸ ἐπὶ τῷ ὀνόματι τοῦ πατρὸς αὐτοῦ Ζαχαρίαν. ⁶⁰ καὶ ἀποκριθεῖσα ἡ μήτηρ αὐτοῦ εἶπεν· οὐχί, ἀλλὰ κληθήσεται Ἰωάννης. ⁶¹ καὶ εἶπαν πρὸς αὐτὴν ὅτι οὐδείς ἐστιν ἐκ τῆς συγγενείας σου ὃς καλεῖται τῷ ὀνόματι τούτῳ. ⁶² ἐνένευον δὲ τῷ πατρὶ αὐτοῦ τὸ τί ἂν θέλοι καλεῖσθαι αὐτό. ⁶³ καὶ αἰτήσας πινακίδιον ἔγραψεν λέγων· Ἰωάννες ἐστὶν τὸ ὄνομα αὐτοῦ. καὶ ἐθαύμασαν πάντες. ⁶⁴ ἀνεῴχθη δὲ τὸ στόμα αὐτοῦ παραχρῆμα καὶ ἡ γλῶσσα αὐτοῦ, καὶ ἐλάλει εὐλογῶν τὸν θεόν. ⁶⁵ καὶ ἐγένετο ἐπὶ πάντας φόβος τοὺς περιοικοῦντας αὐτούς, καὶ ἐν ὅλῃ τῇ ὀρεινῇ τῆς Ἰουδαίας διελαλεῖτο πάντα τὰ ῥήματα ταῦτα, ⁶⁶ καὶ ἔθεντο πάντες οἱ ἀκούσαντες ἐν τῇ καρδίᾳ αὐτῶν, λέγοντες· τί ἄρα τὸ παιδίον τοῦτο ἔσται; καὶ γὰρ χεὶρ κυρίου ἦν μετ’ αὐτοῦ.

⁶⁷ Καὶ Ζαχαρίας ὁ πατὴρ αὐτοῦ ἐπλήσθη πνεύματος ἁγίου καὶ ἐπροφήτευσεν λέγων·

⁶⁸   Εὐλογητὸς κύριος ὁ θεὸς τοῦ Ἰσραήλ,

ὅτι ἐπεσκέψατο καὶ ἐποίησεν λύτρωσιν τῷ λαῷ αὐτοῦ,

⁶⁹   καὶ ἤγειρεν κέρας σωτηρίας ἡμῖν

ἐν οἴκῳ Δαυὶδ παιδὸς αὐτοῦ,

⁷⁰   καθὼς ἐλάλησεν διὰ στόματος τῶν ἁγίων ἀπ’ αἰῶνος προφητῶν αὐτοῦ,

⁷¹   σωτηρίαν ἐξ ἐχθρῶν ἡμῶν καὶ ἐκ χειρὸς πάντων τῶν μισούντων ἡμᾶς,

⁷²   ποιῆσαι ἔλεος μετὰ τῶν πατέρων ἡμῶν

καὶ μνησθῆναι διαθήκης ἁγίας αὐτοῦ,

⁷³   ὅρκον ὃν ὤμοσεν πρὸς Ἀβραὰμ τὸν πατέρα ἡμῶν,

τοῦ δοῦναι ἡμῖν

⁷⁴   ἀφόβως ἐκ χειρὸς ἐχθρῶν ῥυσθέντας λατρεύειν αὐτῷ

⁷⁵   ἐν ὁσιότητι καὶ δικαιοσύνῃ ἐνώπιον αὐτοῦ πάσαις ταῖς ἡμέραις ἡμῶν.

⁷⁶   καὶ σὺ δέ, παιδίον, προφήτης ὑψίστου κληθήσῃ·

προπορεύσῃ γὰρ ἐνώπιον κυρίου ἑτοιμάσαι ὁδοὺς αὐτοῦ,

Lc 1 54: Jes 41 8 f. Ps 97 3.   55: Mi 7 20 II. Reg 22 51.   59: vgl. Lev 12 3.   68: Ps 40 14 u. a. Ps 110 9.   69: Ps 17 3 Ps 131 17.   71: Ps 105 10 Ps 17 18.   72 a: Mi 7 20.   72 b: Ps 104 8 Ps 105 45.   73: Jer 11 5.   76: Mal 3 1 Jes 40 3.

Luk 1, 63–64 καὶ ἐθαύμασαν πάντες ἀνεῴχθη δὲ τὸ στόμα αὐτοῦ παραχρῆμα καὶ ἡ γλῶσσα αὐτοῦ (> C) καὶ ἐλάλει εὐλογῶν τὸν θεόν ℵ A B C W Θ φ ℜ¹ g sy ℘³ sa bo   καὶ — παραχρῆμα καὶ ἐλύθη ὁ δεσμὸς τῆς γλώσσης αὐτοῦ καὶ ἐλάλει εὐλογῶν τὸν θεόν λ   καὶ παραχρῆμα ἐλύθη ἡ γλῶσσα αὐτοῦ καὶ ἐθαύμασαν πάντες. ἀνεῴχθη δὲ τὸ στόμα αὐτοῦ καὶ ἐλάλει εὐλ. τ. θ. D it   καὶ παραχρῆμα ἐλύθη ὁ δεσμὸς τῆς γλώσσης. καὶ ηὐλόγει τὸν θεόν καὶ πάντες αὐτῶν ἐθαύμασαν sy⁵   66 ἦν ℵ A B C W Θ λ φ ℜ vg sy⁵ᵖᵉ sa bo   > D it sy⁵ 76 ἐνώπιον ℵ B W ℘⁴ sa bo Orig   πρὸ προσώπου A C D Θ λ φ ℜ it vg sy⁵ ᵖᵉ vgl. Mal 3 1

⁷⁷ τοῦ δοῦναι γνῶσιν σωτηρίας τῷ λαῷ αὐτοῦ
  ἐν ἀφέσει ἁμαρτιῶν αὐτῶν,

⁷⁸ διὰ σπλάγχνα ἐλέους θεοῦ ἡμῶν,
  ἐν οἷς ἐπισκέψεται ἡμᾶς ἀνατολὴ ἐξ ὕψους,

⁷⁹ ἐπιφᾶναι *τοῖς ἐν σκότει καὶ σκιᾷ θανάτου καθημένοις*,
  τοῦ κατευθῦναι τοὺς πόδας ἡμῶν εἰς *ὁδὸν εἰρήνης*.

⁸⁰ Τὸ δὲ παιδίον ηὔξανεν καὶ ἐκραταιοῦτο πνεύματι, καὶ ἦν ἐν ταῖς ἐρήμοις ἕως ἡμέρας ἀναδείξεως
αὐτοῦ πρὸς τὸν Ἰσραήλ.

Die Geburt Jesu. Luk 2 1–20
The Nativity of Christ.

¹ Ἐγένετο δὲ ἐν ταῖς ἡμέραις ἐκείναις ἐξῆλθεν δόγμα παρὰ Καίσαρος Αὐγούστου ἀπογράφεσθαι
πᾶσαν τὴν οἰκουμένην. ² αὕτη ἀπογραφὴ πρώτη ἐγένετο ἡγεμονεύοντος τῆς Συρίας Κυρηνίου. ³ καὶ ἐπο-
ρεύοντο πάντες ἀπογράφεσθαι, ἕκαστος εἰς τὴν ἑαυτοῦ πόλιν. ⁴ ἀνέβη δὲ καὶ Ἰωσὴφ ἀπὸ τῆς Γαλιλαίας ἐκ
πόλεως Ναζαρὲθ εἰς τὴν Ἰουδαίαν εἰς πόλιν Δαυὶδ ἥτις καλεῖται Βηθλέεμ, διὰ τὸ εἶναι αὐτὸν ἐξ οἴκου καὶ
πατριᾶς Δαυίδ, ⁵ ἀπογράψασθαι σὺν Μαριὰμ τῇ ἐμνηστευμένῃ αὐτῷ, οὔσῃ ἐγκύῳ. ⁶ ἐγένετο δὲ ἐν τῷ εἶναι
αὐτοὺς ἐκεῖ ἐπλήσθησαν αἱ ἡμέραι τοῦ τεκεῖν αὐτήν, ⁷ καὶ ἔτεκεν τὸν υἱὸν αὐτῆς τὸν πρωτότοκον, καὶ ἐσπαρ-
γάνωσεν αὐτὸν καὶ ἀνέκλινεν αὐτὸν ἐν φάτνῃ, διότι οὐκ ἦν αὐτοῖς τόπος ἐν τῷ καταλύματι.

⁸ Καὶ ποιμένες ἦσαν ἐν τῇ χώρᾳ τῇ αὐτῇ ἀγραυλοῦντες καὶ φυλάσσοντες φυλακὰς τῆς νυκτὸς ἐπὶ
τὴν ποίμνην αὐτῶν. ⁹ καὶ ἄγγελος κυρίου ἐπέστη αὐτοῖς καὶ δόξα κυρίου περιέλαμψεν αὐτούς, καὶ ἐφοβήθησαν
φόβον μέγαν. ¹⁰ καὶ εἶπεν αὐτοῖς ὁ ἄγγελος· μὴ φοβεῖσθε· ἰδοὺ γὰρ εὐαγγελίζομαι ὑμῖν χαρὰν μεγάλην,
ἥτις ἔσται παντὶ τῷ λαῷ, ¹¹ ὅτι ἐτέχθη ὑμῖν σήμερον σωτήρ, ὅς ἐστιν Χριστὸς κύριος, ἐν πόλει Δαυίδ. ¹² καὶ
τοῦτο ὑμῖν σημεῖον, εὑρήσετε βρέφος ἐσπαργανωμ·ον καὶ κείμενον ἐν φάτνῃ. ¹³ καὶ ἐξαίφνης ἐγένετο σὺν
τῷ ἀγγέλῳ πλῆθος στρατιᾶς οὐρανίου αἰνούντων τὸν θεὸν καὶ λεγόντων·

¹⁴ δόξα ἐν ὑψίστοις θεῷ καὶ ἐπὶ γῆς εἰρήνη ἐν ἀνθρώποις εὐδοκίας.

¹⁵ Καὶ ἐγένετο ὡς ἀπῆλθον ἀπ' αὐτῶν εἰς τὸν οὐρανὸν οἱ ἄγγελοι, οἱ ποιμένες ἐλάλουν πρὸς ἀλλήλους·
διέλθωμεν δὴ ἕως Βηθλέεμ καὶ ἴδωμεν τὸ ῥῆμα τοῦτο τὸ γεγονὸς ὃ ὁ κύριος ἐγνώρισεν ἡμῖν. ¹⁶ καὶ ἦλθαν
σπεύσαντες, καὶ ἀνεῦραν τήν τε Μαριὰμ καὶ τὸν Ἰωσὴφ καὶ τὸ βρέφος κείμενον ἐν τῇ φάτνῃ· ¹⁷ ἰδόντες δὲ
ἐγνώρισαν περὶ τοῦ ῥήματος τοῦ λαληθέντος αὐτοῖς περὶ τοῦ παιδίου τούτου. ¹⁸ καὶ πάντες οἱ ἀκούσαντες
ἐθαύμασαν περὶ τῶν λαληθέντων ὑπὸ τῶν ποιμένων πρὸς αὐτούς· ¹⁹ ἡ δὲ Μαρία πάντα συνετήρει τὰ ῥήματα
ταῦτα συμβάλλουσα ἐν τῇ καρδίᾳ αὐτῆς. ²⁰ καὶ ὑπέστρεψαν οἱ ποιμένες δοξάζοντες καὶ αἰνοῦντες τὸν θεὸν
ἐπὶ πᾶσιν οἷς ἤκουσαν καὶ εἶδον καθὼς ἐλαλήθη πρὸς αὐτούς.

Lc 1 79 a: Ps 106 10.   79 b: Jes 59 8.

Luk 1, 78 ἐπισκέψεται S B W Θ 𝔓⁴ sy ˢ ᵖᵉ sa bo   ἐπεσκέψατο A C D λ φ 𝔎 it vg   **2, 3** ἑαυτοῦ
B D W it vg sy ᵖ³ sa bo   ἑαυτῶν S   ἰδίαν A C Θ λ φ 𝔎 vgl. 2 39   **5** ἐμνηστευμένῃ αὐτῷ S B C D W
(μεμν. λ) λ sy ᵖ³ sa bo   μεμνηστευμένῃ αὐτῷ γυναικί (ἐμν. A) A Θ φ 𝔎 it   γυναικὶ αὐτοῦ it sy ˢ
14 ἐν (> it) ἀνθρώποις εὐδοκίας S A B D W it vg sa Iren Orig   ἐν ἀνθρώποις εὐδοκία Θ λ φ 𝔎   καὶ
(+ ἐν bo) ἀνθρώποις εὐδοκία sy ˢ ᵖᵉ bo   **15** οἱ ποιμένες S B W Θ λ it vg sy ˢ ᵖᵉ sa bo   καὶ οἱ
ἄνθρωποι οἱ ποιμένες A D φ 𝔎

Beschneidung Jesu und Darstellung im Tempel. Luk 2 21–40
The Circumcision of Christ and the Presentation in the Temple.

²¹ Καὶ ὅτε ἐπλήσθησαν ἡμέραι ὀκτὼ τοῦ περιτεμεῖν αὐτόν, καὶ ἐκλήθη τὸ ὄνομα αὐτοῦ Ἰησοῦς, τὸ κληθὲν ὑπὸ τοῦ ἀγγέλου πρὸ τοῦ συλλημφθῆναι αὐτὸν ἐν τῇ κοιλίᾳ.

²² Καὶ *ὅτε ἐπλήσθησαν αἱ ἡμέραι τοῦ καθαρισμο⌐* ¹τῶν κατὰ τὸν νόμον Μωϋσέως, ἀνήγαγον αὐτὸν εἰς Ἱεροσόλυμα παραστῆσαι τῷ κυρίῳ, ²³ καθὼς γέγραπται ἐν νόμῳ κυρίου ὅτι *πᾶν ἄρσεν διανοῖγον μήτραν ἅγιον τῷ κυρίῳ κληθήσεται,* ²⁴ καὶ τοῦ δοῦναι θυσίαν κατὰ τὸ εἰρημένον ἐν τῷ νόμῳ κυρίου, *ζεῦγος τρυγόνων ἢ δύο νοσσοὺς περιστερῶν.*

²⁵ Καὶ ἰδοὺ ἄνθρωπος ἦν ἐν Ἱερουσαλήμ, ᾧ ὄνομα Συμεών, καὶ ὁ ἄνθρωπος οὗτος δίκαιος καὶ εὐλαβής, προσδεχόμενος παράκλησιν τοῦ Ἰσραήλ, καὶ πνεῦμα ἦν ἅγιον ἐπ᾽ αὐτόν· ²⁶ καὶ ἦν αὐτῷ κεχρηματισμένον ὑπὸ τοῦ πνεύματος τοῦ ἁγίου μὴ ἰδεῖν θάνατον πρὶν ἢ ἂν ἴδῃ τὸν Χριστὸν κυρίου. ²⁷ καὶ ἦλθεν ἐν τῷ πνεύματι εἰς τὸ ἱερόν· καὶ ἐν τῷ εἰσαγαγεῖν τοὺς γονεῖς τὸ παιδίον Ἰησοῦν τοῦ ποιῆσαι αὐτοὺς κατὰ τὸ εἰθισμένον τοῦ νόμου περὶ αὐτοῦ, ²⁸ καὶ αὐτὸς ἐδέξατο αὐτὸ εἰς τὰς ἀγκάλας καὶ εὐλόγησεν τὸν θεὸν καὶ εἶπεν·

²⁹ νῦν ἀπολύεις τὸν δοῦλόν σου, δέσποτα,
    κατὰ τὸ ῥῆμά σου ἐν εἰρήνῃ·
³⁰ ὅτι *εἶδον οἱ ὀφθαλμοί μου τὸ σωτήριόν σου,*
³¹ ὃ ἡτοίμασας *κατὰ πρόσωπον πάντων τῶν λαῶν,*
³² *φῶς εἰς ἀποκάλυψιν ἐθνῶν*
    καὶ *δόξαν λαοῦ σου Ἰσραήλ.*

³³ καὶ ἦν ὁ πατὴρ αὐτοῦ καὶ ἡ μήτηρ θαυμάζοντες ἐπὶ τοῖς λαλουμένοις περὶ αὐτοῦ. ³⁴ καὶ εὐλόγησεν αὐτοὺς Συμεὼν καὶ εἶπεν πρὸς Μαριὰμ τὴν μητέρα αὐτοῦ· ἰδοὺ οὗτος κεῖται εἰς πτῶσιν καὶ ἀνάστασιν πολλῶν ἐν τῷ Ἰσραὴλ καὶ εἰς σημεῖον ἀντιλεγόμενον, ³⁵ καὶ σοῦ δὲ αὐτῆς τὴν ψυχὴν διελεύσεται ῥομφαία, ὅπως ἂν ἀποκαλυφθῶσιν ἐκ πολλῶν καρδιῶν διαλογισμοί.

³⁶ Καὶ ἦν Ἄννα προφῆτις, θυγάτηρ Φανουήλ, ἐκ φυλῆς Ἀσήρ· αὕτη προβεβηκυῖα ἐν ἡμέραις πολλαῖς, ζήσασα μετὰ ἀνδρὸς ἔτη ἑπτὰ ἀπὸ τῆς παρθενίας αὐτῆς, ³⁷ καὶ αὐτὴ χήρα ἕως ἐτῶν ὀγδοήκοντα τεσσάρων, ἣ οὐκ ἀφίστατο τοῦ ἱεροῦ νηστείαις καὶ δεήσεσιν λατρεύουσα νύκτα καὶ ἡμέραν. ³⁸ καὶ αὐτῇ τῇ ὥρᾳ ἐπιστᾶσα ἀνθωμολογεῖτο τῷ θεῷ καὶ ἐλάλει περὶ αὐτοῦ πᾶσιν τοῖς προσδεχομένοις λύτρωσιν Ἱερουσαλήμ.

³⁹ Καὶ ὡς ἐτέλεσαν πάντα τὰ κατὰ τὸν νόμον κυρίου, ἐπέστρεψαν εἰς τὴν Γαλιλαίαν εἰς πόλιν ἑαυτῶν Ναζαρέθ. ⁴⁰ τὸ δὲ παιδίον ηὔξανεν καὶ ἐκραταιοῦτο πληρούμενον σοφίας, καὶ χάρις θεοῦ ἦν ἐπ᾽ αὐτό.

Der zwölfjährige Jesus. Luk 2 41–52
Christ at Twelve Years.

⁴¹ Καὶ ἐπορεύοντο οἱ γονεῖς αὐτοῦ κατ᾽ ἔτος εἰς Ἱερουσαλὴμ τῇ ἑορτῇ τοῦ πάσχα. ⁴² καὶ ὅτε ἐγένετο ἐτῶν δώδεκα, ἀναβαινόντων αὐτῶν κατὰ τὸ ἔθος τῆς ἑορτῆς, ⁴³ καὶ τελειωσάντων τὰς ἡμέρας, ἐν τῷ ὑποστρέφειν αὐτοὺς ὑπέμεινεν Ἰησοῦς ὁ παῖς ἐν Ἱερουσαλήμ, καὶ οὐκ ἔγνωσαν οἱ γονεῖς αὐτοῦ. ⁴⁴ νομίσαντες δὲ αὐτὸν εἶναι ἐν τῇ συνοδίᾳ ἦλθον ἡμέρας ὁδὸν καὶ ἀνεζήτουν αὐτὸν ἐν τοῖς συγγενεῦσιν καὶ τοῖς γνωστοῖς,

---

Lc 2 22: Lev 12 6.   23: Ex 13 2 12 15.   24: Lev 12 8.   30: Jes 40 5.   31: Jes 52 10. 32: Jes 49 6.

Luk 2, 22 αὐτῶν Ѕ A B W Θ λ φ ℜ sy ᵖᵉ   αὐτοῦ D it vg sy ˢ sa > bo   **25** ἰδοὺ > D sy ˢ ᵖᵉ **40** ἐκραταιοῦτο S B D W it vg sy ˢ sa bo   ἐκραταιοῦτο πνεύματι A Θ λ φ ℜ sy ᵖᵉ | σοφίας] σοφία B W   **42** ἀναβαινόντων αὐτῶν S B W sy ˢ ᵖᵉ sa bo   ἀναβαινόντων (ἀναβάντων Θ λ φ) αὐτῶν εἰς Ἱεροσόλυμα A C Θ λ φ ℜ it vg   ἀνέβησαν οἱ γονεῖς αὐτοῦ ἔχοντες αὐτόν D

⁴⁵ καὶ μὴ εὑρόντες ὑπέστρεψαν εἰς Ἱερουσαλὴμ ἀναζητοῦντες αὐτόν. ⁴⁶ καὶ ἐγένετο μετὰ ἡμέρας τρεῖς εὗρον αὐτὸν ἐν τῷ ἱερῷ καθεζόμενον ἐν μέσῳ τῶν διδασκάλων καὶ ἀκούοντα αὐτῶν καὶ ἐπερωτῶντα αὐτούς· ⁴⁷ ἐξίσταντο δὲ πάντες οἱ ἀκούοντες αὐτοῦ ἐπὶ τῇ συνέσει καὶ ταῖς ἀποκρίσεσιν αὐτοῦ. ⁴⁸ καὶ ἰδόντες αὐτὸν ἐξεπλάγησαν, καὶ εἶπεν πρὸς αὐτὸν ἡ μήτηρ αὐτοῦ· τέκνον, τί ἐποίησας ἡμῖν οὕτως; ἰδοὺ ὁ πατήρ σου κἀγὼ ὀδυνώμενοι ζητοῦμέν σε. ⁴⁹ καὶ εἶπεν πρὸς αὐτούς· τί ὅτι ἐζητεῖτέ με; οὐκ ᾔδειτε ὅτι ἐν τοῖς τοῦ πατρός μου δεῖ εἶναί με; ⁵⁰ καὶ αὐτοὶ οὐ συνῆκαν τὸ ῥῆμα ὃ ἐλάλησεν αὐτοῖς. ⁵¹ καὶ κατέβη μετ' αὐτῶν καὶ ἦλθεν εἰς Ναζαρέθ, καὶ ἦν ὑποτασσόμενος αὐτοῖς. καὶ ἡ μήτηρ αὐτοῦ διετήρει πάντα τὰ ῥήματα ἐν τῇ καρδίᾳ αὐτῆς. ⁵² καὶ Ἰησοῦς προέκοπτεν ἐν τῇ σοφίᾳ καὶ ἡλικίᾳ καὶ χάριτι παρὰ θεῷ καὶ ἀνθρώποις.

I. Die galiläische Periode.

The Galilean Period.

Matth 3—18 = Mark 1—9 = Luk 3 1—9 50.

1. Der Täufer.

1. John the Baptist.

Matth 3 1–6	**Mark 1** 1–6	**Luk 3** 1–6
	¹ Ἀρχὴ τοῦ εὐαγγελίου Ἰησοῦ Χριστοῦ.	
¹ Ἐν δὲ ταῖς ἡμέραις ἐκείναις		¹ Ἐν ἔτει δὲ πεντεκαιδεκάτῳ τῆς ἡγεμονίας Τιβερίου Καίσαρος, ἡγεμονεύοντος Ποντίου Πιλάτου τῆς Ἰουδαίας, καὶ τετρααρχοῦντος τῆς Γαλιλαίας Ἡρῴδου, Φιλίππου δὲ τοῦ ἀδελφοῦ αὐτοῦ τετρααρχοῦντος τῆς Ἰτουραίας καὶ Τραχωνίτιδος χώρας, καὶ Λυσανίου τῆς Ἀβιληνῆς τετρααρχοῦντος, ² ἐπὶ ἀρχιερέως Ἄννα καὶ Καϊάφα, ἐγένετο ῥῆμα θεοῦ ἐπὶ Ἰωάννην τὸν Ζαχαρίου υἱὸν ἐν τῇ ἐρήμῳ. ³ καὶ ἦλθεν εἰς πᾶσαν τὴν περίχωρον τοῦ Ἰορδάνου κηρύσσων βάπτισμα μετανοίας εἰς ἄφεσιν ἁμαρτιῶν, ⁴ ὡς γέγραπται ἐν βίβλῳ λόγων Ἡσαΐου τοῦ προφήτου·
Joh 1 6		
παραγίνεται Ἰωάννη· ὁ βαπτιστὴς κηρύσσων ἐν τῇ ἐρήμῳ τῆς Ἰουδαίας		
² λέγων· μετανοεῖτε· ἤγγικεν γὰρ ἡ βασιλεία τῶν οὐρανῶν. ³ οὗτος γάρ ἐστιν ὁ ῥηθεὶς διὰ Ἡσαΐου τοῦ προφήτου λέγοντος·	*(1 15 S. 16)* *s. u. v. 4* ² καθὼς γέγραπται ἐν τῷ Ἡσαΐᾳ τῷ προφήτῃ· ἰδοὺ ἐγὼ ἀποστέλλω	*(7 27 S. 65)*
Joh 1 23 *(11 10 S. 53)*	τὸν ἄγγελόν μου πρὸ προσώπου σου,	

Mt 3 3 = Mc 1 3 = Lc 3 4 (vgl. Mt 11 10 S. 53): Jes 40 3.   Mc 1 2: Mal 3 1.

Matth 3, 1 δὲ S B C W λ φ vg syᵖᵉ sa lo > D 𝕽 it syᶜˢ
Mark 1, 1 Χριστοῦ ℵ Θ   Χριστοῦ υἱοῦ τοῦ (> B L W) θεοῦ A B D W λ φ 𝕽 it vg syᵖᵉ sa bo
Luk 3, 1 ἡγεμονεύοντος S A B C W Θ λ φ 𝕽 syᶜˢ ᵖᵉ sa bo   ἐπιτροπεύοντος D it vg

φωνὴ βοῶντος ἐν τῇ ἐρήμῳ· ἑτοιμά-
σατε τὴν ὁδὸν κυρίου, εὐθείας ποι-
εῖτε τὰς τρίβους αὐτοῦ.

δς κατασκευάσει τὴν ὁδόν σου·
³ φωνὴ βοῶντος ἐν τῇ ἐρήμῳ· ἑτοι-
μάσατε τὴν ὁδὸν κυρίου, εὐθείας
ποιεῖτε τὰς τρίβους αὐτοῦ,

φωνὴ βοῶντος ἐν τῇ ἐρήμῳ· ἑτοιμά-
σατε τὴν ὁδὸν κυρίου, εὐθείας ποι-
εῖτε τὰς τρίβους αὐτοῦ· ⁵ πᾶσα φά-
ραγξ πληρωθήσεται καὶ πᾶν ὄρος καὶ
βουνὸς ταπεινωθήσεται, καὶ ἔσται
τὰ σκολιὰ εἰς εὐθείας καὶ αἱ τρα-
χεῖαι εἰς ὁδοὺς λείας· ⁶ καὶ ὄψεται
πᾶσα σὰρξ τὸ σωτήριον τοῦ θεοῦ.

⁴ αὐτὸς δὲ ὁ Ἰωάννης εἶχεν τὸ
ἔνδυμα αὐτοῦ ἀπὸ τριχῶν καμήλου
καὶ ζώνην δερματίνην περὶ τὴν
ὀσφὺν αὐτοῦ· ἡ δὲ τροφὴ ἦν αὐτοῦ
ἀκρίδες καὶ μέλι ἄγριον. ⁵ τότε ἐξε-
πορεύετο πρὸς αὐτὸν Ἱεροσόλυμα
καὶ πᾶσα ἡ Ἰουδαία καὶ πᾶσα ἡ
περίχωρος τοῦ Ἰορδάνου, ⁶ καὶ
ἐβαπτίζοντο ἐν τῷ Ἰορδάνῃ πο-
ταμῷ ὑπ' αὐτοῦ ἐξομολογούμενοι
τὰς ἁμαρτίας αὐτῶν.

vgl. v. 4

⁴ ἐγένετο Ἰωάννης ὁ βαπτίζων
ἐν τῇ ἐρήμῳ καὶ κηρύσσων βάπτι-
σμα μετανοίας εἰς ἄφεσιν ἁμαρτιῶν.
vgl. v. 6

⁵ καὶ ἐξε-
πορεύετο πρὸς αὐτὸν
πᾶσα ἡ Ἰουδαία χώρα καὶ οἱ
Ἱεροσολυμῖται πάντες, καὶ ἐβαπτί-
ζοντο ὑπ' αὐτοῦ ἐν τῷ Ἰορδάνῃ
ποταμῷ ἐξομολογούμενοι τὰς ἁμαρ-
τίας αὐτῶν.

⁶ καὶ ἦν ὁ Ἰωάννης ἐνδεδυμένος
τρίχας καμήλου καὶ ζώνην δερμα-
τίνην περὶ τὴν ὀσφὺν αὐτοῦ, καὶ
ἔσθων ἀκρίδας καὶ μέλι ἄγριον.

vgl. v. 3 b

vgl. v. 3 a

2. Bußpredigt des Täufers.
2. John's Preaching of Repentance.

Matth 3 7–10

⁷ Ἰδὼν δὲ πολλοὺς τῶν Φαρισαίων καὶ Σαδ-
δουκαίων ἐρχομένους ἐπὶ τὸ βάπτισμα εἶπεν
αὐτοῖς· γεννήματα ἐχιδνῶν, τίς ὑπέδειξεν ὑμῖν

Luk 3 7–9

⁷ Ἔλεγεν οὖν τοῖς ἐκπορευομένοις ὄχλοις
βαπτισθῆναι ὑπ' αὐτοῦ·
γεννήματα ἐχιδνῶν, τίς ὑπέδειξεν ὑμῖν

Lc 3 5 6: Jes 40 4 5.

Mark 1, 4 ὁ βαπτίζων S B   βαπτίζων A D W Θ λ φ ℜ | ἐν τῇ ἐρήμῳ βαπτίζων καὶ ~ D Θ it vg
sy^pe | καὶ > B v.l. Mt Lc | **6** τρίχας] δέρρην D | καὶ ζώνην — αὐτοῦ > D it
Luk 3, 7 ὑπ'] ἐνώπιον D it

Zu Matth 3 1 par. **Ebion. Evang.** Ἐγένετο ἐν ταῖς ἡμέραις Ἡρῴδου βασιλέως τῆς Ἰουδαίας ἐπὶ ἀρχιερέως
Καϊάφα, ἦλθέν τις Ἰωάννης ὀνόματι βαπτίζων βάπτισμα μετανοίας ἐν τῷ Ἰορδάνῃ ποταμῷ, ὃς ἐλέγετο εἶναι
ἐκ γένους Ἀαρὼν τοῦ ἱερέως, παῖς Ζαχαρίου καὶ Ἐλισάβετ, καὶ ἐξήρχοντο πρὸς αὐτὸν πάντες. Epiph.
Haer. 30 13, 6. (I 350 8–12 Holl).
Zu Matth 3 4–5 par. Καὶ ἐγένετο Ἰωάννης βαπτίζων, καὶ ἐξῆλθον πρὸς αὐτὸν Φαρισαῖοι καὶ ἐβα-
πτίσθησαν καὶ πᾶσα Ἱεροσόλυμα. καὶ εἶχεν ὁ Ἰωάννης ἔνδυμα ἀπὸ τριχῶν καμήλου καὶ ζώνην δερματίνην περὶ
τὴν ὀσφὺν αὐτοῦ. καὶ τὸ βρῶμα αὐτοῦ μέλι ἄγριον, οὗ ἡ γεῦσις ἡ τοῦ μάννα, ὡς ἐγκρὶς ἐν ἐλαίῳ. Epiph.
Haer. 30 13, 4. (I 350 2–6 Holl).

φυγεῖν ἀπὸ τῆς μελλούσης ὀργῆς; ⁸ ποιήσατε
οὖν καρπὸν ἄξιον τῆς μετανοίας, ⁹ καὶ μὴ δό-
ξητε λέγειν ἐν ἑαυτοῖς· πατέρα ἔχομεν τὸν
᾽Αβραάμ· λέγω γὰρ ὑμῖν ὅτι δύναται ὁ Θεὸς
ἐκ τῶν λίθων τούτων ἐγεῖραι τέκνα τῷ ᾽Αβραάμ.
¹⁰ ἤδη δὲ ἡ ἀξίνη πρὸς τὴν ῥίζαν τῶν δένδρων
κεῖται· πᾶν οὖν δένδρον μὴ ποιοῦν καρπὸν
καλὸν ἐκκόπτεται καὶ εἰς πῦρ βάλλεται.*

φυγεῖν ἀπὸ τῆς μελλούσης ὀργῆς; ⁸ ποιήσατε
οὖν καρποὺς ἀξίους τῆς μετανοίας· καὶ μὴ ἄρ-
ξησθε λέγειν ἐν ἑαυτοῖς· πατέρα ἔχομεν τὸν
᾽Αβραάμ· λέγω γὰρ ὑμῖν ὅτι δύναται ὁ Θεὸς
ἐκ τῶν λίθων τούτων ἐγεῖραι τέκνα τῷ ᾽Αβραάμ.
⁹ ἤδη δὲ καὶ ἡ ἀξίνη πρὸς τὴν ῥίζαν τῶν δένδρων
κεῖται· πᾶν οὖν δένδρον μὴ ποιοῦν καρπὸν
καλὸν ἐκκόπτεται καὶ εἰς πῦρ βάλλεται.*

3. Standespredigt des Täufers. Luk 3 10–14
3. John's Sociological Teaching.

¹⁰ Καὶ ἐπηρώτων αὐτὸν οἱ ὄχλοι λέγοντες· τί οὖν ποιήσωμεν; ¹¹ ἀποκριθεὶς δὲ ἔλεγεν
αὐτοῖς· ὁ ἔχων δύο χιτῶνας μεταδότω τῷ μὴ ἔχοντι, καὶ ὁ ἔχων βρώματα ὁμοίως ποιείτω.
¹² ἤλθον δὲ καὶ τελῶναι βαπτισθῆναι καὶ εἶπαν πρὸς αὐτόν· διδάσκαλε, τί ποιήσωμεν;
¹³ ὁ δὲ εἶπεν πρὸς αὐτούς· μηδὲν πλέον παρὰ τὸ διατεταγμένον ὑμῖν πράσσετε. ¹⁴ ἐπηρώτων
δὲ αὐτὸν καὶ στρατευόμενοι λέγοντες· τί ποιήσωμεν καὶ ἡμεῖς; καὶ εἶπεν αὐτοῖς· μηδένα
διασείσητε μηδὲ συκοφαντήσητε, καὶ ἀρκεῖσθε τοῖς ὀψωνίοις ὑμῶν.

4. Messianische Verkündigung des Täufers.
4. John's Messianic Preaching.

Matth 3 11–12	**Mark 1** 7–8	**Luk 3** 15–18
		¹⁵ Προσδοκῶντος δὲ τοῦ λαοῦ καὶ διαλογιζομένων πάντων ἐν ταῖς καρδίαις αὐτῶν περὶ τοῦ ᾽Ιωάννου, μήποτε αὐτὸς εἴη ὁ Χριστός, ¹⁶ ἀπεκρίνατο λέγων πᾶσιν ὁ ᾽Ιωάννης·
Joh 1 24–28		
¹¹ ᾽Εγὼ μὲν ὑμᾶς βαπτίζω ἐν ὕδατι εἰς μετάνοιαν· ὁ δὲ ὀπίσω μου ἐρχό-	⁷ Καὶ ἐκήρυσσεν λέγων· ἔρχεται ὁ ἰσχυρότερός μου ὀπίσω	ἐγὼ μὲν ὕδατι βαπτίζω ὑμᾶς· ἔρχ.. τι δὲ ὁ ἰσχυρότερός
μενος ἰσχυρότερός μού ἐστιν, οὗ οὐκ εἰμὶ ἱκανὸς	μου, οὗ οὐκ εἰμὶ ἱκανὸς κύψας λῦσαι τὸν ἱμάντα	μου, οὗ οὐκ εἰμὶ ἱκανὸς λῦσαι τὸν ἱμάντα
τὰ ὑποδήματα βαστάσαι	τῶν ὑποδημάτων αὐτοῦ. ⁸ ἐγὼ	τῶν ὑποδημάτων αὐτοῦ·

* Vgl. Mt 7 19 (41. S. 35).

Matth 3, 10 καλὸν > syˢ Iren vgl. Mt 7 17 12 33
Mark 1, 7 μου ² > B | κύψας > D Θ it
Luk 3, 10 ποιήσωμεν + ἵνα σωθῶμεν D (auch v. 12 14 D) sa, + ἵνα ζῶμεν it sy ᶜ

Zu Matth 3 11 = Mark 1 7 = Luk 3 16: Acta 13 25: ῾Ως δὲ ἐπλήρου ᾽Ιωάννης τὸν δρόμον, ἔλεγεν·
τί ἐμὲ ὑπονοεῖτε εἶναι, οὐκ εἰμὶ ἐγώ· ἀλλ᾽ ἰδοὺ ἔρχεται μετ᾽ ἐμὲ οὗ οὐκ εἰμὶ ἄξιος τὸ ὑπόδημα τῶν
ποδῶν λῦσαι.

αὐτὸς ὑμᾶς
βαπτίσει ἐν πνεύματι ἁγίῳ καὶ
πυρί. ¹² οὗ τὸ πτύον ἐν τῇ χειρὶ
αὐτοῦ, καὶ διακαθαριεῖ τὴν ἅλωνα
αὐτοῦ, καὶ συνάξει τὸν σῖτον αὐτοῦ
εἰς τὴν ἀποθήκην, τὸ δὲ ἄχυ-
ρον κατακαύσει πυρὶ ἀσβέστῳ.

ἐβάπτισα ὑμᾶς ὕδατι, αὐτὸς δὲ
βαπτίσει ὑμᾶς πνεύματι ἁγίῳ.

αὐτὸς ὑμᾶς
βαπτίσει ἐν πνεύματι ἁγίῳ καὶ
πυρί· ¹⁷ οὗ τὸ πτύον ἐν τῇ χειρὶ
αὐτοῦ　διακαθᾶραι τὴν ἅλωνα
αὐτοῦ καὶ συναγαγεῖν τὸν σῖτον
εἰς τὴν ἀποθήκην αὐτοῦ, τὸ δὲ ἄχυ-
ρον κατακαύσει πυρὶ ἀσβέστῳ.
¹⁸ πολλὰ μὲν οὖν καὶ ἕτερα παρα-
καλῶν εὐηγγελίζετο τὸν λαόν·

5. Die Gefangennahme des Täufers. Luk 3 19–20
5. John's Imprisonment.

14 3–4 | 6 17–18
111. | S. 85

¹⁹ Ὁ δὲ Ἡρῴδης ὁ τετραάρχης, ἐλεγχόμενος ὑπ' αὐτοῦ περὶ Ἡρῳδιάδος τῆς γυναι-
κὸς τοῦ ἀδελφοῦ αὐτοῦ καὶ περὶ πάντων ὧν ἐποίησεν πονηρῶν ὁ Ἡρῴδης, ²⁰ προσέθηκεν
καὶ τοῦτο ἐπὶ πᾶσιν, κατέκλεισεν τὸν Ἰωάννην ἐν φυλακῇ.

6. Die Taufe Jesu. | Joh 1 29–34 |
6. The Baptism of Christ.

Matth 3 13–17

Mark 1 9–11

Luk 3 21–22

¹³ Τότε παραγίνεται ὁ Ἰησοῦς ἀπὸ
τῆς Γαλιλαίας ἐπὶ τὸν Ἰορδάνην
πρὸς τὸν Ἰωάννην τοῦ βαπτισθῆ-
ναι ὑπ' αὐτοῦ. ¹⁴ ὁ δὲ διεκώλυεν
αὐτὸν λέγων· ἐγὼ χρείαν ἔχω ὑπὸ
σοῦ βαπτισθῆναι, καὶ σὺ ἔρχῃ πρὸς

⁹ Καὶ ἐγένετο ἐν ἐκείναις ταῖς
ἡμέραις ἦλθεν Ἰησοῦς ἀπὸ Ναζαρὲτ
τῆς Γαλιλαίας

²¹ Ἐγένετο δὲ ἐν τῷ βαπτισθῆ-
ναι ἅπαντα τὸν λαὸν

Luk 3, 17 διακαθᾶραι u. συναγαγεῖν S B syˢ ᵖᵉ sa bo Clem　διακαθαριεῖ u. συνάξει A C D W Θ λ φ
ℜ it vg　　19 γυναικὸς S B D Θ λ φ it vg syˢ sa　γυναικὸς Φιλίππου A C W ℜ syᵖᵉ bo

Zu Matth 3 13–17 par. **Ebion. Evang.** Καὶ μετὰ τὸ εἰπεῖν πολλὰ ἐπιφέρει (sc. Ebion) »τοῦ λαοῦ βαπτισθέν-
τος ἦλθεν καὶ Ἰησοῦς καὶ ἐβαπτίσθη ὑπὸ τοῦ Ἰωάννου. καὶ ὡς ἀνῆλθεν ἀπὸ τοῦ ὕδατος, ἠνοίγησαν οἱ οὐρανοὶ
καὶ εἶδεν τὸ πνεῦμα τὸ ἅγιον ἐν εἴδει περιστερᾶς κατελθούσης καὶ εἰσελθούσης εἰς αὐτόν. καὶ φωνὴ ἐκ τοῦ
οὐρανοῦ λέγουσα· σύ μου εἶ ὁ υἱός ὁ ἀγαπητός, ἐν σοὶ ηὐδόκησα. καὶ πάλιν· ἐγὼ σήμερον γεγέννηκά σε. καὶ
εὐθὺς περιέλαμπε τὸν τόπον φῶς μέγα. ὁ ἰδών, φησίν, ὁ Ἰωάννης λέγει αὐτῷ· σὺ τίς εἶ, κύριε; καὶ πάλιν φωνὴ
ἐξ οὐρανοῦ πρὸς αὐτόν· οὗτός ἐστιν ὁ υἱός μου ὁ ἀγαπητός, ἐφ' ὃν ηὐδόκησα. καὶ τότε, φησίν, ὁ Ἰωάννης
προσπεσὼν αὐτῷ ἔλεγεν· δέομαί σου, κύριε, σύ με βάπτισον· ὁ δὲ ἐκώλυσεν αὐτὸν λέγων· ἄφες, ὅτι οὕτως
ἐστὶ πρέπον πληρωθῆναι πάντα«. Epiph., Haer. 30 13, 7–8 (I 350 13 Holl).
Zu Matth 3 13. **Hebr. Evang.** Ecce mater domini et fratres eius dicebant ei: Ioannes baptista baptizat
in remissionem peccatorum: eamus et baptizemur ab eo. dixit autem eis: quid peccavi, ut vadam et bap-
tizer ab eo? nisi forte hoc ipsum quod dixi, ignorantia est. Hieronymus, contra Pelag. III 2 (II 1 768 D
Vallarsi).　Zu Matth 3 16 17. Factum est autem cum ascendisset dominus de aqua, descendit fons omnis
spiritus sancti, et requievit super eum, et dixit illi: fili mi, in omnibus prophetis exspectabam te, ut
venires, et requiescerem in te. Tu es enim requies mea, tu es filius meus primogenitus, qui regnas in
sempiternum. Hieronymus, Comm. in Is. c. 11 2 (IV 1 156 C D Vallarsi).

μέ; ¹⁵ ἀποκριθεὶς δὲ ὁ ᾿Ιησοῦς εἶπεν πρὸς αὐτόν· ἄφες ἄρτι· οὕτως γὰρ πρέπον ἐστὶν ἡμῖν πληρῶσαι πᾶσαν δικαιοσύνην. τότε ἀφίησιν αὐτόν. ¹⁶ βαπτισθεὶς δὲ ὁ ᾿Ιησοῦς εὐθὺς ἀνέβη ἀπὸ τοῦ ὕδατος· καὶ ἰδοὺ ἠνεώχθησαν οἱ οὐρανοί, καὶ εἶδεν πνεῦμα θεοῦ καταβαῖνον ὡσεὶ περιστεράν, ἐρχόμενον ἐπ᾿ αὐτόν· ¹⁷ καὶ ἰδοὺ φωνὴ ἐκ τῶν οὐρανῶν λέγουσα· οὗτός ἐστιν ὁ υἱός μου ὁ ἀγαπητός, ἐν ᾧ εὐδόκησα.

καὶ ἐβαπτίσθη εἰς τὸν ᾿Ιορδάνην ὑπὸ ᾿Ιωάννου. ¹⁰ καὶ εὐθὺς ἀναβαίνων ἐκ τοῦ ὕδατος εἶδεν σχιζομένους τοὺς οὐρανοὺς καὶ τὸ πνεῦμα ὡς περιστερὰν καταβαῖνον εἰς αὐτόν· ¹¹ καὶ φωνὴ ἐκ τῶν οὐρανῶν· σὺ εἶ ὁ υἱός μου ὁ ἀγαπητός, ἐν σοὶ εὐδόκησα.

καὶ ᾿Ιησοῦ βαπτισθέντος καὶ προσευχομένου ἀνεῳχθῆναι τὸν οὐρανόν, ²² καὶ καταβῆναι τὸ πνεῦμα τὸ ἅγιον σωματικῷ εἴδει ὡς περιστερὰν ἐπ᾿ αὐτόν, καὶ φωνὴν ἐξ οὐρανοῦ γενέσθαι· υἱός μου εἶ σύ, ἐγὼ σήμερον γεγέννηκά σε.

7. Die Ahnentafel Jesu.
7. The Genealogy of Christ.

1 1–16 (S. 1)

¹ Βίβλος γενέσεως ᾿Ιησοῦ Χριστοῦ υἱοῦ Δαυὶδ υἱοῦ ᾿Αβραάμ. ² ᾿Αβραὰμ ἐγέννησεν τὸν ᾿Ισαάκ, ᾿Ισαὰκ δὲ ἐγέννησεν τὸν ᾿Ιακώβ, ᾿Ιακὼβ δὲ ἐγέννησεν τὸν ᾿Ιούδαν καὶ τοὺς ἀδελφοὺς αὐτοῦ, ³ ᾿Ιούδας δὲ ἐγέννησεν τὸν Φάρες καὶ τὸν Ζάρα ἐκ τῆς Θαμάρ, Φάρες δὲ ἐγέννησεν τὸν ᾿Εσρώμ, ᾿Εσρὼμ δὲ ἐγέννησεν τὸν ᾿Αράμ, ⁴ ᾿Αρὰμ δὲ ἐγέννησεν τὸν ᾿Αμιναδάβ, ᾿Αμιναδὰβ δὲ ἐγέννησεν τὸν Ναασσών, Ναασσὼν δὲ ἐγέννησεν τὸν Σαλμών, ⁵ Σαλμὼν δὲ ἐγέννησεν τὸν Βόες ἐκ τῆς ῾Ραχάβ, Βόες δὲ ἐγέννησεν τὸν ᾿Ιωβὴδ ἐκ τῆς ῾Ρούθ, ᾿Ιωβὴδ δὲ ἐγέννησεν τὸν ᾿Ιεσσαί, ⁶ ᾿Ιεσ-

Luk 3 23–38

²³ Καὶ αὐτὸς ἦν ᾿Ιησοῦς ἀρχόμενος ὡσεὶ ἐτῶν τριάκοντα, ὢν υἱός, ὡς ἐνομίζετο, ᾿Ιωσήφ, τοῦ ῾Ηλὶ ²⁴ τοῦ Ματθὰτ τοῦ Λευὶ τοῦ Μελχὶ τοῦ ᾿Ινναὶ τοῦ ᾿Ιωσὴφ ²⁵ τοῦ Ματταθίου τοῦ ᾿Αμὼς τοῦ Ναοὺμ τοῦ ᾿Εσλὶ τοῦ Ναγγαὶ ²⁶ τοῦ Μάαθ τοῦ Ματταθίου τοῦ Σεμεῒν τοῦ ᾿Ιωσὴχ τοῦ ᾿Ιωδὰ ²⁷ τοῦ ᾿Ιωανὰν τοῦ ῾Ρησὰ τοῦ Ζοροβαβὲλ τοῦ Σαλαθιὴλ τοῦ Νηρὶ ²⁸ τοῦ Μελχὶ τοῦ ᾿Αδδὶ τοῦ Κωσὰμ τοῦ ᾿Ελμαδὰμ τοῦ ῍Ηρ ²⁹ τοῦ ᾿Ιησοῦ τοῦ ᾿Ελιέζερ τοῦ ᾿Ιωρὶμ τοῦ Ματθὰτ τοῦ Λευὶ ³⁰ τοῦ

Mt 3 17 = Mc 1 11: vgl. Jes 42 1 44 2.   Lc 3 22: Ps 2 7.   27: I. Chr 3 17.

Matth 3, 15 αὐτόν ² **+** et cum baptizaretur lumen ingens circumfulsit de aqua, ita ut timerent omnes, qui aderant it ᵛᵃʳ (Interpol. Jülicher) vgl. Ev. Ebion. Justin Dialog 88, 3, **+** daß er getauft würde sy ᶜˢ

Mark 1, 10 καταβαῖνον A B D Θ λ φ 𝔐 sy ᵖᵉ sa bo   καταβαῖνον καὶ μένον S it vg; W liest: καὶ τὸ πνεῦμα καταβαῖνον ἀπὸ τοῦ οὐρανοῦ ὡσεὶ περιστερὰν καὶ μένον ἐπ᾿ αὐτόν   **11** φωνὴ S D it   φωνὴ ἐγένετο A B W λ φ 𝔐 vg sy ᵖᵉ   φωνὴ ἐκ τ. ο. ἠκούσθη Θ

Luk 3, 22 υἱός μου εἶ σύ ἐγὼ σήμερον γεγέννηκά σε D it Justin Clem Ev. Ebion. Orig. Methodius Hilarius Augustin   σὺ εἶ ὁ υἱός μου ὁ ἀγαπητός, ἐν σοὶ (ᾧ sa bo) εὐδόκησα S A B W Θ λ φ 𝔐 vg sy ᶜˢ ᵖᵉ sa bo   **23** ὢν υἱός, ὡς ἐνομίζετο S B W λ sa Orig   ὢν (> φ) ὡς ἐνομίζετο υἱός A Θ φ 𝔐 vg   ὡς ἐνομίζετο εἶναι υἱός D it | τοῦ ῾Ηλὶ – **38** θεοῦ > W

Zu Luk 3 23. **Ebion. Evang.** ᾿Εγένετό τις ἀνὴρ ὀνόματι ᾿Ιησοῦς, καὶ αὐτὸς ὡς ἐτῶν τριάκοντα, ὃς ἐξελέξατο ἡμᾶς (Fortsetzung s. zu Mt 4 18–22 par. S. 19). Epiph. Haer. 30 13, 2 (I 349 4–5 Holl).

Justin, Dialog 88, 3: ... κατελθόντος τοῦ ᾿Ιησοῦ ἐπὶ τὸ ὕδωρ καὶ πῦρ ἀνήφθη ἐν τῷ ᾿Ιορδάνῃ, καὶ ἀναδύντος αὐτοῦ ἀπὸ τοῦ ὕδατος ὡς περιστερὰν τὸ ἅγιον πνεῦμα ἐπιπτῆναι ἐπ᾿ αὐτὸν ἔγραψαν οἱ ἀπόστολοι αὐτοῦ τούτου τοῦ Χριστοῦ ἡμῶν.

σαὶ δὲ ἐγέννησεν τὸν Δαυὶδ τὸν βασιλέα. Δαυὶδ δὲ ἐγέννησεν τὸν Σολομῶνα ἐκ τῆς τοῦ Οὐρίου, ⁷ Σολομὼν δὲ ἐγέννησεν τὸν Ῥοβοάμ, Ῥοβοὰμ δὲ ἐγέννησεν τὸν Ἀβιά, Ἀβιὰ δὲ ἐγέννησεν τὸν Ἀσάφ, ⁸ Ἀσὰφ δὲ ἐγέννησεν τὸν Ἰωσαφάτ, Ἰωσαφὰτ δὲ ἐγέννησεν τὸν Ἰωράμ, Ἰωρὰμ δὲ ἐγέννησεν τὸν Ὀζίαν, ⁹ Ὀζίας δὲ ἐγέννησεν τὸν Ἰωαθάμ, Ἰωαθὰμ δὲ ἐγέννησεν τὸν Ἀχάζ, Ἀχὰζ δὲ ἐγέννησεν τὸν Ἐζεκίαν, ¹⁰ Ἐζεκίας δὲ ἐγέννησεν τὸν Μανασσῆ, Μανασσῆς δὲ ἐγέννησεν τὸν Ἀμώς, Ἀμὼς δὲ ἐγέννησεν τὸν Ἰωσίαν, ¹¹ Ἰωσίας δὲ ἐγέννησεν τὸν Ἰεχονίαν καὶ τοὺς ἀδελφοὺς αὐτοῦ ἐπὶ τῆς μετοικεσίας Βαβυλῶνος. ¹² Μετὰ δὲ τὴν μετοικεσίαν Βαβυλῶνος Ἰεχονίας ἐγέννησεν τὸν Σαλαθιήλ, Σαλαθιὴλ δὲ ἐγέννησεν τὸν Ζοροβαβέλ, ¹³ Ζοροβαβὲλ δὲ ἐγέννησεν τὸν Ἀβιούδ, Ἀβιοὺδ δὲ ἐγέννησεν τὸν Ἐλιακίμ, Ἐλιακὶμ δὲ ἐγέννησεν τὸν Ἀζώρ, ¹⁴ Ἀζὼρ δὲ ἐγέννησεν τὸν Σαδώκ, Σαδὼκ δὲ ἐγέννησεν τὸν Ἀχίμ, Ἀχὶμ δὲ ἐγέννησεν τὸν Ἐλιούδ, ¹⁵ Ἐλιοὺδ δὲ ἐγέννησεν τὸν Ἐλεάζαρ, Ἐλεάζαρ δὲ ἐγέννησεν τὸν Ματθάν, Ματθὰν δὲ ἐγέννησεν τὸν Ἰακώβ, ¹⁶ Ἰακὼβ δὲ ἐγέννησεν τὸν Ἰωσὴφ τὸν ἄνδρα Μαρίας, ἐξ ἧς ἐγεννήθη Ἰησοῦς ὁ λεγόμενος Χριστός.

Συμεὼν   τοῦ Ἰούδα   τοῦ Ἰωσὴφ   τοῦ Ἰωνὰμ   τοῦ Ἐλιακὶμ ³¹ τοῦ Μελεὰ   τοῦ Μεννὰ   τοῦ Ματταθὰ   τοῦ Ναθὰμ   τοῦ Δαυὶδ ³² τοῦ Ἰεσσαὶ   τοῦ Ἰωβὴδ   τοῦ Βόος   τοῦ Σάλα   τοῦ Ναασσὼν ³³ τοῦ Ἀμιναδὰβ   τοῦ Ἀδμὶν   τοῦ Ἀρνὶ   τοῦ Ἐσρὼμ   τοῦ Φάρες   τοῦ Ἰούδα ³⁴ τοῦ Ἰακὼβ   τοῦ Ἰσαὰκ   τοῦ Ἀβραὰμ   τοῦ Θάρα   τοῦ Ναχὼρ ³⁵ τοῦ Σεροὺχ   τοῦ Ῥαγαῦ   τοῦ Φάλεκ   τοῦ Ἕβερ   τοῦ Σάλα ³⁶ τοῦ Καϊνὰμ   τοῦ Ἀρφαξὰδ   τοῦ Σὴμ τοῦ Νῶε   τοῦ Λάμεχ ³⁷ τοῦ Μαθουσαλὰ   τοῦ Ἐνὼχ   τοῦ Ἰάρετ   τοῦ Μαλελεὴλ   τοῦ Καϊνὰμ ³⁸ τοῦ Ἐνὼς   τοῦ Σὴθ   τοῦ Ἀδὰμ τοῦ Θεοῦ.

8. Die Versuchung Jesu.

8. The Temptation.

Matth 4 1–11	Mark 1 12–13	Luk 4 1–13
¹ Τότε ὁ Ἰησοῦς ἀνήχθη εἰς τὴν ἔρημον ὑπὸ τοῦ πνεύματος, πειρασθῆναι ὑπὸ τοῦ διαβόλου. ² καὶ νηστεύσας ἡμέρας τεσσεράκοντα καὶ τεσσεράκοντα νύκτας ὕστερον ἐπείνασεν.	¹² Καὶ εὐθὺς τὸ πνεῦμα αὐτὸν ἐκβάλλει εἰς τὴν ἔρημον. ¹³ καὶ ἦν ἐν τῇ ἐρήμῳ τεσσεράκοντα ἡμέρας πειραζόμενος ὑπὸ τοῦ σατανᾶ, καὶ ἦν μετὰ τῶν θηρίων,	¹ Ἰησοῦς δὲ πλήρης πνεύματος ἁγίου ὑπέστρεψεν ἀπὸ τοῦ Ἰορδάνου, καὶ ἤγετο ἐν τῷ πνεύματι ἐν τῇ ἐρήμῳ ² ἡμέρας τεσσεράκοντα πειραζόμενος ὑπὸ τοῦ διαβόλου. καὶ οὐκ ἔφαγεν οὐδὲν ἐν ταῖς ἡμέραις ἐκείναις, καὶ συντελεσθεισῶν αὐτῶν ἐπείνασεν.

Lc 3 31–34: I. Chr 2 1–15.   32–33: Ruth 4 18–22.   34–35: I. Chr 1 24–27.   36–38: I. Chr 1 1–4.

³ καὶ προσελθὼν ὁ πειράζων εἶπεν αὐτῷ· εἰ υἱὸς εἶ τοῦ θεοῦ, εἰπὲ ἵνα οἱ λίθοι οὗτοι ἄρτοι γένωνται. ⁴ ὁ δὲ ἀποκριθεὶς εἶπεν· γέγραπται· *οὐκ ἐπ' ἄρτῳ μόνῳ ζήσεται ὁ ἄνθρωπος, ἀλλ' ἐπὶ παντὶ ῥήματι ἐκπορευομένῳ διὰ στόματος θεοῦ.*

⁵ τότε παραλαμβάνει αὐτὸν ὁ διάβολος εἰς τὴν ἁγίαν πόλιν, καὶ ἔστησεν αὐτὸν ἐπὶ τὸ πτερύγιον τοῦ ἱεροῦ, ⁶ καὶ λέγει αὐτῷ· εἰ υἱὸς εἶ τοῦ θεοῦ, βάλε σεαυτὸν κάτω· γέγραπται γὰρ ὅτι· *τοῖς ἀγγέλοις αὐτοῦ ἐντελεῖται περὶ σοῦ καὶ ἐπὶ χειρῶν ἀροῦσίν σε, μήποτε προσκόψῃς πρὸς λίθον τὸν πόδα σου.* ⁷ ἔφη αὐτῷ ὁ Ἰησοῦς· πάλιν γέγραπται· *οὐκ ἐκπειράσεις κύριον τὸν θεόν σου.*

⁸ πάλιν παραλαμβάνει αὐτὸν ὁ διάβολος εἰς ὄρος ὑψηλὸν λίαν, καὶ δείκνυσιν αὐτῷ πάσας τὰς βασιλείας τοῦ κόσμου καὶ τὴν δόξαν αὐτῶν, ⁹ καὶ εἶπεν αὐτῷ· ταῦτά σοι πάντα δώσω,

ἐὰν πεσὼν προσκυνήσῃς μοι.
¹⁰ τότε λέγει αὐτῷ ὁ Ἰησοῦς· ὕπαγε, σατανᾶ· γέγραπται γάρ· *κύριον τὸν θεόν σου προσκυνήσεις καὶ αὐτῷ μόνῳ λατρεύσεις.*

cf. v. 5–7.

³ εἶπεν δὲ αὐτῷ ὁ διάβολος·   εἰ υἱὸς εἶ τοῦ θεοῦ, εἰπὲ τῷ λίθῳ τούτῳ ἵνα γένηται ἄρτος. ⁴ καὶ ἀπεκρίθη πρὸς αὐτὸν ὁ Ἰησοῦς· γέγραπται ὅτι· *οὐκ ἐπ' ἄρτῳ μόνῳ ζήσεται ὁ ἄνθρωπος.*

cf. v. 9–12.

⁵ καὶ ἀναγαγὼν αὐτὸν ἔδειξεν αὐτῷ πάσας τὰς βασιλείας τῆς οἰκουμένης ἐν στιγμῇ χρόνου. ⁶ καὶ εἶπεν αὐτῷ ὁ διάβολος· σοὶ δώσω τὴν ἐξουσίαν ταύτην ἅπασαν καὶ τὴν δόξαν αὐτῶν, ὅτι ἐμοὶ παραδέδοται καὶ ᾧ ἐὰν θέλω δίδωμι αὐτήν· ⁷ σὺ οὖν ἐὰν προσκυνήσῃς ἐνώπιον ἐμοῦ, ἔσται σοῦ πᾶσα. ⁸ καὶ ἀποκριθεὶς ὁ Ἰησοῦς εἶπεν αὐτῷ· γέγραπται· *προσκυνήσεις κύριον τὸν θεόν σου καὶ αὐτῷ μόνῳ λατρεύσεις.*

⁹ ἤγαγεν δὲ αὐτὸν εἰς Ἰερουσαλὴμ καὶ ἔστησεν ἐπὶ τὸ πτερύγιον τοῦ ἱεροῦ, καὶ εἶπεν αὐτῷ· εἰ υἱὸς εἶ τοῦ θεοῦ, βάλε σεαυτὸν ἐντεῦθεν κάτω· ¹⁰ γέγραπται γὰρ ὅτι τοῖς ἀγγέλοις αὐτοῦ ἐντε-

---

Mt 4 4 = Lc 4 4: Dtn 8 3 b.   Mt 4 6 = Lc 4 10 11: Ps 90 11 12.   Mt 4 7 = Lc 4 12: Dtn 6 16. Mt 4 10 = Lc 4 8: Dtn 6 13.

Matth 4, 10 ὕπαγε S B C W λ φ vg sy pe bo   ὕπαγε ὀπίσω μευ D 𝕽 it sy c sa   ὕπαγε ὀπίσω σου sy s vgl. Mt 16 23 Mc 8 33

Luk 4, 4 ἄνθρωπος ℭ BW sy s sa bo   ἄνθρωπος ἀλλ' ἐπὶ (ἐν D it) παντὶ ῥήματι θεοῦ A D Θ λ φ 𝕽 it vg sy pe vgl. Mt

---

Zu Matth 4 5: **Hebr. Evang.** Τὸ Ἰουδαϊκὸν οὐκ ἔχει· εἰς τὴν ἁγίαν πόλιν, ἀλλ ἐν Ἰερουσαλήμ 566.
Zu Matth 4 1 s. Ἄρτι ἔλαβέ με ἡ μήτηρ μου τὸ ἅγιον πνεῦμα ἐν μιᾷ τῶν τριχῶν μευ καὶ ἀπήνεγκέ με εἰς τὸ ὄρος τὸ μέγα τὸ Θαβώρ. Origenes in Jer. hom. XV 4 (in Joh. tom. II 12 = p. 67 20–21 Preuschen; p. 128 27–28 Kloste₁mann).
Modo tulit me (me tulit s. arripuit) mater mea, spiritus sanctus, in uno capillorum meorum. Hieronymus in Mich 7 7 (VI 520); in Jes 40 9 sqq. (IV 485); in Ez 16 13 (V 158).

λεῖται περὶ σοῦ τοῦ διαφυλάξαι σε, ¹¹ καὶ ὅτι ἐπὶ χειρῶν ἀροῦσίν σε, μήποτε προσκόψῃς πρὸς λίθον τὸν πόδα σου. ¹² καὶ ἀποκριθεὶς εἶπεν αὐτῷ ὁ Ἰησοῦς ὅτι εἴρηται· οὐκ ἐκπειράσεις κύριον τὸν θεόν σου.

¹¹ τότε ἀφίησιν αὐτὸν ὁ διάβο-λος, καὶ ἰδοὺ ἄγγελοι προσῆλθον καὶ διηκόνουν αὐτῷ.

| Joh 1 51 |

καὶ οἱ ἄγγελοι διηκόνουν αὐτῷ.

¹³ καὶ συντελέσας πάντα πειρα-σμὸν ὁ διάβολος ἀπέστη ἀπ' αὐτοῦ ἄχρι καιροῦ.

9. Jesu Auftreten in Galiläa.
9. *The First Preaching in Galilee.*

Matth 4 12–17	**Mark 1** 14–15	**Luk 4** 14–15
¹² Ἀκούσας δὲ ὅτι Ἰωάννης παρε-δόθη ἀνεχώρησεν εἰς τὴν Γαλι-λαίαν. ⎮Joh 4 1–3. 43 2 12⎮ ¹³ καὶ καταλιπὼν τὴν Ναζαρὰ ἐλθὼν κατῴκησεν εἰς Καφαρναοὺμ τὴν παραθαλασσίαν ἐν ὁρίοις Ζαβου-ιὼν καὶ Νεφθαλίμ· ¹⁴ ἵνα πληρωθῇ τὸ ῥηθὲν διὰ Ἠσαΐου τοῦ προφή-του λέγοντος· ¹⁵ *γῆ Ζαβουλὼν καὶ γῆ Νεφθαλίμ, ὁδὸν θαλάσσης, πέραν τοῦ Ἰορδάνου, Γαλιλαία τῶν ἐθνῶν,* ¹⁶ *ὁ λαὸς ὁ καθήμενος ἐν σκοτίᾳ φῶς εἶδεν μέγα, καὶ τοῖς καθημένοις ἐν χώρᾳ καὶ σκιᾷ θανάτου φῶς ἀνέτει-λεν αὐτοῖς.*	¹⁴ Καὶ μετὰ τὸ παραδοθῆναι τὸν Ἰωάννην ἦλθεν ὁ Ἰησοῦς εἰς τὴν Γαλιλαίαν	¹⁴ Καὶ ὑπέστρεψεν ὁ Ἰησοῦς ἐν τῇ δυνάμει τοῦ πνεύματος εἰς τὴν Γαλι-λαίαν·
¹⁷ Ἀπὸ τότε ἤρξατο ὁ Ἰησοῦς κηρύσσειν καὶ λέγειν· μετανοεῖτε· ἤγγικεν γὰρ ἡ βασιλεία τῶν οὐρα-νῶν.	κηρύσσων τὸ εὐαγγέλιον τοῦ θεοῦ καὶ λέγων, ¹⁵ ὅτι πεπλήρωται ὁ καιρὸς καὶ ἤγγικεν ἡ βασιλεία τοῦ θεοῦ· μετανοεῖτε καὶ πιστεύετε ἐν τῷ εὐαγγελίῳ.	καὶ φήμη ἐξῆλθεν καθ' ὅλης τῆς περιχώρου περὶ αὐτοῦ. ¹⁵ καὶ αὐτὸς ἐδίδασκεν ἐν ταῖς συναγωγαῖς αὐ-τῶν, δοξαζόμενος ὑπὸ πάντων.

Mt 4 15 16: Jes 9 1. 2.

Matth 4, 13 Ναζαρὰ B   Ναζαρὰθ C   Ναζαρὲτ ℵ   Ναζαρὲθ S D W Θ φ it vg sa bo   **16** τοῖς καθημένοις ἐν χώρᾳ καὶ σκιᾷ θανάτου S B C W Θ λ φ ℵ vg sy ᵖᵉ sa bo   οἱ καθήμενοι ἐν χώρᾳ (> sy ᶜˢ) σκιᾷ (σκιᾶς it) θανάτου D it sy ᶜˢ   **17** μετανοεῖτε u. γὰρ > sy ᶜˢ Clem Orig Eus

Mark 1, 14 καὶ μετὰ B D sy ˢ   μετὰ δὲ S A W Θ λ φ ℵ it vg sy ᵖᵉ sa bo | θεοῦ καὶ λέγων B W Θ λ φ ℵ vg sy ᵖᵉ ℒο   θεοῦ λέγων A D it sa   θεοῦ S sy ˢ Orig

10. Antrittspredigt in Nazaret.
10. The Rejection at Nazareth.

13 54—58 (108. S. 83)	6 1—6 (108. S. 83)	Luk 4 16—30
⁵⁴ Καὶ ἐλθὼν εἰς τὴν πατρίδα αὐτοῦ	¹ Καὶ ἔρχεται εἰς τὴν πατρίδα καὶ ἀκολουθοῦσιν αὐτῷ οἱ μαθηταὶ αὐτοῦ. ² καὶ γενομένου σαββάτου ἤρξατο	¹⁶ Καὶ ἦλθεν εἰς Ναζαρά, οὗ ἦν τεθραμμένος, καὶ εἰσῆλθεν κατὰ τὸ εἰωθὸς αὐτῷ ἐν τῇ ἡμέρᾳ τῶν σαββάτων
ἐδίδασκεν αὐτοὺς ἐν τῇ συναγωγῇ αὐτῶν.	διδάσκειν ἐν τῇ συναγωγῇ	εἰς τὴν συναγωγήν, καὶ ἀνέστη ἀναγνῶναι. ¹⁷ καὶ ἐπεδόθη αὐτῷ βιβλίον τοῦ προφήτου Ἠσαΐου, καὶ ἀναπτύξας τὸ βιβλίον εὗρεν τὸν τόπον οὗ ἦν γεγραμμένον· ¹⁸ *πνεῦμα κυρίου ἐπ' ἐμέ, οὗ εἵνεκεν ἔχρισέν με εὐαγγελίσασθαι πτωχοῖς, ἀπέσταλκέν με κηρῦξαι αἰχμαλώτοις ἄφεσιν καὶ τυφλοῖς ἀνάβλεψιν, ἀποστεῖλαι τεθραυσμένους ἐν ἀφέσει,* ¹⁹ *κηρῦξαι ἐνιαυτὸν κυρίου δεκτόν.* ²⁰ καὶ πτύξας τὸ βιβλίον ἀποδοὺς τῷ ὑπηρέτῃ ἐκάθισεν· καὶ πάντων οἱ ὀφθαλμοὶ ἐν τῇ συναγωγῇ ἦσαν ἀτενίζοντες αὐτῷ. ²¹ ἤρξατο δὲ λέγειν πρὸς αὐτοὺς ὅτι σήμερον πεπλήρωται ἡ γραφὴ
	καὶ	αὕτη ἐν τοῖς ὡσὶν ὑμῶν. ²² καὶ
ὥστε ἐκπλήσσεσθαι αὐτοὺς	οἱ πολλοὶ ἀκούοντες ἐξεπλήσσοντο	πάντες ἐμαρτύρουν αὐτῷ καὶ ἐθαύμαζον ἐπὶ τοῖς λόγοις τῆς χάριτος τοῖς ἐκπορευομένοις ἐκ τοῦ στόματος αὐτοῦ, καὶ ἔλεγον·
καὶ λέγειν· πόθεν	λέγοντες· πόθεν	Joh 6 22 7 15
τούτῳ ἡ σοφία αὕτη καὶ αἱ δυνάμεις;	τούτῳ ταῦτα, καὶ τίς ἡ σοφία ἡ δοθεῖσα τούτῳ καὶ αἱ δυνάμεις τοιαῦται διὰ τῶν χειρῶν αὐτοῦ	
⁵⁵ οὐχ οὗτός ἐστιν ὁ τοῦ τέκτονος υἱός; οὐχ ἡ μήτηρ αὐτοῦ λέγεται Μαριὰμ καὶ οἱ ἀδελφοὶ αὐτοῦ Ἰάκωβος καὶ Ἰωσὴφ καὶ Σίμων καὶ Ἰούδας; ⁵⁶ καὶ αἱ ἀδελφαὶ αὐτοῦ οὐχὶ πᾶσαι πρὸς ἡμᾶς εἰσιν;	γενόμεναι; ³ οὐχ οὗτός ἐστιν ὁ τέκτων ὁ υἱὸς τῆς Μαρίας καὶ ἀδελφὸς Ἰακώβου καὶ Ἰωσῆτος καὶ Ἰούδα καὶ Σίμωνος; καὶ οὐκ εἰσὶν αἱ ἀδελφαὶ αὐτοῦ ὧδε πρὸς	οὐχὶ υἱός ἐστιν Ἰωσὴφ οὗτος;

Lc 4 18 19: Jes 61 1 2 58 6.

Matth 13, 55 Ἰωσὴφ S B C Θ λ it vg sy ᶜˢ   Ἰωσῆς W φ 𝔐 sy ᵖᵉ sa   Ἰωσῆ bo   Ἰωάννης D
Mark 6, 3 καὶ Ἰωσῆτος B D Θ φ bo   καὶ Ἰωσὴφ S it vg   καὶ Ἰωσῆ A C W λ 𝔐 sy ᵖᵉ sa
Luk 4, 17 ἀναπτύξας S D Θ λ φ 𝔐 it vg   ἀνοίξας A B W sy ˢ ᵖᵉ   **18** ἀπέσταλκέν με (ἀπέσταλμαι D) S B D W φ it sy ˢ ˢᵃ bo ✝ ἰάσασθαι τοὺς συντετριμμένους τὴν καρδίαν vgl. Jes 61 1 A Θ λ vg sy ᵖᵉ Iren

πόθεν οὖν τούτῳ ταῦτα πάντα;
57 καὶ ἐσκανδαλίζοντο ἐν αὐτῷ.

ὁ δὲ Ἰησοῦς εἶπεν αὐτοῖς·
οὐκ ἔστιν προφήτης ἄτιμος εἰ μὴ
ἐν τῇ πατρίδι
καὶ ἐν τῇ οἰκίᾳ
αὐτοῦ. 58 καὶ οὐκ ἐποίησεν ἐκεῖ
δυνάμεις πολλὰς
διὰ
τὴν ἀπιστίαν αὐτῶν.

ἡμᾶς;
καὶ ἐσκανδαλίζοντο ἐν αὐτῷ.

4 καὶ ἔλεγεν αὐτοῖς ὁ Ἰησοῦς ὅτι
οὐκ ἔστιν προφήτης ἄτιμος εἰ μὴ
ἐν τῇ πατρίδι αὐτοῦ καὶ ἐν τοῖς
συγγενεῦσιν αὐτοῦ καὶ ἐν τῇ οἰκίᾳ
αὐτοῦ. 5 καὶ οὐκ ἐδύνατο ἐκεῖ ποι-
ῆσαι οὐδεμίαν δύναμιν, εἰ μὴ ὀλί-
γοις ἀρρώστοις ἐπιθεὶς τὰς χεῖρας
ἐθεράπευσεν· 6 καὶ ἐθαύμασεν διὰ
τὴν ἀπιστίαν αὐτῶν.

23 καὶ εἶπεν πρὸς αὐτούς· πάντως
ἐρεῖτέ μοι τὴν παραβολὴν ταύτην·
ἰατρέ, θεράπευσον σεαυτόν· ὅσα
ἠκούσαμεν γενόμενα εἰς τὴν Καφαρ-
ναούμ, ποίησον καὶ ὧδε ἐν τῇ πα-
τρίδι σου.
24 εἶπεν δέ· ἀμὴν λέγω ὑμῖν ὅτι
οὐδεὶς προφήτης δεκτός ἐστιν
ἐν τῇ πατρίδι αὐτοῦ.

Joh 4 44

25 ἐπ᾿ ἀληθείας δὲ λέγω ὑμῖν,
πολλαὶ χῆραι ἦσαν ἐν ταῖς ἡμέραις
Ἠλίου ἐν τῷ Ἰσραήλ, ὅτε ἐκλείσθη
ὁ οὐρανὸς ἐπὶ ἔτη τρία καὶ μῆνας
ἕξ, ὡς ἐγένετο λιμὸς μέγας ἐπὶ πᾶ-
σαν τὴν γῆν, 26 καὶ πρὸς οὐδεμίαν
αὐτῶν ἐπέμφθη Ἠλίας εἰ μὴ *εἰς*
Σάρεπτα τῆς Σιδωνίας πρὸς γυ-
ναῖκα χήραν. 27 καὶ πολλοὶ λεπροὶ
ἦσαν ἐν τῷ Ἰσραὴλ ἐπὶ Ἐλισαίου
τοῦ προφήτου, καὶ οὐδεὶς αὐτῶν
ἐκαθαρίσθη εἰ μὴ Ναιμὰν ὁ Σύρος.
28 καὶ ἐπλήσθησαν πάντες θυμοῦ ἐν
τῇ συναγωγῇ ἀκούοντες ταῦτα,
29 καὶ ἀναστάντες ἐξέβαλον αὐτὸν
ἔξω τῆς πόλεως, καὶ ἤγαγον αὐτὸν
ἕως ὀφρύος τοῦ ὄρους ἐφ᾿ οὗ ἡ πό-
λις ᾠκοδόμητο αὐτῶν, ὥστε κατα-
κρημνίσαι αὐτόν· 30 αὐτὸς δὲ διελ-
θὼν διὰ μέσου αὐτῶν ἐπορεύετο.

Lc 4 25: vgl. III. Reg 17 1 18 1 2. 26: III. Reg 17 8 9. 27: IV. Reg 5 14.

Luk 4, 29 ὥστε S B D W Θ λ φ 𝔎 sa bo εἰς τὸ A C

Zu Luk 4 24 Oxyrhynchus Pap. 1 Nr. 6: Λέγει Ἰησοῦς· οὐκ ἔστιν δεκτὸς προφήτης ἐν τῇ πατρίδι αὐτ[ο]ῦ, οὐδὲ ἰατρὸς ποιεῖ θεραπείας εἰς τοὺς γινώσκοντας αὐτόν.

11. Berufung der ersten Jünger. Joh 1 35–42

11. The Call of the First Disciples.

Matth 4 18–22

18 Περιπατῶν δὲ παρὰ τὴν θάλασσαν τῆς
Γαλιλαίας εἶδεν δύο ἀδελφούς, Σίμωνα τὸν
λεγόμενον Πέτρον καὶ Ἀνδρέαν τὸν ἀδελφὸν
αὐτοῦ, βάλλοντας ἀμφίβληστρον εἰς τὴν θάλασ-
σαν· ἦσαν γὰρ ἁλεεῖς. 19 καὶ λέγει αὐτοῖς·
δεῦτε ὀπίσω μου, καὶ ποιήσω ὑμᾶς ἁλεεῖς
ἀνθρώπων. 20 οἱ δὲ εὐθέως ἀφέντες τὰ δίκτυα
ἠκολούθησαν αὐτῷ.

21 Καὶ προβὰς ἐκεῖθεν εἶδεν ἄλλους δύο ἀδελ-
φούς, Ἰάκωβον τὸν τοῦ Ζεβεδαίου καὶ Ἰωάννην
τὸν ἀδελφὸν αὐτοῦ, ἐν τῷ πλοίῳ μετὰ Ζεβε-
δαίου τοῦ πατρὸς αὐτῶν καταρτίζοντας τὰ
δίκτυα αὐτῶν· καὶ ἐκάλεσεν αὐτούς. 22 οἱ δὲ
εὐθέως ἀφέντες τὸ πλοῖον καὶ τὸν πατέρα αὐ-
τῶν ἠκολούθησαν αὐτῷ. *(4 23 f. S. 22.)*

Mark 1 16–20

16 Καὶ παράγων παρὰ τὴν θάλασσαν τῆς
Γαλιλαίας εἶδεν Σίμωνα
καὶ Ἀνδρέαν τὸν ἀδελφὸν
Σίμωνος ἀμφιβάλλοντας ἐν τῇ θαλάσ-
σῃ· ἦσαν γὰρ ἁλεεῖς. 17 καὶ εἶπεν αὐτοῖς ὁ Ἰη-
σοῦς· δεῦτε ὀπίσω μου, καὶ ποιήσω ὑμᾶς γε-
νέσθαι ἁλεεῖς ἀνθρώπων. 18 καὶ εὐθὺς ἀφέντες
τὰ δίκτυα ἠκολούθησαν αὐτῷ.

19 Καὶ προβὰς ὀλίγον εἶδεν
Ἰάκωβον τὸν τοῦ Ζεβεδαίου καὶ Ἰωάννην
τὸν ἀδελφὸν αὐτοῦ καὶ αὐτοὺς ἐν τῷ πλοίῳ
καταρτίζοντας τὰ
δίκτυα.

20 καὶ εὐθὺς ἐκάλεσεν αὐτούς· καὶ ἀφέντες τὸν
πατέρα αὐτῶν Ζεβεδαῖον ἐν τῷ πλοίῳ μετὰ τῶν
μισθωτῶν ἀπῆλθον ὀπίσω αὐτοῦ.

cf. 5 1–11
17. S. 23

12. Jesus in der Synagoge zu Kapernaum.

12. Christ in the Synagogue at Capernaum.

7 28–29 *(44. S. 36.)*

28 Καὶ ἐγένετο ὅτε ἐτέλεσεν ὁ
Ἰησοῦς τοὺς λόγους τούτους, ἐξε-
πλήσσοντο οἱ ὄχλοι ἐπὶ τῇ διδαχῇ
αὐτοῦ. 29 ἦν γὰρ διδάσκων αὐ-
τοὺς ὡς ἐξουσίαν ἔχων, καὶ οὐχ
ὡς οἱ γραμματεῖς αὐτῶν.

Mark 1 21–28

21 Καὶ εἰσπορεύονται εἰς Καφαρ-
ναούμ. Joh 7 46
καὶ εὐθὺς τοῖς σάββασιν εἰσελ-
θὼν εἰς τὴν συναγωγὴν ἐδίδασκεν.
22 καὶ ἐξεπλήσσοντο ἐπὶ τῇ
διδαχῇ αὐτοῦ· ἦν γὰρ διδάσκων
αὐτοὺς ὡς ἐξουσίαν ἔχων, καὶ οὐχ
ὡς οἱ γραμματεῖς.
23 καὶ εὐθὺς ἦν ἐν τῇ συναγωγῇ
αὐτῶν ἄνθρωπος ἐν πνεύματι ἀκα-

Luk 4 31–37

31 Καὶ κατῆλθεν εἰς Καφαρ-
ναοὺμ πόλιν τῆς Γαλιλαίας.
καὶ ἦν
διδάσκων αὐτοὺς ἐν τοῖς σάββα-
σιν. 32 καὶ ἐξεπλήσσοντο ἐπὶ τῇ
διδαχῇ αὐτοῦ, ὅτι ἐν ἐξουσίᾳ ἦν
ὁ λόγος αὐτοῦ.
33 καὶ ἐν τῇ συναγωγῇ ἦν ἄν-
θρωπος ἔχων πνεῦμα δαιμονίου

Mark 1, 16 καὶ παράγων S B D φ it vg bo περιπατῶν δὲ A W Θ λ 𝔎 καὶ περιπατῶν sy s pe
παράγων δὲ sa

Zu Matth 4 18–22 par (9 9 par 10 2–5). **Ebion. Evang.** Ἐγένετό τις ἀνὴρ ὀνόματι Ἰησοῦς, καὶ αὐτὸς ὡς ἐτῶν τριάκοντα, ὃς ἐξελέξατο ἡμᾶς (s. zu Luk 3 23 S. 13). καὶ ἐλθὼν εἰς Καφαρναοὺμ εἰσῆλθεν εἰς τὴν οἰκίαν Σίμωνος τοῦ ἐπικληθέντος Πέτρου καὶ ἀνοίξας τὸ στόμα αὐτοῦ εἶπεν· παρερχόμενος παρὰ τὴν λίμνην Τιβεριάδος ἐξελεξάμην Ἰωάννην καὶ Ἰάκωβον, υἱοὺς Ζεβεδαίου, καὶ Σίμωνα καὶ Ἀνδρέαν καὶ Θαδδαῖον καὶ Σίμωνα τὸν ζηλωτὴν καὶ Ἰούδαν τὸν Ἰσκαριώτην, καὶ σὲ τὸν Ματθαῖον καθεζόμενον ἐπὶ τοῦ τελωνίου ἐκάλεσα καὶ ἠκολούθησάς μοι. ὑμᾶς οὖν βούλομαι εἶναι δεκαδύο ἀποστόλους εἰς μαρτύριον τοῦ Ἰσραήλ. Epiph., Haer. 30 13, 2–3 (I 349 4—350 2 Holl).

θάρτῳ, καὶ ἀνέκραξεν ²⁴ λέγων·	ἀκαθάρτου, καὶ ἀνέκραξεν φωνῇ
τί ἡμῖν καὶ σοί,	μεγάλη· ³⁴ ἔα, τί ἡμῖν καὶ σοί,
Ἰησοῦ Ναζαρηνέ; ἦλθες ἀπολέσαι	Ἰησοῦ Ναζαρηνέ; ἦλθες ἀπολέσαι
ἡμᾶς. οἶδά σε τίς εἶ, ὁ ἅγιος τοῦ	ἡμᾶς; οἶδά σε τίς εἶ, ὁ ἅγιος τοῦ
θεοῦ. ²⁵ καὶ ἐπετίμησεν αὐτῷ ὁ	θεοῦ. ³⁵ καὶ ἐπετίμησεν αὐτῷ ὁ
Ἰησοῦς λέγων· φιμώθητι καὶ ἔξελ-	Ἰησοῦς λέγων· φιμώθητι καὶ ἔξελ-
θε ἐξ αὐτοῦ. ²⁶ καὶ σπαράξαν αὐ-	θε ἀπ’ αὐτοῦ. καὶ ῥῖψαν αὐτὸν
τὸν τὸ πνεῦμα τὸ ἀκάθαρτον καὶ	τὸ δαιμόνιον εἰς τὸ μέσον ἐξῆλθεν
φωνῆσαν φωνῇ μεγάλη ἐξῆλθεν ἐξ	ἀπ’ αὐτοῦ μηδὲν βλάψαν αὐτόν.
αὐτοῦ. ²⁷ καὶ ἐθαμβήθησαν ἅπαν-	³⁶ καὶ ἐγένετο θάμβος ἐπὶ πάντας,
τες, ὥστε συζητεῖν αὐτοὺς λέγον-	καὶ συνελάλουν πρὸς ἀλλήλους λέ-
τας· τί ἐστιν τοῦτο; διδαχὴ καινὴ	γοντες· τίς ὁ λόγος οὗτος, ὅτι
κατ’ ἐξουσίαν· καὶ τοῖς πνεύμασι	ἐν ἐξουσίᾳ καὶ δυνάμει ἐπιτάσσει
τοῖς ἀκαθάρτοις ἐπιτάσσει, καὶ	τοῖς ἀκαθάρτοις πνεύμασιν καὶ
ὑπακούουσιν αὐτῷ. ²⁸ καὶ ἐξῆλθεν	ἐξέρχονται; ³⁷ καὶ ἐξεπορεύετο ἦχος
ἡ ἀκοὴ αὐτοῦ εὐθὺς πανταχοῦ εἰς	περὶ αὐτοῦ εἰς
ὅλην τὴν περίχωρον τῆς Γαλιλαίας.	πάντα τόπον τῆς περιχώρου.

13. Heilung der Schwiegermutter des Petrus.

13. The Healing of Peter's Wife's Mother.

8 14–15 *(47. S. 39.)*	**Mark 1** 29–31	**Luk 4** 38–39
	²⁹ Καὶ εὐθὺς ἐκ τῆς συνα-	³⁸ Ἀναστὰς δὲ ἀπὸ τῆς συνα-
¹¹ Καὶ ἐλθὼν ὁ Ἰησοῦς εἰς τὴν	γωγῆς ἐξελθὼν ἦλθεν εἰς τὴν	γωγῆς εἰσῆλθεν εἰς τὴν
οἰκίαν Πέτρου	οἰκίαν Σίμωνος καὶ Ἀνδρέου μετὰ	οἰκίαν Σίμωνος.
εἶδεν τὴν	Ἰακώβου καὶ Ἰωάννου. ³⁰ ἡ δὲ	
πενθερὰν αὐτοῦ βεβλημένην καὶ	πενθερὰ Σίμωνος κατέκειτο πυρέσ-	πενθερὰ δὲ τοῦ Σίμωνος ἦν συνε-
πυρέσσουσαν·	σουσα, καὶ εὐθὺς	χομένη πυρετῷ μεγάλῳ, καὶ ἠρώ-
	λέγουσιν αὐτῷ περὶ αὐτῆς. ³¹ καὶ	τησαν αὐτὸν περὶ αὐτῆς. ³⁹ καὶ
¹⁵ καὶ ἥψατο	προσελθὼν ἤγειρεν αὐτὴν κρατή-	ἐπιστὰς ἐπάνω αὐτῆς ἐπετίμησεν
τῆς χειρὸς αὐτῆς, καὶ ἀφῆκεν αὐτὴν	σας τῆς χειρός· καὶ ἀφῆκεν αὐτὴν	τῷ πυρετῷ, καὶ ἀφῆκεν αὐτήν·
ὁ πυρετός· καὶ ἠγέρθη, καὶ διη-	ὁ πυρετός, καὶ διη-	παραχρῆμα δὲ ἀναστᾶσα διη-
κόνει αὐτῷ.	κόνει αὐτοῖς.	κόνει αὐτοῖς.

Mc 1 24 = Lc 4 34: vgl. Jdc 11 12 III. Reg 17 18.

Mark 1, 24 οἶδα] οἴδαμεν S bo   **29** ἐξελθὼν ἦλθεν B D W Θ λ φ it syˢ vgl. Mt Lc   ἐξελθόντες ἦλθον S A C ℜ vg syᵖᵉ bo   **31** ἤγειρεν αὐτήν (+ καὶ φ) κρατήσας τῆς χειρός S A B C Θ λ φ ℜ vg syᵖᵉ sa bo   ἐκτείνας τὴν χεῖρα κρατήσας ἤγειρεν αὐτήν D it   ἐκτείνας τὴν χεῖρα καὶ ἐπιλαβόμενος ἤγειρεν αὐτήν W   ετwα κρατήσας αὐτῆς ἤγειρεν αὐτήν syˢ | πυρετός S B C W Θ λ sa bo   πυρετὸς εὐθέως A φ ℜ it   εὐθέως vor ἀφῆκεν D vg syˢ ᵖᵉ

14. Krankenheilungen am Abend.
14. *The Sick healed at Evening.*

8 16-17 *(48. S. 39)*	Mark 1 32-34	Luk 4 40-41
¹⁶ ’Οψίας δὲ γενομένης προσήνεγκαν αὐτῷ δαιμονιζομένους πολλούς· καὶ ἐξέβαλεν τὰ πνεύματα λόγῳ, καὶ πάντας τοὺς κακῶς ἔχοντας ἐθεράπευσεν,	³² ’Οψίας δὲ γενομένης, ὅτε ἔδυσεν ὁ ἥλιος, ἔφερον πρὸς αὐτὸν πάντας τοὺς κακῶς ἔχοντας καὶ τοὺς δαιμονιζομένους· ³³ καὶ ἦν ὅλη ἡ πόλις ἐπισυνηγμένη πρὸς τὴν θύραν. ³⁴ καὶ ἐθεράπευσεν πολλοὺς κακῶς ἔχοντας ποικίλαις νόσοις, καὶ δαιμόνια πολλὰ ἐξέβαλεν, *	⁴⁰ Δύνοντος δὲ τοῦ ἡλίου ἅπαντες ὅσοι εἶχον ἀσθενοῦντας νόσοις ποικίλαις ἤγαγον αὐτοὺς πρὸς αὐτόν· ὁ δὲ ἑνὶ ἑκάστῳ αὐτῶν τὰς χεῖρας ἐπιτιθεὶς ἐθεράπευεν αὐτούς. ⁴¹ ἐξήρχετο δὲ καὶ δαιμόνια ἀπὸ πολλῶν, κραυγάζοντα καὶ λέγοντα ὅτι σὺ εἶ ὁ υἱὸς τοῦ θεοῦ.* καὶ ἐπιτιμῶν οὐκ εἴα αὐτὰ λαλεῖν, ὅτι ᾔδεισαν τὸν Χριστὸν αὐτὸν εἶναι.**
	καὶ οὐκ ἤφιεν λαλεῖν τὰ δαιμόνια, ὅτι ᾔδεισαν αὐτόν.**	
¹⁷ ὅπως πληρωθῇ τὸ ῥηθὲν διὰ ’Ησαΐου τοῦ προφήτου λέγοντος· αὐτὸς τὰς ἀσθενείας ἡμῶν ἔλαβεν καὶ τὰς νόσους ἐβάστασεν.		

15. Flucht Jesu.
15. *Christ departs from Capernaum.*

Mark 1 35-38	Luk 4 42-43
³⁵ Καὶ πρωῒ ἔννυχα λίαν ἀναστὰς ἐξῆλθεν καὶ ἀπῆλθεν εἰς ἔρημον τόπον, κἀκεῖ προσηύχετο. ³⁶ καὶ κατεδίωξεν αὐτὸν Σίμων καὶ οἱ μετ’ αὐτοῦ, ³⁷ καὶ εὗρον αὐτὸν καὶ λέγουσιν αὐτῷ ὅτι πάντες ζητοῦσίν σε. ³⁸ καὶ λέγει αὐτοῖς· ἄγωμεν ἀλλαχοῦ εἰς τὰς ἐχομένας κωμοπόλεις, ἵνα καὶ ἐκεῖ κηρύξω· εἰς τοῦτο γὰρ ἐξῆλθον.	⁴² Γενομένης δὲ ἡμέρας ἐξελθὼν ἐπορεύθη εἰς ἔρημον τόπον· καὶ οἱ ὄχλοι ἐπεζήτουν αὐτόν, καὶ ἦλθον ἕως αὐτοῦ, καὶ κατεῖχον αὐτὸν τοῦ μὴ πορεύεσθαι ἀπ’ αὐτῶν. ⁴³ ὁ δὲ εἶπεν πρὸς αὐτοὺς ὅτι καὶ ταῖς ἑτέραις πόλεσιν εὐαγγελίσασθαί με δεῖ τὴν βασιλείαν τοῦ θεοῦ, ὅτι ἐπὶ τοῦτο ἀπεστάλην.

---

* Mark 3 10 11 (71. S. 58): ¹⁰ Πολλοὺς γὰρ ἐθεράπευσεν, ὥστε ἐπιπίπτειν αὐτῷ ἵνα αὐτοῦ ἅψωνται ὅσοι εἶχον μάστιγας. ¹¹ καὶ τὰ πνεύματα τὰ ἀκάθαρτα, ὅταν αὐτὸν ἐθεώρουν, προσέπιπτον αὐτῷ καὶ ἔκραζον λέγοντα ὅτι σὺ εἶ ὁ υἱὸς τοῦ θεοῦ. *(Vgl. 16. Matth 4 24 S. 22.)*

** Matth 12 16 (71. S. 58): Καὶ ἐπετίμησεν αὐτοῖς, ἵνα μὴ φανερὸν αὐτὸν ποιήσωσιν. | Mark 3 12 (71. S. 58): Καὶ πολλὰ ἐπετίμα αὐτοῖς ἵνα μὴ αὐτὸν φανερὸν ποιήσωσιν.

Mt 8 17: Jes 53 4.

Mark 1, 36 κατεδίωξεν S B Θ vg lo κατεδίωξαν A C D W λ φ 𝕽 it sy ˢ ᵖᵉ **38** ἀλλαχοῦ S B C sa lo > A D W Θ λ φ 𝕽 it vg sy ˢ ᵖᵉ | εἰς τὰς ἐχομένας κωμοπόλεις S A B C W Θ λ φ 𝕽 bo εἰς τὰς ἐγγὺς κώμας καὶ τὰς πόλεις D it vg sy ˢ ᵖᵉ sa

16. Reisepredigt in Galiläa.

16. A Preaching Journey in Galilee.

Matth 4 23–25 *(11. 4 13–22 S. 19)*	**Mark 1** 39	**Luk 4** 44
²³ Καὶ περιῆγεν ἐν ὅλῃ τῇ Γαλιλαίᾳ, διδάσκων ἐν ταῖς συναγωγαῖς αὐτῶν καὶ κηρύσσων τὸ εὐαγγέλιον τῆς βασιλείας καὶ θεραπεύων πᾶσαν νόσον καὶ πᾶσαν μαλακίαν ἐν τῷ λαῷ.*	³⁹ Καὶ ἦλθεν κηρύσσων εἰς τὰς συναγωγὰς αὐτῶν εἰς ὅλην τὴν Γαλιλαίαν καὶ τὰ δαιμόνια ἐκβάλλων.	⁴¹ Καὶ ἦν κηρύσσων εἰς τὰς συναγωγὰς τῆς Ἰουδαίας.
²⁴ καὶ ἀπῆλθεν ἡ ἀκοὴ αὐτοῦ εἰς ὅλην τὴν Συρίαν· καὶ προσήνεγκαν αὐτῷ πάντας τοὺς κακῶς ἔχοντας** ποικίλαις νόσοις καὶ βασάνοις συνεχομένους, δαιμονιζομένους καὶ σεληνιαζομένους καὶ παραλυτικούς, καὶ ἐθεράπευσεν αὐτούς.	*(45. 1 40–45. S. 36)* 3 10 7 8 *(71. S. 58)* ¹⁰ πολλοὺς γὰρ ἐθεράπευσεν, ὥστε ἐπιπίπτειν αὐτῷ ἵνα αὐτοῦ ἅψωνται ὅσοι εἶχον μάστιγας.	6 18 19 17 *(71. S. 58)* ¹⁸ καὶ οἱ ἐνοχλούμενοι ἀπὸ πνευμάτων ἀκαθάρτων ἐθεραπεύοντο· ¹⁹ καὶ πᾶς ὁ ὄχλος ἐζήτουν ἅπτεσθαι αὐτοῦ, ὅτι δύναμις παρ' αὐτοῦ ἐξήρχετο καὶ ἰᾶτο πάντας.
²⁵ καὶ ἠκολούθησαν αὐτῷ ὄχλοι πολλοί*** ἀπὸ τῆς Γαλιλαίας καὶ Δεκαπόλεως καὶ Ἱεροσολύμων καὶ Ἰουδαίας καὶ πέραν τοῦ Ἰορδάνου.	⁷ καὶ πολὺ πλῆθος ἀπὸ τῆς Γαλιλαίας ἠκολούθησεν· καὶ ἀπὸ τῆς Ἰουδαίας ⁸ καὶ ἀπὸ Ἱεροσολύμων καὶ ἀπὸ τῆς Ἰδουμαίας καὶ πέραν τοῦ Ἰορδάνου καὶ περὶ Τύρον καὶ Σιδῶνα, πλῆθος πολύ, ἀκούοντες ὅσα ποιεῖ, ἦλθον πρὸς αὐτόν.	¹⁷ καὶ ὄχλος πολὺς μαθητῶν αὐτοῦ, καὶ πλῆθος πολὺ τοῦ λαοῦ ἀπὸ πάσης τῆς Ἰουδαίας καὶ Ἱερουσαλὴμ καὶ τῆς παραλίου Τύρου καὶ Σιδῶνος, οἳ ἦλθον ἀκοῦσαι αὐτοῦ καὶ ἰαθῆναι ἀπὸ τῶν νόσων αὐτῶν.

---

* Matth 9 35 (58. S. 45): Καὶ περιῆγεν ὁ Ἰησοῦς τὰς πόλεις πάσας καὶ τὰς κώμας, διδάσκων ἐν ταῖς συναγωγαῖς αὐτῶν καὶ κηρύσσων τὸ εὐαγγέλιον τῆς βασιλείας καὶ θεραπεύων πᾶσαν νόσον καὶ πᾶσαν μαλακίαν.

** Matth 14 35 (114. S. 89): Καὶ ἐπιγνόντες αὐτὸν οἱ ἄνδρες τοῦ τόπου ἐκείνου ἀπέστειλαν εἰς ὅλην τὴν περίχωρον ἐκείνην, καὶ προσήνεγκαν αὐτῷ πάντας τοὺς κακῶς ἔχοντας. Vgl. auch 8 16 (48. S. 21 u. 39).

     Mark 6 54 55 (114. S. 89): ⁵⁴ Καὶ ἐξελθόντων αὐτῶν ἐκ τοῦ πλοίου εὐθὺς ἐπιγνόντες αὐτὸν ⁵⁵ περιέδραμον ὅλην τὴν χώραν ἐκείνην καὶ ἤρξαντο ἐπὶ τοῖς κραβάτοις τοὺς κακῶς ἔχοντας περιφέρειν, ὅπου ἤκουον ὅτι ἐστίν.

*** Matth 12 15 (71. S. 58): Ὁ δὲ Ἰησοῦς γνοὺς ἀνεχώρησεν ἐκεῖθεν· καὶ ἠκολούθησαν αὐτῷ πολλοί, καὶ ἐθεράπευσεν αὐτοὺς πάντας.

Matth 4, 23 ἐν ὅλῃ (> S) τῇ Γαλιλαίᾳ S B C sy ᶜ ˢ ᵖ²   ὅλην τὴν Γαλιλαίαν D W λ φ 𝕽 it vg

Mark 1, 39 ἦλθεν S B Θ sa bo   ἦν A C D W λ φ 𝕽 it vg sy ˢ ᵖᵉ vgl. Lc   **3, 7** Γαλιλαίας ἠκολούθησεν (ἠκ. > D sy ˢ lo; + αὐτῷ λ 𝕽) κ. α. τ. Ἰουδ. A B D Θ λ 𝕽 sy ˢ ᵖᵉ   Γαλ. κ. α. τ. Ἰουδ. ἠκολούθησαν S C it vg   Γαλ. ἠκολούθησαν αὐτῷ κ. α. τ. Ἰουδ. φ sa   Γαλ. κ. τ. Ἰουδαίας u. ἠκολούθουν αὐτῷ nach 8 Σιδῶνα W

Luk 4, 44 Ἰουδαίας S B C λ sy ˢ sa bo   τῶν Ἰουδαίων W   Γαλιλαίας A D Θ φ 𝕽 it vg sy ᵖᵉ   **6, 17** πολὺς S B W λ sy ᵖᵉ sa   > A D Θ φ 𝕽 it vg sy ˢ bo | Ἱερουσαλήμ A B Θ λ φ 𝕽 vg sy ˢ ᵖᵉ sa bo   Ἱερ. + καὶ (+ τῆς W) Περαίας S W et transfretum it | Ἱερ. — ἦλθον] ἄλλων πόλεων ἐληλυθότων D

17. Der Fischzug des Petrus. **Luk 5** 1–11 | Joh 21 1–11 |

17. The Miraculous Draught of Fishes.

(cf. 11. Mark 1 16–20 = Matth 4 18–22 S. 19)

1 Ἐγένετο δὲ ἐν τῷ τὸν ὄχλον ἐπικεῖσθαι αὐτῷ καὶ ἀκούειν τὸν λόγον τοῦ θεοῦ,
καὶ αὐτὸς ἦν ἑστὼς παρὰ τὴν λίμνην Γεννησαρέτ, 2 καὶ εἶδεν δύο πλοιάρια ἑστῶτα παρὰ
τὴν λίμνην· οἱ δὲ ἁλεεῖς ἀπ' αὐτῶν ἀποβάντες ἔπλυνον τὰ δίκτυα. 3 ἐμβὰς δὲ εἰς ἓν τῶν
πλοίων, ὃ ἦν Σίμωνος, ἠρώτησεν αὐτὸν ἀπὸ τῆς γῆς ἐπαναγαγεῖν ὀλίγον· καθίσας δὲ ἐκ
τοῦ πλοίου ἐδίδασκεν τοὺς ὄχλους. 4 ὡς δὲ ἐπαύσατο λαλῶν, εἶπεν πρὸς τὸν Σίμωνα·
ἐπανάγαγε εἰς τὸ βάθος, καὶ χαλάσατε τὰ δίκτυα ὑμῶν εἰς ἄγραν. 5 καὶ ἀποκριθεὶς
Σίμων εἶπεν· ἐπιστάτα, δι' ὅλης νυκτὸς κοπιάσαντες οὐδὲν ἐλάβομεν· ἐπὶ δὲ τῷ ῥήματί
σου χαλάσω τὰ δίκτυα. 6 καὶ τοῦτο ποιήσαντες συνέκλεισαν πλῆθος ἰχθύων πολύ·
διερήσσετο δὲ τὰ δίκτυα αὐτῶν. 7 καὶ κατένευσαν τοῖς μετόχοις ἐν τῷ ἑτέρῳ πλοίῳ τοῦ
ἐλθόντας συλλαβέσθαι αὐτοῖς· καὶ ἦλθαν καὶ ἔπλησαν ἀμφότερα τὰ πλοῖα ὥστε βυθίζε-
σθαι αὐτά. 8 ἰδὼν δὲ Σίμων Πέτρος προσέπεσεν τοῖς γόνασιν Ἰησοῦ λέγων· ἔξελθε ἀπ' ἐμοῦ,
ὅτι ἀνὴρ ἁμαρτωλός εἰμι, κύριε. 9 θάμβος γὰρ περιέσχεν αὐτὸν καὶ πάντας τοὺς σὺν αὐτῷ
ἐπὶ τῇ ἄγρᾳ τῶν ἰχθύων ᾗ συνέλαβον, 10 ὁμοίως δὲ καὶ Ἰάκωβον καὶ Ἰωάννην υἱοὺς
Ζεβεδαίου, οἳ ἦσαν κοινωνοὶ τῷ Σίμωνι. καὶ εἶπεν πρὸς τὸν Σίμωνα ὁ Ἰησοῦς· μὴ φοβοῦ·
ἀπὸ τοῦ νῦν ἀνθρώπους ἔσῃ ζωγρῶν. 11 καὶ καταγαγόντες τὰ πλοῖα ἐπὶ τὴν γῆν,
ἀφέντες πάντα ἠκολούθησαν αὐτῷ. *(45. 5 12–16 S. 36)*

Die Bergpredigt.

The Sermon on the Mount.

Matth 5—7

18. Einleitung zur Bergpredigt.

18. Introduction.

Matth 5 1–2		6 12 20 *(72. S. 59; 73. S. 60)*
1 Ἰδὼν δὲ τοὺς ὄχλους ἀνέβη εἰς τὸ ὄρος καὶ καθίσαντος αὐτοῦ προσῆλθαν αὐτῷ οἱ μαθηταὶ αὐτοῦ· 2 καὶ ἀνοίξας τὸ στόμα αὐτοῦ ἐδίδασκεν αὐτοὺς λέγων·	*3 13*	6 12 ἐγένετο δὲ ἐν ταῖς ἡμέραις ταύταις ἐξελθεῖν αὐτὸν εἰς τὸ ὄρος προσεύξασθαι. 20 καὶ αὐτὸς ἐπάρας τοὺς ὀφθαλμοὺς αὐτοῦ εἰς τοὺς μαθητὰς αὐτοῦ ἔλεγεν·

19. Die Seligpreisungen.

19. The Beatitudes.

Matth 5 3–12		Luk 6 20–23 *(73. S. 60)*
3 Μακάριοι οἱ πτωχοὶ τῷ πνεύματι ὅτι αὐτῶν ἐστιν ἡ βασιλεία τῶν οὐρανῶν.		20 μακάριοι οἱ πτωχοί, ὅτι ὑμετέρα ἐστὶν ἡ βασιλεία τοῦ θεοῦ.
4 μακάριοι οἱ πενθοῦντες, ὅτι αὐτοὶ παρακληθήσονται.		

Luk 5, 1 αὐτὸς ἦν ἑστὼς] ἑστῶτος αὐτοῦ D **5** χαλάσω — **6** ποιήσαντες] οὐ μὴ παρακούσομαι. καὶ εὐθὺς χαλάσαντες τὰ δίκτυα D χαλάσομεν (?) τὰ δίκτυα. καὶ χαλάσαντες τὰ δίκτυα sy s **8** Σίμων Πέτρος S A B C Θ λ K vg sy pe εa bo Σίμων D W φ it sy s **10 11** lautet in D: ἦσαν δὲ κοινωνοὶ αὐτοῦ Ἰάκωβος καὶ Ἰωάννης υἱοὶ Ζεβεδαίου. ὁ δὲ εἶπεν· δεῦτε καὶ μὴ γίνεσθε ἁλιεῖς ἰχθύων, ποιήσω γὰρ ὑμᾶς ἁλιεῖς ἀνθρώπων· οἱ δὲ ἀκούσαντες πάντα κατέλειψαν ἐπὶ τῆς γῆς καὶ ἠκολούθησαν αὐτῷ vgl. Mc 1 19

⁵ μακάριοι οἱ πραεῖς,

     ὅτι αὐτοὶ κληρονομήσουσιν τὴν γῆν.

⁶ μακάριοι οἱ πεινῶντες καὶ διψῶντες τὴν δι-

     καιοσύνην,

     ὅτι αὐτοὶ χορτασθήσονται.

⁷ μακάριοι οἱ ἐλεήμονες,

     ὅτι αὐτοὶ ἐλεηθήσονται.

⁸ μακάριοι οἱ καθαροὶ τῇ καρδίᾳ,

     ὅτι αὐτοὶ τὸν θεὸν ὄψονται.

⁹ μακάριοι οἱ εἰρηνοποιοί,

     ὅτι υἱοὶ θεοῦ κληθήσονται.

¹⁰ μακάριοι οἱ δεδιωγμένοι ἕνεκεν δικαιοσύνης,

     ὅτι αὐτῶν ἐστιν ἡ βασιλεία τῶν οὐρανῶν.

¹¹ μακάριοί ἐστε ὅταν

                       ὀνει-

δίσωσιν ὑμᾶς καὶ διώξωσιν κα. εἴπωσιν πᾶν

πονηρὸν καθ' ὑμῶν ψευδόμενοι ἕνεκεν ἐμοῦ.

¹² χαίρετε καὶ ἀγαλλιᾶσθε, ὅτι ὁ μισθὸς

ὑμῶν πολὺς ἐν τοῖς οὐρανοῖς· οὕτως γὰρ

ἐδίωξαν τοὺς προφήτας τοὺς πρὸ ὑμῶν.

²¹ μακάριοι οἱ πεινῶντες νῦν,

     ὅτι   χορτασθήσεσθε.

μακάριοι οἱ κλαίοντες νῦν,

     ὅτι γελάσετε.

²² μακάριοί ἐστε ὅταν μισήσωσιν ὑμᾶς οἱ ἄν-

θρωποι, καὶ ὅταν ἀφορίσωσιν ὑμᾶς καὶ ὀνει-

δίσωσιν καὶ ἐκβάλωσιν τὸ ὄνομα ὑμῶν ὡς

πονηρὸν ἕνεκα τοῦ υἱοῦ τοῦ ἀνθρώπου.

²³ χάρητε ἐν ἐκείνῃ τῇ ἡμέρᾳ καὶ σκιρτήσατε·

ἰδοὺ γὰρ ὁ μισθὸς ὑμῶν πολὺς ἐν τῷ οὐρανῷ·

κατὰ τὰ αὐτὰ γὰρ ἐποίουν τοῖς προφήταις οἱ

πατέρες αὐτῶν.

20. Gleichnisse vom Salz und Licht.

20. The Similes of Salt and Light.

Matth 5 13–16

¹³ Ὑμεῖς ἐστε τὸ ἅλας τῆς γῆς· ἐὰν δὲ τὸ

ἅλας μωρανθῇ, ἐν τίνι ἁλισθήσεται;* εἰς οὐδὲν

ἰσχύει ἔτι εἰ μὴ βληθὲν ἔξω καταπατεῖσθαι ὑπὸ

τῶν ἀνθρώπων.

¹⁴ Ὑμεῖς ἐστε τὸ φῶς τοῦ κόσμου. οὐ δύνα-

14 34–35 *(171. S. 134)*

³⁴ Καλὸν οὖν τὸ ἅλας· ἐὰν δὲ καὶ τὸ

ἅλας μωρανθῇ, ἐν τίνι ἀρτυθήσεται;* ³⁵ οὔτε

εἰς γῆν οὔτε εἰς κοπρίαν εὔθετόν ἐστιν· ἔξω

βάλλουσιν αὐτό. ὁ ἔχων ὦτα ἀκούειν ἀκουέτω.

---

* Mark 9 50 (132. S. 109): ⁵⁰ Καλὸν τὸ ἅλας· ἐὰν δὲ ὁ ἅλας ἄναλον γένηται, ἐν τίνι αὐτὸ ἀρτύσετε:

Mt 5 5: Ps 36 11.   5 8: vgl. Ps 23 4.

Matth 5, 5 Reihenfolge 4 5 S B C W Θ λ φ 𝔐 vg sy^s pe sa bo   5 4 D it sy^c Clem Orig   9 ὅτι
S C D φ it vg sy^{pe}   ὅτι αὐτοὶ B W Θ λ 𝔐 sy^{cs} sa bo   11 πονηρὸν S B D it vg sy^{cs} sa bo Tert
πονηρὸν ῥῆμα C W Θ λ φ 𝔐 sy^{pe} | ψευδόμενοι ἕνεκεν ἐμοῦ] ἕνεκεν δικαιοσύνης D it   ἕνεκεν ἐμοῦ sy^s

Zu Matth 5 5: Clemens Alex. Proptepticus X 94, 4 (I 69, 15 Stählin): Ὅθεν ἡ γραφὴ εἰκότως εὐαγ-
γελίζεται τοῖς πεπιστευκόσιν· »οἱ δὲ ἅγιοι κυρίου κληρονομήσουσι τὴν δόξαν τοῦ θεοῦ καὶ τὴν δύναμιν
αὐτοῦ«.

Zu Matth 5 14: Oxyrhynchus Pap. Nr. 1, 7. Λέγει Ἰησοῦς· πόλις οἰκοδομημένη ἐπ' ἄκρον [ὄ]ρους
ὑψηλοῦ[ς ?] καὶ ἐστηριγμένη οὔτε πε[σ]εῖν δύναται οὐδὲ κρυ[β]ῆναι.

ται πόλις κρυβῆναι ἐπάνω ὄρους κειμένη·
¹⁵ οὐδὲ καίουσιν λύχνον καὶ τιθέασιν αὐτὸν
ὑπὸ τὸν μόδιον, ἀλλ᾽ ἐπὶ τὴν λυχνίαν, καὶ
λάμπει πᾶσιν τοῖς ἐν τῇ οἰκίᾳ. * ¹⁶ οὕτως
λαμψάτω τὸ φῶς ὑμῶν ἔμπροσθεν τῶν ἀνθρώ-
πων, ὅπως ἴδωσιν ὑμῶν τὰ καλὰ ἔργα καὶ
δοξάσωσιν τὸν πατέρα ὑμῶν τὸν ἐν τοῖς οὐρα-
νοῖς.

11 33 *(153. S. 120)*

οὐδεὶς λύχνον ἅψας εἰς κρύπτην τίθησιν οὐδὲ
ὑπὸ τὸν μόδιον, ἀλλ᾽ ἐπὶ τὴν λυχνίαν, ἵνα οἱ
εἰσπορευόμενοι τὸ φέγγος βλέπωσιν.

21. Jesu Stellung zum Gesetz. Matth 5 17–20

21. Christ's Attitude towards the Law.

¹⁷ Μὴ νομίσητε ὅτι ἦλθον καταλῦσαι τὸν νόμον ἢ τοὺς προφήτας· οὐκ ἦλθον
καταλῦσαι ἀλλὰ πληρῶσαι. ¹⁸ ἀμὴν γὰρ λέγω ὑμῖν, ἕως ἂν παρέλθῃ ὁ οὐρανὸς καὶ ἡ
γῆ, ἰῶτα ἓν ἢ μία κεραία οὐ μὴ παρέλθῃ ἀπὸ τοῦ νόμου, ἕως ἂν πάντα γένηται.** ¹⁹ ὃς
ἐὰν οὖν λύσῃ μίαν τῶν ἐντολῶν τούτων τῶν ἐλαχίστων καὶ διδάξῃ οὕτως τοὺς ἀνθρώ-
πους, ἐλάχιστος κληθήσεται ἐν τῇ βασιλείᾳ τῶν οὐρανῶν· ὃς δ᾽ ἂν ποιήσῃ καὶ διδάξῃ,
οὗτος μέγας κληθήσεται ἐν τῇ βασιλείᾳ τῶν οὐρανῶν. ²⁰ λέγω γὰρ ὑμῖν ὅτι ἐὰν μὴ
περισσεύσῃ ὑμῶν ἡ δικαιοσύνη πλεῖον τῶν γραμματέων καὶ Φαρισαίων, οὐ μὴ εἰσέλθητε
εἰς τὴν βασιλείαν τῶν οὐρανῶν.

22. Vom Töten. Matth 5 21–26

22. On Murder.

²¹ Ἠκούσατε ὅτι ἐρρέθη τοῖς ἀρχαίοις· οὐ φονεύσεις· ὃς δ᾽ ἂν φονεύσῃ, ἔνοχος
ἔσται τῇ κρίσει. ²² ἐγὼ δὲ λέγω ὑμῖν ὅτι πᾶς ὁ ὀργιζόμενος τῷ ἀδελφῷ αὐτοῦ ἔνοχος
ἔσται τῇ κρίσει· ὃς δ᾽ ἂν εἴπῃ τῷ ἀδελφῷ αὐτοῦ ῥακά, ἔνοχος ἔσται τῷ συνεδρίῳ· ὃς
δ᾽ ἂν εἴπῃ μωρέ, ἔνοχος ἔσται εἰς τὴν γέενναν τοῦ πυρός. ²³ ἐὰν οὖν προσφέρῃς τὸ

---

* Mark 4 21 (94. S. 74): ²¹ Καὶ ἔλεγεν αὐ-
τοῖς ὅτι μήτι ἔρχεται ὁ λύχνος ἵνα ὑπὸ τὸν μόδιον
τεθῇ ἢ ὑπὸ τὴν κλίνην; οὐχ ἵνα ἐπὶ τὴν λυχνίαν
τεθῇ;

Luk 8 16 (94. S. 74): Οὐδεὶς δὲ λύχνον ἅψας
καλύπτει αὐτὸν σκεύει ἢ ὑποκάτω κλίνης τίθησιν,
ἀλλ᾽ ἐπὶ λυχνίας τίθησιν, ἵνα οἱ εἰσπορευόμενοι
βλέπωσιν τὸ φῶς.

** Luk 16 17 (176. S. 137): ¹⁷ Εὐκοπώτερον δέ ἐστιν τὸν οὐρανὸν καὶ τὴν γῆν παρελθεῖν ἢ τοῦ νόμου
μίαν κεραίαν πεσεῖν. (Vgl. 221. Matth 24 35 = Mark 13 31 = Luk 21 33 S. 176.)

Mt 5 21: Ex 20 15 Dtn 5 18.

Matth 5, 22 αὐτοῦ ¹ S B vg Orig   αὐτοῦ εἰκῆ D W Θ λ φ ℜ it sy ᶜ³ ᵖᵉ sa bo

---

Zu Matth 5 17: **Ebion. Evang.** Ἦλθον καταλῦσαι τὰς θυσίας, καὶ ἐὰν μὴ παύσησθε τοῦ θύειν, οὐ
παύσεται ἀφ᾽ ὑμῶν ἡ ὀργή. Epiph., Haer. 30 16, 5 (I 354 7–8 Holl).

Aeg. Evang. Ἦλθον καταλῦσαι τὰ ἔργα τῆς θηλείας. Clem. Alex., Strom. III 9 63 (II 225 4–5
Stählin) (s. zu Matth 19 12 S. 144).

Zu Matth 5 22: **Hebr. Evang.:** Τὸ εἰκῆ ἔν τισιν ἀντιγράφοις οὐ κεῖται οὐδὲ ἐν τῷ Ἰουδαϊκῷ 1424.

δῶρόν σου ἐπὶ τὸ θυσιαστήριον κἀκεῖ μνησθῇς
ὅτι ὁ ἀδελφός σου ἔχει τι κατὰ σοῦ, ²⁴ ἄφες
ἐκεῖ τὸ δῶρόν σου ἔμπροσθεν τοῦ θυσιαστη-
ρίου, καὶ ὕπαγε πρῶτον διαλλάγηθι τῷ ἀδελ-
φῷ σου, καὶ τότε ἐλθὼν πρόσφερε τὸ δῶρόν
σου.

²⁵ ἴσθι εὐνοῶν τῷ ἀντιδίκῳ σου ταχὺ ἕως
ὅτου εἶ μετ' αὐτοῦ ἐν τῇ ὁδῷ· μήποτέ σε παρα-
δῷ ὁ ἀντίδικος τῷ κριτῇ καὶ ὁ κριτὴς τῷ ὑπη-
ρέτῃ, καὶ εἰς φυλακὴν βληθήσῃ· ²⁶ ἀμὴν λέγω
σοι, οὐ μὴ ἐξέλθῃς ἐκεῖθεν ἕως ἂν ἀποδῷς τὸν
ἔσχατον κοδράντην.

12 57–59 *(161. S. 128)*: ⁵⁷ Τί δὲ καὶ ἀφ'
ἑαυτῶν οὐ κρίνετε τὸ δίκαιον; ⁵⁸ ὡς γὰρ ὑπά-
γεις με τὰ τοῦ ἀντιδίκου σου ἐπ' ἄρχοντα, ἐν
τῇ ὁδῷ δὸς ἐργασίαν ἀπηλλάχθαι ἀπ' αὐτοῦ,
μήποτε κατασύρῃ σε πρὸς τὸν κριτήν, καὶ ὁ
κριτής σε παραδώσει τῷ πράκτορι, καὶ ὁ πρά-
κτωρ σε βαλεῖ εἰς φυλακήν. ⁵⁹ λέγω σοι, οὐ μὴ
ἐξέλθῃς ἐκεῖθεν ἕως καὶ τὸ ἔσχατον λεπτὸν
ἀποδῷς.

23. Vom Ehebruch. Matth 5 27–30

23. On Adultery.

²⁷ Ἠκούσατε ὅτι ἐρρέθη· οὐ μοιχεύσεις. ²⁸ ἐγὼ δὲ λέγω ὑμῖν ὅτι πᾶς ὁ βλέπων
γυναῖκα πρὸς τὸ ἐπιθυμῆσαι αὐτὴν ἤδη ἐμοίχευσεν αὐτὴν ἐν τῇ καρδίᾳ αὐτοῦ. ²⁹ εἰ δὲ
ὁ ὀφθαλμός σου ὁ δεξιὸς σκανδαλίζει σε, ἔξελε αὐτὸν καὶ βάλε ἀπὸ σοῦ· συμφέρει γάρ
σοι ἵνα ἀπόληται ἓν τῶν μελῶν σου καὶ μὴ ὅλον τὸ σῶμά σου βληθῇ εἰς γέενναν. ³⁰ καὶ
εἰ ἡ δεξιά σου χεὶρ σκανδαλίζει σε, ἔκκοψον αὐτὴν καὶ βάλε ἀπὸ σοῦ· συμφέρει γάρ σοι
ἵνα ἀπόληται ἓν τῶν μελῶν σου καὶ μὴ ὅλον τὸ σῶμά σου εἰς γέενναν ἀπέλθῃ.*

---

* Matth 18 8–9 (131. S. 108 f.):
⁸ Εἰ δὲ ἡ χείρ σου ἢ ὁ πούς σου σκανδαλίζει
σε, ἔκκοψον αὐτὸν καὶ βάλε ἀπὸ σοῦ· καλόν σοί
ἐστιν εἰσελθεῖν εἰς τὴν ζωὴν κυλλὸν ἢ χωλόν, ἢ
δύο χεῖρας ἢ δύο πόδας ἔχοντα βληθῆναι εἰς τὸ
πῦρ τὸ αἰώνιον.

⁹ καὶ εἰ ὁ
ὀφθαλμός σου σκανδαλίζει σε, ἔξελε αὐτὸν καὶ βάλε
ἀπὸ σοῦ· καλόν σοί ἐστιν μονόφθαλμον εἰς τὴν ζωὴν
εἰσελθεῖν, ἢ δύο ὀφθαλμοὺς ἔχοντα βληθῆναι εἰς
τὴν γέενναν τοῦ πυρός.

Mark 9 42–48 (131. S. 108 f.):
⁴³ Καὶ ἐὰν σκανδαλίσῃ σε ἡ χείρ σου, ἀπό-
κοψον αὐτήν· καλόν ἐστίν σε κυλλὸν εἰσελθεῖν εἰς
τὴν ζωήν, ἢ τὰς δύο χεῖρας ἔχοντα ἀπελθεῖν εἰς
τὴν γέενναν, εἰς τὸ πῦρ τὸ ἄσβεστον. ⁴⁵ καὶ ἐὰν ὁ
πούς σου σκανδαλίζῃ σε, ἀπόκοψον αὐτόν· καλόν
ἐστίν σε εἰσελθεῖν εἰς τὴν ζωὴν χωλόν, ἢ τοὺς δύο
πόδας ἔχοντα βληθῆναι εἰς τὴν γέενναν. ⁴⁷ καὶ ἐὰν
ὁ ὀφθαλμός σου σκανδαλίζῃ σε, ἔκβαλε αὐτόν·
καλόν σέ ἐστιν μονόφθαλμον εἰσελθεῖν εἰς τὴν βασι-
λείαν τοῦ θεοῦ, ἢ δύο ὀφθαλμοὺς ἔχοντα βληθῆναι
εἰς τὴν γέενναν, ⁴⁸ ὅπου ὁ σκώληξ αὐτῶν οὐ τελευ-
τᾷ καὶ τὸ πῦρ οὐ σβέννυται.

Mt 5 27: Ex 20 13 Dtn 5 17.

Matth 5, 28 αὐτήν ¹ > S   **30** fehlt D sy ˢ

Zu Matth 5 23: **Hebr. Evang.**: Et in evangelio, quod iuxta Hebraeos Nazaraei legere consueve-
runt, inter maxima ponitur crimina, *qui fratris sui spiritum contristaverit.* Hieronymus in Ez. 18 7. Ut
in hebraico quoque evangelio legimus dominum ad discipulos loquentem: *et nunquam* (inquit) *laeti sitis,
nisi cum fratrem vestrum videritis in caritate.* Hieronymus in Ephes. 5 4 (VII 1 641 B Vallarsi).

24. Von der Ehescheidung. Matth 5 31-32
24. On Divorce.

³¹ Ἐρρέθη δέ· ὃς ἂν ἀπολύσῃ τὴν γυναῖκα αὐτοῦ, δότω αὐτῇ ἀποστάσιον, ³² ἐγὼ δὲ λέγω ὑμῖν ὅτι πᾶς ὁ ἀπολύων τὴν γυναῖκα αὐτοῦ παρεκτὸς λόγου πορνείας, ποιεῖ αὐτὴν μοιχευθῆναι, καὶ ὃς ἐὰν ἀπολελυμένην γαμήσῃ, μοιχᾶται.

Matth 19 9
(187. S. 144)

⁹ Λέγω δὲ ὑμῖν ὅτι ὃς ἂν ἀπολύσῃ τὴν γυναῖκα αὐτοῦ μὴ ἐπὶ πορνείᾳ καὶ γαμήσῃ ἄλλην, μοιχᾶται.

Mark 10 11-12
(187. S. 144)

¹¹ καὶ λέγει αὐτοῖς· ὃς ἂν ἀπολύσῃ τὴν γυναῖκα αὐτοῦ καὶ γαμήσῃ ἄλλην, μοιχᾶται ἐπ' αὐτήν. ¹² καὶ ἐὰν αὐτὴ ἀπολύσασα τὸν ἄνδρα αὐτῆς γαμήσῃ ἄλλον, μοιχᾶται.

Luk 16 18
(176. S. 138)

¹⁸ Πᾶς ὁ ἀπολύων τὴν γυναῖκα αὐτοῦ καὶ γαμῶν ἑτέραν μοιχεύει, καὶ ὁ ἀπολελυμένην ἀπὸ ἀνδρὸς γαμῶν μοιχεύει.

25. Vom Schwören. Matth 5 33-37
25. On Swearing.
(Vgl. 210. Matth 23 16-22 S. 167 f.)

³³ Πάλιν ἠκούσατε ὅτι ἐρρέθη τοῖς ἀρχαίοις· οὐκ ἐπιορκήσεις, ἀποδώσεις δὲ τῷ κυρίῳ τοὺς ὅρκους σου. ³⁴ ἐγὼ δὲ λέγω ὑμῖν μὴ ὀμόσαι ὅλως· μήτε ἐν τῷ οὐρανῷ, ὅτι θρόνος ἐστὶν τοῦ θεοῦ. ³⁵ μήτε ἐν τῇ γῇ, ὅτι ὑποπόδιόν ἐστιν τῶν ποδῶν αὐτοῦ· μήτε εἰς Ἱεροσόλυμα, ὅτι πόλις ἐστὶν τοῦ μεγάλου βασιλέως· ³⁶ μήτε ἐν τῇ κεφαλῇ σου ὀμόσῃς, ὅτι οὐ δύνασαι μίαν τρίχα λευκὴν ποιῆσαι ἢ μέλαιναν. ³⁷ ἔστω δὲ ὁ λόγος ὑμῶν ναὶ ναί, οὒ οὔ· τὸ δὲ περισσὸν τούτων ἐκ τοῦ πονηροῦ ἐστιν.

26. Von der Wiedervergeltung. Matth 5 38-42
26. On Retaliation.

³⁸ Ἠκούσατε ὅτι ἐρρέθη· ὀφθαλμὸν ἀντὶ ὀφθαλμοῦ καὶ ὀδόντα ἀντὶ ὀδόντος. ³⁹ ἐγὼ δὲ λέγω ὑμῖν μὴ ἀντιστῆναι τῷ πονηρῷ· ἀλλ' ὅστις σε ῥαπίζει εἰς τὴν δεξιὰν σιαγόνα, στρέψον αὐτῷ καὶ τὴν ἄλλην· ⁴⁰ καὶ τῷ θέλοντί

G 29-30 *(75. S. 61)*
²⁹ τῷ τύπτοντί σε ἐπὶ τὴν σιαγόνα πάρεχε καὶ τὴν ἄλλην, καὶ ἀπὸ τοῦ αἴρον-

---

Mt 5 31: vgl. Dtn 24 1.   5 33: vgl. Lev 19 12.   5 34-35: Jes 66 1.   5 35: Ps 47 3.
5 38: Ex 21 24 Dtn 19 21 Lev 24 20.

Matth 5, 32 καὶ ὃς — μοιχᾶται > D   **19, 9** (+ εἰ ℵ vg) μὴ ἐπὶ πορνείᾳ καὶ (> W) γαμήσῃ ἄλλην, μοιχᾶται S W Θ ℜ vg sy ˢ ᵖᵉ   μὴ ἐπὶ πορνείᾳ καὶ γαμήσῃ ἄλλην ποιεῖ αὐτὴν μοιχευθῆναι C   παρεκτὸς λόγου πορνείας ποιεῖ αὐτὴν μοιχευθῆναι B λ bo vgl. 5 32   παρεκτὸς λόγου πορνείας καὶ γαμήσῃ ἄλλην μοιχᾶται (+ ἐπ' αὐτήν sy ᶜ) D φ it sy ᶜ ˢ³ | μοιχᾶται S D it sy ᶜˢ sa   μοιχηθῆναι (μοιχᾶται W Θ φ ℜ vg sy ᵖᵉ) καὶ ὁ ἀπολελυμένην γαμῶν (γαμήσας B ℵ) μοιχᾶται B C W Θ λ φ ℜ vg sy ᵖᵉ bo   **5, 39** δεξιὰν > D sy ᶜˢ

Mark 10, 12 vor 11 W λ sy ˢ. **11** lautet: καὶ ἐὰν ἀνὴρ ἀπολύσῃ τὴν γυναῖκα μοιχᾶται W   **12** wie oben S B C sa bo   καὶ ἐὰν γυνὴ ἀπολύσῃ τὸν ἄνδρα αὐτῆς καὶ γαμηθῇ ἄλλῳ μοιχᾶται A ℜ vg sy ˢ ᵖᵉ καὶ ἐὰν γυνὴ (γ. ἐ. ~ Θ φ) ἐξέλθῃ ἀπὸ τοῦ (> Θ φ) ἀνδρὸς καὶ ἄλλον γαμήσῃ (γ. ἄ. ~ Θ φ) μοιχᾶται (+ ἐπ' αὐτόν it) D Θ φ it   ἐὰν ἀπολύσῃ γυνὴ τὸν ἄνδρα αὐτῆς καὶ γαμήσῃ ἄλλον μοιχᾶται W λ
Luk 6, 29 ἐπὶ A B λ φ ℜ   εἰς S D W Θ

σοι κριϑῆναι καὶ τὸν χιτῶνά σου λαβεῖν, ἄφες αὐτῷ καὶ τὸ ἱμάτιον· ⁴¹ καὶ ὅστις σε ἀγγαρεύσει μίλιον ἕν, ὕπαγε μετ' αὐτοῦ δύο. ⁴² τῷ αἰτοῦντί σε δός, καὶ τὸν ϑέλοντα ἀπὸ σοῦ δανείσασϑαι μὴ ἀποστραφῇς.

τός σου τὸ ἱμάτιον καὶ τὸν χιτῶνα μὴ κωλύσῃς.

³⁰ παντὶ αἰτοῦντί σε δίδου, καὶ ἀπὸ τοῦ αἴροντος τὰ σὰ μὴ ἀπαίτει.

27. Von der Feindesliebe. Matth 5 43–48
27. On Love of One's Enemies.

⁴³ Ἠκούσατε ὅτι ἐρρέϑη· ἀγαπήσεις τὸν πλησίον σου καὶ μισήσεις τὸν ἐχϑρόν σου. ⁴⁴ ἐγὼ δὲ λέγω ὑμῖν, ἀγαπᾶτε τοὺς ἐχϑροὺς ὑμῶν

καὶ προσεύχεσϑε ὑπὲρ τῶν διωκόντων ὑμᾶς· ⁴⁵ ὅπως γένησϑε υἱοὶ τοῦ πατρὸς ὑμῶν τοῦ ἐν οὐρανοῖς, ὅτι τὸν ἥλιον αὐτοῦ ἀνατέλλει ἐπὶ πονηροὺς καὶ ἀγαϑοὺς καὶ βρέχει ἐπὶ δικαίους καὶ ἀδίκους. ⁴⁶ ἐὰν γὰρ ἀγαπήσητε τοὺς ἀγαπῶντας ὑμᾶς, τίνα μισϑὸν ἔχετε; οὐχὶ καὶ οἱ τελῶναι τὸ αὐτὸ ποιοῦσιν; ⁴⁷ καὶ ἐὰν ἀσπάσησϑε τοὺς ἀδελφοὺς ὑμῶν μόνον, τί περισσὸν ποιεῖτε; οὐχὶ καὶ οἱ ἐϑνικοὶ τὸ αὐτὸ ποιοῦσιν;

6 27–28 32–36 *(75. S. 61):* ²⁷ Ἀλλὰ ὑμῖν λέγω τοῖς ἀκούουσιν· ἀγαπᾶτε τοὺς ἐχϑροὺς ὑμῶν, καλῶς ποιεῖτε τοῖς μισοῦσιν ὑμᾶς, ²⁸ εὐλογεῖτε τοὺς καταρωμένους ὑμᾶς, προσεύχεσϑε περὶ τῶν ἐπηρεαζόντων ὑμᾶς.

s. u. v. 35

³² καὶ εἰ ἀγαπᾶτε τοὺς ἀγαπῶντας ὑμᾶς, ποία ὑμῖν χάρις ἐστίν; καὶ γὰρ οἱ ἁμαρτωλοὶ τοὺς ἀγαπῶντας αὐτοὺς ἀγαπῶσιν. ³³ καὶ γὰρ ἐὰν ἀγαϑοποιῆτε τοὺς ἀγαϑοποιοῦντας ὑμᾶς, ποία ὑμῖν χάρις ἐστίν; καὶ οἱ ἁμαρτωλοὶ τὸ αὐτὸ ποιοῦσιν. ³⁴ καὶ ἐὰν δανείσητε παρ' ὧν ἐλπίζετε λαβεῖν, ποία ὑμῖν χάρις ἐστίν; καὶ ἁμαρτωλοὶ ἁμαρτωλοῖς δανείζουσιν ἵνα ἀπολάβωσιν τὰ ἴσα. ³⁵ πλὴν ἀγαπᾶτε τοὺς ἐχϑροὺς ὑμῶν καὶ ἀγαϑοποιεῖτε καὶ δανείζετε μηδὲν ἀπελπίζοντες· καὶ ἔσται ὁ μισϑὸς ὑμῶν πολύς, καὶ ἔσεσϑε υἱοὶ ὑψίστου, ὅτι αὐτὸς χρηστός ἐστιν ἐπὶ τοὺς ἀχαρίστους καὶ πονηρούς. ³⁶ γίνεσϑε οἰκτίρμονες, καϑὼς ὁ πατὴρ ὑμῶν οἰκτίρμων ἐστίν.

s. o. v. 45
⁴⁸ ἔσεσϑε οὖν ὑμεῖς τέλειοι ὡς ὁ πατὴρ ὑμῶν ὁ οὐράνιος τέλειός ἐστιν.

Mt 5 43: Lev 19 18.   5 48: Dtn 18 13.

Matth 5, 41 δύο S B W Θ λ φ 𝔎 sy ᵖᵉ sa bo   ἔτι (> sy ᶜ) ἀλλὰ δύο D it vg sy ᶜˢ Iren   **44** ἀγαπᾶτε τοὺς ἐχϑροὺς ὑμῶν S B λ sy ᶜˢ sa bo Orig   ἀγαπᾶτε — ὑμῶν εὐλογεῖτε τοὺς καταρωμένους ὑμῖν (ὑμᾶς W Θ φ) καλῶς· ποιεῖτε τοῖς μισοῦσιν (τοὺς μισοῦντας 𝔎) ὑμᾶς D W Θ φ 𝔎 sy ᵖᵉ Eus vgl. Lc 6 27 28   ἀγαπᾶτε — ὑμῶν + καλῶς ποιεῖτε τοῖς μισοῦσιν ὑμᾶς it vg   ‖ ὑπὲρ S B λ sy ᶜˢ sa bo   ὑπὲρ τῶν ἐπηρεαζόντων ὑμᾶς (> D it) καὶ D W Θ φ 𝔎 it vg sy ᵖᵉ   **47** > sy ˢ

Luk 6, 34 ἐστίν > 𝔓 ⁴⁵ B ‖ τὰ ἴσα > D it sy ˢ   **35** μηδὲν A B D Θ φ 𝔎 it vg sa bo   μηδένα S W sy ˢ ᵖᵉ

Zu Matth 5 44: Oxyrhynchus Pap. 1224 fol. 2 r col. 1: κ]αὶ π[ρ]οσεύχεσϑε ὑπὲρ [τῶν ἐχϑ]ρῶν ὑμῶν.

28. Vom Almosen. Matth 6 1-4
28. On Almsgiving.

¹ Προσέχετε δὲ τὴν δικαιοσύνην ὑμῶν μὴ ποιεῖν ἔμπροσθεν τῶν ἀνθρώπων πρὸς
τὸ θεαθῆναι αὐτοῖς· εἰ δὲ μή γε, μισθὸν οὐκ ἔχετε παρὰ τῷ πατρὶ ὑμῶν τῷ ἐν τοῖς οὐρα-
νοῖς· ² ὅταν οὖν ποιῇς ἐλεημοσύνην, μὴ σαλπίσῃς ἔμπροσθέν σου, ὥσπερ οἱ ὑποκριταὶ
ποιοῦσιν ἐν ταῖς συναγωγαῖς καὶ ἐν ταῖς ῥύμαις, ὅπως δοξασθῶσιν ὑπὸ τῶν ἀνθρώπων·
ἀμὴν λέγω ὑμῖν, ἀπέχουσιν τὸν μισθὸν αὐτῶν. ³ σοῦ δὲ ποιοῦντος ἐλεημοσύνην μὴ
γνώτω ἡ ἀριστερά σου τί ποιεῖ ἡ δεξιά σου, ⁴ ὅπως ᾖ σοῦ ἡ ἐλεημοσύνη ἐν τῷ κρυπτῷ,
καὶ ὁ πατήρ σου ὁ βλέπων ἐν τῷ κρυπτῷ ἀποδώσει σοι.

29. Vom Beten. Matth 6 5-8
29. On Prayer.

⁵ Καὶ ὅταν προσεύχησθε, οὐκ ἔσεσθε ὡς οἱ ὑποκριταί· ὅτι φιλοῦσιν ἐν ταῖς συνα-
γωγαῖς καὶ ἐν ταῖς γωνίαις τῶν πλατειῶν ἐστῶτες προσεύχεσθαι, ὅπως φανῶσιν τοῖς
ἀνθρώποις. ἀμὴν λέγω ὑμῖν, ἀπέχουσιν τὸν μισθὸν αὐτῶν. ⁶ σὺ δὲ ὅταν προσεύχῃ,
εἴσελθε εἰς τὸ ταμεῖόν σου καὶ κλείσας τὴν θύρα· σου πρόσευξαι τῷ πατρί σου τῷ ἐν
τῷ κρυπτῷ· καὶ ὁ πατήρ σου ὁ βλέπων ἐν τῷ κρυπτῷ ἀποδώσει σοι. ⁷ προσευχόμενοι δὲ
μὴ βατταλογήσητε ὥσπερ οἱ ἐθνικοί· δοκοῦσιν γὰρ ὅτι ἐν τῇ πολυλογίᾳ αὐτῶν εἰσα-
κουσθήσονται. ⁸ μὴ οὖν ὁμοιωθῆτε αὐτοῖς· οἶδεν γὰρ ὁ πατὴρ ὑμῶν ὧν χρείαν ἔχετε
πρὸ τοῦ ὑμᾶς αἰτῆσαι αὐτόν.

30. Das Unser-Vater. Matth 6 9-15
30. The Lord's Prayer.

⁹ Οὕτως οὖν προσεύχεσθε ὑμεῖς·	11 2-4 (146. S. 117): ² εἶπεν δὲ αὐτοῖς· ὅταν προσεύχησθε, λέ- γετε·
πάτερ ἡμῶν ὁ ἐν τοῖς οὐρανοῖς,	πάτερ,
ἁγιασθήτω τὸ ὄνομά σου·	ἁγιασθήτω τὸ ὄνομά σου·
¹⁰ ἐλθάτω ἡ βασιλεία σου·	ἐλθάτω ἡ βασιλεία σου·
γενηθήτω τὸ θέλημά σου	
ὡς ἐν οὐρανῷ καὶ ἐπὶ γῆς·	

Mt 6 6: Jes 26 20 LXX.   6 8 vgl. 6 32.   6 9-13 = Didache 8, 2.

Matth 6, 1 δὲ¹ S Θ λ sy ᵖᵉ bo   > B D W φ ℜ it vg sy ᶜˢ | δικαιοσύνην B D λ it vg sy ˢ ᵖᵉ
ἐλεημοσύνην W Θ φ ℜ   δόσιν S sy ᶜ bo   **4** σοι S B D λ vg sy ᶜ ꜱᴀ bo   σοι ἐν τῷ φανερῷ W Θ φ ℜ
it sy ˢ ᵖᵉ   **6** τῷ² > D λ sy ᶜˢ bo | σοι S B D λ vg sy ᶜˢ sa bo   σοι ἐν τῷ φανερῷ W Θ φ ℜ it sy ᵖᵉ
8 γὰρ + ὁ θεὸς S B sa   **10** ὡς > D it Tert

Luk 11, 2 πάτερ S B λ vg sy ˢ Marcion Orig   πάτερ ἡμῶν ὁ ἐν τοῖς οὐρανοῖς A C D W Θ φ ℜ it
sy ᶜ ᵖᵉ sa bo vgl. Mt | ἐλθάτω ἡ βασιλεία σου alle Hss. jedoch: ἐφ᾽ ἡμᾶς ἐλθέτω σου ἡ βασιλεία D
ἐλθάτω τὸ ἅγιον πνεῦμά σου ἐφ᾽ ἡμᾶς καὶ καθαρισάτω ἡμᾶς 162 700 Greg. Nyss. Maximus Conf., Marcion
hat diesen Text an Stelle der ersten Bitte | βασιλεία σου B λ sy ᶜˢ   + γενηθήτω τὸ θέλημά σου ὡς
ἐν οὐρανῷ (+ οὕτω S) καὶ ἐπὶ γῆς S A C D W Θ φ ℜ it vg sy ᵖᵉ bo + dein Wille geschehe sa

¹¹ τὸν ἄρτον ἡμῶν τὸν ἐπιούσιον
δὸς ἡμῖν σήμερον·
¹² καὶ ἄφες ἡμῖν τὰ ὀφειλήματα
ἡμῶν,
ὡς καὶ ἡμεῖς ἀφήκαμεν τοῖς ὀφει-
λέταις ἡμῶν·
¹³ καὶ μὴ εἰσενέγκῃς ἡμᾶς εἰς πει-
ρασμόν,
ἀλλὰ ῥῦσαι ἡμᾶς ἀπὸ τοῦ πονηροῦ.

¹⁴ ἐὰν γὰρ ἀφῆτε τοῖς ἀνθρώ-
ποις τὰ παραπτώματα αὐτῶν,
ἀφήσει καὶ ὑμῖν ὁ πατὴρ ὑμῶν ὁ
οὐράνιος·* ¹⁵ ἐὰν δὲ μὴ ἀφῆτε τοῖς
ἀνθρώποις, οὐδὲ ὁ πατὴρ ὑμῶν
ἀφήσει τὰ παραπτώματα ὑμῶν.

11 25–26 *(201. S. 157 f.)*

²⁵ Καὶ ὅταν στήκετε προσευχό-
μενοι, ἀφίετε εἴ τι ἔχετε κατά τινος,
ἵνα καὶ ὁ πατὴρ ὑμῶν ὁ ἐν τοῖς
οὐρανοῖς ἀφῇ ὑμῖν τὰ παραπτώ-
ματα ὑμῶν. [²⁶ εἰ δὲ ὑμεῖς οὐκ
ἀφίετε, οὐδὲ ὁ πατὴρ ὑμῶν ὁ ἐν
τοῖς οὐρανοῖς ἀφήσει τὰ παρα-
πτώματα ὑμῶν.]

³ τὸν ἄρτον ἡμῶν τὸν ἐπιούσιον
δίδου ἡμῖν τὸ καθ᾿ ἡμέραν·
⁴ καὶ ἄφες ἡμῖν τὰς ἁμαρτίας
ἡμῶν,
καὶ γὰρ αὐτοὶ ἀφίομεν παντὶ ὀφεί-
λοντι ἡμῖν·
καὶ μὴ εἰσενέγκῃς ἡμᾶς εἰς πει-
ρασμόν.

31. Vom Fasten. **Matth 6** 16–18
31. On Fasting.

¹⁶ Ὅταν δὲ νηστεύητε, μὴ γίνεσθε ὡς οἱ ὑποκριταὶ σκυθρωποί· ἀφανίζουσιν γὰρ
τὰ πρόσωπα αὐτῶν ὅπως φανῶσιν τοῖς ἀνθρώποις νηστεύοντες· ἀμὴν λέγω ὑμῖν, ἀπέ-
χουσιν τὸν μισθὸν αὐτῶν. ¹⁷ σὺ δὲ νηστεύων ἄλειψαί σου τὴν κεφαλὴν καὶ τὸ πρόσωπόν
σου νίψαι, ¹⁸ ὅπως μὴ φανῇς τοῖς ἀνθρώποις νηστεύων ἀλλὰ τῷ πατρί σου τῷ ἐν τῷ
κρυφαίῳ, καὶ ὁ πατήρ σου ὁ βλέπων ἐν τῷ κρυφαίῳ ἀποδώσει σοι.

---

* vgl. Mt 18 35 (136. S. 111).

Matth 6, 12 ἀφήκαμεν S B λ sy ^{p3}   ἀφίομεν D W Θ sa bo   ἀφίεμεν φ ℜ it vg sy ^c Didache
Nach **13**: ὅτι σοῦ ἐστιν ἡ βασιλεία καὶ (ἡ β. κ. > sa Didache) ἡ δύναμις καὶ ἡ δόξα εἰς τοὺς αἰῶνας W Θ
φ ℜ sy ^{c pe} sa Didache   **15** ἀνθρώποις S D λ vg sy ^{pe} bo Augustin   ἀνθρώποις τὰ παραπτώματα
αὐτῶν B W Θ φ ℜ it sy ^c sa

Mark 11, 25 steht in A C D Θ λ φ ℜ it vg sy ^{p3} Cyp, fehlt aber in S B W sy ^s sa bo

Luk 11, 3 δίδου] δὸς S D | τὸ καθ᾿ ἡμέραν] σήμερον D it   **4** τὰς ἁμαρτίας] τὰ ὀφειλήματα
D it | καὶ γὰρ αὐτοὶ A B C W Θ λ φ ℜ vg sy ^{pe} sa ιο   ὡς καὶ αὐτοὶ S   ὡς καὶ ἡμεῖς D it sy ^c
vgl. Mt   ὡς καὶ ἡμεῖς αὐτοὶ sy ^s | παντὶ ὀφείλοντι ἡμῖν] τοῖς ὀφειλέταις ἡμῶν D it vgl. Mt | πει-
ρασμόν S B λ vg sy ^s sa bo Marcion Orig   πειρασμόν, ἀλλὰ ῥῦσαι ἡμᾶς ἀπὸ τοῦ πονηροῦ A C D W Θ
φ ℜ it sy ^{c pe}

Zu Matth 6 11: **Hebr. Evang.**: In evangelio, quod appellatur secundum Hebraeos, pro *super-
substantiali pane* reperi *mahar*, quod dicitur crastinum, ut sit sensus: panem nostrum crastinum, i. e.
futurum, da nobis hodie. Hieronymus Comm. in Matth 6 11 (VII 34 Vallarsi).

Zu Matth 6 13: **Hebr. Evang.** (?): Τὸ ὅτι σοῦ ἐστιν ἡ βασιλεία ἕως τοῦ ἀμὴν ἔν τισιν ἀντιγράφοις
οὐ κεῖται 1424.

Zu Matth 6 16: Oxyrhynchus Pap. 1 Nr. 2: Λέγει Ἰησοῦς· ἐὰν μὴ νηστεύσητε τὸν κόσμον, οὐ μὴ
εὕρητε τὴν βασιλείαν τοῦ θεοῦ, καὶ ἐὰν μὴ σαββατίσητε τὸ σάββατον, οὐκ ὄψεσθε τὸν πατέρα.

32. Vom Schätzesammeln.   Matth 6 19-21
32. On Treasures.

¹⁹ Μὴ θησαυρίζετε ὑμῖν θησαυροὺς ἐπὶ τῆς γῆς, ὅπου σὴς καὶ βρῶσις ἀφανίζει, καὶ ὅπου κλέπται διορύσσουσιν καὶ κλέπτουσιν· ²⁰ θησαυρίζετε δὲ ὑμῖν θησαυροὺς ἐν οὐρανῷ, ὅπου οὔτε σὴς οὔτε βρῶσις ἀφανίζει, καὶ ὅπου κλέπται οὐ διορύσσουσιν οὐδὲ κλέπτουσιν. ²¹ ὅπου γάρ ἐστιν ὁ θησαυρός σου, ἐκεῖ ἔσται καὶ ἡ καρδία σου.

12 33—34 *(157. S. 126):* ³³ Πωλήσατε τὰ ὑπάρχοντα ὑμῶν καὶ δότε ἐλεημοσύνην·

ποιήσατε ἑαυτοῖς βαλλάντια μὴ παλαιούμενα, θησαυρὸν ἀνέκλειπτον ἐν τοῖς οὐρανοῖς, ὅπου κλέπτης οὐκ ἐγγίζει οὐδὲ σὴς διαφθείρει·   ³⁴ ὅπου γάρ ἐστιν ὁ θησαυρὸς ὑμῶν, ἐκεῖ καὶ ἡ καρδία ὑμῶν ἔσται.

33. Parabel vom Auge.   Matth 6 22-23
33. The Single Eye.

²² Ὁ λύχνος τοῦ σώματός ἐστιν ὁ ὀφθαλμός. ἐὰν οὖν ᾖ ὁ ὀφθαλμός σου ἁπλοῦς, ὅλον τὸ σῶμά σου φωτεινὸν ἔσται· ²³ ἐὰν δὲ ὁ ὀφθαλμός σου πονηρὸς ᾖ, ὅλον τὸ σῶμά σου σκοτεινὸν ἔσται. εἰ οὖν τὸ φῶς τὸ ἐν σοὶ σκότος ἐστίν, τὸ σκότος πόσον.

11 34—36 *(153. S. 120 f.):*

³⁴ Ὁ λύχνος τοῦ σώματός ἐστιν ὁ ὀφθαλμός σου. ὅταν ὁ ὀφθαλμός σου ἁπλοῦς ᾖ, καὶ ὅλον τὸ σῶμά σου φωτεινόν ἐστιν· ἐπὰν δὲ πονηρὸς ᾖ, καὶ τὸ σῶμά σου σκοτεινόν. ³⁵ σκόπει οὖν μὴ τὸ φῶς τὸ ἐν σοὶ σκότος ἐστίν. ³⁶ εἰ οὖν τὸ σῶμά σου ὅλον φωτεινόν, μὴ ἔχον μέρος τι σκοτεινόν, ἔσται φωτεινὸν ὅλον ὡς ὅταν ὁ λύχνος τῇ ἀστραπῇ φωτίζῃ σε.

34. Vom Doppeldienst.   Matth 6 24
34. On Serving Two Masters.

²⁴ Οὐδεὶς δύναται δυσὶ κυρίοις δουλεύειν· ἢ γὰρ τὸν ἕνα μισήσει καὶ τὸν ἕτερον ἀγαπήσει, ἢ ἑνὸς ἀνθέξεται καὶ τοῦ ἑτέρου καταφρονήσει. οὐ δύνασθε θεῷ δουλεύειν καὶ μαμωνᾷ.

16 13 *(174. S. 137):*

¹³ Οὐδεὶς οἰκέτης δύναται δυσὶ κυρίοις δουλεύειν· ἢ γὰρ τὸν ἕνα μισήσει καὶ τὸν ἕτερον ἀγαπήσει, ἢ ἑνὸς ἀνθέξεται καὶ τοῦ ἑτέρου καταφρονήσει. οὐ δύνασθε θεῷ δουλεύειν καὶ μαμωνᾷ.

Matth 6, 22 ἐὰν οὖν B W Θ λ φ 𝔐 it sy ᵖᵉ sa bo   ἐὰν S vg sy ᶜ

Luk 11, 35 gegen alle (auch 𝔓 ⁴⁵) Zeugen: εἰ οὖν τὸ φῶς τὸ ἐν σοὶ σκότος, τὸ σκότος πόσον (= Mt 6 23 b) D it   **36** fehlt D it, lautet εἰ οὖν τὸ φῶς τὸ ἐν σοὶ σκότος, τὸ σκότος πόσον sy ᶜ vgl. v. 35, si ergo corpus tuum lucernam non habens lucidam obscurum est; quanto magis cum lucerna luceat inluminat te q, ähnlich f sy ˢ

35. Vom Sorgen. Matth 6 25–34
35. On Cares.

²⁵ Διὰ τοῦτο λέγω ὑμῖν, μὴ μεριμνᾶτε τῇ ψυχῇ ὑμῶν τί φάγητε, μηδὲ τῷ σώματι ὑμῶν τί ἐνδύσησθε. οὐχὶ ἡ ψυχὴ πλεῖόν ἐστιν τῆς τροφῆς καὶ τὸ σῶμα τοῦ ἐνδύματος; ²⁶ ἐμβλέψατε εἰς τὰ πετεινὰ τοῦ οὐρανοῦ, ὅτι οὐ σπείρουσιν οὐδὲ θερίζουσιν οὐδὲ συνάγουσιν εἰς ἀποθήκας, καὶ ὁ πατὴρ ὑμῶν ὁ οὐράνιος τρέφει αὐτά· οὐχ ὑμεῖς μᾶλλον διαφέρετε αὐτῶν; ²⁷ τίς δὲ ἐξ ὑμῶν μεριμνῶν δύναται προσθεῖναι ἐπὶ τὴν ἡλικίαν αὐτοῦ πῆχυν ἕνα; ²⁸ καὶ περὶ ἐνδύματος τί μεριμνᾶτε; καταμάθετε τὰ κρίνα τοῦ ἀγροῦ πῶς αὐξάνουσιν· οὐ κοπιῶσιν οὐδὲ νήθουσιν. ²⁹ λέγω δὲ ὑμῖν ὅτι οὐδὲ Σολομῶν ἐν πάσῃ τῇ δόξῃ αὐτοῦ περιεβάλετο ὡς ἓν τούτων. ³⁰ εἰ δὲ τὸν χόρτον τοῦ ἀγροῦ σήμερον ὄντα καὶ αὔριον εἰς κλίβανον βαλλόμενον ὁ θεὸς οὕτως ἀμφιέννυσιν, οὐ πολλῷ μᾶλλον ὑμᾶς, ὀλιγόπιστοι; ³¹ μὴ οὖν μεριμνήσητε λέγοντες· τί φάγωμεν; ἤ· τί πίωμεν; ἤ· τί περιβαλώμεθα; ³² πάντα γὰρ ταῦτα τὰ ἔθνη ἐπιζητοῦσιν· οἶδεν γὰρ ὁ πατὴρ ὑμῶν ὁ οὐράνιος ὅτι χρῄζετε τούτων ἁπάντων. ³³ ζητεῖτε δὲ πρῶτον τὴν βασιλείαν καὶ τὴν δικαιοσύνην αὐτοῦ, καὶ ταῦτα πάντα προστεθήσεται ὑμῖν. ³⁴ μὴ οὖν μεριμνήσητε εἰς τὴν αὔριον· ἡ γὰρ αὔριον μεριμνήσει ἑαυτῆς· ἀρκετὸν τῇ ἡμέρᾳ ἡ κακία αὐτῆς.

12 22–31 *(157. S. 125 f.)*:

²² Εἶπεν δὲ πρὸς τοὺς μαθητὰς αὐτοῦ· διὰ τοῦτο λέγω ὑμῖν· μὴ μεριμνᾶτε τῇ ψυχῇ τί φάγητε, μηδὲ τῷ σώματι τί ἐνδύσησθε. ²³ ἡ γὰρ ψυχὴ πλεῖόν ἐστιν τῆς τροφῆς καὶ τὸ σῶμα τοῦ ἐνδύματος. ²⁴ κατανοήσατε τοὺς κόρακας, ὅτι οὔτε σπείρουσιν οὔτε θερίζουσιν, οἷς οὐκ ἔστιν ταμιεῖον οὐδὲ ἀποθήκη, καὶ ὁ θεὸς τρέφει αὐτούς· πόσῳ μᾶλλον ὑμεῖς διαφέρετε τῶν πετεινῶν. ²⁵ τίς δὲ ἐξ ὑμῶν μεριμνῶν δύναται ἐπὶ τὴν ἡλικίαν αὐτοῦ προσθεῖναι πῆχυν; ²⁶ εἰ οὖν οὐδὲ ἐλάχιστον δύνασθε, τί περὶ τῶν λοιπῶν μεριμνᾶτε; ²⁷ κατανοήσατε τὰ κρίνα, πῶς οὔτε νήθει οὔτε ὑφαίνει· λέγω δὲ ὑμῖν, οὐδὲ Σολομὼν ἐν πάσῃ τῇ δόξῃ αὐτοῦ περιεβάλετο ὡς ἓν τούτων. ²⁸ εἰ δὲ ἐν ἀγρῷ τὸν χόρτον ὄντα σήμερον καὶ αὔριον εἰς κλίβανον βαλλόμενον ὁ θεὸς οὕτως ἀμφιάζει, πόσῳ μᾶλλον ὑμᾶς, ὀλιγόπιστοι. ²⁹ καὶ ὑμεῖς μὴ ζητεῖτε τί φάγητε καὶ τί πίητε, καὶ μὴ μετεωρίζεσθε· ³⁰ ταῦτα γὰρ πάντα τὰ ἔθνη τοῦ κόσμου ἐπιζητοῦσιν· ὑμῶν δὲ ὁ πατὴρ οἶδεν ὅτι χρῄζετε τούτων· ³¹ πλὴν ζητεῖτε τὴν βασιλείαν αὐτοῦ, καὶ ταῦτα προστεθήσεται ὑμῖν.

Matth 6, 25 τί φάγητε S λ it vg sy ᶜ sa Orig   τί φάγητε ἢ τί πίητε B W φ bo   τί φάγητε καὶ τί πίητε Θ ℜ sy ᵖᵉ Orig   **33** βασιλείαν S B sa bo Eus   βασιλείαν τοῦ θεοῦ W Θ λ φ ℜ it vg sy ᶜ ᵖᵉ   **Luk 12, 22** σώματι + σώματι B εα bo   **24** τοὺς κόρακας] τὰ πετεινὰ τοῦ οὐρανοῦ D vgl. Mt τὰ πετεινὰ τοῦ οὐρανοῦ καὶ τοὺς κόρακας 𝔓 ⁴⁵   **26** lautet D it: καὶ περὶ τῶν λοιπῶν τί μεριμνᾶτε; **27** (+ πῶς αὐξάνει· οὐ κοπιᾷ it) οὔτε νήθει οὔτε ὑφαίνει D it sy ᶜˢ   αὐξάνει (> vg) οὐ κοπιᾷ οὐδὲ νήθει 𝔓 ⁴⁵ S A B W Θ λ φ ℜ vg sy ᵖᵉ sa ʟo vgl. Mt

Zu Matth 6 25 ff.: Oxyrhynchus Pap. 655 I a. b: ἀ]πὸ πρωὶ ἕ[ως ὀψέ, μήτ]ε ἀφ᾽ ἑσπ[έρας ἕως π]ρωὶ μήτε [τῇ τροφῇ ὑ]μῶν τί φά[γητε μήτε] τῇ στ[ολῇ ὑμῶν] τί ἐνδύ[ση]σθε· [πολλῷ κρεί[σσον]ές [ἐστε] τῶν [κρί]νων ἅτι[να α]ὐξάνει οὐδὲ ν[ήθ]ει ... ἓν ἔχοντ[ες ἔ]νδυμα τί ἐν ... καὶ ὑμεῖς· τίς ἂν προσθ(εί)η ἐπὶ τὴν ἡλικίαν ὑμῶν; αὐτὸ[ς δ]ώσει ὑμῖν τὸ ἔνδυμα ὑμῶν usw.

Zu Matth 6 33: Αἰτεῖτε (Clem αἰτεῖσθε) τὰ μεγάλα, καὶ τὰ μικρὰ ὑμῖν προστεθήσεται; καὶ· αἰτεῖτε τὰ ἐπουράνια, καὶ τὰ ἐπίγεια ὑμῖν προστεθήσεται. Vgl. Clem. Al. Strom. I 24 158 (II 100 1–2 Stählin). Orig. de orat. 2 2 14 1 (II 299 19–21; 330 7–9 Koetschau).

36. Vom Richten. Matth 7 1–5
36. On Judging.

6 37–38 41–42 *(76. S. 62):*

¹ Μὴ κρίνετε, ἵνα μὴ κριϑῆτε· ² ἐν ᾧ γὰρ κρίματι κρίνετε κριϑήσεσϑε,

³⁷ Καὶ μὴ κρίνετε, καὶ οὐ μὴ κριϑῆτε· καὶ μὴ καταδικάζετε, καὶ οὐ μὴ καταδικασϑῆτε. ἀπολύετε, καὶ ἀπολυϑήσεσϑε· ³⁸ δίδοτε, καὶ δοϑήσεται ὑμῖν· μέτρον καλὸν πεπιεσμένον σεσαλευμένον ὑπερεκχυννόμενον δώσουσιν εἰς τὸν κόλπον ὑμῶν· ᾧ γὰρ μέτρῳ μετρεῖτε ἀντιμετρη-

καὶ ἐν ᾧ μέτρῳ μετρεῖτε μετρηϑήσεται ὑμῖν.* ³ τί δὲ βλέπεις τὸ κάρφος τὸ ἐν τῷ ὀφϑαλμῷ τοῦ ἀδελφοῦ σου, τὴν δὲ ἐν τῷ σῷ ὀφϑαλμῷ δοκὸν οὐ κατανοεῖς; ⁴ ἢ πῶς ἐρεῖς τῷ ἀδελφῷ σου· ἄφες ἐκβάλω τὸ κάρφος ἐκ τοῦ ὀφϑαλμοῦ σου, καὶ ἰδοὺ ἡ δοκὸς ἐν τῷ ὀφϑαλμῷ σου.

ϑήσεται ὑμῖν.* ⁴¹ τί δὲ βλέπεις τὸ κάρφος τὸ ἐν τῷ ὀφϑαλμῷ τοῦ ἀδελφοῦ σου, τὴν δὲ δοκὸν τὴν ἐν τῷ ἰδίῳ ὀφϑαλμῷ οὐ κατανοεῖς; ⁴² πῶς δύνασαι λέγειν τῷ ἀδελφῷ σου· ἀδελφέ, ἄφες ἐκβάλω τὸ κάρφος τὸ ἐν τῷ ὀφϑαλμῷ σου, αὐτὸς τὴν ἐν τῷ ὀφϑαλμῷ σου δοκὸν οὐ βλέπων; ὑποκριτά, ἔκβαλε πρῶτον τὴν δοκὸν ἐκ τοῦ ὀφϑαλμοῦ σου, καὶ τότε δια-

⁵ ὑποκριτά, ἔκβαλε πρῶτον ἐκ τοῦ ὀφϑαλμοῦ σου τὴν δοκόν, καὶ τότε διαβλέψεις ἐκβαλεῖν τὸ κάρφος ἐκ τοῦ ὀφϑαλμοῦ τοῦ ἀδελφοῦ σου.

βλέψεις   τὸ κάρφος τὸ ἐν τῷ ὀφϑαλμῷ τοῦ ἀδελφοῦ σου ἐκβαλεῖν.

37. Von der Entweihung des Heiligtums. Matth 7 6
37. On Casting Pearls before Swine.

⁶ Μὴ δῶτε τὸ ἅγιον τοῖς κυσίν, μηδὲ βάλητε τοὺς μαργαρίτας ὑμῶν ἔμπροσϑεν τῶν χοίρων, μήποτε καταπατήσουσιν αὐτοὺς ἐν τοῖς ποσὶν αὐτῶν καὶ στραφέντες ῥήξωσιν ὑμᾶς.

38. Von der Gebetserhörung. Matth 7 7–11
38. The Answer to Prayer.

11 9–13 *(148. S. 117 f.):* ⁹ Κἀγὼ ὑμῖν λέγω,

⁷ Αἰτεῖτε, καὶ δοϑήσεται ὑμῖν· ζητεῖτε, καὶ εὑρήσετε· κρούετε, καὶ ἀνοιγήσεται ὑμῖν. ⁸ πᾶς γὰρ ὁ αἰτῶν λαμβάνει, καὶ ὁ ζητῶν εὑρίσκει,

αἰτεῖτε, καὶ δοϑήσεται ὑμῖν· ζητεῖτε, καὶ εὑρήσετε· κρούετε, καὶ ἀνοιγήσεται ὑμῖν. ¹⁰ πᾶς γὰρ ὁ αἰτῶν λαμβάνει, καὶ ὁ ζητῶν εὑρίσκει,

---

* Mark 4 24 (94. S. 74): Καὶ ἔλεγεν αὐτοῖς· βλέπετε τί ἀκούετε. ἐν ᾧ μέτρῳ μετρεῖτε μετρηϑήσεται ὑμῖν, καὶ προστεϑήσεται ὑμῖν (cf. Matth 6 33 = Luk 12 31).

Zu Matth 7 1 (auch Matth 5 7 6 14 Luk 6 31 37 f.) I. Clemens 13 2: Ἐλεᾶτε, ἵνα ἐλεηϑῆτε· ἀφίετε, ἵνα ἀφεϑῇ ὑμῖν· ὡς ποιεῖτε, οὕτω ποιηϑήσεται ὑμῖν· ὡς δίδοτε, οὕτως δοϑήσεται ὑμῖν· ὡς κρίνετε, οὕτως κριϑήσεσϑε· ὡς χρηστεύεσϑε, οὕτως χρηστευϑήσεται ὑμῖν· ᾧ μέτρῳ μετρεῖτε, ἐν αὐτῷ μετρηϑήσεται ὑμῖν.

Zu Matth 7 5: **Hebr. Evang.:** Τὸ Ἰουδαϊκὸν ἐνταῦϑα οὕτως ἔχει· ἐὰν ἦτε ἐν τῷ κόλπῳ μου καὶ τὸ ϑέλημα τοῦ πατρός μου τοῦ ἐν οὐρανοῖς μὴ ποιῆτε, ἐκ τοῦ κόλπου μου ἀπορρίψω ὑμᾶς 1424.

Zu Matth 7 5 = Luk 6 42. Oxyrhynchus Pap. Nr. 1 1. *** καὶ τότε διαβλέψεις ἐκβαλεῖν τὸ κάρφος τὸ ἐν τῷ ὀφϑαλμῷ τοῦ ἀδελφοῦ σου.

Zu Matth 7 7 ff.: **Hebr. Evanꝫ.:** Οὐ παύσεται ὁ ζητῶν, ἕως ἂν εὕρῃ, εὑρὼν δὲ ϑαμβηϑήσεται, ϑαμβηϑεὶς δὲ βασιλεύσει, βασιλεύσας δὲ ἐπαναπαύσεται Clemens Alex. Strom. V 14 (93 3; II 389 14 Stählin) Oxyrhynchus Pap. 654, nr. 1.

καὶ τῷ κρούοντι ἀνοιγήσεται. ⁹ ἢ τίς ἐστιν ἐξ
ὑμῶν ἄνθρωπος, ὃν αἰτήσει ὁ υἱὸς αὐτοῦ ἄρ-
τον, μὴ λίθον ἐπιδώσει αὐτῷ; ¹⁰ ἢ καὶ ἰχθὺν
αἰτήσει, μὴ ὄφιν ἐπιδώσει αὐτῷ;
                                                   ¹¹ εἰ οὖν
ὑμεῖς πονηροὶ ὄντες οἴδατε δόματα ἀγα-
θὰ διδόναι τοῖς τέκνοις ὑμῶν, πόσῳ μᾶλ-
λον ὁ πατὴρ ὑμῶν ὁ ἐν τοῖς οὐρανοῖς δώσει
ἀγαθὰ τοῖς αἰτοῦσιν αὐτόν.

καὶ τῷ κρούοντι ἀνοιγήσεται. ¹¹ τίνα δὲ ἐξ
ὑμῶν τὸν πατέρα αἰτήσει ὁ υἱὸς
                                                   ἰχθύν,
μὴ ἀντὶ ἰχθύος ὄφιν αὐτῷ ἐπιδώσει; ¹² ἢ καὶ
αἰτήσει ᾠόν, ἐπιδώσει αὐτῷ σκορπίον; ¹³ εἰ οὖν
ὑμεῖς πονηροὶ ὑπάρχοντες οἴδατε δόματα ἀγα-
θὰ διδόναι τοῖς τέκνοις ὑμῶν, πόσῳ μᾶλ-
λον ὁ πατὴρ ὁ ἐξ   οὐρανοῦ δώσει
πνεῦμα ἅγιον τοῖς αἰτοῦσιν αὐτόν.

89. Norm der Nächstenliebe. Matth 7 12
39. The Golden Rule.

¹² Πάντα οὖν ὅσα ἐὰν θέλητε ἵνα ποι-
ῶσιν ὑμῖν οἱ ἄνθρωποι, οὕτως καὶ ὑμεῖς ποι-
εῖτε αὐτοῖς· οὗτος γάρ ἐστιν ὁ νόμος καὶ οἱ
προφῆται.

6 31 *(75. S. 61)*: Καὶ καθὼς θέλετε ἵνα ποι-
ῶσιν ὑμῖν οἱ ἄνθρωποι,   ποι-
εῖτε αὐτοῖς ὁμοίως.

40. Die enge Pforte. Matth 7 13–14
40. The Narrow Gate.

¹³ Εἰσέλθατε διὰ τῆς στενῆς πύλης· ὅτι πλα-
τεῖα καὶ εὐρύχωρος ἡ ὁδὸς ἡ ἀπάγουσα εἰς
τὴν ἀπώλειαν, καὶ πολλοί εἰσιν οἱ εἰσερχό-
μενοι δι' αὐτῆς· ¹⁴ ὅτι στενὴ ἡ πύλη καὶ τε-
θλιμμένη ἡ ὁδὸς ἡ ἀπάγουσα εἰς τὴν ζωήν, καὶ
ὀλίγοι εἰσὶν οἱ εὑρίσκοντες αὐτήν.

13 23–24 *(165. S. 130)*: ²³ Εἶπεν δέ τις
αὐτῷ· κύριε, εἰ ὀλίγοι οἱ σῳζόμενοι; ὁ δὲ εἶπεν
πρὸς αὐτούς· ²⁴ ἀγωνίζεσθε εἰσελθεῖν διὰ τῆς
στενῆς θύρας, ὅτι πολλοί, λέγω ὑμῖν, ζητή-
σουσιν εἰσελθεῖν καὶ οὐκ ἰσχύσουσιν.

41. Das Kriterium der Frömmigkeit. Matth 7 15–20
41. The Test of Goodness.

¹⁵ Προσέχετε ἀπὸ τῶν ψευδοπροφητῶν,
οἵτινες ἔρχονται πρὸς ὑμᾶς ἐν ἐνδύμασιν προ-
βάτων, ἔσωθεν δέ εἰσιν λύκοι ἅρπαγες.

Mt 7 12: Tob 4 15 Sir 31 15.

Matth 7, 13 πλατεῖα S it Clem Orig   πλατεῖα ἡ πύλη B C W Θ λ φ ℜ vg syᶜ ᵖᵉ sa bo   **14** ὅτι
S bo   ὅτι δὲ B ℜ sa   τί C W Θ λ φ it vg syᶜ ᵖᵉ
      Luk 11, 11 τὸν πατέρα > it syᶜˢ | ὁ υἱὸς > S vg | ἰχθύν 𝔓⁴⁵ B syˢ sa   ἄρτον, μὴ λίθον
ἐπιδώσει αὐτῷ (αὐτῷ ἐπιδ. ~ D) ἢ καὶ (> S bo) ἰχθύν S A D W Θ λ φ ℜ it vg syᶜ ᵖᵉ bo | ἰχθύν - ὄφιν]
ἄρτον μὴ λίθον C   **13** πνεῦμα ἅγιον S A B C W λ φ ℜ syᶜ ᵖᵉ sa bo   πνεῦμα ἀγαθὸν 𝔓⁴⁵ L vg
ἀγαθὸν δόμα D it   δόματα ἀγαθὰ Θ   ἀγαθὰ syˢ

    Zu Matth 7 12: Didache 1 2: Πάντα δὲ ὅσα ἐὰν θελήσῃς μὴ γίνεσθαί σοι, καὶ σὺ ἄλλῳ μὴ ποίει.
    Zu Matth 7 15: Justin Dialog 35 3: Εἶπε γάρ· πολλοὶ ἐλεύσονται ἐπὶ τῷ ὀνόματί μου, ἔξωθεν
ἐνδεδυμένοι δέρματα προβάτων, ἔσωθεν δέ εἰσι λύκοι ἅρπαγες καί· ἔσονται σχίσματα καὶ αἱρέσεις und dann
Mt 7 15.

¹⁶ Ἀπὸ τῶν καρπῶν αὐτῶν ἐπιγνώσεσθε αὐτούς. μήτι συλλέγουσιν ἀπὸ ἀκανθῶν σταφυλὰς ἢ ἀπὸ τριβόλων σῦκα; ¹⁷ οὕτως πᾶν δένδρον ἀγαθὸν καρποὺς καλοὺς ποιεῖ, τὸ δὲ σαπρὸν δένδρον καρποὺς πονηροὺς ποιεῖ.* ¹⁸ οὐ δύναται δένδρον ἀγαθὸν καρποὺς πονηροὺς ἐνεγκεῖν, οὐδὲ δένδρον σαπρὸν καρποὺς καλοὺς ἐνεγκεῖν. ¹⁹ πᾶν δένδρον μὴ ποιοῦν καρπὸν καλὸν ἐκκόπτεται καὶ εἰς πῦρ βάλλεται.** ²⁰ ἄρα γε ἀπὸ τῶν καρπῶν αὐτῶν ἐπιγνώσεσθε αὐτούς.

6 43-45 (77. S. 62 f.): ⁴³ Οὐ γάρ ἐστιν δένδρον καλὸν ποιοῦν καρπὸν σαπρόν, οὐδὲ πάλιν δένδρον σαπρὸν ποιοῦν καρπὸν καλόν. ⁴⁴ ἕκαστον γὰρ δένδρον ἐκ τοῦ ἰδίου καρποῦ γινώσκεται.* οὐ γὰρ ἐξ ἀκανθῶν συλλέγουσιν σῦκα, οὐδὲ ἐκ βάτου σταφυλὴν τρυγῶσιν. ⁴⁵ ὁ ἀγαθὸς ἄνθρωπος ἐκ τοῦ ἀγαθοῦ θησαυροῦ τῆς καρδίας προφέρει τὸ ἀγαθόν, καὶ ὁ πονηρὸς ἐκ τοῦ πονηροῦ προφέρει τὸ πονηρόν. ἐκ γὰρ περισσεύματος καρδίας λαλεῖ τὸ στόμα αὐτοῦ.

42. Warnung vor Selbsttäuschung.   Matth 7 21-23
42. Warning against Self-Deception.

²¹ Οὐ πᾶς ὁ λέγων μοι κύριε κύριε, εἰσελεύσεται εἰς τὴν βασιλείαν τῶν οὐρανῶν, ἀλλ' ὁ ποιῶν τὸ θέλημα τοῦ πατρός μου τοῦ ἐν τοῖς οὐρανοῖς. ²² πολλοὶ ἐροῦσίν μοι ἐν ἐκείνῃ τῇ ἡμέρᾳ· κύριε κύριε, οὐ τῷ σῷ ὀνόματι ἐπροφητεύσαμεν, καὶ τῷ σῷ ὀνόματι δαιμόνια ἐξεβάλομεν, καὶ τῷ σῷ ὀνόματι δυνάμεις πολλὰς ἐποιήσαμεν; ²³ καὶ τότε ὁμολογήσω αὐτοῖς ὅτι οὐδέποτε ἔγνων ὑμᾶς, ἀποχωρεῖτε ἀπ' ἐμοῦ οἱ ἐργαζόμενοι τὴν ἀνομίαν.

6 46 (77. S. 63): ⁴⁶ Τί δέ με καλεῖτε· κύριε κύριε, καὶ οὐ ποιεῖτε ἃ λέγω;

13 26-27 (165. S. 131): ²⁶ τότε ἄρξεσθε λέγειν· ἐφάγομεν ἐνώπιόν σου καὶ ἐπίομεν, καὶ ἐν ταῖς πλατείαις ἡμῶν ἐδίδαξας· ²⁷ καὶ ἐρεῖ λέγων ὑμῖν· οὐκ οἶδα πόθεν ἐστέ· ἀπόστητε ἀπ' ἐμοῦ πάντες ἐργάται ἀδικίας.

---

* Matth 12 33-35 (83. S. 68 f.). ³³ Ἢ ποιήσατε τὸ δένδρον καλὸν καὶ τὸν καρπὸν αὐτοῦ καλόν. ἢ ποιήσατε τὸ δένδρον σαπρὸν καὶ τὸν καρπὸν αὐτοῦ σαπρόν· ἐκ γὰρ τοῦ καρποῦ τὸ δένδρον γινώσκεται. ³⁴ γεννήματα ἐχιδνῶν, πῶς δύνασθε ἀγαθὰ λαλεῖν πονηροὶ ὄντες: ἐκ γὰρ τοῦ περισσεύματος τῆς καρδίας τὸ στόμα λαλεῖ. ³⁵ ὁ ἀγαθὸς ἄνθρωπος ἐκ τοῦ ἀγαθοῦ θησαυροῦ ἐκβάλλει ἀγαθά, καὶ ὁ πονηρὸς ἄνθρωπος ἐκ τοῦ πονηροῦ θησαυροῦ ἐκβάλλει πονηρά.

** Vgl. Matth 3 10 = Luk 3 9 (2. S. 11).

Mt 7 23 = Lc 13 27: Ps 6 9.

Matth 7, 21 οὐρανοῖς + αὐτὸς εἰσελεύσεται εἰς τὴν βασιλείαν τῶν οὐρανῶν W Θ it vg syᶜ Cyp

---

Zu Matth 7 21: II. Clemens 4 2: Λέγει γάρ· οὐ πᾶς ὁ λέγων μοι· κύριε κύριε, σωθήσεται, ἀλλ' ὁ ποιῶν τὴν δικαιοσύνην.

Zu Matth 7 22: II. Clemens 4 5: Εἶπεν ὁ κύριος· ἐὰν ἦτε μετ' ἐμοῦ συνηγμένοι ἐν τῷ κόλπῳ μου καὶ μὴ ποιῆτε τὰς ἐντολάς μου, ἀποβαλῶ ὑμᾶς καὶ ἐρῶ ὑμῖν· ὑπάγετε ἀπ' ἐμοῦ, οὐκ οἶδα ὑμᾶς, πόθεν ἐστέ, ἐργάται ἀνομίας. Vgl. Luk 13 25 ff.

43. Schlußgleichnisse. Matth 7 24—27
43. Hearers and Doers of the Word.

²⁴ Πᾶς οὖν ὅστις ἀκούει μου τοὺς λόγους τούτους καὶ ποιεῖ αὐτούς, ὁμοιωθήσεται ἀνδρὶ φρονίμῳ, ὅστις ᾠκοδόμησεν

αὐτοῦ τὴν οἰκίαν ἐπὶ τὴν πέτραν. ²⁵ καὶ κατέβη ἡ βροχὴ καὶ ἦλθον οἱ ποταμοὶ καὶ ἔπνευσαν οἱ ἄνεμοι καὶ προσέπεσαν τῇ οἰκίᾳ ἐκείνῃ, καὶ οὐκ ἔπεσεν· τεθεμελίωτο γὰρ ἐπὶ τὴν πέτραν. ²⁶ καὶ πᾶς ὁ ἀκούων μου τοὺς λόγους τούτους καὶ μὴ ποιῶν αὐτοὺς ὁμοιωθήσεται ἀνδρὶ μωρῷ, ὅστις ᾠκοδόμησεν αὐτοῦ τὴν οἰκίαν ἐπὶ τὴν ἄμμον. ²⁷ καὶ κατέβη ἡ βροχὴ καὶ ἦλθον οἱ ποταμοὶ καὶ ἔπνευσαν οἱ ἄνεμοι καὶ προσέκοψαν τῇ οἰκίᾳ ἐκείνῃ, καὶ ἔπεσεν, καὶ ἦν ἡ πτῶσις αὐτῆς μεγάλη.

6 47—49 (78. S. 63):

⁴⁷ Πᾶς ὁ ἐρχόμενος πρός με καὶ ἀκούων μου τῶν λόγων καὶ ποιῶν αὐτούς, ὑποδείξω ὑμῖν τίνι ἐστὶν ὅμοιος. ⁴⁸ ὅμοιός ἐστιν ἀνθρώπῳ οἰκοδομοῦντι οἰκίαν, ὃς ἔσκαψεν καὶ ἐβάθυνεν καὶ ἔθηκεν θεμέλιον ἐπὶ τὴν πέτραν· πλημμύρης δὲ γενομένης προσέρρηξεν ὁ ποταμὸς τῇ οἰκίᾳ ἐκείνῃ, καὶ οὐκ ἴσχυσεν σαλεῦσαι αὐτὴν διὰ τὸ καλῶς οἰκοδομῆσθαι αὐτήν.

⁴⁹ ὁ δὲ ἀκούσας καὶ μὴ ποιήσας ὅμοιός ἐστιν ἀνθρώπῳ οἰκοδομήσαντι οἰκίαν ἐπὶ τὴν γῆν χωρὶς θεμελίου,

ᾗ προσέρρηξεν ὁ ποταμός, καὶ εὐθὺς συνέπεσεν, καὶ ἐγένετο τὸ ῥῆγμα τῆς οἰκίας ἐκείνης μέγα.

44. Nachwort. Matth 7 28—29   Joh 7 46
44. The End of the Sermon.

²⁸ Καὶ ἐγένετο ὅτε ἐτέλεσεν ὁ Ἰησοῦς τοὺς λόγους τούτους, ἐξεπλήσσοντο οἱ ὄχλοι ἐπὶ τῇ διδαχῇ αὐτοῦ· ²⁹ ἦν γὰρ διδάσκων αὐτοὺς ὡς ἐξουσίαν ἔχων, καὶ οὐχ ὡς οἱ γραμματεῖς αὐτῶν.*

7 1 a
(S. 37)

45. Heilung des Aussätzigen.
45. The Healing of a Leper.

Matth 8 1—4	Mark 1 40—45	Luk 5 12—16
¹ Καταβάντος δὲ αὐτοῦ ἀπὸ τοῦ ὄρους ἠκολούθησαν αὐτῷ ὄχλοι πολλοί.	(16. 1 39. S. 22)	(17. 5 1—11. S. 23)
² καὶ ἰδοὺ λε-	⁴⁰ Καὶ ἔρχεται πρὸς αὐτὸν λε-	¹² Καὶ ἐγένετο ἐν τῷ εἶναι αὐτὸν ἐν μιᾷ τῶν πόλεων καὶ ἰδοὺ ἀνὴρ πλήρης λέ-

* Mark 1 21 22 (12. S. 19): ²¹ Καὶ εἰσπορεύονται εἰς Καφαρναούμ· καὶ εὐθὺς τοῖς σάββασιν εἰσελθὼν εἰς τὴν συναγωγὴν ἐδίδασκεν. ²² καὶ ἐξεπλήσσοντο ἐπὶ τῇ διδαχῇ αὐτοῦ· ἦν γὰρ διδάσκων αὐτοὺς ὡς ἐξουσίαν ἔχων, καὶ οὐχ ὡς οἱ γραμματεῖς.

Luk 4 31 32 (12. S. 19): ³¹ Καὶ κατῆλθεν εἰς Καφαρναοὺμ πόλιν τῆς Γαλιλαίας. καὶ ἦν διδάσκων αὐτοὺς ἐν τοῖς σάββασιν· ³² καὶ ἐξεπλήσσοντο ἐπὶ τῇ διδαχῇ αὐτοῦ, ὅτι ἐν ἐξουσίᾳ ἦν ὁ λόγος αὐτοῦ.

Luk 6, 48 διὰ τὸ καλῶς οἰκοδομῆσθαι αὐτὴν S B W sa bo   τεθεμελίωτο γὰρ ἐπὶ τὴν πέτραν
A C D Θ λ φ 𝔐 it vg syᵖᵉ ⸢ syˢ

πρὸς   προσελθὼν
προσεκύνει αὐτῷ λέ-
γων· κύριε, ἐὰν θέλῃς, δύνα-
σαί με καθαρίσαι. ³ καὶ
ἐκτείνας τὴν χεῖρα
ἥψατο αὐτοῦ λέγων· θέλω, κα-
θαρίσθητι. καὶ εὐθέως ἐκαθαρίσθη
αὐτοῦ ἡ λέπρα.

        ⁴ καὶ λέ-
γει αὐτῷ ὁ Ἰησοῦς· ὅρα μηδενὶ
    εἴπῃς, ἀλλὰ ὕπαγε σεαυτὸν
δεῖξον τῷ ἱερεῖ καὶ προσένεγκον
τὸ δῶρον   ὃ προσέ-
ταξεν Μωϋσῆς, εἰς μαρτύριον αὐ-
τοῖς.

πρὸς   παρακαλῶν
αὐτὸν καὶ γονυπετῶν   λέ-
γων αὐτῷ   ὅτι ἐὰν θέλῃς δύνα-
σαί με καθαρίσαι. ⁴¹ καὶ σπλαγ-
χνισθεὶς ἐκτείνας τὴν χεῖρα αὐτοῦ
ἥψατο καὶ λέγει αὐτῷ· θέλω, κα-
θαρίσθητι. ⁴² καὶ εὐθὺς ἀπῆλθεν
ἀπ᾽ αὐτοῦ ἡ λέπρα, καὶ ἐκαθαρί-
σθη. ⁴³ καὶ ἐμβριμησάμενος αὐτῷ
εὐθὺς ἐξέβαλεν αὐτόν. ⁴⁴ καὶ λέ-
γει αὐτῷ·   ὅρα μηδενὶ
μηδὲν εἴπῃς, ἀλλὰ ὕπαγε σεαυτὸν
δεῖξον τῷ ἱερεῖ καὶ προσένεγκε περὶ
τοῦ καθαρισμοῦ σου   ἃ προσέ-
ταξεν Μωϋσῆς, εἰς μαρτύριον αὐ-
τοῖς. ⁴⁵ ὁ δὲ ἐξελθὼν ἤρξατο κη-
ρύσσειν πολλὰ καὶ διαφημίζειν τὸν
λόγον, ὥστε μηκέτι αὐτὸν δύνα-
σθαι φανερῶς εἰς πόλιν εἰσελθεῖν,
ἀλλ᾽ ἔξω ἐπ᾽ ἐρήμοις τόποις ἦν·*
καὶ ἤρχοντο πρὸς αὐτὸν πάντοθεν.
        (52. 2 1–22. S. 40 f.)

πρας· ἰδὼν δὲ τὸν Ἰησοῦν, πεσὼν
ἐπὶ πρόσωπον ἐδεήθη αὐτοῦ λέ-
γων·   κύριε, ἐὰν θέλῃς, δύνα-
σαί με καθαρίσαι. ¹³ καὶ
ἐκτείνας τὴν χεῖρα
ἥψατο αὐτοῦ λέγων· θέλω, κα-
θαρίσθητι· καὶ εὐθέως ἡ λέπρα
ἀπῆλθεν ἀπ᾽ αὐτοῦ.

        ¹⁴ καὶ αὐ-
τὸς παρήγγειλεν αὐτῷ   μηδενὶ
εἰπεῖν, ἀλλὰ ἀπελθὼν δεῖξον σε-
αυτὸν τῷ ἱερεῖ, καὶ προσένεγκε περὶ
τοῦ καθαρισμοῦ σου καθὼς προσέ-
ταξεν Μωϋσῆς, εἰς μαρτύριον αὐ-
τοῖς. ¹⁵ διήρχετο δὲ μᾶλλον ὁ λό-
γος περὶ αὐτοῦ, καὶ συνήρχοντο
ὄχλοι πολλοὶ ἀκούειν καὶ θερα-
πεύεσθαι ἀπὸ τῶν ἀσθενειῶν αὐ-
τῶν· ¹⁶ αὐτὸς δὲ ἦν ὑποχωρῶν ἐν
ταῖς ἐρήμοις καὶ προσευχόμενος.*
        (52. 5 17–26. S. 40 f.)

46. Der Hauptmann von Kapernaum. Matth 8 5–13 | Joh 4 46–53 |
46. The Centurion's Servant.

⁵ Εἰσελθόντος δὲ αὐτοῦ εἰς Καφαρναοὺμ προσ-
ῆλθεν αὐτῷ ἑκατόνταρχος παρακαλῶν αὐτὸν
⁶ καὶ λέγων· κύριε, ὁ παῖς μου βέβληται ἐν
τῇ οἰκίᾳ παραλυτικός, δεινῶς βασανιζόμενος.
⁷ λέγει αὐτῷ· ἐγὼ ἐλθὼν θεραπεύσω αὐτόν.

7 1–10 (79. S. 64): ¹ Ἐπειδὴ ἐπλήρωσεν πάν-
τα τὰ ῥήματα αὐτοῦ εἰς τὰς ἀκοὰς τοῦ λαοῦ,
εἰσῆλθεν εἰς Καφαρναούμ.

² ἑκατοντάρχου δέ τινος δοῦλος κακῶς
ἔχων ἤμελλεν τελευτᾶν, ὃς ἦν αὐτῷ ἔντιμος.
³ ἀκούσας δὲ περὶ τοῦ Ἰησοῦ ἀπέστειλεν πρὸς
αὐτὸν πρεσβυτέρους τῶν Ἰουδαίων, ἐρωτῶν

---

* Vgl. Mark 1 35 = Luk 4 42 (15. S. 21).

Mt 8 4 = Mc 1 44 = Lc 5 14: Lev 13 49 14 2 f.

Matth 8, 6 κύριε > S sy cs Hilarius
Mark 1, 40 καὶ γονυπετῶν S Θ λ vg sy s pe (?) bo   καὶ γονυπετῶν αὐτὸν A C φ 𝔎 > B D W it sa
41 σπλαγχνισθείς] ὀργισθείς D   > it
Luk 7, 1 ἐπειδὴ A B C W sa   ἐπεὶ δὲ S λ φ 𝔎 vg bo   ὅτε δὲ Θ   καὶ ὅτε sy s pe   καὶ ἐγένετο
ὅτε D it

Zu Matth 8 2–4 u. par.: Pap. Mus. Brit. Egerton 2: Καὶ [ἰ]δοὺ λεπρὸς προσελθ[ὼν αὐτῷ] λέγει·
διδάσκαλε Ἰησοῦ, λε[προῖς συν]οδεύων καὶ συνεσθίω[ν αὐτοῖς] ἐν τῷ πανδοχείῳ ἐλ[έπρησα] καὶ αὐτὸς
ἐγώ. ἐὰν οὖν [σὺ θέλῃς], καθαρίζομαι. ὁ δὴ κύριος [ἔφη αὐτῷ]· θέλω καθαρίσθητι [καὶ εὐθέως] ἀπέστη
ἀπ᾽ αὐτοῦ ἡ λέπ[ρα. ὁ δὲ κύριος εἶπεν αὐτῷ]· πορε[υθεὶς ἐπίδειξον σεαυτὸν] τοῖ[ς ἱερεῦσι . . .

⁸ ἀποκριθεὶς δὲ ὁ ἑκατόνταρχος
ἔφη·   κύριε, οὐκ εἰμὶ ἱκανὸς
ἵνα μου ὑπὸ τὴν στέγην εἰσέλθῃς· ἀλλὰ μόνον

εἰπὲ λόγῳ, καὶ ἰαθήσεται ὁ παῖς μου. ⁹ καὶ
γὰρ ἐγὼ ἄνθρωπός εἰμι ὑπὸ ἐξουσίαν,

ἔχων ὑπ' ἐμαυτὸν στρατιώτας, καὶ
λέγω τούτῳ· πορεύθητι, καὶ πορεύεται, καὶ
ἄλλῳ· ἔρχου, καὶ ἔρχεται, καὶ τῷ δούλῳ μου·
ποίησον τοῦτο, καὶ ποιεῖ. ¹⁰ ἀκούσας δὲ
ὁ Ἰησοῦς ἐθαύμασεν   καὶ εἶπεν τοῖς
ἀκολουθοῦσιν·   ἀμὴν λέγω ὑμῖν, παρ'
οὐδενὶ τοσαύτην πίστιν ἐν τῷ Ἰσραὴλ εὗρον.
¹¹ λέγω δὲ ὑμῖν ὅτι πολλοὶ *ἀπὸ ἀνατολῶν*
καὶ δυσμῶν ἥξουσιν καὶ ἀνακλιθήσονται μετὰ
Ἀβραὰμ καὶ Ἰσαὰκ καὶ Ἰακὼβ ἐν τῇ βασιλείᾳ
τῶν οὐρανῶν· ¹² οἱ δὲ υἱοὶ τῆς βασιλείας
ἐκβληθήσονται εἰς τὸ σκότος τὸ ἐξώτερον·
ἐκεῖ ἔσται ὁ κλαυθμὸς καὶ ὁ βρυγμὸς τῶν
ὀδόντων.

¹³ καὶ εἶπεν ὁ Ἰησοῦς τῷ ἑκατοντάρχῃ·
ὕπαγε, ὡς ἐπίστευσας γενηθήτω σοι. καὶ ἰάθη
ὁ παῖς ἐν τῇ ὥρᾳ ἐκείνῃ.

αὐτὸν ὅπως ἐλθὼν διασώσῃ τὸν δοῦλον αὐ-
τοῦ. ⁴ οἱ δὲ παραγενόμενοι πρὸς τὸν Ἰησοῦν
παρεκάλουν αὐτὸν σπουδαίως, λέγοντες ὅτι
ἄξιός ἐστιν ᾧ παρέξῃ τοῦτο· ⁵ ἀγαπᾷ γὰρ τὸ
ἔθνος ἡμῶν καὶ τὴν συναγωγὴν αὐτὸς ᾠκοδό-
μησεν ἡμῖν. ⁶ ὁ δὲ Ἰησοῦς ἐπορεύετο σὺν αὐ-
τοῖς. ἤδη δὲ αὐτοῦ οὐ μακρὰν ἀπέχοντος ἀπὸ
τῆς οἰκίας, ἔπεμψεν φίλους ὁ ἑκατοντάρχης
λέγων αὐτῷ· κύριε, μὴ σκύλλου· οὐ γὰρ ἱκανός
εἰμι ἵνα ὑπὸ τὴν στέγην μου εἰσέλθῃς· ⁷ διὸ
οὐδὲ ἐμαυτὸν ἠξίωσα πρὸς σὲ ἐλθεῖν· ἀλλὰ
εἰπὲ λόγῳ, καὶ ἰαθήτω ὁ παῖς μου. ⁸ καὶ
γὰρ ἐγὼ ἄνθρωπός εἰμι ὑπὸ ἐξουσίαν τασσό-
μενος, ἔχων ὑπ' ἐμαυτὸν στρατιώτας, καὶ
λέγω τούτῳ· πορεύθητι, καὶ πορεύεται, καὶ
ἄλλῳ· ἔρχου, καὶ ἔρχεται, καὶ τῷ δούλῳ μου·
ποίησον τοῦτο, καὶ ποιεῖ. ⁹ ἀκούσας δὲ ταῦτα
ὁ Ἰησοῦς ἐθαύμασεν αὐτόν, καὶ στραφεὶς τῷ
ἀκολουθοῦντι αὐτῷ ὄχλῳ εἶπεν· λέγω ὑμῖν,
οὐδὲ ἐν τῷ Ἰσραὴλ τοσαύτην πίστιν εὗρον.
13 28–30 *(165. S. 131)*: ²⁸ ἐκεῖ ἔσται ὁ κλαυθ-
μὸς καὶ ὁ βρυγμὸς τῶν ὀδόντων, ὅταν ὄψησθε
Ἀβραὰμ καὶ Ἰσαὰκ καὶ Ἰακὼβ καὶ πάντας
τοὺς προφήτας ἐν τῇ βασιλείᾳ τοῦ θεοῦ, ὑμᾶς δὲ
ἐκβαλλομένους ἔξω. ²⁹ καὶ ἥξουσιν *ἀπὸ ἀνα-*
τολῶν καὶ δυσμῶν καὶ ἀπὸ βορρᾶ καὶ νότου,
καὶ ἀνακλιθήσονται ἐν τῇ βασιλείᾳ τοῦ θεοῦ.
³⁰ καὶ ἰδοὺ εἰσὶν ἔσχατοι οἳ ἔσονται πρῶτοι,
καὶ εἰσὶν πρῶτοι οἳ ἔσονται ἔσχατοι.

7 ¹⁰ καὶ ὑποστρέψαντες εἰς τὸν οἶκον οἱ
πεμφθέντες εὗρον τὸν δοῦλον ὑγιαίνοντα.

Mt 8 11 = Lc 13 29: Ps 106 3.

Matth 8, 9 ὑπὸ ἐξουσίαν C W Θ λ φ 𝔐 sy ᵖᵉ   ὑπὸ ἐξουσίαν τασσόμενος S B it vg   ὑπὸ ἐξουσίαν
καὶ ἔχω ἐξουσίαν sy ᶜ   ἔχων ἐξουσίαν sy ˢ   **12** ἐκβληθήσονται B C W Θ λ φ 𝔐 vg sa bo   ἐξελεύ-
σονται S sy ᶜˢ ᵖᵉ   ἐλεύσονται it   **13** ἐκείνῃ B W φ 𝔐 it vg sy ᶜˢ ᵖᵉ sa bo   **+** καὶ ὑποστρέψας ὁ
ἑκατόνταρχος εἰς τὸν οἶκον αὐτοῦ ἐν αὐτῇ τῇ ὥρᾳ εὗρεν τὸν παῖδα ὑγιαίνοντα S C Θ λ vgl. Lc 7 10

Luk 7, 7 διὸ — ἐλθεῖν > D it sy ˢ

47. Heilung der Schwiegermutter des Petrus.
47. The Healing of Peter's Wife's Mother.

Matth 8 14—15 (= Mark 1 29—31 = Luk 4 38—39. 13. S. 20)

¹⁴ Καὶ ἐλθὼν ὁ Ἰησοῦς εἰς τὴν οἰκίαν Πέτρου εἶδεν τὴν πενθερὰν αὐτοῦ βεβλη-
μένην καὶ πυρέσσουσαν· ¹⁵ καὶ ἥψατο τῆς χειρὸς αὐτῆς, καὶ ἀφῆκεν αὐτὴν ὁ πυρετός· | *1 29—31* | *4 38—39*
καὶ ἠγέρθη καὶ διηκόνει αὐτῷ.

48. Krankenheilungen am Abend.
48. The Sick Healed at Evening.

Matth 8 16—17 (= Mark 1 32—34 = Luk 4 40—41. 14. S. 21)

¹⁶ Ὀψίας δὲ γενομένης προσήνεγκαν αὐτῷ δαιμονιζομένους πολλούς· καὶ ἐξέ-
βαλεν τὰ πνεύματα λόγῳ καὶ πάντας τοὺς κακῶς ἔχοντας ἐθεράπευσεν· ¹⁷ ὅπως πλη- | *1 32—34* | *4 40—41*
ρωθῇ τὸ ῥηθὲν διὰ Ἡσαΐου τοῦ προφήτου λέγοντος· *αὐτὸς τὰς ἀσθενείας ἡμῶν ἔλαβεν*
καὶ τὰς νόσους ἐβάστασεν.

49. Verschiedene Nachfolger. Matth 8 18—22
49. Two Claimants to Discipleship.

¹⁸ Ἰδὼν δὲ Ἰησοῦς πολλοὺς ὄχλους περὶ αὐ-   *4 35*
τὸν ἐκέλευσεν ἀπελθεῖν εἰς τὸ πέραν.

¹⁹ καὶ προσελθὼν εἷς γραμματεὺς εἶπεν
αὐτῷ· διδάσκαλε, ἀκολουθήσω σοι ὅπου ἐὰν
ἀπέρχῃ. ²⁰ καὶ λέγει αὐτῷ ὁ Ἰησοῦς· αἱ ἀλώ-
πεκες φωλεοὺς ἔχουσιν καὶ τὰ πετεινὰ τοῦ οὐ-
ρανοῦ κατασκηνώσεις, ὁ δὲ υἱὸς τοῦ ἀνθρώπου
οὐκ ἔχει ποῦ τὴν κεφαλὴν κλίνῃ.

²¹ ἕτερος δὲ τῶν μαθητῶν εἶπεν αὐτῷ·
κύριε, ἐπίτρεψόν μοι πρῶτον ἀπελθεῖν καὶ θά-
ψαι τὸν πατέρα μου. ²² ὁ δὲ Ἰησοῦς λέγει αὐ-
τῷ· ἀκολούθει μοι, καὶ ἄφες τοὺς νεκροὺς θά-
ψαι τοὺς ἑαυτῶν νεκρούς.

9 57—60 *(138. S. 112)*:

⁵⁷ Καὶ πορευομένων αὐτῶν ἐν τῇ ὁδῷ εἶπέν
τις πρὸς αὐτόν· ἀκολουθήσω σοι ὅπου ἐὰν
ἀπέρχῃ. ⁵⁸ καὶ εἶπεν αὐτῷ ὁ Ἰησοῦς· αἱ ἀλώ-
πεκες φωλεοὺς ἔχουσιν καὶ τὰ πετεινὰ τοῦ οὐ-
ρανοῦ κατασκηνώσεις, ὁ δὲ υἱὸς τοῦ ἀνθρώπου
οὐκ ἔχει ποῦ τὴν κεφαλὴν κλίνῃ.

⁵⁹ εἶπεν δὲ πρὸς ἕτερον· ἀκολούθει μοι. ὁ δὲ
εἶπεν· ἐπίτρεψόν μοι πρῶτον ἀπελθόντι θά-
ψαι τὸν πατέρα μου. ⁶⁰ εἶπεν δὲ αὐτῷ· ἄφες
τοὺς νεκροὺς θάψαι τοὺς ἑαυτῶν νεκρούς, σὺ
δὲ ἀπελθὼν διάγγελλε τὴν βασιλείαν τοῦ
θεοῦ.

Mt 8 17: Jes 53 4.

Matth 8, 22 ὁ δὲ Ἰησοῦς B C W Θ λ φ ℜ vg sy cs pe sa l.o   ὁ δὲ S it
Luk 9, 57 καὶ 𝔓 45 S B C Θ sy cs pe l.o   δὲ (πορ. δὲ) sa   ἐγένετο δὲ A W λ ℜ it vg   καὶ
ἐγένετο D φ | ἀπέρχῃ] ὑπάγης 𝔓 45   ὑπάγεις D   **59** ἀπελθόντι 𝔓 45 S B C W ℜ bo   ἀπελθεῖν
A λ φ it vg   ἀπελθόντα D Θ   > sa

Zu Matth 8 14 vgl. Ebion. Evang. S. 19.

50. Der Seesturm.
50. Stilling the Tempest.

Matth 8 23–27 (= Mark 4 35–41 = Luk 8 22–25. 105. S. 77 f.)

²³ Καὶ ἐμβάντι αὐτῷ εἰς τὸ πλοῖον, ἠκολούθησαν αὐτῷ οἱ μαθηταὶ αὐτοῦ. ²⁴ καὶ ἰδοὺ σεισμὸς μέγας ἐγένετο ἐν τῇ θαλάσσῃ, ὥστε τὸ πλοῖον καλύπτεσθαι ὑπὸ τῶν κυμάτων· αὐτὸς δὲ ἐκάθευδεν. ²⁵ καὶ προσελθόντες ἤγειραν αὐτὸν λέγοντες· κύριε, σῶσον, ἀπολλύμεθα. ²⁶ καὶ λέγει αὐτοῖς· τί δειλοί ἐστε, ὀλιγόπιστοι; τότε ἐγερθεὶς ἐπετίμησεν. τοῖς ἀνέμοις καὶ τῇ θαλάσσῃ, καὶ ἐγένετο γαλήνη μεγάλη. ²⁷ οἱ δὲ ἄνθρωποι ἐθαύμασαν λέγοντες· ποταπός ἐστιν οὗτος, ὅτι καὶ οἱ ἄνεμοι καὶ ἡ θάλασσα αὐτῷ ὑπακούουσιν; | *4 35–41* | *8 22–25*

51. Die Besessenen von Gadara.
51. The Gadarene Demoniacs.

Matth 8 28–34 (= Mark 5 1–20 = Luk 8 26–39. 106. S. 78 f.)

²⁸ Καὶ ἐλθόντος αὐτοῦ εἰς τὸ πέραν εἰς τὴν χώραν τῶν Γαδαρηνῶν, ὑπήντησαν αὐτῷ δύο δαιμονιζόμενοι ἐκ τῶν μνημείων ἐξερχόμενοι, χαλεποὶ λίαν, ὥστε μὴ ἰσχύειν τινὰ παρελθεῖν διὰ τῆς ὁδοῦ ἐκείνης. ²⁹ καὶ ἰδοὺ ἔκραξαν λέγοντες· τί ἡμῖν καὶ σοί, υἱὲ τοῦ θεοῦ; ἦλθες ὧδε πρὸ καιροῦ βασανίσαι ἡμᾶς; ³⁰ ἦν δὲ μακρὰν ἀπ' αὐτῶν ἀγέλη χοίρων πολλῶν βοσκομένη. ³¹ οἱ δὲ δαίμονες παρεκάλουν αὐτὸν λέγοντες· εἰ ἐκβάλλεις ἡμᾶς, ἀπόστειλον ἡμᾶς εἰς τὴν ἀγέλην τῶν χοίρων. ³² καὶ εἶπεν αὐτοῖς· ὑπάγετε. οἱ δὲ ἐξελθόντες ἀπῆλθον εἰς τοὺς χοίρους· καὶ ἰδοὺ ὥρμησεν πᾶσα ἡ ἀγέλη κατὰ τοῦ κρημνοῦ εἰς τὴν θάλασσαν, καὶ ἀπέθανον ἐν τοῖς ὕδασιν. ³³ οἱ δὲ βόσκοντες ἔφυγον, καὶ ἀπελθόντες εἰς τὴν πόλιν ἀπήγγειλαν πάντα καὶ τὰ τῶν δαιμονιζομένων. ³⁴ καὶ ἰδοὺ πᾶσα ἡ πόλις ἐξῆλθεν εἰς ὑπάντησιν τῷ Ἰησοῦ καὶ ἰδόντες αὐτὸν παρεκάλεσαν ὅπως μεταβῇ ἀπὸ τῶν ὁρίων αὐτῶν. | *5 1–20* | *8 26–39*

52. Heilung des Gichtbrüchigen.
52. The Healing of a Man sick of the Palsy.

Matth 9 1–8	Mark 2 1–12 (45. 1 40–45. S. 36 f.)	Luk 5 17–26 (45. 5 12–16. S. 36 f.)
¹ Καὶ ἐμβὰς εἰς πλοῖον διεπέρασεν, καὶ ἦλθεν εἰς τὴν ἰδίαν πόλιν.	¹ Καὶ εἰσελθὼν πάλιν εἰς Καφαρναοὺμ δι' ἡμερῶν ἠκούσθη ὅτι ἐν οἴκῳ ἐστίν. ² καὶ συνήχθησαν πολλοί, ὥστε μηκέτι χωρεῖν μηδὲ τὰ πρὸς τὴν θύραν, καὶ ἐλάλει αὐτοῖς τὸν λόγον.	¹⁷ Καὶ ἐγένετο ἐν μιᾷ τῶν ἡμερῶν καὶ αὐτὸς ἦν διδάσκων, καὶ ἦσαν καθήμενοι Φαρισαῖοι καὶ νομοδιδάσκαλοι, οἳ ἦσαν ἐληλυθότες ἐκ πάσης κώμης τῆς Γαλιλαίας καὶ Ἰουδαίας καὶ Ἰερουσαλήμ· καὶ δύναμις κυρίου ἦν εἰς τὸ ἰᾶσθαι αὐτόν.

Matth 8, 28 Γαδαρηνῶν S B C Θ sy ˢ ᵖᵉ   Γεργεσηνῶν W λ φ 𝔎 bo   Γερασηνῶν it vg sa   **30** οὐ μακρὰν it vg

Luk 5, 17 οἳ ἦσαν] ἦσαν S   ἦσαν δὲ D ǀ αὐτόν S B W sa   αὐτούς A C D Θ λ φ 𝔎 it vg sy ᵖᵉ bo ˃ sy ˢ

² καὶ ἰδοὺ προσέφερον αὐτῷ παραλυτικὸν ἐπὶ κλίνης βεβλημέ-νον,

καὶ ἰδὼν ὁ Ἰησοῦς τὴν πίστιν αὐτῶν εἶπεν τῷ παραλυ-τικῷ· θάρσει τέκνον, ἀφίενταί σου αἱ ἁμαρτίαι.

³ καὶ ἰδού τινες τῶν γραμματέων

εἶπαν ἐν ἑαυτοῖς· οὗτος βλασφημεῖ.

⁴ καὶ εἰδὼς ὁ Ἰη-σοῦς τὰς ἐνθυμήσεις αὐτῶν εἶπεν·
ἰνατί ἐνθυμεῖσθε πονηρὰ ἐν ταῖς καρδίαις ὑμῶν, ⁵ τί γάρ ἐστιν εὐκοπώτερον, εἰπεῖν·
ἀφίενταί σου αἱ ἁμαρτίαι, ἢ εἰπεῖν· ἔγειρε
καὶ περιπάτει; ⁶ ἵνα δὲ εἰδῆτε ὅτι ἐξουσίαν ἔχει ὁ υἱὸς τοῦ ἀνθρώπου ἐπὶ τῆς γῆς ἀφιέναι ἁμαρτίας, τότε λέγει τῷ παραλυ-τικῷ· ἔγειρε ἄρόν σου τὴν κλίνην καὶ ὕπαγε εἰς τὸν οἶκόν σου. ┃Joh 5 8 9┃ ⁷ καὶ ἐγερθεὶς
ἀπῆλθεν εἰς τὸν οἶκον αὐτοῦ. ⁸ ἰδόντες δὲ οἱ ὄχλοι ἐφοβήθησαν καὶ ἐδό-

³ καὶ ἔρχονται φέροντες πρὸς αὐτὸν παραλυτικὸν αἰρόμενον ὑπὸ τεσσάρων.

⁴ καὶ μὴ δυνάμενοι προσενέγ-και αὐτῷ διὰ τὸν ὄχλον, ἀπεστέ-γασαν τὴν στέγην ὅπου ἦν, καὶ ἐξορύξαντες χαλῶσι τὸν κράβατον ὅπου ὁ παραλυτικὸς κατέκειτο.

⁵ καὶ ἰδὼν ὁ Ἰησοῦς τὴν πίστιν αὐτῶν λέγει τῷ παραλυ-τικῷ· τέκνον, ἀφίενταί σου αἱ ἁμαρτίαι.

⁶ ἦσαν δέ τινες τῶν γραμματέων ἐκεῖ καθήμενοι καὶ διαλογιζόμενοι ἐν ταῖς καρδίαις αὐτῶν· ⁷ τί οὗτος οὕτως λαλεῖ; βλασφημεῖ· τίς δύνα-ται ἀφιέναι ἁμαρτίας εἰ μὴ εἷς ὁ θεός; ⁸ καὶ εὐθὺς ἐπιγνοὺς ὁ Ἰη-σοῦς τῷ πνεύματι αὐτοῦ ὅτι οὕτως διαλογίζονται ἐν ἑαυτοῖς, λέγει αὐτοῖς· τί ταῦτα διαλογίζεσθε ἐν ταῖς καρδίαις ὑμῶν; ⁹ τί ἐστιν εὐκοπώτερον, εἰπεῖν τῷ παραλυτι-κῷ· ἀφίενταί σου αἱ ἁμαρτίαι, ἢ εἰπεῖν· ἔγειρε καὶ ἆρον τὸν κρά-βατόν σου καὶ περιπάτει; ¹⁰ ἵνα δὲ εἰδῆτε ὅτι ἐξουσίαν ἔχει ὁ υἱὸς τοῦ ἀνθρώπου ἀφιέναι ἁμαρτίας ἐπὶ τῆς γῆς, λέγει τῷ παραλυ-τικῷ· ¹¹ σοὶ λέγω, ἔγειρε ἆρον τὸν κράβατόν σου καὶ ὕπαγε εἰς τὸν οἶκόν σου. ¹² καὶ ἠγέρθη καὶ εὐθὺς ἄρας τὸν κράβατον ἐξῆλθεν ἔμπροσθεν πάν-των, ὥστε ἐξίστασθαι πάντας καὶ δο-

¹⁸ καὶ ἰδοὺ ἄνδρες φέροντες ἐπὶ κλίνης ἄνθρωπον ὃς ἦν παραλελυ-μένος, καὶ ἐζήτουν αὐτὸν εἰσενεγ-κεῖν καὶ θεῖναι ἐνώπιον αὐτοῦ. ¹⁹ καὶ μὴ εὑρόντες ποίας εἰσενέγ-κωσιν αὐτὸν διὰ τὸν ὄχλον, ἀνα-βάντες ἐπὶ τὸ δῶμα διὰ τῶν κερά-μων καθῆκαν αὐτὸν σὺν τῷ κλινι-δίῳ εἰς τὸ μέσον ἔμπροσθεν τοῦ Ἰησοῦ. ²⁰ καὶ ἰδὼν τὴν πίστιν αὐτῶν εἶπεν· ἄνθρωπε, ἀφέωνταί σοι αἱ ἁμαρτίαι σου.

²¹ καὶ ἤρξαντο διαλογίζεσθαι οἱ γραμματεῖς καὶ οἱ Φαρισαῖοι λέ-γοντες· τίς ἐστιν οὗτος ὃς λαλεῖ βλασφημίας; τίς δύνα-ται ἁμαρτίας ἀφεῖναι εἰ μὴ μόνος ὁ θεός; ²² ἐπιγνοὺς δὲ ὁ Ἰη-σοῦς τοὺς διαλογισμοὺς αὐτῶν, ἀποκριθεὶς εἶπεν πρὸς αὐτούς· τί διαλογίζεσθε ἐν ταῖς καρδίαις ὑμῶν; ²³ τί ἐστιν εὐκοπώτερον, εἰπεῖν· ἀφέωνταί σοι αἱ ἁμαρτίαι σου, ἢ εἰπεῖν· ἔγειρε
καὶ περιπάτει; ²⁴ ἵνα δὲ εἰδῆτε ὅτι ὁ υἱὸς τοῦ ἀνθρώπου ἐξουσίαν ἔχει ἐπὶ τῆς γῆς ἀφιέναι ἁμαρτίας, εἶπεν τῷ παραλελυ-μένῳ· σοὶ λέγω, ἔγειρε καὶ ἆρας τὸ κλινίδιόν σου πορεύου εἰς τὸν οἶκόν σου. ²⁵ καὶ παραχρῆμα ἀνα-στὰς ἐνώπιον αὐτῶν, ἄρας ἐφ' ὃ κατέκειτο, ἀπῆλθεν εἰς τὸν οἶκον αὐτοῦ δοξάζων τὸν θεόν. ²⁶ καὶ ἔκστασις ἔλαβεν ἅπαντας, καὶ ἐδό-

---

Matth 9, 4 εἰδὼς B Θ λ syᵖᵉ sa   ἰδών S C D W φ 𝕶 it vg bo   **6** ἔγειρε B it vg syˢ ᵖᵉ sa bo ἔγειρε καὶ D   ἐγερθεὶς S C W Θ λ φ 𝕶
Mark 2, 4 προσενέγκαι S B Θ vg sa bo   προσεγγίσαι A C D λ φ 𝕶 it syᵖᵉ   προσελθεῖν W
5 ἀφίενται B   ἀφέωνται S A C D W λ φ 𝕶   ἀφίωνται Θ   sind erlassen sa bo   **9** περιπάτει A B C W Θ φ 𝕶 vg syᵖᵉ   ὕπαγε S   ὕπαγε εἰς τὸν οἶκόν σου D it
Luk 5, 26 καὶ ἔκστασις — θεόν > D W φ

ξασαν τὸν Θεὸν τὸν δόντα ἐξου-
σίαν τοιαύτην τοῖς ἀνθρώποις.

ξάζειν τὸν Θεὸν
λέγοντας ὅτι οὕτως οὐδέ-
ποτε εἴδαμεν.

ξαζον τὸν Θεόν, καὶ ἐπλήσθησαν
φόβου λέγοντες ὅτι εἴδομεν παρά-
δοξα σήμερον.

58. Berufung des Levi und Zöllnerverkehr.
53. The Call of Levi.

Matth 9 9–13	Mark 2 13–17	Luk 5 27–32
	¹³ Καὶ ἐξῆλθεν πάλιν παρὰ τὴν θάλασσαν· καὶ πᾶς ὁ ὄχλος ἤρχετο πρὸς αὐτόν, καὶ ἐδίδασκεν αὐτούς.	²⁷ Καὶ μετὰ ταῦτα ἐξῆλθεν,
⁹ Καὶ παράγων ὁ Ἰησοῦς ἐκεῖ-θεν εἶδεν ἄνθρωπον καθήμενον ἐπὶ τὸ τελώνιον, Μαθθαῖον λεγόμε-νον, καὶ λέγει αὐτῷ· ἀκολούθει μοι. καὶ ἀνα-στὰς ἠκολούθησεν αὐτῷ.	¹⁴ καὶ παράγων εἶδεν Λευὶν τὸν τοῦ Ἀλφαίου καθήμενον ἐπὶ τὸ τελώνιον, καὶ λέγει αὐτῷ· ἀκολούθει μοι. καὶ ἀνα-στὰς ἠκολούθησεν αὐτῷ.	καὶ ἐθεάσατο τελώνην ὀνόματι Λευὶν καθήμενον ἐπὶ τὸ τελώνιον, καὶ εἶπεν αὐτῷ· ἀκολούθει μοι. ²⁸ καὶ καταλιπὼν πάντα ἀνα-στὰς ἠκολούθει αὐτῷ.
¹⁰ καὶ ἐγένετο αὐτοῦ ἀνακειμένου ἐν τῇ οἰκίᾳ, καὶ ἰδοὺ πολλοὶ τελῶ-ναι καὶ ἁμαρτωλοὶ ἐλθόντες συναν-έκειντο τῷ Ἰησοῦ καὶ τοῖς μαθη-ταῖς αὐτοῦ.	¹⁵ καὶ γίνεται κατακεῖσθαι αὐ-τὸν ἐν τῇ οἰκίᾳ αὐτοῦ, καὶ πολλοὶ τελῶναι καὶ ἁμαρτωλοὶ συναν-έκειντο τῷ Ἰησοῦ καὶ τοῖς μαθη-ταῖς αὐτοῦ· ἦσαν γὰρ πολλοί, καὶ ἠκολούθουν αὐτῷ. ¹⁶ καὶ	²⁹ καὶ ἐποίησεν δοχὴν μεγάλην Λευὶς αὐτῷ ἐν τῇ οἰκίᾳ αὐτοῦ· καὶ ἦν ὄχλος πολὺς τελωνῶν καὶ ἄλ-λων οἳ ἦσαν μετ᾽ αὐτῶν κατακεί-μενοι.
¹¹ καὶ ἰδόντες οἱ Φαρισαῖοι ἔλεγον τοῖς μαθηταῖς αὐτοῦ· διὰ τί μετὰ τῶν τελωνῶν καὶ ἁμαρτωλῶν ἐσθίει ὁ διδάσκαλος ὑμῶν; ¹² ὁ δὲ ἀκούσας εἶπεν· οὐ χρείαν ἔχουσιν οἱ ἰσχύοντες ἰα-τροῦ ἀλλ᾽ οἱ κακῶς ἔχοντες. ¹³ πο-	οἱ γραμματεῖς τῶν Φαρισαίων ἰδόντες ὅτι ἐσθίει μετὰ τῶν ἁμαρ-τωλῶν καὶ τελωνῶν, ἔλεγον τοῖς μαθηταῖς αὐτοῦ· ὅτι μετὰ τῶν τελωνῶν καὶ ἁμαρτωλῶν ἐσθίει; ¹⁷ καὶ ἀκούσας ὁ Ἰησοῦς λέγει αὐ-τοῖς ὅτι οὐ χρείαν ἔχουσιν οἱ ἰσχύοντες ἰα-τροῦ ἀλλ᾽ οἱ κακῶς ἔχοντες·	³⁰ καὶ ἐγόγγυζον οἱ Φαρισαῖοι καὶ οἱ γραμματεῖς αὐτῶν πρὸς τοὺς μαθητὰς αὐτοῦ λέγοντες· διὰ τί μετὰ τῶν τελωνῶν καὶ ἁμαρτωλῶν ἐσθίετε καὶ πίνετε;* ³¹ καὶ ἀποκριθεὶς ὁ Ἰησοῦς εἶπεν πρὸς αὐτούς· οὐ χρείαν ἔχουσιν οἱ ὑγιαίνοντες ἰα-τροῦ ἀλλὰ οἱ κακῶς ἔχοντες·

---

* *Zu Lc* 5 29 30 *vgl. Lc* 15 1 2.

Matth 9, 9 ἐκεῖθεν > S
Mark 2, 14 Λευὶν S A B C W λ ℜ vg sy ᵖᵉ sa bo   Ἰάκωβον D Θ φ it   **15** γίνεται (ἐγένετο φ) κατακεῖσθαι αὐτὸν S B φ   ἐγένετο ἐν τῷ κατακεῖσθαι αὐτὸν A C λ ℜ vg sy ᵖᵉ sa bo   ἐγένετο (> Θ) κατακειμένων αὐτῶν D Θ it   γίνεται ἀνακειμένων αὐτῶν W | καὶ ἠκολούθουν) οἳ καὶ (> Θ) ἠκολού-θησαν D Θ it vg und es folgten ihm die Schriftgelehrten und Pharisäer bo   **16** ὅτι ² B   τί ὅτι A C λ φ ℜ   διατὶ S D W it vg sy ᵖᵉ sa bo   τί Θ | ἐσθίει ² S B D W Θ it   ἐσθίει καὶ πίνει A C λ φ ℜ vg sy ᵖᵉ sa bo
Luk 5, 30 αὐτῶν > S D sa bo

Zu Mark 2 16 ff: Oxyrhynchus Pap. 1224 fol. 2ᵛ col. 2: Οἱ δὲ γραμματεῖς κ[αὶ Φαρισαῖ]οι καὶ ἱερεῖς θεασάμ[ενοι αὐ]τὸν ἠγανάκτουν [ὅτι σὺν ἁμαρ]τωλοῖς ἀνὰ μέ[σον κεῖται. ὁ δὲ Ἰη ἀκούσας [εἶπεν οὐ χρείαν ἔχ]ουσιν οἱ ὑ[γιαίνοντες ἰατροῦ] . . .

ρευθέντες δὲ μάθετε τί ἐστιν· ἔλεος θέλω καὶ οὐ θυσίαν. οὐ γὰρ ἦλθον καλέσαι δικαίους ἀλλὰ ἁμαρτωλούς.

οὐκ ἦλθον καλέσαι δικαίους ἀλλὰ ἁμαρτωλούς.

32 οὐκ ἐλήλυθα καλέσαι δικαίους ἀλλὰ ἁμαρτωλούς εἰς μετάνοιαν.

54. Die Fastenfrage.
54. The Question about Fasting.

Matth 9 14–17	**Mark 2** 18–22	**Luk 5** 33–39

14 Τότε προσέρχονται αὐτῷ οἱ μαθηταὶ ᾿Ιωάννου λέγοντες· διὰ τί ἡμεῖς   καὶ οἱ Φαρισαῖοι νη-στεύομεν, οἱ δὲ μαθηταί σου οὐ νηστεύουσιν; 15 καὶ εἶπεν αὐτοῖς ὁ ᾿Ιησοῦς· μὴ δύνανται οἱ υἱοὶ τοῦ νυμφῶνος πενθεῖν ἐφ᾽ ὅσον μετ᾽ αὐτῶν ἐστιν ὁ νυμφίος;

18 Καὶ ἦσαν οἱ μαθηταὶ ᾿Ιωάν-νου καὶ οἱ Φαρισαῖοι νηστεύοντες. καὶ ἔρχονται καὶ λέγουσιν αὐτῷ· διὰ τί οἱ μαθηταὶ ᾿Ιωάννου καὶ οἱ μαθηταὶ τῶν Φαρισαίων νη-στεύουσιν, οἱ δὲ σοὶ μαθηταὶ οὐ νηστεύουσιν; 19 καὶ εἶπεν αὐτοῖς ὁ ᾿Ιησοῦς· μὴ δύνανται οἱ υἱοὶ τοῦ νυμφῶνος ἐν ᾧ ὁ νυμφίος μετ᾽ αὐτῶν ἐστιν νηστεύειν; ὅσον χρό-νον ἔχουσιν τὸν νυμφίον μετ᾽ αὐ-τῶν, οὐ δύνανται νηστεύειν.

33 Οἱ δὲ εἶπαν πρὸς αὐτόν· οἱ μαθηταὶ ᾿Ιωάννου νηστεύουσιν πυκνὰ καὶ δεήσεις ποιοῦνται, ὁμοί-ως καὶ οἱ τῶν Φαρισαίων, οἱ δὲ σοὶ ἐσθίουσιν καὶ πίνουσιν. 34 ὁ δὲ ᾿Ιησοῦς εἶπεν πρὸς αὐτούς· μὴ δύ-νασθε τοὺς υἱοὺς τοῦ νυμφῶνος, ἐν ᾧ ὁ νυμφίος μετ᾽ αὐτῶν ἐστιν, ποιῆσαι νηστεῦσαι;

ἐλεύσονται δὲ ἡμέραι   ὅταν ἀπαρθῇ ἀπ᾽ αὐτῶν ὁ νυμφίος, καὶ τότε νηστεύσουσιν.

20 ἐλεύσονται δὲ ἡμέραι   ὅταν ἀπαρθῇ ἀπ᾽ αὐτῶν ὁ νυμφίος, καὶ τότε νηστεύσουσιν ἐν ἐκείνῃ τῇ ἡμέρᾳ.

35 ἐλεύσονται δὲ ἡμέραι, καὶ ὅταν ἀπαρθῇ ἀπ᾽ αὐτῶν ὁ νυμφίος, τότε νηστεύσουσιν ἐν ἐκείναις ταῖς ἡμέραις.

36 Ἔλεγεν δὲ καὶ παραβολὴν πρὸς αὐτοὺς ὅτι οὐδεὶς ἐπίβλημα

16 οὐδεὶς δὲ ἐπιβάλλει ἐπίβλημα ῥάκους ἀγνάφου ἐπὶ ἱματίῳ παλαιῷ· αἴρει γὰρ τὸ πλήρωμα αὐτοῦ ἀπὸ τοῦ ἱματίου,   καὶ χεῖ-ρον σχίσμα γίνεται. 17 οὐδὲ βάλλουσιν οἶνον νέον εἰς ἀσκοὺς παλαιούς· εἰ δὲ μή γε, ῥή-γνυνται οἱ ἀσκοί, καὶ

21 οὐδεὶς ἐπίβλημα ῥάκους ἀγνάφου ἐπιράπτει ἐπὶ ἱμάτιον παλαιόν· εἰ δὲ μή, αἴρει τὸ πλήρωμα ἀπ᾽ αὐτοῦ τὸ καινὸν τοῦ παλαιοῦ, καὶ χεῖ-ρον σχίσμα γίνεται. 22 καὶ οὐδεὶς βάλλει οἶνον νέον εἰς ἀσκοὺς παλαιούς· εἰ δὲ μή, ῥήξει ὁ οἶνος τοὺς ἀσκούς, καὶ

ἀπὸ ἱματίου καινοῦ σχίσας ἐπι-βάλλει ἐπὶ ἱμάτιον παλαιόν· εἰ δὲ μή γε, καὶ τὸ καινὸν σχίσει καὶ τῷ παλαιῷ οὐ συμφωνήσει τὸ ἐπί-βλημα τὸ ἀπὸ τοῦ καινοῦ. 37 καὶ οὐδεὶς βάλλει οἶνον νέον εἰς ἀσκοὺς παλαιούς· εἰ δὲ μή γε, ῥήξει ὁ οἶνος ὁ νέος τοὺς ἀσκούς, καὶ

Mt 9 13 (= 12 7): Hos 6 6.

Matth 9, 13 ἁμαρτωλούς S B D W λ it vg sy pe bo   ἁμαρτωλούς εἰς μετάνοιαν C Θ φ ℜ sy s sa **14** νηστεύομεν S B sa   νηστεύομεν πολλὰ C D W Θ λ φ ℜ sy pe bo   νηστεύομεν + eifrig sy s, + frequenter it vg
Mark 2, 19 ὅσον — νηστεύειν > D W λ it sy pe

Zu Luk 5 32: Justin Apol. I 15 8 nach μετάνοιαν: θέλει γὰρ ὁ πατὴρ ὁ οὐράνιος τὴν μετάνοιαν τοῦ ἁμαρτωλοῦ ἢ τὴν κόλασιν αὐτοῦ.

ὁ οἶνος ἐκχεῖται καὶ οἱ ἀσκοὶ ἀπόλλυνται· ἀλλὰ βάλλουσιν οἶνον νέον εἰς ἀσκοὺς καινούς, καὶ ἀμφότεροι συντηροῦνται.

ὁ οἶνος ἀπόλλυται καὶ οἱ ἀσκοί, ἀλλὰ   οἶνον νέον εἰς ἀσκοὺς καινούς.

(69. 2 23–28. S. 55 f.)

αὐτὸς ἐκχυθήσεται καὶ οἱ ἀσκοὶ ἀπολοῦνται· [38] ἀλλὰ οἶνον νέον εἰς ἀσκοὺς καινοὺς βλητέον. [39] καὶ οὐδεὶς πιὼν παλαιὸν θέλει νέον· λέγει γάρ· ὁ παλαιὸς χρηστός ἐστιν.

(69. 6 1–5. S. 55 f.)

55. Die Tochter des Jairus und das blutflüssige Weib.

55. Jairus' Daughter and the Woman with the Issue of Blood.

Matth 9 18–26 (= Mark 5 21–43 = Luk 8 40–56. 107. S. 80 f.)

[18] Ταῦτα αὐτοῦ λαλοῦντος αὐτοῖς, ἰδοὺ ἄρχων εἷς προσελθὼν προσεκύνει αὐτῷ λέγων ὅτι ἡ θυγάτηρ μου ἄρτι ἐτελεύτησεν, ἀλλὰ ἐλθὼν ἐπίθες τὴν χεῖρά σου ἐπ' αὐτήν, καὶ ζήσεται. [19] καὶ ἐγερθεὶς ὁ Ἰησοῦς ἠκολούθει αὐτῷ καὶ οἱ μαθηταὶ αὐτοῦ.

[20] Καὶ ἰδοὺ γυνὴ αἱμορροοῦσα δώδεκα ἔτη προσελθοῦσα ὄπισθεν ἥψατο τοῦ κρασπέδου τοῦ ἱματίου αὐτοῦ. [21] ἔλεγεν γὰρ ἐν ἑαυτῇ· ἐὰν μόνον ἅψωμαι τοῦ ἱματίου αὐτοῦ, σωθήσομαι. [22] ὁ δὲ Ἰησοῦς στραφεὶς καὶ ἰδὼν αὐτὴν εἶπεν· θάρσει, θύγατερ, ἡ πίστις σου σέσωκέν σε. καὶ ἐσώθη ἡ γυνὴ ἀπὸ τῆς ὥρας ἐκείνης.

[23] Καὶ ἐλθὼν ὁ Ἰησοῦς εἰς τὴν οἰκίαν τοῦ ἄρχοντος καὶ ἰδὼν τοὺς αὐλητὰς καὶ τὸν ὄχλον θορυβούμενον [24] ἔλεγεν· ἀναχωρεῖτε· οὐ γὰρ ἀπέθανεν τὸ κοράσιον ἀλλὰ καθεύδει. καὶ κατεγέλων αὐτοῦ. [25] ὅτε δὲ ἐξεβλήθη ὁ ὄχλος, εἰσελθὼν ἐκράτησεν τῆς χειρὸς αὐτῆς, καὶ ἠγέρθη τὸ κοράσιον. [26] καὶ ἐξῆλθεν ἡ φήμη αὕτη εἰς ὅλην τὴν γῆν ἐκείνην.

5 21–43	8 40–56
5 34 10 52	7 50 8 48 18 42

56. Heilung zweier Blinden.   Matth 9 27–31

56. Two Blind Men Healed.

(vgl. 193. Matth 20 29–34 = Mark 10 46–52 = Luk 18 35–43. S. 150 f.)

[27] Καὶ παράγοντι ἐκεῖθεν τῷ Ἰησοῦ, ἠκολούθησαν αὐτῷ δύο τυφλοὶ κράζοντες καὶ λέγοντες· ἐλέησον ἡμᾶς, υἱὸς Δαυίδ. [28] ἐλθόντι δὲ εἰς τὴν οἰκίαν προσῆλθον αὐτῷ οἱ τυφλοί, καὶ λέγει αὐτοῖς ὁ Ἰησοῦς· πιστεύετε ὅτι δύναμαι τοῦτο ποιῆσαι; λέγουσιν αὐτῷ· ναί, κύριε. [29] τότε ἥψατο τῶν ὀφθαλμῶν αὐτῶν λέγων· κατὰ τὴν πίστιν ὑμῶν γενηθήτω ὑμῖν. [30] καὶ ἀνεῴχθησαν αὐτῶν οἱ ὀφθαλμοί. καὶ ἐνεβριμήθη αὐτοῖς ὁ Ἰησοῦς λέγων· ὁρᾶτε, μηδεὶς γινωσκέτω. [31] οἱ δὲ ἐξελθόντες διεφήμισαν αὐτὸν ἐν ὅλῃ τῇ γῇ ἐκείνῃ.

Matth 9, 18 εἰς προσελθών B it vg sy pe   τις προσελθών φ   προσελθών S   εἰς ἐλθών C D W Θ λ ℜ sy s   **28** ἐλθόντι δέ] καὶ ἔρχεται D it

Mark 2, 22 ἀπόλλυται — καινούς (+ βάλλουσιν το) B bo   ἐκχεῖται καὶ οἱ ἀσκοὶ ἀπολοῦνται (ἀπόλλυνται W Θ), ἀλλὰ οἶνον νέον εἰς ἀσκοὺς καινούς (+ βλητέον A C Θ λ φ ℜ vg vgl. Lc; + βάλλουσιν W sy s pe sa vgl. Mt) S A C W Θ λ φ ℜ vg sy s pe sa   καὶ οἱ ἀσκοὶ ἀπολοῦνται D it

Luk 5, 39 fehlt D it Marcion Iren Eus

57. Heilung eines stummen Dämonischen. **Matth 9 32–34**

57. The Healing of a Dumb Demoniac.

32 Αὐτῶν δὲ ἐξερχομένων, ἰδοὺ προσήνεγκαν αὐτῷ κωφὸν δαιμονιζόμενον. 33 καὶ
ἐκβληθέντος τοῦ δαιμονίου ἐλάλησεν ὁ κωφός. καὶ ἐθαύμασαν οἱ ὄχλοι λέγοντες· οὐδέποτε
ἐφάνη οὕτως ἐν τῷ Ἰσραήλ. 34 οἱ δὲ Φαρισαῖοι ἔλεγον· ἐν τῷ ἄρχοντι τῶν δαιμονίων
ἐκβάλλει τὰ δαιμόνια.*

58. Die Aussendung der Jünger. **Matth 9 35—10 16**

58. The Sending Out of the Twelve.

35 Καὶ περιῆγεν ὁ Ἰησοῦς τὰς πόλεις πάσας καὶ τὰς κώμας, διδάσκων ἐν ταῖς συναγωγαῖς αὐτῶν καὶ κηρύσσων τὸ εὐαγγέλιον τῆς βασιλείας καὶ θεραπεύων πᾶσαν νόσον καὶ πᾶσαν μαλακίαν.**
36 ἰδὼν δὲ τοὺς ὄχλους ἐσπλαγχνίσθη περὶ αὐτῶν, ὅτι ἦσαν ἐσκυλμένοι καὶ ἐριμμένοι *ὡσεὶ πρόβατα μὴ ἔχοντα ποιμένα.*
37 | Joh 4 35 | τότε λέγει τοῖς μαθηταῖς αὐτοῦ· ὁ μὲν θερισμὸς πο-

Mark 6 6 *(109. S. 83)*: Καὶ περιῆγεν τὰς κώμας κύκλῳ διδάσκων

6 34 *(112. S. 87)*: καὶ ἐξελθὼν εἶδεν πολὺν ὄχλον, καὶ ἐσπλαγχνίσθη ἐπ' αὐτοὺς ὅτι ἦσαν *ὡς πρόβατα μὴ ἔχοντα ποιμένα.*

Luk 8 1 (84. S. 66)

Luk 10 1–12 *(139. S. 113)*: 1 Μετὰ δὲ ταῦτα ἀνέδειξεν ὁ κύριος ἑτέρους ἑβδομήκοντα δύο καὶ ἀπέστειλεν αὐτοὺς ἀνὰ δύο πρὸ προσώπου αὐτοῦ εἰς πᾶσαν πόλιν καὶ τόπον οὗ ἤμελλεν αὐτὸς ἔρχεσθαι.

2 ἔλεγεν δὲ πρὸς αὐτούς· ὁ μὲν θερισμὸς πο-

---

* Matth 12 22–24 (85. S. 67): 22 Τότε προσηνέχθη αὐτῷ δαιμονιζόμενος τυφλὸς καὶ κωφός· καὶ ἐθεράπευσεν αὐτόν, ὥστε τὸν κωφὸν λαλεῖν καὶ βλέπειν. 23 καὶ ἐξίσταντο πάντες οἱ ὄχλοι καὶ ἔλεγον· μήτι οὗτός ἐστιν ὁ υἱὸς Δαυίδ. 24 οἱ δὲ Φαρισαῖοι ἀκούσαντες εἶπον· οὗτος οὐκ ἐκβάλλει τὰ δαιμόνια εἰ μὴ ἐν Βεεζεβοὺλ ἄρχοντι τῶν δαιμονίων.

Mark 3 22 (85. S. 67): Καὶ οἱ γραμματεῖς οἱ ἀπὸ Ἱεροσολύμων καταβάντες ἔλεγον ὅτι Βεεζεβοὺλ ἔχει, καὶ ὅτι ἐν τῷ ἄρχοντι τῶν δαιμονίων ἐκβάλλει τὰ δαιμόνια.

Luk 11 14–15 (149. S. 118): 14 Καὶ ἦν ἐκβάλλων δαιμόνιον, καὶ αὐτὸ ἦν κωφόν· ἐγένετο δὲ τοῦ δαιμονίου ἐξελθόντος ἐλάλησεν ὁ κωφός· καὶ ἐθαύμασαν οἱ ὄχλοι· 15 τινὲς δὲ ἐξ αὐτῶν εἶπαν· ἐν Βεεζεβοὺλ τῷ ἄρχοντι τῶν δαιμονίων ἐκβάλλει τὰ δαιμόνια.

** Matth 4 23 (16. S. 22). Καὶ περιῆγεν ἐν ὅλῃ τῇ Γαλιλαίᾳ, διδάσκων ἐν ταῖς συναγωγαῖς αὐτῶν καὶ κηρύσσων τὸ εὐαγγέλιον τῆς βασιλείας καὶ θεραπεύων πᾶσαν νόσον καὶ πᾶσαν μαλακίαν ἐν τῷ λαῷ.

Mt 9 36: vgl. Num 27 17 I. Reg 22 17.

Matth 9, 32 κωφὸν S B sy s pe sa bo   ἄνθρωπον κωφὸν C D W Θ λ φ Ꝁ it vg   **34** fehlt D sy s Hil   **35** μαλακίαν B C D W λ it vg sy s pe sa bo   μαλακίαν ἐν τῷ λαῷ Θ Ꝁ   μαλακίαν ἐν τῷ λαῷ καὶ (+ πολλοὶ) ἠκολούθησαν αὐτῷ S φ
Luk 10, 1 ἑβδομήκοντα δύο B D vg sy cs sa Iren   ἑβδομήκοντα S A C W Θ λ φ Ꝁ it sy pe Lo

λύς, οἱ δὲ ἐργάται ὀλί-
γοι· ³⁸ δεήθητε οὖν τοῦ
κυρίου τοῦ θερισμοῦ ὅ-
πως ἐκβάλῃ ἐργάτας εἰς
τὸν θερισμὸν αὐτοῦ.

10 ¹ καὶ προσκαλεσά-
μενος τοὺς δώδεκα μα-
θητὰς αὐτοῦ ἔδωκεν αὐ-
τοῖς ἐξουσίαν πνευμά-
των ἀκαθάρτων, ὥστε
ἐκβάλλειν αὐτὰ καὶ θε-
ραπεύειν πᾶσαν νόσον
καὶ πᾶσαν μαλακίαν.

| Joh 1 42 | ² τῶν δὲ
δώδεκα ἀποστόλων τὰ
ὀνόματά ἐστιν ταῦτα·
πρῶτος Σίμων ὁ λεγό-
μενος Πέτρος καὶ Ἀν-
δρέας ὁ ἀδελφὸς αὐτοῦ,
καὶ Ἰάκωβος ὁ τοῦ Ζε-
βεδαίου καὶ Ἰωάννης ὁ
ἀδελφὸς αὐτοῦ,
       ³ Φίλιππος
καὶ Βαρθολομαῖος,
Θωμᾶς καὶ Μαθθαῖος ὁ
τελώνης, Ἰάκωβος ὁ τοῦ
Ἁλφαίου καὶ Θαδδαῖος,

---

6 7 *(109. S. 83)*:
καὶ προσκαλεῖται τοὺς
δώδεκα, καὶ ἤρξατο αὐ-
τοὺς ἀποστέλλειν δύο
δύο, καὶ ἐδίδου αὐτοῖς
ἐξουσίαν τῶν πνευμά-
των τῶν ἀκαθάρτων.
3 13—19 *(72. S. 59 f.)*:
¹³ καὶ ἀναβαίνει εἰς τὸ
ὄρος, καὶ προσκαλεῖται
οὓς ἤθελεν αὐτός, καὶ
ἀπῆλθον πρὸς αὐτόν.
    ¹⁴ καὶ ἐποίησεν δώ-
δεκα ἵνα ὦσιν μετ’ αὐ-
τοῦ, καὶ ἵνα ἀποστέλλῃ
αὐτοὺς κηρύσσειν ¹⁵ καὶ
ἔχειν ἐξουσίαν ἐκβάλ-
λειν τὰ δαιμόνια·
    ¹⁶ καὶ ἐποίησεν τοὺς
δώδεκα, καὶ ἐπέθηκεν
ὄνομα τῷ Σίμωνι Πέτρον·
¹⁷ καὶ Ἰάκωβον τὸν τοῦ
Ζεβεδαίου καὶ Ἰωάννην
τὸν ἀδελφὸν τοῦ Ἰα-
κώβου, καὶ ἐπέθηκεν αὐ-
τοῖς ὄνομα Βοανηργές, ὅ
ἐστιν υἱοὶ βροντῆς· ¹⁸ καὶ
Ἀνδρέαν καὶ Φίλιππον
καὶ Βαρθολομαῖον
           καὶ
Μαθθαῖον καὶ Θωμᾶν
καὶ Ἰάκωβον τὸν τοῦ

Luk 9 1 *(109. S. 83)*:
συγκαλεσάμενος δὲ τοὺς
δώδεκα ἔδωκεν αὐτοῖς
δύναμιν καὶ

ἐξουσίαν ἐπὶ πάντα τὰ
δαιμόνια καὶ νόσους θε-
ραπεύειν.

6 13—16 *(72. S. 59 f.)*:
καὶ ἐκλεξάμενος ἀπ’ αὐ-
τῶν δώδεκα, οὓς καὶ
ἀποστόλους ὠνόμασεν,
    ¹⁴ Σίμωνα, ὃν καὶ
ὠνόμασεν Πέτρον, καὶ
Ἀνδρέαν τὸν ἀδελφὸν
αὐτοῦ, καὶ Ἰάκωβον καὶ
Ἰωάννην καὶ
       Φίλιππον
καὶ Βαρθολομαῖον
    ¹⁵ καὶ Μαθθαῖον καὶ
Θωμᾶν καὶ Ἰάκωβον
Ἁλφαίου καὶ Σίμωνα

λύς, οἱ δὲ ἐργάται ὀλί-
γοι· δεήθητε οὖν τοῦ
κυρίου τοῦ θερισμοῦ ὅ-
πως ἐργάτας ἐκβάλῃ εἰς
τὸν θερισμὸν αὐτοῦ.
(v. 3 s. *zu Matth 10* 16
       S. 48)

Act 1 13
Καὶ ὅτε εἰσῆλθον εἰς
τὸ ὑπερῷον ἀνέβησαν
οὗ ἦσαν καταμένοντες,
ὅ τε Πέτρος καὶ Ἰωάν-
νης καὶ Ἰάκωβος καὶ

Ἀνδρέας,

       Φίλιππος καὶ
Θωμᾶς, Βαρθολομαῖος
καὶ Μαθθαῖος, Ἰάκω-
βος Ἁλφαίου καὶ Σί-
μων ὁ ζηλωτὴς καὶ Ἰού-

Matth 10, 3 Θαδδαῖος S B C vg sa bo   Λεββαῖος D   Λεββαῖος ὁ ἐπικληθεὶς Θαδδαῖος W Θ λ ℜ
sy ᵖᵉ   Θαδδαῖος ὁ ἐπικληθεὶς Λεββαῖος φ Judas zelotes it > sy ˢ
       Mark 3, 14 δώδεκα A C D λ ℜ it vg sy ˢ ᵖᵉ   δώδεκα (+ μαθητάς, ἵνα — αὐτοῦ W) οὓς καὶ (> sa bo)
ἀποστόλους ὠνόμασεν (-σαν sa) S B W Θ φ sa bo   **15** ἐξουσίαν S B C sa bo   ἐξουσίαν θεραπεύειν τὰς
(> Θ, νόσους καὶ A D W Θ λ φ ℜ it vg sy ˢ ᵖᵉ   **16** καὶ ἐποίησεν τοὺς δώδεκα S B C > A D W Θ λ φ ℜ
it vg sy ˢ ᵖᵉ sa ɫo

⁴ Σίμων ὁ Καναναῖος καὶ Ἰούδας ὁ Ἰσκαριώτης ὁ καὶ παραδοὺς αὐτόν.

⁵ τούτους τοὺς δώδεκα ἀπέστειλεν ὁ Ἰησοῦς παραγγείλας αὐτοῖς λέγων· εἰς ὁδὸν ἐθνῶν μὴ ἀπέλθητε, καὶ εἰς πόλιν Σαμαριτῶν μὴ εἰσέλθητε· ⁶ πορεύεσθε δὲ μᾶλλον πρὸς τὰ πρόβατα τὰ ἀπολωλότα οἴκου Ἰσραήλ.* ⁷ πορευόμενοι δὲ κηρύσσετε λέγοντες ὅτι ἤγγικεν ἡ βασιλεία τῶν οὐρανῶν. ⁸ ἀσθενοῦντας θεραπεύετε, νεκροὺς ἐγείρετε, λεπροὺς καθαρίζετε, δαιμόνια ἐκβάλλετε· δωρεὰν ἐλάβετε, δωρεὰν δότε.

⁹ μὴ κτήσησθε χρυσὸν μηδὲ ἄργυρον μηδὲ χαλκὸν εἰς τὰς ζώνας ὑμῶν, ¹⁰ μὴ πήραν εἰς ὁδὸν μηδὲ δύο χιτῶνας μηδὲ ὑποδήματα μηδὲ ῥάβδον· ἄξιος γὰρ ὁ ἐργάτης τῆς τροφῆς αὐτοῦ.

¹¹ εἰς ἣν δ' ἂν πόλιν ἢ κώμην εἰσέλθητε, ἐξετάσατε τίς ἐν αὐτῇ ἄξιός ἐστιν· κἀκεῖ μείνατε ἕως

Ἀλφαίου καὶ Θαδδαῖον καὶ Σίμωνα τὸν Καναῖον ¹⁹ καὶ Ἰούδαν Ἰσκαριώθ, ὃς καὶ παρέδωκεν αὐτόν.

6 8–11 (109. S. 84):
⁸ καὶ παρήγγειλεν αὐτοῖς ἵνα μηδὲν αἴρωσιν εἰς ὁδὸν εἰ μὴ ῥάβδον μόνον, μὴ ἄρτον, μὴ πήραν, μὴ εἰς τὴν ζώνην χαλκόν, ⁹ ἀλλὰ ὑποδεδεμένους σανδάλια, καὶ μὴ ἐνδύσησθε δύο χιτῶνας.

¹⁰ καὶ ἔλεγεν αὐτοῖς· ὅπου ἐὰν εἰσέλθητε εἰς οἰκίαν,

ἐκεῖ μένετε ἕως

τὸν καλούμενον ζηλωτὴν ¹⁶ καὶ Ἰούδαν Ἰακώβου καὶ Ἰούδαν Ἰσκαριώθ, ὃς ἐγένετο προδότης.

9 2–5 (109. S. 84):
² Καὶ ἀπέστειλεν αὐτοὺς κηρύσσειν τὴν βασιλείαν τοῦ θεοῦ καὶ ἰᾶσθαι,

s. u. v. 9

³ καὶ εἶπεν πρὸς αὐτούς· μηδὲν αἴρετε εἰς τὴν ὁδόν, μήτε ῥάβδον μήτε πήραν μήτε ἄρτον

μήτε ἀργύριον μήτε ἀνὰ δύο χιτῶνας ἔχειν.

⁴ καὶ εἰς ἣν ἂν οἰκίαν εἰσέλθητε,

ἐκεῖ μένετε καὶ

δας Ἰακώβου.

Luk 10 4 μὴ βαστάζετε βαλλάντιον, μὴ πήραν, μὴ ὑποδήματα· καὶ μηδένα κατὰ τὴν ὁδὸν ἀσπάσησθε.

⁵ εἰς ἣν δ' ἂν εἰσέλθητε οἰκίαν, πρῶτον λέγετε· εἰρήνη τῷ οἴκῳ τούτῳ. ⁶ καὶ ἐὰν ἐκεῖ ᾖ

---

* Matth 15 24 (116. S. 92): Ὁ δὲ ἀποκριθεὶς εἶπεν· οὐκ ἀπεστάλην εἰ μὴ εἰς τὰ πρόβατα τὰ ἀπολωλότα οἴκου Ἰσραήλ.

Matth 10, 11 εἰς — εἰσέλθητε] ἡ πόλις εἰς ἣν ἂν εἰσέλθητε εἰς αὐτήν D

Zu Matth 10 10: I. Tim 5 18: Λέγει γὰρ ἡ γραφή ... καί· ἄξιος ὁ ἐργάτης τοῦ μισθοῦ (: τῆς τροφῆς S) αὐτοῦ; vgl. Didache 13 1 und I. Kor 9 14: Οὕτως καὶ ὁ κύριος διέταξεν τοῖς τὸ εὐαγγέλιον καταγγέλλουσιν ἐκ τοῦ εὐαγγελίου ζῆν.

ἂν ἐξέλθητε. ¹² εἰσερχόμενοι δὲ εἰς τὴν οἰκίαν ἀσπάσασθε αὐτήν. ¹³ καὶ ἐὰν μὲν ᾖ ἡ οἰκία ἀξία, ἐλθάτω ἡ εἰρήνη ὑμῶν ἐπ᾽ αὐτήν· ἐὰν δὲ μὴ ᾖ ἀξία, ἡ εἰρήνη ὑμῶν πρὸς ὑμᾶς ἐπιστραφήτω.	ἂν ἐξέλθητε ἐκεῖθεν.	ἐκεῖθεν ἐξέρχεσθε.	υἱὸς εἰρήνης, ἐπαναπαήσεται ἐπ᾽ αὐτὸν ἡ εἰρήνη ὑμῶν· εἰ δὲ μή γε, ἐφ᾽ ὑμᾶς ἀνακάμψει. ⁷ ἐν αὐτῇ δὲ τῇ οἰκίᾳ μένετε, ἔσθοντες καὶ πίνοντες τὰ παρ᾽ αὐτῶν· ἄξιος γὰρ ὁ ἐργάτης τοῦ μισθοῦ αὐτοῦ. μὴ μεταβαίνετε ἐξ οἰκίας εἰς οἰκίαν. ⁸ καὶ εἰς ἣν ἂν πόλιν εἰσέρχησθε καὶ δέχωνται ὑμᾶς, ἐσθίετε τὰ παρατιθέμενα ὑμῖν, ⁹ καὶ θεραπεύετε τοὺς ἐν αὐτῇ ἀσθενεῖς, καὶ λέγετε αὐτοῖς· ἤγγικεν ἐφ᾽ ὑμᾶς ἡ βασιλεία τοῦ θεοῦ.
¹⁴ καὶ ὃς ἂν μὴ δέξηται ὑμᾶς μηδὲ ἀκούσῃ τοὺς λόγους ὑμῶν, ἐξερχόμενοι ἔξω τῆς οἰκίας ἢ τῆς πόλεως ἐκείνης ἐκτινάξατε τὸν κονιορτὸν ἐκ τῶν ποδῶν ὑμῶν.	¹¹ καὶ ὃς ἂν τόπος μὴ δέξηται ὑμᾶς μηδὲ ἀκούσωσιν ὑμῶν, ἐκπορευόμενοι ἐκεῖθεν ἐκτινάξατε τὸν χοῦν τὸν ὑποκάτω τῶν ποδῶν ὑμῶν εἰς μαρτύριον αὐτοῖς.	⁵ καὶ ὅσοι ἂν μὴ δέχωνται ὑμᾶς, ἐξερχόμενοι ἀπὸ τῆς πόλεως ἐκείνης τὸν κονιορτὸν ἀπὸ τῶν ποδῶν ὑμῶν ἀποτινάσσετε εἰς μαρτύριον ἐπ᾽ αὐτούς.	¹⁰ εἰς ἣν δ᾽ ἂν πόλιν εἰσέλθητε καὶ μὴ δέχωνται ὑμᾶς, ἐξελθόντες εἰς τὰς πλατείας αὐτῆς εἴπατε· ¹¹ καὶ τὸν κονιορτὸν τὸν κολληθέντα ἡμῖν ἐκ τῆς πόλεως ὑμῶν εἰς τοὺς πόδας ἀπομασσόμεθα ὑμῖν· πλὴν τοῦτο γινώσκετε, ὅτι ἤγγικεν ἡ βασιλεία τοῦ θεοῦ.
¹⁵ ἀμὴν λέγω ὑμῖν, ἀνεκτότερον ἔσται γῇ Σοδόμων καὶ Γομόρρων ἐν ἡμέρᾳ κρίσεως ἢ τῇ πόλει ἐκείνῃ.			¹² λέγω ὑμῖν ὅτι Σοδόμοις ἐν τῇ ἡμέρᾳ ἐκείνῃ ἀνεκτότερον ἔσται ἢ τῇ πόλει ἐκείνῃ.
¹⁶ ἰδοὺ ἐγὼ ἀποστέλλω ὑμᾶς ὡς πρόβατα ἐν μέσῳ λύκων· γίνεσθε οὖν φρόνιμοι ὡς οἱ ὄφεις καὶ ἀκέραιοι ὡς αἱ περιστεραί.			³ ὑπάγετε· ἰδοὺ ἀποστέλλω ὑμᾶς ὡς ἄρνας ἐν μέσῳ λύκων.

Luk 10, 6 ἐπαναπαήσεται S B   ἐπαναπαύσεται A C D W Θ λ φ ℜ

Zu Matth 10 16: II. Clemens 5 2–4: Λέγει γὰρ ὁ κύριος· ἔσεσθε ὡς ἀρνία ἐν μέσῳ λύκων. ἀποκριθεὶς δὲ ὁ Πέτρος αὐτῷ λέγει· ἐὰν οὖν διασπαράξωσιν οἱ λύκοι τὰ ἀρνία; εἶπεν ὁ Ἰησοῦς τῷ Πέτρῳ· μὴ φοβείσθω

59. Das Schicksal der Jünger. Matth 10 17–25 *

59. The Lot of the Disciples.

¹⁷ Προσέχετε δὲ ἀπὸ τῶν ἀνθρώπων· παραδώσουσιν γὰρ ὑμᾶς εἰς συνέδρια, καὶ ἐν ταῖς συναγωγαῖς αὐτῶν μαστιγώσουσιν ὑμᾶς· ¹⁸ καὶ ἐπὶ ἡγεμόνας δὲ καὶ βασιλεῖς ἀχθήσεσθε ἕνεκεν ἐμοῦ, εἰς μαρτύριον αὐτοῖς καὶ τοῖς ἔθνεσιν.

| Joh 14 26 | ¹⁹ ὅταν δὲ παραδῶσιν ὑμᾶς, μὴ μεριμνήσητε πῶς ἢ τί λαλήσητε· δοθήσεται γὰρ ὑμῖν ἐν ἐκείνῃ τῇ ὥρᾳ τί λαλήσητε· ²⁰ οὐ γὰρ ὑμεῖς ἐστε οἱ λαλοῦντες, ἀλλὰ τὸ πνεῦμα τοῦ πατρὸς ὑμῶν τὸ λαλοῦν ἐν ὑμῖν.** ²¹ παραδώσει δὲ ἀδελφὸς ἀδελφὸν εἰς θάνατον καὶ πατὴρ τέκνον, καὶ ἐπαναστήσονται τέκνα ἐπὶ γονεῖς καὶ θανατώσουσιν αὐτούς. ²² καὶ ἔσεσθε μισούμενοι ὑπὸ πάντων διὰ τὸ ὄνομά μου· ὁ δὲ ὑπομείνας εἰς τέλος, οὗτος σωθήσεται.

²³ ὅταν δὲ διώκωσιν ὑμᾶς ἐν τῇ πόλει ταύτῃ, φεύγετε εἰς τὴν ἑτέραν· ἀμὴν γὰρ λέγω ὑμῖν, οὐ μὴ τελέσητε τὰς πόλεις τοῦ Ἰσραὴλ ἕως ἔλθῃ ὁ υἱὸς τοῦ ἀνθρώπου.

| Joh 13 16 15 20 | ²⁴ οὐκ ἔστιν μαθητὴς ὑπὲρ τὸν διδάσκαλον, οὐδὲ δοῦλος ὑπὲρ τὸν κύριον αὐτοῦ. ²⁵ ἀρκετὸν τῷ μαθητῇ ἵνα γένηται ὡς ὁ διδάσκαλος αὐτοῦ,*** καὶ ὁ δοῦλος ὡς ὁ κύριος αὐτοῦ. εἰ τὸν οἰκοδεσπότην Βεεζεβοὺλ ἐπεκάλεσαν, πόσῳ μᾶλλον τοὺς οἰκιακοὺς αὐτοῦ.

---

* Matth 24 9 13 (215. S. 172 f.):
⁹ Τότε παραδώσουσιν ὑμᾶς εἰς θλῖψιν

καὶ ἀποκτενοῦσιν ὑμᾶς, καὶ ἔσεσθε μισούμενοι ὑπὸ πάντων τῶν ἐθνῶν διὰ τὸ ὄνομά μου.
¹³ ὁ δὲ ὑπομείνας εἰς τέλος, οὗτος σωθήσεται.

Mark 13 9–13 (215. S. 172 f.):
⁹ Βλέπετε δὲ ὑμεῖς ἑαυτούς· παραδώσουσιν ὑμᾶς εἰς συνέδρια καὶ εἰς συναγωγὰς δαρήσεσθε καὶ ἐπὶ ἡγεμόνων καὶ βασιλέων σταθήσεσθε ἕνεκεν ἐμοῦ, εἰς μαρτύριον αὐτοῖς. ¹⁰ καὶ εἰς πάντα τὰ ἔθνη πρῶτον δεῖ κηρυχθῆναι τὸ εὐαγγέλιον. ¹¹ καὶ ὅταν ἄγωσιν ὑμᾶς παραδιδόντες, μὴ προμεριμνᾶτε τί λαλήσητε, ἀλλ᾽ ὃ ἐὰν δοθῇ ὑμῖν ἐν ἐκείνῃ τῇ ὥρᾳ, τοῦτο λαλεῖτε· οὐ γάρ ἐστε ὑμεῖς οἱ λαλοῦντες ἀλλὰ τὸ πνεῦμα τὸ ἅγιον. ¹² καὶ παραδώσει ἀδελφὸς ἀδελφὸν εἰς θάνατον καὶ πατὴρ τέκνον, καὶ ἐπαναστήσονται τέκνα ἐπὶ γονεῖς καὶ θανατώσουσιν αὐτούς· ¹³ καὶ ἔσεσθε μισούμενοι ὑπὸ πάντων διὰ τὸ ὄνομά μου· ὁ δὲ ὑπομείνας εἰς τέλος, οὗτος σωθήσεται.

Luk 21 12–17 19 (215. S. 172 f.):
¹² Πρὸ δὲ τούτων πάντων ἐπιβαλοῦσιν ἐφ᾽ ὑμᾶς τὰς χεῖρας αὐτῶν καὶ διώξουσιν, παραδιδόντες εἰς τὰς συναγωγὰς καὶ φυλακάς, ἀπαγομένους ἐπὶ βασιλεῖς καὶ ἡγεμόνας ἕνεκεν τοῦ ὀνόματός μου· ¹³ ἀποβήσεται ὑμῖν εἰς μαρτύριον. ¹⁴ θέτε οὖν ἐν ταῖς καρδίαις ὑμῶν μὴ προμελετᾶν ἀπολογηθῆναι· ¹⁵ ἐγὼ γὰρ δώσω ὑμῖν στόμα καὶ σοφίαν, ᾗ οὐ δυνήσονται ἀντιστῆναι ἢ ἀντειπεῖν ἅπαντες οἱ ἀντικείμενοι ὑμῖν. ¹⁶ παραδοθήσεσθε δὲ καὶ ὑπὸ γονέων καὶ ἀδελφῶν καὶ συγγενῶν καὶ φίλων, καὶ θανατώσουσιν ἐξ ὑμῶν, ¹⁷ καὶ ἔσεσθε μισούμενοι ὑπὸ πάντων διὰ τὸ ὄνομά μου. (18 s. zu Matth 10 30) ¹⁹ ἐν τῇ ὑπομονῇ ὑμῶν κτήσεσθε τὰς ψυχὰς ὑμῶν.

** Luk 12 11 12 (155. S. 124): ¹¹ Ὅταν δὲ εἰσφέρωσιν ὑμᾶς ἐπὶ τὰς συναγωγὰς καὶ τὰς ἀρχὰς καὶ τὰς ἐξουσίας, μὴ μεριμνήσητε πῶς ἢ τί ἀπολογήσησθε ἢ τί εἴπητε· ¹² τὸ γὰρ ἅγιον πνεῦμα διδάξει ὑμᾶς ἐν αὐτῇ τῇ ὥρᾳ ἃ δεῖ εἰπεῖν.
*** Luk 6 40 (7 J. S. 62): Οὐκ ἔστιν μαθητὴς ὑπὲρ τὸν διδάσκαλον· κατηρτισμένος δὲ πᾶς ἔσται ὡς ὁ διδάσκαλος αὐτοῦ.

Mt 10 21: vgl. Mi 7 6, vgl. v. 35.

Matth 10, 17 δὲ > D it　　**18** ἀχθήσεσθε] σταθήσεσθε D it sy⁸ Iren　　**23** ἑτέραν S B W ἄλλην C 𝔑 vg sy pe sa bo　　ἄλλην (ἑτέραν λ φ), κἂν (ἐὰν δὲ D it) ἐν τῇ ἄλλῃ (ἐκ ταύτης Θ λ φ) διώκωσιν ὑμᾶς, φεύγετε εἰς τὴν ἄλλην (ἑτέραν Θ λ) D Θ λ φ it sy⁸

σαν τὰ ἀρνία τοὺς λύκους μετὰ τὸ ἀποθανεῖν αὐτά· καὶ ὑμεῖς μὴ φοβεῖσθε τοὺς ἀποκτέννοντας ὑμᾶς καὶ μηδὲν ὑμῖν δυναμένους ποιεῖν, ἀλλὰ φοβεῖσθε τὸν μετὰ τὸ ἀποθανεῖν ὑμᾶς ἔχοντα ἐξουσίαν ψυχῆς καὶ σώματος τοῦ βαλεῖν εἰς γέενναν πυρός (vgl. Mt 10 28). **Hebr. Evang.:** Τὸ Ἰουδαϊκόν· ὑπὲρ ὄφεις 1424.

60. Aufforderung zum furchtlosen Bekenntnis. Matth 10 26—33
6o. *Exhortation to Fearless Confession.*

²⁶ Μὴ οὖν φοβηθῆτε αὐτούς· οὐδὲν γάρ ἐστιν κεκαλυμμένον ὃ οὐκ ἀποκαλυφθήσεται, καὶ κρυπτὸν ὃ οὐ γνωσθήσεται.* ²⁷ ὃ λέγω ὑμῖν ἐν τῇ σκοτίᾳ, εἴπατε ἐν τῷ φωτί· καὶ ὃ εἰς τὸ οὖς ἀκούετε, κηρύξατε ἐπὶ τῶν δωμάτων.

²⁸ καὶ μὴ φοβεῖσθε ἀπὸ τῶν ἀποκτεννόντων τὸ σῶμα, τὴν δὲ ψυχὴν μὴ δυναμένων ἀποκτεῖναι·

φοβεῖσθε δὲ μᾶλλον τὸν δυνάμενον καὶ ψυχὴν καὶ σῶμα ἀπολέσαι ἐν γεέννῃ.

²⁹ οὐχὶ δύο στρουθία ἀσσαρίου πωλεῖται; καὶ ἓν ἐξ αὐτῶν οὐ πεσεῖται ἐπὶ τὴν γῆν ἄνευ τοῦ πατρὸς ὑμῶν. ³⁰ ὑμῶν δὲ καὶ αἱ τρίχες τῆς κεφαλῆς πᾶσαι ἠριθμημέναι εἰσίν.** ³¹ μὴ οὖν φοβεῖσθε· πολλῶν στρουθίων διαφέρετε ὑμεῖς.

³² πᾶς οὖν ὅστις ὁμολογήσει ἐν ἐμοὶ ἔμπροσθεν τῶν ἀνθρώπων, ὁμολογήσω κἀγὼ ἐν αὐτῷ ἔμπροσθεν τοῦ πατρός μου τοῦ ἐν τοῖς οὐρανοῖς· ³³ ὅστις δ' ἂν ἀρνήσηταί με ἔμπροσθεν τῶν ἀνθρώπων, ἀρνήσομαι κἀγὼ αὐτὸν ἔμπροσθεν τοῦ πατρός μου τοῦ ἐν τοῖς οὐρανοῖς.***

12 2—9 *(155. S. 123 f.):* ² Οὐδὲν δὲ συγκεκαλυμμένον ἐστὶν ὃ οὐκ ἀποκαλυφθήσεται, καὶ κρυπτὸν ὃ οὐ γνωσθήσεται.* ³ ἀνθ' ὧν ὅσα ἐν τῇ σκοτίᾳ εἴπατε ἐν τῷ φωτὶ ἀκουσθήσεται, καὶ ὃ πρὸς τὸ οὖς ἐλαλήσατε ἐν τοῖς ταμιείοις κηρυχθήσεται ἐπὶ τῶν δωμάτων.

⁴ λέγω δὲ ὑμῖν τοῖς φίλοις μου, μὴ φοβηθῆτε ἀπὸ τῶν ἀποκτεννόντων τὸ σῶμα καὶ μετὰ ταῦτα μὴ ἐχόντων περισσότερόν τι ποιῆσαι. ⁵ ὑποδείξω δὲ ὑμῖν τίνα φοβηθῆτε· φοβήθητε τὸν μετὰ τὸ ἀποκτεῖναι ἔχοντα ἐξουσίαν ἐμβαλεῖν εἰς τὴν γέενναν. ναὶ λέγω ὑμῖν, τοῦτον φοβήθητε.

⁶ οὐχὶ πέντε στρουθία πωλοῦνται ἀσσαρίων δύο; καὶ ἓν ἐξ αὐτῶν οὐκ ἔστιν ἐπιλελησμένον ἐνώπιον τοῦ θεοῦ. ⁷ ἀλλὰ καὶ αἱ τρίχες τῆς κεφαλῆς ὑμῶν πᾶσαι ἠρίθμηνται.** μὴ φοβεῖσθε· πολλῶν στρουθίων διαφέρετε.

⁸ λέγω δὲ ὑμῖν, πᾶς ὃς ἂν ὁμολογήσῃ ἐν ἐμοὶ ἔμπροσθεν τῶν ἀνθρώπων, καὶ ὁ υἱὸς τοῦ ἀνθρώπου ὁμολογήσει ἐν αὐτῷ ἔμπροσθεν τῶν ἀγγέλων τοῦ θεοῦ· ⁹ ὁ δὲ ἀρνησάμενός με ἐνώπιον ἀνθρώπων ἀπαρνηθήσεται ἐνώπιον τῶν ἀγγέλων τοῦ θεοῦ.***

---

* Mark 4 22 (94. S. 74): Οὐ γάρ ἐστίν τι κρυπτόν, ἐὰν μὴ ἵνα φανερωθῇ· οὐδὲ ἐγένετο ἀπόκρυφον, ἀλλ' ἵνα ἔλθῃ εἰς φανερόν.

 Luk 8 17 (94. S. 74): Οὐ γάρ ἐστιν κρυπτὸν ὃ οὐ φανερὸν γενήσεται, οὐδὲ ἀπόκρυφον ὃ οὐ μὴ γνωσθῇ καὶ εἰς φανερὸν ἔλθῃ.

** Luk 21 18 (215. S. 173): Καὶ θρὶξ ἐκ τῆς κεφαλῆς ὑμῶν οὐ μὴ ἀπόληται.

*** Mark 8 38 (123. S. 99): Ὃς γὰρ ἐὰν ἐπαισχυνθῇ με καὶ τοὺς ἐμοὺς λόγους ἐν τῇ γενεᾷ ταύτῃ τῇ μοιχαλίδι καὶ ἁμαρτωλῷ, καὶ ὁ υἱὸς τοῦ ἀνθρώπου ἐπαισχυνθήσεται αὐτόν, ὅταν ἔλθῃ ἐν τῇ δόξῃ τοῦ πατρὸς αὐτοῦ μετὰ τῶν ἀγγέλων τῶν ἁγίων.

 Luk 9 26 (123. S. 99): Ὃς γὰρ ἂν ἐπαισχυνθῇ με καὶ τοὺς ἐμοὺς λόγους, τοῦτον ὁ υἱὸς τοῦ ἀνθρώπου ἐπαισχυνθήσεται, ὅταν ἔλθῃ ἐν τῇ δόξῃ αὐτοῦ καὶ τοῦ πατρὸς καὶ τῶν ἁγίων ἀγγέλων.

Luk 12, 4 φοβηθῆτε] πτοηθῆτε 𝔓⁴⁵ 5 φοβήθητε ²] φοβηθῆναι 𝔓⁴⁵ 9 > 𝔓⁴⁵ sy ˢ it (e)

 Zu Matth 10 26 par. Oxyrhynchus Pap. 654, 5: Λέγει ᾽Ιησοῦς· [πᾶν τὸ μὴ ἔμπροσ]θεν τῆς ὄψεώς σου καὶ [τὸ κεκρυμμένον] ἀπὸ σοῦ ἀποκαλυφ⟨θ⟩ήσετ[αί σοι· οὐ γάρ ἐσ]τιν κρυπτὸν ὃ οὐ φανε[ρὸν γενήσεται] καὶ τεθαμμένον ὃ ο[ὐκ ἐγερθήσεται].
 Zu Matth 10 28 par. vgl. Ii. Clemens 5 2—4 oben S. 48.

61. Zwiespalt unter den Nächsten. Matth 10 34-36
61. Division in Households.

³⁴ Μὴ νομίσητε ὅτι ἦλθον βαλεῖν εἰρήνην ἐπὶ τὴν γῆν· οὐκ ἦλθον βαλεῖν εἰρήνην ἀλλὰ μάχαιραν. ³⁵ ἦλθον γὰρ διχάσαι ἄνθρωπον κατὰ τοῦ πατρὸς αὐτοῦ καὶ θυγατέρα κατὰ τῆς μητρὸς αὐτῆς καὶ νύμφην κατὰ τῆς πενθερᾶς αὐτῆς, ³⁶ καὶ ἐχθροὶ τοῦ ἀνθρώπου οἱ οἰκιακοὶ αὐτοῦ.

12 51-53 (160. S. 128): ⁵¹ Δοκεῖτε ὅτι εἰρήνην παρεγενόμην δοῦναι ἐν τῇ γῇ; οὐχί, λέγω ὑμῖν, ἀλλ᾽ ἢ διαμερισμόν. ⁵² ἔσονται γὰρ ἀπὸ τοῦ νῦν πέντε ἐν ἑνὶ οἴκῳ διαμεμερισμένοι, τρεῖς ἐπὶ δυσὶν καὶ δύο ἐπὶ τρισὶν ⁵³ διαμερισθήσονται, πατὴρ ἐπὶ υἱῷ καὶ υἱὸς ἐπὶ πατρί, μήτηρ ἐπὶ θυγατέρα καὶ θυγάτηρ ἐπὶ τὴν μητέρα, πενθερὰ ἐπὶ τὴν νύμφην αὐτῆς καὶ νύμφη ἐπὶ τὴν πενθεράν.

62. Bedingungen der Nachfolge. Matth 10 37-39
62. The Conditions of Discipleship.

³⁷ Ὁ φιλῶν πατέρα ἢ μητέρα ὑπὲρ ἐμὲ οὐκ ἔστιν μου ἄξιος· καὶ ὁ φιλῶν υἱὸν ἢ θυγατέρα ὑπὲρ ἐμὲ οὐκ ἔστιν μου ἄξιος,

³⁸ καὶ ὃς οὐ λαμβάνει τὸν σταυρὸν αὐτοῦ καὶ ἀκολουθεῖ ὀπίσω μου, οὐκ ἔστιν μου ἄξιος. ³⁹ ὁ εὑρὼν τὴν ψυχὴν αὐτοῦ ἀπολέσει αὐτήν, καὶ ὁ ἀπολέσας τὴν ψυχὴν αὐτοῦ ἕνεκεν ἐμοῦ εὑρήσει αὐτήν.* Joh 12 25

14 26-27 (171. S. 134): ²⁶ Εἴ τις ἔρχεται πρός με καὶ οὐ μισεῖ τὸν πατέρα αὐτοῦ καὶ τὴν μητέρα καὶ τὴν γυναῖκα καὶ τὰ τέκνα καὶ τοὺς ἀδελφοὺς καὶ τὰς ἀδελφάς, ἔτι δὲ καὶ τὴν ψυχὴν ἑαυτοῦ, οὐ δύναται εἶναί μου μαθητής. ²⁷ ὅστις οὐ βαστάζει τὸν σταυρὸν ἑαυτοῦ καὶ ἔρχεται ὀπίσω μου, οὐ δύναται εἶναί μου μαθητής.

17 33 (184. S. 141): ὃς ἐὰν ζητήσῃ τὴν ψυχὴν αὐτοῦ περιποιήσασθαι, ἀπολέσει αὐτήν, καὶ ὃς ἂν ἀπολέσει, ζωογονήσει αὐτήν.*

* Matth 16 24-25 (123. S. 98): ²⁴ Τότε ὁ Ἰησοῦς εἶπεν τοῖς μαθηταῖς αὐτοῦ· εἴ τις θέλει ὀπίσω μου ἐλθεῖν, ἀπαρνησάσθω ἑαυτὸν καὶ ἀράτω τὸν σταυρὸν αὐτοῦ καὶ ἀκολουθείτω μοι. ²⁵ ὃς γὰρ ἐὰν θέλῃ τὴν ψυχὴν αὐτοῦ σῶσαι, ἀπολέσει αὐτήν· ὃς δ᾽ ἂν ἀπολέσῃ τὴν ψυχὴν αὐτοῦ ἕνεκεν ἐμοῦ, εὑρήσει αὐτήν.

Mark 8 34-35 (123. S. 98): ³⁴ Καὶ προσκαλεσάμενος τὸν ὄχλον σὺν τοῖς μαθηταῖς αὐτοῦ εἶπεν αὐτοῖς· εἴ τις θέλει ὀπίσω μου ἐλθεῖν, ἀπαρνησάσθω ἑαυτὸν καὶ ἀράτω τὸν σταυρὸν αὐτοῦ, καὶ ἀκολουθείτω μοι. ³⁵ ὃς γὰρ ἐὰν θέλῃ τὴν ψυχὴν αὐτοῦ σῶσαι, ἀπολέσει αὐτήν· ὃς δ᾽ ἂν ἀπολέσει τὴν ψυχὴν αὐτοῦ ἕνεκεν ἐμοῦ καὶ τοῦ εὐαγγελίου, σώσει αὐτήν.

Luk 9 23-24 (123. S. 98): ²³ Ἔλεγεν δὲ πρὸς πάντας· εἴ τις θέλει ὀπίσω μου ἔρχεσθαι, ἀρνησάσθω ἑαυτὸν καὶ ἀράτω τὸν σταυρὸν αὐτοῦ καθ᾽ ἡμέραν, καὶ ἀκολουθείτω μοι. ²⁴ ὃς γὰρ ἐὰν θέλῃ τὴν ψυχὴν αὐτοῦ σῶσαι, ἀπολέσει αὐτήν· ὃς δ᾽ ἂν ἀπολέσῃ τὴν ψυχὴν αὐτοῦ ἕνεκεν ἐμοῦ, οὗτος σώσει αὐτήν.

Mt 10 35 36 = Lc 12 53: Mi 7 6, vgl. v. 21.

Luk 14, 26 δὲ 𝔓⁴⁵ S A D W Θ λ φ ℜ vg sa bo   τε B it   27 > sy³ bo und Codd. graec.

63. Schluß der Rede. Matth 10 40—11 1
63. End of the Discourse.

⁴⁰ Ὁ δεχόμενος ὑμᾶς ἐμὲ δέχεται, καὶ ὁ ἐμὲ δεχόμενος δέχεται τὸν ἀποστείλαντά

με.* [Joh 12 44 45 13 20] ⁴¹ ὁ δεχόμενος προφήτην εἰς ὄνομα προφήτου μισϑὸν προ-

φήτου λήμψεται, καὶ ὁ δεχόμενος δίκαιον εἰς ὄνομα δικαίου μισϑὸν δικαίου λήμψεται.

⁴² καὶ ὃς ἐὰν ποτίσῃ ἕνα τῶν μικρῶν τούτων ποτήριον ψυχροῦ μόνον εἰς ὄνομα μαϑη-

τοῦ, ἀμὴν λέγω ὑμῖν, οὐ μὴ ἀπολέσῃ τὸν μισϑὸν αὐτοῦ.**

11 ¹ Καὶ ἐγένετο ὅτε ἐτέλεσεν ὁ Ἰησοῦς διατάσσων τοῖς δώδεκα μαϑηταῖς αὐτοῦ,

μετέβη ἐκεῖϑεν τοῦ διδάσκειν καὶ κηρύσσειν ἐν ταῖς πόλεσιν αὐτῶν.

64. Anfrage des Täufers. Matth 11 2-6
64. The Baptist's Question.

² Ὁ δὲ Ἰωάννης ἀκούσας ἐν τῷ δεσμωτηρίῳ

τὰ ἔργα τοῦ Χριστοῦ,

πέμψας διὰ τῶν μαϑητῶν

αὐτοῦ ³ εἶπεν αὐτῷ·

σὺ εἶ ὁ ἐρχόμενος, ἢ ἕτερον προσδο-

κῶμεν;

⁴ καὶ ἀποκριϑεὶς ὁ Ἰησοῦς εἶπεν αὐτοῖς·

πορευϑέντες ἀπαγγείλατε Ἰωάννῃ ἃ ἀκούετε

καὶ βλέπετε· ⁵ τυφλοὶ ἀναβλέπουσιν καὶ χωλοὶ

περιπατοῦσιν, λεπροὶ καϑαρίζονται καὶ κωφοὶ

ἀκούουσιν, καὶ νεκροὶ ἐγείρονται καὶ πτωχοὶ

εὐαγγελίζονται· ⁶ καὶ μακάριός ἐστιν ὃς ἐὰν

μὴ σκανδαλισϑῇ ἐν ἐμοί.

7 18-23 *(81. S. 64 f.):* ¹⁸ Καὶ ἀπήγγειλαν Ἰω-

άννῃ οἱ μαϑηταὶ αὐτοῦ περὶ πάντων τούτων.

καὶ προσκαλεσάμενος δύο τινὰς τῶν μαϑητῶν

αὐτοῦ ὁ Ἰωάννης ¹⁹ ἔπεμψεν πρὸς τὸν κύριον

λέγων· σὺ εἶ ὁ ἐρχόμενος, ἢ ἄλλον προσδο-

κῶμεν; ²⁰ παραγενόμενοι δὲ πρὸς αὐτὸν οἱ

ἄνδρες εἶπαν· Ἰωάννης ὁ βαπτιστὴς ἀπέστειλεν

ἡμᾶς πρὸς σὲ λέγων· σὺ εἶ ὁ ἐρχόμενος, ἢ ἄλλον

προσδοκῶμεν; ²¹ ἐν ἐκείνῃ τῇ ὥρᾳ ἐϑεράπευσεν

πολλοὺς ἀπὸ νόσων καὶ μαστίγων καὶ πνευ-

μάτων πονηρῶν, καὶ τυφλοῖς πολλοῖς ἐχαρί-

σατο βλέπειν. ²² καὶ ἀποκριϑεὶς εἶπεν αὐτοῖς·

πορευϑέντες ἀπαγγείλατε Ἰωάννῃ ἃ εἴδετε

καὶ ἠκούσατε· τυφλοὶ ἀναβλέπουσιν, χωλοὶ

περιπατοῦσιν, λεπροὶ καϑαρίζονται, καὶ κωφοὶ

ἀκούουσιν,   νεκροὶ ἐγείρονται,   πτωχοὶ

εὐαγγελίζονται· ²³ καὶ μακάριός ἐστιν ὃς ἐὰν

μὴ σκανδαλισϑῇ ἐν ἐμοί.

---

* Matth 18 5 (129. S. 107):
Καὶ ὃς ἐὰν δέξηται ἓν παι-
δίον τοιοῦτο ἐπὶ τῷ ὀνό-
ματί μου, ἐμὲ δέχεται.

Mark 9 37 (129. S. 107):
Ὃς ἂν ἓν τῶν τοιούτων παιδίων δέ-
ξηται ἐπὶ τῷ ὀνόματί μου, ἐμὲ δέ-
χεται· καὶ ὃς ἂν ἐμὲ δέξηται, οὐκ ἐμὲ
δέχεται ἀλλὰ τὸν ἀποστείλαντά με.

Luk 9 48 (129. S. 107):
Ὃς ἐὰν δέξηται τοῦτο τὸ παιδίον
ἐπὶ τῷ ὀνόματί μου, ἐμὲ δέχεται·
καὶ ὃς ἂν ἐμὲ δέξηται, δέχεται τὸν
ἀποστείλαντά με.

Luk 10 16 (139. S. 114): Ὁ ἀκούων ὑμῶν ἐμοῦ ἀκούει, καὶ ὁ ἀϑετῶν ὑμᾶς ἐμὲ ἀϑετεῖ· ὁ δὲ ἐμὲ ἀϑε-
τῶν ἀϑετεῖ τὸν ἀποστείλαντά με.

** Mark 9 41 (130. S. 103): Ὃς γὰρ ἂν ποτίσῃ ὑμᾶς ποτήριον ὕδατος ἐν ὀνόματι, ὅτι Χριστοῦ ἐστε,
ἀμὴν λέγω ὑμῖν ὅτι οὐ μὴ ἀπολέσῃ τὸν μισϑὸν αὐτοῦ.

Mt 11 5 = Lc 7 22: vgl. Jes 29 18 19   35 5 6   61 1. Vgl. Lc 4 18.

Matth 11, 2 Χριστοῦ] Ἰησοῦ D sy ᶜ   τοῦ κυρίου ἡμῶν sy ˢ | διὰ S B C D W Θ it sy ᶜˢ pe sa   δύο
λ φ 𝔎 vg bo

65. Jesu Zeugnis über den Täufer. Matth 11 7–19
65. Christ's Testimony to the Baptist.

⁷ Τούτων δὲ πορευ-
ομένων ἤρξατο ὁ Ἰησοῦς λέγειν τοῖς
ὄχλοις περὶ Ἰωάννου· τί ἐξήλθατε εἰς τὴν ἔρη-
μον θεάσασθαι; κάλαμον ὑπὸ ἀνέμου σαλευ-
όμενον; ⁸ ἀλλὰ τί ἐξήλθατε ἰδεῖν; ἄνθρωπον
ἐν μαλακοῖς   ἠμφιεσμένον; ἰδοὺ οἱ τὰ
μαλακὰ φοροῦντες ἐν τοῖς οἴκοις τῶν βασιλέων.

⁹ ἀλλὰ τί ἐξήλθατε; προ-
φήτην ἰδεῖν; ναὶ λέγω ὑμῖν, καὶ περισσότερον
προφήτου. ¹⁰ οὗτός ἐστιν περὶ οὗ γέγραπται·
ἰδοὺ ἐγὼ ἀποστέλλω τὸν ἄγγελόν μου πρὸ
προσώπου σου, ὃς κατασκευάσει τὴν ὁδόν σου
ἔμπροσθέν σου. ¹¹ ἀμὴν λέγω ὑμῖν, οὐκ ἐγή-
γερται ἐν γεννητοῖς γυναικῶν μείζων Ἰωάννου
τοῦ βαπτιστοῦ· ὁ δὲ μικρότερος ἐν τῇ βασι-
λείᾳ τῶν οὐρανῶν μείζων αὐτοῦ ἐστιν.

1 2
S. 9

(vgl. Matth 21 32 (203. S. 159)

¹² ἀπὸ δὲ τῶν ἡμερῶν Ἰωάννου τοῦ βα-
πτιστοῦ ἕως ἄρτι ἡ βασιλεία τῶν οὐρανῶν βιά-
ζεται, καὶ βιασταὶ ἁρπάζουσιν αὐτήν. ¹³ πάν-
τες γὰρ οἱ προφῆται καὶ ὁ νόμος ἕως Ἰωάννου
ἐπροφήτευσαν· ¹⁴ καὶ εἰ θέλετε δέξασθαι, αὐ-
τός ἐστιν Ἠλίας ὁ μέλλων ἔρχεσθαι. ¹⁵ ὁ ἔχων
ὦτα ἀκουέτω.

cf. 9 13
S. 102

¹⁶ τίνι δὲ ὁμοιώσω τὴν γενεὰν ταύτην;
ὁμοία
ἐστὶν παιδίοις καθημένοις ἐν ταῖς ἀγοραῖς ἃ
προσφωνοῦντα τοῖς ἑτέροις ¹⁷ λέγουσιν· ἠυλή-

7 24–35 *(82. S. 65)*: ²⁴ Ἀπελθόντων δὲ τῶν
ἀγγέλων Ἰωάννου ἤρξατο λέγειν πρὸς τοὺς
ὄχλους περὶ Ἰωάννου· τί ἐξήλθατε εἰς τὴν ἔρη-
μον θεάσασθαι; κάλαμον ὑπὸ ἀνέμου σαλευ-
όμενον; ²⁵ ἀλλὰ τί ἐξήλθατε ἰδεῖν; ἄνθρωπον
ἐν μαλακοῖς ἱματίοις ἠμφιεσμένον; ἰδοὺ οἱ ἐν
ἱματισμῷ ἐνδόξῳ καὶ τρυφῇ ὑπάρχοντες ἐν τοῖς
βασιλείοις εἰσίν. ²⁶ ἀλλὰ τί ἐξήλθατε ἰδεῖν; προ-
φήτην; ναὶ λέγω ὑμῖν, καὶ περισσότερον
προφήτου. ²⁷ οὗτός ἐστιν περὶ οὗ γέγραπται·
ἰδοὺ   ἀποστέλλω τὸν ἄγγελόν μου πρὸ
προσώπου σου, ὃς κατασκευάσει τὴν ὁδόν σου
ἔμπροσθέν σου.   ²⁸ λέγω ὑμῖν,
μείζων ἐν γεννητοῖς γυναικῶν   Ἰωάννου
οὐδείς ἐστιν· ὁ δὲ μικρότερος ἐν τῇ βασι-
λείᾳ τοῦ θεοῦ μείζων αὐτοῦ ἐστιν.

²⁹ καὶ πᾶς ὁ λαὸς ἀκούσας καὶ οἱ τελῶναι
ἐδικαίωσαν τὸν θεόν, βαπτισθέντες τὸ βά-
πτισμα Ἰωάννου· ³⁰ οἱ δὲ Φαρισαῖοι καὶ οἱ νομι-
κοὶ τὴν βουλὴν τοῦ θεοῦ ἠθέτησαν εἰς ἑαυτούς,
μὴ βαπτισθέντες ὑπ᾿ αὐτοῦ.

16 16 *(176. S. 137)*: ὁ νόμος καὶ οἱ προφῆται
μέχρι Ἰωάννου· ἀπὸ τότε ἡ βασιλεία τοῦ θεοῦ
εὐαγγελίζεται καὶ πᾶς εἰς αὐτὴν βιάζεται.

7 ³¹ τίνι οὖν ὁμοιώσω τοὺς ἀνθρώπους τῆς
γενεᾶς ταύτης, καὶ τίνι εἰσὶν ὅμοιοι; ³² ὅμοιοί
εἰσιν παιδίοις τοῖς ἐν ἀγορᾷ καθημένοις καὶ
προσφωνοῦσιν ἀλλήλοις λέγοντες·   ἠυλή-

Mt 11 10 = Lc 7 27: Mal 3 1.   Mt 11 14: Mal 3 22.

Matth 11, 8 μαλακοῖς S B D vg   μαλακοῖς ἱματίοις C W Θ λ φ ℜ it sy ᶜˢ ᵖᵉ sa bo   **15** ὦτα
B D sy ˢ   ὦτα ἀκούειν S C W Θ λ φ ℜ it vg sy ᶜ ᵖᵉ sa bo   **16** ἑτέροις (+ αὐτῶν C Θ φ) S B C D Θ λ
φ ℜ bo   ἑταίροις (+ αὐτῶν sy ᶜˢ ᵖᵉ) W vg sy ᶜˢ ᵖᵉ sa   ad invicem it vgl. Lc
Luk 7, 26 προφήτου + v. 28 ὅτι οὐδεὶς μείζων ἐν γεννητοῖς γυναικῶν προφήτης Ἰωάννου τοῦ
βαπτιστοῦ D, läßt diese Worte in v. 28 aus   **28** λέγω — οὐδείς ἐστιν] λέγω ὑμῖν, οὐκ ἐγήγερται
ἐν γεννητοῖς γυναικῶν προφήτης μείζων Ἰωάννου τοῦ βαπτιστοῦ sy ˢ | Ἰωάννου S B W λ φ it sa bo
προφήτης Ἰωάννου A D Θ ℜ vg sy ᵖᵉ   **32** λέγοντες D φ it   λέγοντα W   καὶ λέγουσιν A Θ ℜ vg
sy ᵖᵉ   ἃ λέγει S B λ   > sy ˢ

Zu Matth 11 12: **Hebr. Evang.**: Τὸ Ἰουδαϊκὸν διαρπάζεται ἔχει 1424.

σαμεν ὑμῖν καὶ οὐκ ὠρχήσασθε, ἐθρηνήσαμεν
καὶ οὐκ ἐκόψασθε. ¹⁸ ἦλθεν γὰρ 'Ιωάννης
     μήτε ἐσθίων   μήτε πίνων,
καὶ λέγουσιν· δαιμόνιον ἔχει. ¹⁹ ἦλθεν ὁ υἱὸς
τοῦ ἀνθρώπου ἐσθίων καὶ πίνων, καὶ λέγουσιν·
ἰδοὺ ἄνθρωπος φάγος καὶ οἰνοπότης, τελωνῶν
φίλος καὶ ἁμαρτωλῶν. καὶ ἐδικαιώθη ἡ
σοφία ἀπὸ τῶν ἔργων αὐτῆς.

σαμεν ὑμῖν καὶ οὐκ ὠρχήσασθε· ἐθρηνήσαμεν
καὶ οὐκ ἐκλαύσατε. ³³ ἐλήλυθεν γὰρ 'Ιωάννης ὁ
βαπτιστὴς μὴ ἐσθίων ἄρτον μήτε πίνων οἶνον,
καὶ λέγετε· δαιμόνιον ἔχει. ³⁴ ἐλήλυθεν ὁ υἱὸς
τοῦ ἀνθρώπου ἐσθίων καὶ πίνων, καὶ λέγετε·
ἰδοὺ ἄνθρωπος φάγος καὶ οἰνοπότης, φίλος
τελωνῶν καὶ ἁμαρτωλῶν. ³⁵ καὶ ἐδικαιώθη ἡ
σοφία ἀπὸ πάντων τῶν τέκνων αὐτῆς.

66. Wehe über die galiläischen Städte. Matth 11 20–24
66. Woes on the Cities of Galilee.

²⁰ Τότε ἤρξατο ὀνειδίζειν τὰς πόλεις ἐν αἷς
ἐγένοντο αἱ πλεῖσται δυνάμεις αὐτοῦ, ὅτι οὐ
μετενόησαν· ²¹ οὐαί σοι, Χοραζίν· οὐαί σοι,
Βηθσαϊδά· ὅτι εἰ ἐν Τύρῳ καὶ Σιδῶνι ἐγέ-
νοντο αἱ δυνάμεις αἱ γενόμεναι ἐν ὑμῖν, πάλαι
ἂν ἐν σάκκῳ καὶ σποδῷ   μετενόησαν.
²² πλὴν λέγω ὑμῖν, Τύρῳ καὶ Σιδῶνι ἀνε-
κτότερον ἔσται ἐν ἡμέρᾳ κρίσεως ἢ ὑμῖν. ²³ καὶ
σύ, Καφαρναούμ, μὴ *ἕως οὐρανοῦ ὑψωθήσῃ;*
ἕως ᾅδου καταβήσῃ. ὅτι εἰ ἐν Σοδόμοις ἐγενή-
θησαν αἱ δυνάμεις αἱ γενόμεναι ἐν σοί, ἔμεινεν
ἂν μέχρι τῆς σήμερον. ²⁴ πλὴν λέγω ὑμῖν ὅτι
γῇ Σοδόμων ἀνεκτότερον ἔσται ἐν ἡμέρᾳ κρί-
σεως ἢ σοί.

10 13–15 *(139. S. 114):*
     ¹³ Οὐαί σοι, Χοραζίν, οὐαί σοι,
Βηθσαϊδά· ὅτι εἰ ἐν Τύρῳ καὶ Σιδῶνι ἐγενή-
θησαν αἱ δυνάμεις αἱ γενόμεναι ἐν ὑμῖν, πάλαι
ἂν ἐν σάκκῳ καὶ σποδῷ καθήμενοι μετενόησαν.
¹⁴ πλὴν   Τύρῳ καὶ Σιδῶνι ἀνε-
κτότερον ἔσται ἐν τῇ κρίσει ἢ ὑμῖν. ¹⁵ καὶ
σύ, Καφαρναούμ, μὴ *ἕως οὐρανοῦ ὑψωθήσῃ;*
ἕως τοῦ ᾅδου καταβήσῃ.

67. Jubelruf. Matth 11 25–27
67. Christ's Thanksgiving to the Father.

²⁵ 'Εν ἐκείνῳ τῷ καιρῷ ἀποκριθεὶς
         ὁ 'Ιησοῦς
εἶπεν· ἐξομολογοῦμαί σοι, πάτερ, κύριε τοῦ

10 21–22 *(141. S. 114 f.):* ²¹ 'Εν αὐτῇ τῇ ὥρᾳ
ἠγαλλιάσατο τῷ πνεύματι τῷ ἁγίῳ καὶ
εἶπεν· ἐξομολογοῦμαί σοι, πάτερ, κύριε τοῦ

Mt 11 23 = Lc 10 15: Jes 14 13 15

Matth 11, 19 ἔργων S B W sy pe bo   τέκνων C D Θ λ ℜ it vg sy cs sa   πάντων τῶν τέκνων φ
23 μὴ ἕως (+ τοῦ C λ) οὐρανοῦ ὑψωθήσῃ S B C D Θ W λ it vg sy c sa bo   ἢ ἕως (+ τοῦ φ) οὐρανοῦ
ὑψώθης φ sy s pe   ἢ ἕως οὐρανοῦ ὑψωθεῖσα ℜ | καταβήσῃ B D W it vg sy cs sa   καταβιβασθήσῃ
S C Θ λ φ ℜ sy pe bo
     Luk 10, 14 ἐν τῇ κρίσει S A B C W Θ λ ℜ it vg sy pe sa bo   ἐν ἡμέρᾳ κρίσεως φ sy c   ἐν ταύτη
τῇ ἡμέρᾳ sy s   > 𝔓 45 D   **15** καταβήσῃ B D sy cs   καταβιβασθήσῃ 𝔓 45 S A C W Θ λ φ ℜ it vg
sy pe sa bo   **21** τῷ (ἐν τῷ S D sa bo) πνεύματι τῷ ἁγίῳ S B D it vg sy cs sa bo   ἐν (> C λ) τῷ
πνεύματι τῷ ἁγίῳ ὁ 'Ιησοῦς C Θ λ sy pe   ἐν τῷ πνεύματι 𝔓 45   τῷ πνεύματι ὁ 'Ιησοῦς A W φ ℜ

     Zu Matth 11 25: **Hebr. Evang.:** Τὸ 'Ιουδαϊκόν· εὐχαριστῶ σοι 1424.

οὐρανοῦ καὶ τῆς γῆς, ὅτι ἔκρυψας ταῦτα ἀπὸ σοφῶν καὶ συνετῶν, καὶ ἀπεκάλυψας αὐτὰ νηπίοις· 26 ναί, ὁ πατήρ, ὅτι οὕτως εὐδοκία ἐγένετο ἔμπροσθέν σου.

27 πάντα μοι παρεδόθη ὑπὸ τοῦ πατρός μου, καὶ οὐδεὶς ἐπιγινώσκει τὸν υἱὸν εἰ μὴ ὁ πατήρ, οὐδὲ τὸν πατέρα τις ἐπιγινώσκει εἰ μὴ ὁ υἱὸς καὶ ᾧ ἐὰν βούληται ὁ υἱὸς ἀποκαλύψαι.

Joh 3 35 17 2 7 29 10 14 15

οὐρανοῦ καὶ τῆς γῆς, ὅτι ἀπέκρυψας ταῦτα ἀπὸ σοφῶν καὶ συνετῶν, καὶ ἀπεκάλυψας αὐτὰ νηπίοις· ναί, ὁ πατήρ, ὅτι οὕτως εὐδοκία ἐγένετο ἔμπροσθέν σου.

22 πάντα μοι παρεδόθη ὑπὸ τοῦ πατρός μου, καὶ οὐδεὶς γινώσκει τίς ἐστιν ὁ υἱὸς εἰ μὴ ὁ πατήρ, καὶ τίς ἐστιν ὁ πατὴρ   εἰ μὴ ὁ υἱὸς καὶ ᾧ ἐὰν βούληται ὁ υἱὸς ἀποκαλύψαι.

68. Heilandsruf. Matth 11 28–30
68. Comfort for the Heavy-laden.

28 Δεῦτε πρός με πάντες οἱ κοπιῶντες καὶ πεφορτισμένοι, κἀγὼ ἀναπαύσω ὑμᾶς. 29 ἄρατε τὸν ζυγόν μου ἐφ᾽ ὑμᾶς καὶ μάθετε ἀπ᾽ ἐμοῦ, ὅτι πραΰς εἰμι καὶ ταπεινὸς τῇ καρδίᾳ, καὶ εὑρήσετε ἀνάπαυσιν ταῖς ψυχαῖς ὑμῶν· 30 ὁ γὰρ ζυγός μου χρηστὸς καὶ τὸ φορτίον μου ἐλαφρόν ἐστιν.

69. Das Ährenraufen am Sabbat.
69. Plucking Corn on the Sabbath.

Matth 12 1–8	Mark 2 23–28 (54. 2 18–22. S. 43 f.)	Luk 6 1–5 (54. 5 33–39. S. 43 f.)
1 Ἐν ἐκείνῳ τῷ καιρῷ ἐπορεύθη ὁ Ἰησοῦς τοῖς σάββασιν διὰ τῶν σπορίμων· οἱ δὲ μαθηταὶ αὐτοῦ ἐπείνασαν, καὶ ἤρξαντο τίλλειν στάχυας καὶ ἐσθίειν. 2 οἱ δὲ Φαρισαῖοι ἰδόντες εἶπαν αὐτῷ· ἰδοὺ οἱ μαθηταί σου ποιοῦσιν ὃ οὐκ ἔξεστιν ποιεῖν ἐν σαβ-	23 Καὶ ἐγένετο αὐτὸν ἐν ταῖς σάββασιν παραπορεύεσθαι διὰ τῶν σπορίμων, καὶ οἱ μαθηταὶ αὐτοῦ ἤρξαντο ὁδὸν ποιεῖν τίλλοντες τοὺς στάχυας. 24 καὶ οἱ Φαρισαῖοι Joh 5 10 ἔλεγον αὐτῷ· ἴδε τί ποιοῦσιν τοῖς σάβ- βασιν ὃ οὐκ ἔξεστιν;	1 Ἐγένετο δὲ ἐν σαββάτῳ διαπορεύεσθαι αὐτὸν διὰ σπορίμων, καὶ ἔτιλλον οἱ μαθηταὶ αὐτοῦ καὶ ἤσθιον τοὺς στάχυας ψώχοντες ταῖς χερσίν. 2 τινὲς δὲ τῶν Φαρισαίων εἶπαν· τί ποιεῖτε ὃ οὐκ ἔξεστιν τοῖς σάββασιν; 3 καὶ

Mt 11 28 29: vgl. Sir 51 23–27.   Mt 11 29: vgl. Jer 6 16.   Mt 12 1 = Mc 2 23 = Lc 6 1: Dtn 23 25.   Mt 12 2 = Mc 2 24 = Lc 6 2: vgl. Ex 20 10 Dtn 5 14.

Luk 10, 22 πάντα 𝔓 45 S B D λ φ it vg sy cs sa bo   καὶ στραφεὶς πρὸς τοὺς μαθητὰς εἶπεν· πάντα A C W Θ ℜ sy pe   6, 1 σαββάτῳ 𝔓 4 S B W λ it sy pe sa bo   σαββάτῳ δευτεροπρώτῳ A C D Θ φ ℜ vg

Zu Matth 11 29: Hebr. Evang.: Ὁ θαυμάσας βασιλεύσει καὶ ὁ βασιλεύσας ἀναπαήσεται. Clem. Al. Strom. II 9 45, 5 (II 137 5–6 Stählin).
Οὐ παύσεται ὁ ζητῶν, ἕως ἂν εὕρῃ· εὑρὼν δὲ θαμβηθήσεται, θαμβηθεὶς δὲ βασιλεύσει, βασιλεύσας δὲ ἐπαναπαήσεται. ib. V 14 96, 3 (II 389 14–17 Stählin).
Μὴ παυσάσθω ὁ ζη[τῶν τοῦ ζητεῖν ἕως ἂν] εὕρῃ καὶ ὅταν εὕρῃ [θαμβηθήσεται καὶ θαμ]βηθεὶς βασιλεύσει κα[ὶ] βασιλεύσας ἀναπα]ήσεται. Oxyrhynchus Pap. 654 Nr. 2.

βάτῳ. ³ ὁ δὲ εἶπεν αὐτοῖς· οὐκ ἀνέγνωτε τί ἐποίησεν Δαυίδ, ὅτε ἐπείνασεν καὶ οἱ μετ᾽ ·αὐτοῦ; ⁴ πῶς εἰσῆλθεν εἰς τὸν οἶκον τοῦ θεοῦ καὶ τοὺς ἄρτους τῆς προθέσεως ἔφαγον, ὃ οὐκ ἐξὸν ἦν αὐτῷ φαγεῖν οὐδὲ τοῖς μετ᾽ αὐτοῦ, εἰ μὴ τοῖς ἱερεῦσιν μόνοις; ⁵ ἢ οὐκ ἀνέγνωτε ἐν τῷ νόμῳ ὅτι τοῖς σάββασιν οἱ ἱερεῖς ἐν τῷ ἱερῷ τὸ σάββατον βεβηλοῦσιν καὶ ἀναίτιοί εἰσιν; ⁶ λέγω δὲ ὑμῖν ὅτι τοῦ ἱεροῦ μεῖζόν ἐστιν ὧδε. ⁷ εἰ δὲ ἐγνώκειτε τί ἐστιν· ἔλεος θέλω καὶ οὐ θυσιαν, οὐκ ἂν κατεδικάσατε τοὺς ἀναιτίους.	²⁵ καὶ λέγει αὐτοῖς· οὐδέποτε ἀνέγνωτε τί ἐποίησεν Δαυίδ, ὅτε χρείαν ἔσχεν καὶ ἐπείνασεν αὐτὸς καὶ οἱ μετ᾽ αὐτοῦ; ²⁶ πῶς εἰσῆλθεν εἰς τὸν οἶκον τοῦ θεοῦ ἐπὶ ᾿Αβιαθὰρ ἀρχιερέως καὶ τοὺς ἄρτους τῆς προθέσεως ἔφαγεν, οὓς οὐκ ἔξεστιν φαγεῖν εἰ μὴ τοὺς ἱερεῖς, καὶ ἔδωκεν καὶ τοῖς σὺν αὐτῷ οὖσιν;	ἀποκριθεὶς πρὸς αὐτοὺς εἶπεν ὁ ᾿Ιησοῦς· οὐδὲ τοῦτο ἀνέγνωτε ὃ ἐποίησεν Δαυίδ, ὁπότε ἐπείνασεν αὐτὸς καὶ οἱ μετ᾽ αὐτοῦ ὄντες; ⁴ ὡς εἰσῆλθεν εἰς τὸν οἶκον τοῦ θεοῦ καὶ τοὺς ἄρτους τῆς προθέσεως λαβὼν ἔφαγεν καὶ ἔδωκεν τοῖς μετ᾽ αὐτοῦ, οὓς οὐκ ἔξεστιν φαγεῖν εἰ μὴ μόνους τοὺς ἱερεῖς;
	²⁷ καὶ ἔλεγεν αὐτοῖς· τὸ σάββατον διὰ τὸν ἄνθρωπον ἐγένετο, καὶ οὐχ ὁ ἄνθρωπος διὰ τὸ σάββατον· ²⁸ ὥστε κύριός ἐστιν	⁵ καὶ ἔλεγεν αὐτοῖς·
⁸ κύριος γάρ ἐστιν τοῦ σαββάτου ὁ υἱὸς τοῦ ἀνθρώπου.	ὁ υἱὸς τοῦ ἀνθρώπου καὶ τοῦ σαββάτου.	κύριός ἐστιν τοῦ σαββάτου ὁ υἱὸς τοῦ ἀνθρώπου.

70. Die Heilung der verdorrten Hand.
70. The Healing of the Man with the Withered Hand.

Matth 12 9–14	Mark 3 1–6	Luk 6 6–11
⁹ Καὶ μεταβὰς ἐκεῖθεν ἦλθεν εἰς τὴν συναγωγὴν αὐτῶν. ¹⁰ καὶ ἰδοὺ ἄνθρωπος χεῖρα ἔχων ξηράν· καὶ ἐπηρώτησαν αὐτὸν λέγοντες·	¹ Καὶ εἰσῆλθεν πάλιν εἰς συναγωγήν, καὶ ἦν ἐκεῖ ἄνθρωπος ἐξηραμμένην ἔχων τὴν χεῖρα· ² καὶ παρετήρουν αὐτὸν	⁶ ᾿Εγένετο δὲ ἐν ἑτέρῳ σαββάτῳ εἰσελθεῖν αὐτὸν εἰς τὴν συναγωγὴν καὶ διδάσκειν· καὶ ἦν ἄνθρωπος ἐκεῖ καὶ ἡ χεὶρ αὐτοῦ ἡ δεξιὰ ἦν ξηρά· ⁷ παρετηροῦντο δὲ αὐτὸν οἱ γραμματεῖς καὶ οἱ Φαρι-

Mt 12 3 f = Mc 2 25 f = Lc 6 3 f: vgl. I. Reg 21 2–7.   Mt 12 4 b = Mc 2 26 b = Lc 6 4 b: vgl. Lev 24 7–9.   Mt 12 5: vgl. Num 28 9 10.   Mt 12 7 (= Mt 9 13): Hos 6 6.

Mark 2, 26 ἐπὶ ᾿Αβιαθὰρ ἀρχιερέως > D W it sy^s   **27** καὶ ἔλεγεν αὐτοῖς S A B C Θ λ φ ℜ vg sy^s pe sa bo   λέγω δὲ ὑμῖν (+ ὅτι W) W D it

Luk 6, 5 lautet in D: τῇ αὐτῇ ἡμέρᾳ θεασάμενός τινα ἐργαζόμενον τῷ σαββάτῳ εἶπεν αὐτῷ· ἄνθρωπε, εἰ μὲν οἶδας τί ποιεῖς, μακάριος εἶ, εἰ δὲ μὴ οἶδας, ἐπικατάρατος καὶ παραβάτης εἶ τοῦ νόμου, vgl. v. 10

Zu Matth 12 10: **Hebr. Evang.**: Cœmentarius eram, manibus victum quaeritans; precor te, Iesu, ut mihi restituas sanitatem, ne turpiter mendicem cibos. Hieronymus Comm. in Mt c. 12 13 (VII ¹ 77 D Vallarsi).

εἰ ἔξεστιν. τοῖς σάββασιν θε-
ραπεῦσαι; ἵνα κατηγορήσωσιν
αὐτοῦ.

11 ὁ δὲ εἶπεν αὐτοῖς· τίς ἔσται
ἐξ ὑμῶν ἄνθρωπος ὃς ἕξει πρό-
βατον ἕν, καὶ ἐὰν ἐμπέσῃ τοῦτο
τοῖς σάββασιν εἰς βόθυνον, οὐχὶ
κρατήσει αὐτὸ καὶ ἐγερεῖ; **12** πόσῳ
οὖν διαφέρει ἄνθρωπος προβά-
του.* ὥστε ἔξεστιν
τοῖς σάββασιν καλῶς ποιεῖν.

13 τότε λέγει
τῷ ἀνθρώπῳ· ἔκτεινόν σου τὴν
χεῖρα. καὶ ἐξέτεινεν, καὶ ἀπεκα-
τεστάθη ὑγιὴς ὡς ἡ ἄλλη. **14** ἐξελ-
θόντες δὲ οἱ Φαρισαῖοι
συμβούλιον ἔλα-
βον κατ' αὐτοῦ, ὅπως αὐτὸν ἀπο-
λέσωσιν.

εἰ τοῖς σάββασιν θε-
ραπεύσει αὐτόν, ἵνα κατηγορήσω-
σιν αὐτοῦ.

3 καὶ λέγει τῷ
ἀνθρώπῳ τῷ τὴν χεῖρα ἔχοντι
ξηράν· ἔγειρε εἰς τὸ
μέσον.

4 καὶ λέγει αὐτοῖς· ἔξεστιν
τοῖς σάββασιν ἀγαθὸν ποιῆσαι ἢ
κακοποιῆσαι, ψυχὴν σῶσαι ἢ ἀπο-
κτεῖναι; οἱ δὲ ἐσιώπων.** **5** καὶ
περιβλεψάμενος αὐτοὺς
μετ' ὀργῆς, συλλυπούμενος ἐπὶ τῇ
πωρώσει τῆς καρδίας αὐτῶν, λέγει
τῷ ἀνθρώπῳ· ἔκτεινον τὴν
χεῖρα. καὶ ἐξέτεινεν, καὶ ἀπεκα-
τεστάθη ἡ χεὶρ αὐτοῦ. **6** καὶ ἐξελ-
θόντες οἱ Φαρισαῖοι εὐθὺς μετὰ
τῶν Ἡρῳδιανῶν συμβούλιον ἐδί-
δουν κατ' αὐτοῦ, ὅπως αὐτὸν ἀπο-
λέσωσιν.

σαῖοι εἰ ἐν τῷ σαββάτῳ θε-
ραπεύει, ἵνα εὕρωσιν κατηγορεῖν
αὐτοῦ. **8** αὐτὸς δὲ ᾔδει τοὺς δια-
λογισμοὺς αὐτῶν, εἶπεν δὲ τῷ
ἀνδρὶ τῷ ξηρὰν ἔχοντι τὴν
χεῖρα· ἔγειρε καὶ στῆθι εἰς τὸ
μέσον· καὶ ἀναστὰς ἔστη.

14 5 *(168. S. 132)*:
καὶ πρὸς αὐτοὺς εἶπεν· τίνος
ὑμῶν υἱὸς ἢ βοῦς εἰς φρέαρ πεσεῖ-
ται, καὶ οὐκ εὐθέως ἀνασπάσει
αὐτὸν ἐν ἡμέρᾳ τοῦ σαββάτου;*
6 **9** εἶπεν δὲ ὁ Ἰησοῦς πρὸς αὐ-
τούς· ἐπερωτῶ ὑμᾶς εἰ ἔξεστιν
τῷ σαββάτῳ ἀγαθοποιῆσαι ἢ
κακοποιῆσαι, ψυχὴν σῶσαι ἢ ἀπο-
λέσαι,** **10** καὶ
περιβλεψάμενος πάντας αὐτοὺς

εἶπεν αὐτῷ· ἔκτεινον τὴν
χεῖρά σου. ὁ δὲ ἐποίησεν, καὶ ἀπεκα-
τεστάθη ἡ χεὶρ αὐτοῦ. **11** αὐτοὶ
δὲ ἐπλήσθησαν ἀνοίας, καὶ
διελάλουν πρὸς ἀλλήλους τί ἂν
ποιήσαιεν τῷ Ἰησοῦ.

Berufung der 12 Apostel.

The Call of the Twelve Apostles.

Luk 6 12–16, s. zu Mark 3 13–19. S. 59 f.

---

* Luk 13 15 16 (163. S. 129): **15** Ἀπεκρίθη δὲ αὐτῷ ὁ κύριος καὶ εἶπεν· ὑποκριταί, ἕκαστος ὑμῶν τῷ
σαββάτῳ οὐ λύει τὸν βοῦν αὐτοῦ ἢ τὸν ὄνον ἀπὸ τῆς φάτνης καὶ ἀπαγαγὼν ποτίζει; **16** ταύτην δὲ θυ-
γατέρα Ἀβραὰμ οὖσαν, ἣν ἔδησεν ὁ σατανᾶς ἰδοὺ δέκα καὶ ὀκτὼ ἔτη, οὐκ ἔδει λυθῆναι ἀπὸ τοῦ δεσμοῦ
τούτου τῇ ἡμέρᾳ τοῦ σαββάτου;

** Luk 14 3 (168. S. 132): Καὶ ἀποκριθεὶς ὁ Ἰησοῦς εἶπεν πρὸς τοὺς νομικοὺς καὶ Φαρισαίους λέγων·
ἔξεστιν τῷ σαββάτῳ θεραπεῦσαι ἢ οὔ; οἱ δὲ ἡσύχασαν.

Mark 3, 3 ἔγειρε ✝ καὶ στῆθι D sa (?)

Luk 14, 5 υἱὸς ἢ βοῦς 𝔓 45 A B W sy ᵛᵍ sa   υἱὸς ἢ βοῦς ἢ ὄνος sy ᶜ   ὄνος υἱὸς ἢ βοῦς Θ
ὄνος ἢ βοῦς S λ φ 𝔐 it vg bo   βοῦς ἢ ὄνος sy ˢ   πρόβατον ἢ βοῦς D   **6, 10** danach v. 5 D

71. Zulauf und Heilungen.

71. Christ heals the Multitudes.

Matth 12 15–21	Mark 3 7–12	Luk 6 17–19
¹⁵ Ὁ δὲ Ἰησοῦς γνοὺς ἀνεχώρησεν ἐκεῖθεν· καὶ ἠκολούθησαν αὐτῷ πολλοί,	⁷ Καὶ ὁ Ἰησοῦς μετὰ τῶν μαθητῶν αὐτοῦ ἀνεχώρησεν πρὸς τὴν θάλασσαν· καὶ πολὺ πλῆθος ἀπὸ τῆς Γαλιλαίας ἠκολούθησεν· καὶ ἀπὸ τῆς Ἰουδαίας ⁸ καὶ ἀπὸ Ἱεροσολύμων καὶ ἀπὸ τῆς Ἰδουμαίας καὶ πέραν τοῦ Ἰορδάνου καὶ περὶ Τύρον καὶ Σιδῶνα, πλῆθος πολὺ ἀκούοντες ὅσα ποιεῖ, ἦλθον πρὸς αὐτόν. ⁹ καὶ εἶπεν τοῖς μαθηταῖς αὐτοῦ ἵνα πλοιάριον προσκαρτερῇ αὐτῷ διὰ τὸν ὄχλον, ἵνα μὴ θλίβωσιν αὐτόν· ¹⁰ πολλοὺς γὰρ ἐθεράπευσεν, ὥστε ἐπιπίπτειν αὐτῷ ἵνα αὐτοῦ ἅψωνται ὅσοι εἶχον μάστιγας.* ¹¹ καὶ τὰ πνεύματα τὰ ἀκάθαρτα,** ὅταν αὐτὸν ἐθεώρουν, προσέπιπτον αὐτῷ καὶ ἔκραζον λέγοντα ὅτι σὺ εἶ ὁ υἱὸς τοῦ θεοῦ. ¹² καὶ πολλὰ ἐπετίμα αὐτοῖς ἵνα μὴ αὐτὸν φανερὸν ποιήσωσιν.	¹⁷ Καὶ καταβὰς μετ' αὐτῶν ἔστη ἐπὶ τόπου πεδινοῦ, καὶ ὄχλος πολὺς μαθητῶν αὐτοῦ, καὶ πλῆθος πολὺ τοῦ λαοῦ ἀπὸ πάσης τῆς Ἰουδαίας καὶ Ἱερουσαλὴμ καὶ τῆς παραλίου Τύρου καὶ Σιδῶνος, οἳ ἦλθον ἀκοῦσαι αὐτοῦ καὶ ἰαθῆναι ἀπὸ τῶν νόσων αὐτῶν,
4 25 *(16. S. 22)*: καὶ ἠκολούθησαν αὐτῷ ὄχλοι πολλοὶ ἀπὸ τῆς Γαλιλαίας καὶ Δεκαπόλεως καὶ Ἱεροσολύμων καὶ Ἰουδαίας καὶ πέραν τοῦ Ἰορδάνου.		
12 ¹⁵ ᵇ καὶ ἐθεράπευσεν αὐτοὺς πάντας,		¹⁸ καὶ οἱ ἐνοχλούμενοι ἀπὸ πνευμάτων ἀκαθάρτων ἐθεραπεύοντο· ¹⁹ καὶ πᾶς ὁ ὄχλος ἐζήτουν ἅπτεσθαι αὐτοῦ,* ὅτι δύναμις παρ' αὐτοῦ ἐξήρχετο καὶ ἰᾶτο πάντας.
¹⁶ καὶ ἐπετίμησεν αὐτοῖς, ἵνα μὴ φανερὸν αὐτὸν ποιήσωσιν· ¹⁷ ἵνα πληρωθῇ τὸ ῥηθὲν διὰ Ἡσαΐου τοῦ προφήτου λέγοντος· ¹⁸ *ἰδοὺ ὁ παῖς μου ὃν ᾑρέτισα, ὁ ἀγαπητός μου ὃν ηὐδόκησεν ἡ ψυχή μου· θήσω τὸ πνεῦμά μου ἐπ' αὐτόν, καὶ κρίσιν τοῖς ἔθνεσιν ἀπαγ-*		4 41 *(14. S. 21)*: ἐξήρχετο δὲ καὶ δαιμόνια ἀπὸ πολλῶν, κραυγάζοντα καὶ λέγοντα ὅτι σὺ εἶ ὁ υἱὸς τοῦ θεοῦ. καὶ ἐπιτιμῶν οὐκ εἴα αὐτὰ λαλεῖν, ὅτι ᾔδεισαν τὸν χριστὸν αὐτὸν εἶναι.

---

* Matth 14 36 (114. S. 89): Καὶ παρεκάλουν αὐτὸν ἵνα μόνον ἅψωνται τοῦ κρασπέδου τοῦ ἱματίου αὐτοῦ· καὶ ὅσοι ἥψαντο διεσώθησαν.

     Mark 6 56 (114. S. 89): Καὶ παρεκάλουν αὐτὸν ἵνα κἂν τοῦ κρασπέδου τοῦ ἱματίου αὐτοῦ ἅψωνται· καὶ ὅσοι ἂν ἥψαντο αὐτοῦ ἐσῴζοντο.

** Matth 4 24 (16. S. 22): Καὶ ἀπῆλθεν ἡ ἀκοὴ αὐτοῦ εἰς ὅλην τὴν Συρίαν· καὶ προσήνεγκαν αὐτῷ πάντας τοὺς κακῶς ἔχοντας ποικίλαις νόσοις καὶ βασάνοις συνεχομένους, δαιμονιζομένους καὶ σεληνιαζομένους καὶ παραλυτικούς, καὶ ἐθεράπευσεν αὐτούς.

Mt 12 18–21 : Jes 42 1–4.

Matth 12, 15 16 πάντας. καὶ ἐπετίμησεν] πάντας δὲ οὓς ἐθεράπευσεν ἐπέπληξεν D it
Mark 3, 7 Γαλιλαίας ἠκολούθησεν (ἠκ. > D sy^s bo; + αὐτῷ λ 𝔎) κ. ἀ. τ. Ἰ. A B D Θ 𝔎 λ sy^pe   Γαλ. κ. ἀ. τ. Ἰουδ. ἠκολούθησαν S C it vg   Γαλ. ἠκολούθησαν αὐτῷ κ. ἀ. τ. Ἰουδ. φ sa   Γαλ. κ. τ. Ἰουδαίας und ἠκολούθησαν nach Σιδῶνα W
Luk 6, 17 πολὺς S B W λ sy^pe sa   > A D Θ φ 𝔎 it vg sy^s bo | Ἱερουσαλήμ A B Θ λ φ 𝔎 vg sy^s pe sa bo   Ἱερ. + καὶ (+ τῆς W) Περαίας S W et transfretum it ! Ἱερ. — ἦλθον] καὶ ἄλλων πόλεων ἐληλυθότων D

γελεῖ. ¹⁹ οὐκ ἐρίσει οὐδὲ κραυγάσει, οὐδὲ ἀκούσει τις ἐν ταῖς πλατείαις τὴν φωνὴν αὐτοῦ. ²⁰ κάλαμον συντετριμμένον οὐ κατεάξει καὶ λίνον τυφόμενον οὐ σβέσει, ἕως ἂν ἐκβάλῃ εἰς νῖκος τὴν κρίσιν. ²¹ καὶ τῷ ὀνόματι αὐτοῦ ἔθνη ἐλπιοῦσιν.

(12 22. S. 67)

72. Berufung der 12 Apostel.
72. The Call of the Twelve Apostles.

Mark 3 13–19	Luk 6 12–16
	¹² Ἐγένετο δὲ ἐν ταῖς ἡμέραις ταύταις ἐξελθεῖν αὐτὸν εἰς τὸ ὄρος προσεύξασθαι, καὶ ἦν διανυκτερεύων ἐν τῇ προσευχῇ τοῦ θεοῦ.
¹³ Καὶ ἀναβαίνει εἰς τὸ ὄρος,	¹³ καὶ ὅτε ἐγένετο ἡμέρα, προσεφώνησεν τοὺς μαθητὰς αὐτοῦ,

5 1 S. 23

10 1–4 (58. S. 46 f.):

¹ Καὶ προσκαλεσάμενος τοὺς δώδεκα μαθητὰς αὐτοῦ ἔδωκεν αὐτοῖς ἐξουσίαν πνευμάτων ἀκαθάρτων ὥστε ἐκβάλλειν αὐτά, καὶ θεραπεύειν πᾶσαν νόσον καὶ πᾶσαν μαλακίαν.

καὶ προσκαλεῖται οὓς ἤθελεν αὐτός, καὶ ἀπῆλθον πρὸς αὐτόν. ¹⁴ καὶ ἐποίησεν δώδεκα ἵνα ὦσιν μετ' αὐτοῦ, καὶ ἵνα ἀποστέλλῃ αὐτοὺς κηρύσσειν ¹⁵ καὶ ἔχειν ἐξουσίαν ἐκβάλλειν τὰ δαιμόνια· * ¹⁶ καὶ ἐποίησεν τοὺς δώδεκα, καὶ ἐπέθηκεν ὄνομα τῷ Σίμωνι Πέτρον·

καὶ ἐκλεξάμενος ἀπ' αὐτῶν δώδεκα, οὓς καὶ ἀποστόλους ὠνόμασεν,

Joh 1 42

² τῶν δὲ δώδεκα ἀποστόλων τὰ ὀνόματά ἐστιν ταῦτα· πρῶτος Σίμων ὁ λεγόμενος Πέτρος καὶ Ἀνδρέας ὁ ἀδελφὸς αὐτοῦ, καὶ Ἰάκωβος ὁ τοῦ Ζεβεδαίου καὶ Ἰωάννης ὁ ἀδελφὸς αὐτοῦ, ³ Φίλιππος καὶ Βαρθολομαῖος, Θωμᾶς καὶ Μαθ-

¹⁷ καὶ Ἰάκωβον τὸν τοῦ Ζεβεδαίου καὶ Ἰωάννην τὸν ἀδελφὸν τοῦ Ἰακώβου, καὶ ἐπέθηκεν αὐτοῖς ὄνομα Βοανηργές, ὅ ἐστιν υἱοὶ βροντῆς· ¹⁸ καὶ Ἀνδρέαν καὶ Φίλιππον καὶ Βαρθολομαῖον καὶ Μαθθαῖον καὶ Θωμᾶν καὶ Ἰάκωβον

¹⁴ Σίμωνα, ὃν καὶ ὠνόμασεν Πέτρον, καὶ Ἀνδρέαν τὸν ἀδελφὸν αὐτοῦ, καὶ Ἰάκωβον καὶ Ἰωάννην,

καὶ Φίλιππον καὶ Βαρθολομαῖον, ¹⁵ καὶ Μαθθαῖον καὶ Θωμᾶν, καὶ Ἰάκωβον

———

* Mark 6 7 (109. S. 83 f.): Καὶ προσκαλεῖται τοὺς δώδεκα, καὶ ἤρξατο αὐτοὺς ἀποστέλλειν δύο δύο, καὶ ἐδίδου αὐτοῖς ἐξουσίαν τῶν πνευμάτων τῶν ἀκαθάρτων.

Luk 9 1 2 (109. S. 83 f.): ¹ Συγκαλεσάμενος δὲ τοὺς δώδεκα ἔδωκεν αὐτοῖς δύναμιν καὶ ἐξουσίαν ἐπὶ πάντα τὰ δαιμόνια καὶ νόσους θεραπεύειν· ² καὶ ἀπέστειλεν αὐτοὺς κηρύσσειν τὴν βασιλείαν τοῦ θεοῦ καὶ ἰᾶσθαι.

———

Mark 3, 14 δώδεκα A C D λ 𝔐 it vg sy ˢ ᵖᵉ ἀποστόλους ὠνόμασεν (·σαν ˢᵃ) S B W Θ φ sa bo τὰς (> Θ) νόσους καὶ A D W Θ λ φ 𝔐 it vg sy ˢ ᵖᵉ Θ λ φ 𝔐 it vg sy ˢ ᵖᵉ sa bo   δώδεκα (+ μαθητάς, ἵνα — αὐτοῦ W) οὓς καὶ (> sa b o)   **15** ἐξουσίαν S B C sa bo   ἐξουσίαν θεραπεύειν   **16** καὶ ἐποίησεν τοὺς δώδεκα S B C   > A D W

Luk 6, 12 τοῦ θεοῦ > D

ϑαῖος ὁ τελώνης, ᾿Ιάκωβος ὁ τοῦ ᾿Αλφαίου καὶ Θαδδαῖος, ⁴ Σίμων ὁ Καναναῖος καὶ ᾿Ιούδας ὁ ᾿Ισκαριώτης ὁ καὶ παραδοὺς αὐτόν.	τὸν τοῦ ᾿Αλφαίου καὶ Θαδδαῖον καὶ Σίμωνα τὸν Καναναῖον ¹⁹ καὶ ᾿Ιούδαν ᾿Ισκαριώϑ, ὃς καὶ παρέδωκεν αὐτόν. *(85. 3 20–22. S. 66)*	᾿Αλφαίου καὶ Σίμωνα τὸν καλούμενον ζηλωτήν, ¹⁶ καὶ ᾿Ιούδαν ᾿Ιακώβου, καὶ ᾿Ιούδαν ᾿Ισκαριώϑ, ὃς ἐγένετο προδότης.

Die Feldrede.

The Sermon on the Plain.

Luk 6 20–49

78. Die Seligpreisungen. Luk 6 20–23

73. The Beatitudes.

5 3 4 6 11 12 *(19. S. 23 f.):* ³ Μακάριοι οἱ πτωχοὶ τῷ πνεύματι, ὅτι αὐτῶν ἐστιν ἡ βασιλεία τῶν οὐρανῶν. ⁴ μακάριοι οἱ πενϑοῦντες, ὅτι αὐτοὶ παρακληϑήσονται. ⁶ μακάριοι οἱ πεινῶντες καὶ διψῶντες τὴν δικαιοσύνην, ὅτι αὐτοὶ χορτασϑήσονται. ¹¹ μακάριοί ἐστε ὅταν ὀνειδίσωσιν ὑμᾶς καὶ διώξωσιν καὶ εἴπωσιν πᾶν πονηρὸν καϑ᾿ ὑμῶν ψευδόμενοι ἕνεκεν ἐμοῦ. ¹² χαίρετε καὶ ἀγαλλιᾶσϑε, ὅτι ὁ μισϑὸς ὑμῶν πολὺς ἐν τοῖς οὐρανοῖς· οὕτως γὰρ ἐδίωξαν τοὺς προφήτας τοὺς πρὸ ὑμῶν.	²⁰ Καὶ αὐτὸς ἐπάρας τοὺς ὀφϑαλμοὺς αὐτοῦ εἰς τοὺς μαϑητὰς αὐτοῦ ἔλεγεν· μακάριοι οἱ πτωχοί, ὅτι ὑμετέρα ἐστὶν ἡ βασιλεία τοῦ ϑεοῦ. ²¹ μακάριοι οἱ πεινῶντες νῦν, ὅτι χορτασϑήσεσϑε. μακάριοι οἱ κλαίοντες νῦν, ὅτι γελάσετε. ²² μακάριοί ἐστε ὅταν μισήσωσιν ὑμᾶς οἱ ἄνϑρωποι, καὶ ὅταν ἀφορίσωσιν ὑμᾶς καὶ ὀνειδίσωσιν καὶ ἐκβάλωσιν τὸ ὄνομα ὑμῶν ὡς πονηρὸν ἕνεκα τοῦ υἱοῦ τοῦ ἀνϑρώπου. ²³ χάρητε ἐν ἐκείνῃ τῇ ἡμέρᾳ καὶ σκιρτήσατε· ἰδοὺ γὰρ ὁ μισϑὸς ὑμῶν πολὺς ἐν τῷ οὐρανῷ· κατὰ τὰ αὐτὰ γὰρ ἐποίουν τοῖς προφήταις οἱ πατέρες αὐτῶν.

74. Die Weherufe. Luk 6 24–26

74. The Woes.

		²⁴ Πλὴν οὐαὶ ὑμῖν τοῖς πλουσίοις, ὅτι ἀπέχετε τὴν παράκλησιν ὑμῶν. ²⁵ οὐαὶ ὑμῖν, οἱ ἐμπεπλησμένοι νῦν, ὅτι πεινάσετε. οὐαί, οἱ γελῶντες νῦν, ὅτι πενϑήσετε καὶ κλαύσετε. ²⁶ οὐαὶ ὅταν καλῶς ὑμᾶς εἴπωσιν πάντες οἱ ἄνϑρωποι· κατὰ τὰ αὐτὰ γὰρ ἐποίουν τοῖς ψευδοπροφήταις οἱ πατέρες αὐτῶν.

Matth 10, 3 Θαδδαῖος S B C vg sa bo   Λεββαῖος D   Λεββαῖος ὁ ἐπικληϑεὶς Θαδδαῖος W Θ λ 𝕶 sy ᵖᵉ   Θαδδαῖος ὁ ἐπικληϑεὶς Λεββαῖος φ   Judas zelotes it   > sy ˢ   **5, 11** πονηρὸν S B D it vg sy ᶜˢ sa bo Tert   πονηρὸν ῥῆμα C W Θ λ φ 𝕶 sy ᵖᵉ | ψευδόμενοι ἕνεκεν ἐμοῦ] ἕνεκεν δικαιοσύνης D it ἕνεκεν ἐμοῦ sy ˢ

75. Von der Feindesliebe. Luk 6 27—36
75. On Love of One's Enemies.

5 39–42 44–48 *(26. 27. S. 27 f.)*: ⁴⁴ Ἐγὼ δὲ λέγω ὑμῖν, ἀγαπᾶτε τοὺς ἐχθροὺς ὑμῶν

καὶ προσεύχεσθε ὑπὲρ τῶν διωκόντων ὑμᾶς·

³⁹ ἐγὼ δὲ λέγω ὑμῖν μὴ ἀντιστῆναι τῷ πονηρῷ· ἀλλ' ὅστις σε ῥαπίζει εἰς τὴν δεξιὰν σιαγόνα, στρέψον αὐτῷ καὶ τὴν ἄλλην· ⁴⁰ καὶ τῷ θέλοντί σοι κριθῆναι καὶ τὸν χιτῶνά σου λαβεῖν, ἄφες αὐτῷ καὶ τὸ ἱμάτιον· ⁴¹ καὶ ὅστις σε ἀγγαρεύσει μίλιον ἕν, ὕπαγε μετ' αὐτοῦ δύο. ⁴² τῷ αἰτοῦντί σε δός, καὶ τὸν θέλοντα ἀπὸ σοῦ δανείσασθαι μὴ ἀποστραφῇς.

7 12 *(39. S. 34)*: πάντα οὖν ὅσα ἐὰν θέλητε ἵνα ποιῶσιν ὑμῖν οἱ ἄνθρωποι, οὕτως καὶ ὑμεῖς ποιεῖτε αὐτοῖς· οὗτος γάρ ἐστιν ὁ νόμος καὶ οἱ προφῆται.

5 ⁴⁶ ἐὰν γὰρ ἀγαπήσητε τοὺς ἀγαπῶντας ὑμᾶς, τίνα μισθὸν ἔχετε; οὐχὶ καὶ οἱ τελῶναι τὸ αὐτὸ ποιοῦσιν; ⁴⁷ καὶ ἐὰν ἀσπάσησθε τοὺς ἀδελφοὺς ὑμῶν μόνον, τί περισσὸν ποιεῖτε; οὐχὶ καὶ οἱ ἐθνικοὶ τὸ αὐτὸ ποιοῦσιν;

5 ⁴⁵ ὅπως γένησθε υἱοὶ τοῦ πατρὸς ὑμῶν τοῦ ἐν οὐρανοῖς, ὅτι τὸν ἥλιον αὐτοῦ ἀνατέλλει ἐπὶ πονηροὺς καὶ ἀγαθοὺς καὶ βρέχει ἐπὶ δικαίους καὶ ἀδίκους. ⁴⁸ ἔσεσθε οὖν ὑμεῖς *τέλειοι* ὡς ὁ πατὴρ ὑμῶν ὁ οὐράνιος *τέλειός* ἐστιν.

²⁷ Ἀλλὰ ὑμῖν λέγω τοῖς ἀκούουσιν· ἀγαπᾶτε τοὺς ἐχθροὺς ὑμῶν, καλῶς ποιεῖτε τοῖς μισοῦσιν ὑμᾶς, ²⁸ εὐλογεῖτε τοὺς καταρωμένους ὑμᾶς, προσεύχεσθε περὶ τῶν ἐπηρεαζόντων ὑμᾶς.

²⁹ τῷ τύπτοντί σε ἐπὶ τὴν σιαγόνα πάρεχε καὶ τὴν ἄλλην, καὶ ἀπὸ τοῦ αἴροντός σου τὸ ἱμάτιον καὶ τὸν χιτῶνα μὴ κωλύσῃς.

³⁰ παντὶ αἰτοῦντί σε δίδου, καὶ ἀπὸ τοῦ αἴροντος τὰ σὰ μὴ ἀπαίτει.
³¹ καὶ καθὼς θέλετε ἵνα ποιῶσιν ὑμῖν οἱ ἄνθρωποι,
ποιεῖτε αὐτοῖς ὁμοίως.

³² καὶ εἰ ἀγαπᾶτε τοὺς ἀγαπῶντας ὑμᾶς, ποία ὑμῖν χάρις ἐστίν; καὶ γὰρ οἱ ἁμαρτωλοὶ τοὺς ἀγαπῶντας αὐτοὺς ἀγαπῶσιν. ³³ καὶ γὰρ ἐὰν ἀγαθοποιῆτε τοὺς ἀγαθοποιοῦντας ὑμᾶς, ποία ὑμῖν χάρις ἐστίν; καὶ οἱ ἁμαρτωλοὶ τὸ αὐτὸ ποιοῦσιν. ³⁴ καὶ ἐὰν δανείσητε παρ' ὧν ἐλπίζετε λαβεῖν, ποία ὑμῖν χάρις ἐστίν; καὶ ἁμαρτωλοὶ ἁμαρτωλοῖς δανείζουσιν ἵνα ἀπολάβωσιν τὰ ἴσα. ³⁵ πλὴν ἀγαπᾶτε τοὺς ἐχθροὺς ὑμῶν καὶ ἀγαθοποιεῖτε καὶ δανείζετε μηδὲν ἀπελπίζοντες· καὶ ἔσται ὁ μισθὸς ὑμῶν πολύς, καὶ ἔσεσθε υἱοὶ ὑψίστου, ὅτι αὐτὸς χρηστός ἐστιν ἐπὶ τοὺς ἀχαρίστους καὶ πονηρούς.

³⁶ γίνεσθε οἰκτίρμονες, καθὼς ὁ πατὴρ ὑμῶν οἰκτίρμων ἐστίν.

Matth 5, 44 ἀγαπᾶτε τοὺς ἐχθροὺς ὑμῶν S B λ sy ᶜˢ sa bo Orig   ἀγαπᾶτε τ. ἐχθ. ὑμῶν εὐλογεῖτε τοὺς καταρωμένους ὑμῖν (ὑμᾶς W Θ φ) καλῶς ποιεῖτε τοῖς μισοῦσιν (τοὺς μισοῦντας ℵ) ὑμᾶς D W Θ φ ℵ sy ᵖᵉ Eus vgl. Lσ 6 27 28   ἀγαπᾶτε τ. ἐχθ. ὑμῶν καλῶς ποιεῖτε τοῖς μισοῦσιν ὑμᾶς it vg | ὑπὲρ S B λ sy ᶜˢ sa bo   ὑπὲρ τῶν ἐπηρεαζόντων ὑμᾶς (> D it) καὶ D W Θ φ ℵ it vg sy ᵖᵉ   39 δεξιὰν > D sy ᶜˢ   41 δύο S B W Θ λ φ ℵ sy ᵖᵉ sa bo   ἔτι (> sy ᶜ) ἄλλα δύο D it vg sy ᶜˢ Iren   **Luk 6, 29** ἐπὶ A B λ φ ℵ   εἰς S D W Θ   34 ἐστίν > 𝔅   45 B | τὰ ἴσα > D it sy ˢ   35 μηδὲν A B D Θ λ φ ℵ it vg sa bo   μηδένα S W sy ˢ

Zu Luk 6 32: II. Clemens 13 4: ... Λέγει ὁ θεός· οὐ χάρις ὑμῖν, εἰ ἀγαπᾶτε τοὺς ἀγαπῶντας ὑμᾶς, ἀλλὰ χάρις ὑμῖν, εἰ ἀγαπᾶτε τοὺς ἐχθροὺς καὶ τοὺς μισοῦντας ὑμᾶς.

76. Vom Richten. Luk 6 37—42
76. On Judging.

7 1—5 *(36. S. 33)*: ¹ Μὴ κρίνετε, ἵνα μὴ κρι-
θῆτε. ² ἐν ᾧ γὰρ κρίματι κρίνετε κριθήσεσθε,

καὶ ἐν ᾧ μέτρῳ μετρεῖτε
μετρηθήσεται ὑμῖν.*

15 14 *(115. S. 91)*: ἄφετε αὐτούς· τυφλοί
εἰσιν ὁδηγοὶ τυφλῶν· τυφλὸς δὲ τυφλὸν ἐὰν
ὁδηγῇ, ἀμφότεροι εἰς βόθυνον πεσοῦνται.

10 24 25 *(59. S. 49)*: ²⁴ οὐκ ἔστιν μαθητὴς
ὑπὲρ τὸν διδάσκαλον οὐδὲ δοῦλος ὑπὲρ τὸν
κύριον αὐτοῦ. ²⁵ ἀρκετὸν τῷ μαθητῇ ἵνα γένη-
ται ὡς ὁ διδάσκαλος αὐτοῦ, καὶ ὁ δοῦλος ὡς
ὁ κύριος αὐτοῦ.

7 ³ τί δὲ βλέπεις τὸ κάρφος τὸ ἐν τῷ
ὀφθαλμῷ τοῦ ἀδελφοῦ σου, τὴν δὲ ἐν τῷ
σῷ ὀφθαλμῷ δοκὸν οὐ κατανοεῖς; ⁴ ἢ πῶς
ἐρεῖς τῷ ἀδελφῷ σου·   ἄφες
ἐκβάλω τὸ κάρφος ἐκ τοῦ ὀφθαλμοῦ σου, καὶ
ἰδοὺ ἡ δοκὸς ἐν τῷ ὀφθαλμῷ σου;

⁵ ὑποκριτά, ἔκβαλε πρῶτον ἐκ
τοῦ ὀφθαλμοῦ σου τὴν δοκόν, καὶ τότε δια-
βλέψεις ἐκβαλεῖν τὸ κάρφος ἐκ τοῦ ὀφθαλμοῦ
τοῦ ἀδελφοῦ σου.

³⁷ Καὶ μὴ κρίνετε, καὶ οὐ μὴ κριθῆτε· καὶ μὴ
καταδικάζετε, καὶ οὐ μὴ καταδικασθῆτε.
ἀπολύετε, καὶ ἀπολυθήσεσθε· ³⁸ δίδοτε, καὶ
δοθήσεται ὑμῖν· μέτρον καλὸν πεπιεσμένον
σεσαλευμένον ὑπερεκχυννόμενον δώσουσιν εἰς
τὸν κόλπον ὑμῶν· ᾧ γὰρ μέτρῳ μετρεῖτε
ἀντιμετρηθήσεται ὑμῖν. *

³⁹ εἶπεν δὲ καὶ παραβολὴν αὐτοῖς· μήτι
δύναται τυφλὸς τυφλὸν ὁδηγεῖν; οὐχὶ ἀμφό-
τεροι εἰς βόθυνον ἐμπεσοῦνται;

⁴⁰ οὐκ ἔστιν μαθητὴς
ὑπὲρ τὸν διδάσκαλον·   Joh 13 16 15 20
         κατηρτισμένος δὲ πᾶς ἔσται
ὡς ὁ διδάσκαλος αὐτοῦ.

⁴¹ Τί δὲ βλέπεις τὸ κάρφος τὸ ἐν τῷ
ὀφθαλμῷ τοῦ ἀδελφοῦ σου, τὴν δὲ δοκὸν τὴν
ἐν τῷ ἰδίῳ ὀφθαλμῷ οὐ κατανοεῖς; ⁴² πῶς
δύνασαι λέγειν τῷ ἀδελφῷ σου· ἀδελφέ, ἄφες
ἐκβάλω τὸ. κάρφος τὸ ἐν τῷ ὀφθαλμῷ σου,
αὐτὸς τὴν ἐν τῷ ὀφθαλμῷ σου δοκὸν οὐ βλέ-
πων; ὑποκριτά, ἔκβαλε πρῶτον τὴν δοκὸν ἐκ
τοῦ ὀφθαλμοῦ σου,   καὶ τότε δια-
βλέψεις   τὸ κάρφος τὸ ἐν τῷ ὀφθαλμῷ
τοῦ ἀδελφοῦ σου ἐκβαλεῖν.

77. Das Kriterium der Frömmigkeit. Luk 6 43—46
77. The Test of Goodness.

7 16—21 *(41. S. 35)*:
¹⁶ Ἀπὸ τῶν καρ-
πῶν αὐτῶν ἐπιγνώ-
σεσθε αὐτούς. μήτι
συλλέγουσιν ἀπὸ
ἀκανθῶν σταφυλὰς ἢ
ἀπὸ τριβόλων σῦκα;
¹⁷ οὕτως πᾶν δένδρον

12 33—35 *(86. S. 68 f.)*:
³³ Ἢ ποιήσατε τὸ
δένδρον καλὸν καὶ τὸν
καρπὸν αὐτοῦ καλόν,
ἢ ποιήσατε τὸ δέν-
δρον σαπρὸν καὶ τὸν
καρπὸν αὐτοῦ σα-
πρόν· ἐκ γὰρ τοῦ καρ-

⁴³ Οὐ γάρ ἐστιν δένδρον καλὸν ποιοῦν καρ-
πὸν σαπρόν, οὐδὲ πάλιν δένδρον σαπρὸν
ποιοῦν καρπὸν καλόν.
⁴⁴ ἕκαστον γὰρ δένδρον ἐκ τοῦ ἰδίου καρποῦ
γινώσκεται· οὐ γὰρ ἐξ ἀκανθῶν συλλέγουσιν
σῦκα, οὐδὲ ἐκ βάτου σταφυλὴν τρυγῶσιν.

---

    * Mark 4 24 *(94. S. 74)*: Καὶ ἔλεγεν αὐτοῖς· βλέπετε τί ἀκούετε. ἐν ᾧ μέτρῳ μετρεῖτε μετρηθήσεται
ὑμῖν, καὶ προστεθήσεται ὑμῖν.

Matth 15, 14 ἐὰν ὁδηγῇ] ὁδηγῶν (ὁδηγὸν φ) σφαλήσεται καὶ Θ φ

ἀγαθὸν καρποὺς κα- | ποῦ τὸ δένδρον γινώ-
λοὺς ποιεῖ, τὸ δὲ σα- | σκεται. ³⁴ γεννήματα
πρὸν δένδρον καρποὺς | ἐχιδνῶν, πῶς δύνασθε
πονηροὺς ποιεῖ. ¹⁸ οὐ | ἀγαθὰ λαλεῖν πονηροὶ
δύναται δένδρον ἀγα- | ὄντες; ἐκ γὰρ τοῦ
θὸν καρποὺς πονη- | περισσεύματος τῆς
ροὺς ἐνεγκεῖν, οὐδὲ | καρδίας τὸ στόμα λα-
δένδρον σαπρὸν καρ- | λεῖ.
ποὺς καλοὺς ἐνεγκεῖν. | ³⁵ ὁ ἀγαθὸς ἄν-
¹⁹ πᾶν δένδρον μὴ | θρωπος ἐκ τοῦ ἀγα-
ποιοῦν καρπὸν καλὸν | θοῦ θησαυροῦ ἐκβάλ-
ἐκκόπτεται καὶ εἰς πῦρ | λει ἀγαθά, καὶ ὁ πο-
βάλλεται. | νηρὸς ἄνθρωπος ἐκ
²⁰ ἄραγε ἀπὸ τῶν | τοῦ πονηροῦ θησαυ-
καρπῶν αὐτῶν ἐπι- | ροῦ ἐκβάλλει πονηρά.
γνώσεσθε αὐτούς.

⁴⁵ ὁ ἀγαθὸς ἄνθρωπος ἐκ τοῦ ἀγαθοῦ
θησαυροῦ τῆς καρδίας προφέρει τὸ ἀγαθόν,
καὶ ὁ πονηρὸς ἐκ τοῦ πονηροῦ προφέρει τὸ
πονηρόν· ἐκ γὰρ περισσεύματος καρδίας λαλεῖ
τὸ στόμα αὐτοῦ.

²¹ οὐ πᾶς ὁ λέγων μοι κύριε κύριε, εἰσελεύ-
σεται εἰς τὴν βασιλείαν τῶν οὐρανῶν, ἀλλ' ὁ
ποιῶν τὸ θέλημα τοῦ πατρός μου τοῦ ἐν τοῖς
οὐρανοῖς.

⁴⁶ τί δέ με καλεῖτε· κύριε κύριε, καὶ οὐ
ποιεῖτε ἃ λέγω;

78. Schlußgleichnisse. Luk 6 47—49

78. Hearers and Doers of the Word.

7 24—27 (43. S. 36): ²⁴ Πᾶς οὖν ὅστις ἀκούει
μου τοὺς λόγους τούτους καὶ ποιεῖ αὐτούς,
ὁμοιωθήσεται ἀνδρὶ φρονίμῳ, ὅστις ᾠκοδό-
μησεν αὐτοῦ τὴν οἰκίαν ἐπὶ τὴν πέτραν. ²⁵ καὶ
κατέβη ἡ βροχὴ καὶ ἦλθον οἱ ποταμοὶ καὶ
ἔπνευσαν οἱ ἄνεμοι καὶ προσέπεσαν τῇ οἰκίᾳ
ἐκείνῃ, καὶ οὐκ ἔπεσεν· τεθεμελίωτο γὰρ ἐπὶ
τὴν πέτραν. ²⁶ καὶ πᾶς ὁ ἀκούων μου τοὺς
λόγους τούτους καὶ μὴ ποιῶν αὐτοὺς ὁμοιω-
θήσεται ἀνδρὶ μωρῷ, ὅστις ᾠκοδόμησεν αὐτοῦ
τὴν οἰκίαν ἐπὶ τὴν ἄμμον. ²⁷ καὶ κατέβη ἡ
βροχὴ καὶ ἦλθον οἱ ποταμοὶ καὶ ἔπνευσαν οἱ
ἄνεμοι καὶ προσέκοψαν τῇ οἰκίᾳ ἐκείνῃ, καὶ
ἔπεσεν, καὶ ἦν ἡ πτῶσις αὐτῆς μεγάλη.

⁴⁷ Πᾶς ὁ ἐρχόμενος πρός με καὶ ἀκούων μου
τῶν λόγων καὶ ποιῶν αὐτούς, ὑποδείξω ὑμῖν
τίνι ἐστὶν ὅμοιος. ⁴⁸ ὅμοιός ἐστιν ἀνθρώπῳ
οἰκοδομοῦντι οἰκίαν, ὃς ἔσκαψεν καὶ ἐβάθυνεν
καὶ ἔθηκεν θεμέλιον ἐπὶ τὴν πέτραν· πλημ-
μύρης δὲ γενομένης προσέρρηξεν ὁ ποταμὸς τῇ
οἰκίᾳ ἐκείνῃ, καὶ οὐκ ἴσχυσεν σαλεῦσαι αὐτὴν
διὰ τὸ καλῶς οἰκοδομῆσθαι αὐτήν. ⁴⁹ ὁ δὲ
ἀκούσας καὶ μὴ ποιήσας ὅμοιός ἐστιν ἀνθρώπῳ
οἰκοδομήσαντι οἰκίαν ἐπὶ τὴν γῆν χωρὶς θε-
μελίου, ᾗ προσέρρηξεν ὁ ποταμός, καὶ εὐθὺς
συνέπεσεν, καὶ ἐγένετο τὸ ῥῆγμα τῆς οἰκίας
ἐκείνης μέγα.

Matth 7, 21 οὐρανοῖς + αὐτὸς εἰσελεύσεται εἰς τὴν βασιλείαν τῶν οὐρανῶν W Θ it vg sy ᶜ Cyp

Luk 6, 48 διὰ τὸ καλῶς οἰκοδομῆσθαι αὐτήν S B W sa bo   τεθεμελίωτο γὰρ ἐπὶ τὴν πέτραν
A C D Θ λ φ ℜ it vg sy ᵖᵉ   > sy ˢ

79. Der Hauptmann von Kapernaum. Luk 7 1–10 (= Matth 8 5–13. 46. S. 37 f.) | Joh 4 46–54 |

79. The Centurion's Servant.

7 28 a
S. 36

8 5–13
S. 37 f.

¹ Ἐπειδὴ ἐπλήρωσεν πάντα τὰ ῥήματα αὐτοῦ εἰς τὰς ἀκοὰς τοῦ λαοῦ, εἰσῆλθεν εἰς Καφαρναούμ. ² ἑκατοντάρχου δέ τινος δοῦλος κακῶς ἔχων ἤμελλεν τελευτᾶν, ὃς ἦν αὐτῷ ἔντιμος. ³ ἀκούσας δὲ περὶ τοῦ Ἰησοῦ ἀπέστειλεν πρὸς αὐτὸν πρεσβυτέρους τῶν Ἰουδαίων, ἐρωτῶν αὐτὸν ὅπως ἐλθὼν διασώσῃ τὸν δοῦλον αὐτοῦ. ⁴ οἱ δὲ παραγενόμενοι πρὸς τὸν Ἰησοῦν παρεκάλουν αὐτὸν σπουδαίως, λέγοντες ὅτι ἄξιός ἐστιν ᾧ παρέξῃ τοῦτο· ⁵ ἀγαπᾷ γὰρ τὸ ἔθνος ἡμῶν καὶ τὴν συναγωγὴν αὐτὸς ᾠκοδόμησεν ἡμῖν. ⁶ ὁ δὲ Ἰησοῦς ἐπορεύετο σὺν αὐτοῖς. ἤδη δὲ αὐτοῦ οὐ μακρὰν ἀπέχοντος ἀπὸ τῆς οἰκίας,ἔπεμψεν φίλους ὁ ἑκατοντάρχης λέγων αὐτῷ· κύριε, μὴ σκύλλου· οὐ γὰρ ἱκανός εἰμι ἵνα ὑπὸ τὴν στέγην μου εἰσέλθῃς· ⁷ διὸ οὐδὲ ἐμαυτὸν ἠξίωσα πρὸς σὲ ἐλθεῖν· ἀλλὰ εἰπὲ λόγῳ, καὶ ἰαθήτω ὁ παῖς μου. ⁸ καὶ γὰρ ἐγὼ ἄνθρωπός εἰμι ὑπὸ ἐξουσίαν τασσόμενος, ἔχων ὑπ' ἐμαυτὸν στρατιώτας, καὶ λέγω τούτῳ· πορεύθητι, καὶ πορεύεται, καὶ ἄλλῳ· ἔρχου, καὶ ἔρχεται, καὶ τῷ δούλῳ μου· ποίησον τοῦτο, καὶ ποιεῖ. ⁹ ἀκούσας δὲ ταῦτα ὁ Ἰησοῦς ἐθαύμασεν αὐτόν, καὶ στραφεὶς τῷ ἀκολουθοῦντι αὐτῷ ὄχλῳ εἶπεν· λέγω ὑμῖν, οὐδὲ ἐν τῷ Ἰσραὴλ τοσαύτην πίστιν εὗρον. ¹⁰ καὶ ὑποστρέψαντες εἰς τὸν οἶκον οἱ πεμφθέντες εὗρον τὸν δοῦλον ὑγιαίνοντα.

80. Der Jüngling von Nain. Luk 7 11–17

80. The Widow's Son at Nain.

¹¹ Καὶ ἐγένετο ἐν τῷ ἑξῆς ἐπορεύθη εἰς πόλιν καλουμένην Ναΐν, καὶ συνεπορεύοντο αὐτῷ οἱ μαθηταὶ αὐτοῦ καὶ ὄχλος πολύς. ¹² ὡς δὲ ἤγγισεν τῇ πύλῃ τῆς πόλεως, καὶ ἰδοὺ ἐξεκομίζετο τεθνηκὼς μονογενὴς υἱὸς τῇ μητρὶ αὐτοῦ, καὶ αὕτη ἦν χήρα, καὶ ὄχλος τῆς πόλεως ἱκανὸς ἦν σὺν αὐτῇ. ¹³ καὶ ἰδὼν αὐτὴν ὁ κύριος ἐσπλαγχνίσθη ἐπ' αὐτῇ καὶ εἶπεν αὐτῇ· μὴ κλαῖε. ¹⁴ καὶ προσελθὼν ἥψατο τῆς σοροῦ, οἱ δὲ βαστάζοντες ἔστησαν, καὶ εἶπεν· νεανίσκε, σοὶ λέγω, ἐγέρθητι. ¹⁵ καὶ ἀνεκάθισεν ὁ νεκρὸς καὶ ἤρξατο λαλεῖν, *καὶ ἔδωκεν αὐτὸν τῇ μητρὶ αὐτοῦ.* ¹⁶ ἔλαβεν δὲ φόβος πάντας, καὶ ἐδόξαζον τὸν θεὸν λέγοντες ὅτι προφήτης μέγας ἠγέρθη ἐν ἡμῖν, καὶ ὅτι ἐπεσκέψατο ὁ θεὸς τὸν λαὸν αὐτοῦ. ¹⁷ καὶ ἐξῆλθεν ὁ λόγος οὗτος ἐν ὅλῃ τῇ Ἰουδαίᾳ περὶ αὐτοῦ καὶ πάσῃ τῇ περιχώρῳ.

81. Anfrage des Täufers. Luk 7 18–23 (= Matth 11 2–6. 64. S. 52)

81. The Baptist's Question.

¹⁸ Καὶ ἀπήγγειλαν Ἰωάννῃ οἱ μαθηταὶ αὐτοῦ περὶ πάντων τούτων. καὶ προσκαλεσάμενος δύο τινὰς τῶν μαθητῶν αὐτοῦ ὁ Ἰωάννης ¹⁹ ἔπεμψεν πρὸς τὸν κύριον λέγων· σὺ εἶ ὁ ἐρχόμενος, ἢ ἄλλον προσδοκῶμεν; ²⁰ παραγενόμενοι δὲ πρὸς αὐτὸν οἱ

Lc 7 15: III. Reg 17 23.

Luk 7,1 ἐπειδὴ A B C W sa   ἐπεὶ δὲ S λ φ ℜ vg ℓo   ὅτε δὲ Θ   καὶ ὅτε sy ᵇ ᵖᵉ   καὶ ἐγένετο ὅτε D it   **7** διὸ — ἐλθεῖν > D it sy ᵇ   **11** ἐγένετο ἐν τῷ ἑξῆς A B Θ φ ℜ it vg sy ᵖᵉ   ἐγένετο ἐν τῇ ἑξῆς S C   ἐγένετο τῇ ἑξῆς W   τῇ ἑξῆς D sy ᵇ   ἐγένετο ἐν τῷ λ   αὐτοῦ S B D W vg sy ᵇ ᵖᵉ sa bo   αὐτοῦ ἱκανοὶ A C Θ λ φ ℜ   αὐτοῦ πολλοὶ it   **12** ἐγένετο δὲ ὡς ἤγγιζεν D it   **13** κύριος S A B C Θ φ ℜ it vg sa   Ἰησοῦς D W λ sy ᵇ ᵖᵉ bo

11 2-6 **S. 52**

ἄνδρες εἶπαν· Ἰωάννης ὁ βαπτιστὴς ἀπέστειλεν ἡμᾶς πρὸς σὲ λέγων· σὺ εἶ ὁ ἐρχόμενος, ἢ ἄλλον προσδοκῶμεν; [21] ἐν ἐκείνῃ τῇ ὥρᾳ ἐθεράπευσεν πολλοὺς ἀπὸ νόσων καὶ μαστίγων καὶ πνευμάτων πονηρῶν, καὶ τυφλοῖς πολλοῖς ἐχαρίσατο βλέπειν. [22] καὶ ἀποκριθεὶς εἶπεν αὐτοῖς· πορευθέντες ἀπαγγείλατε Ἰωάννῃ ἃ εἴδετε καὶ ἠκούσατε· *τυφλοὶ ἀναβλέπουσιν, χωλοὶ περιπατοῦσιν, λεπροὶ καθαρίζονται, καὶ κωφοὶ ἀκούουσιν, νεκροὶ ἐγείρονται, πτωχοὶ εὐαγγελίζονται·* [23] καὶ μακάριός ἐστιν ὃς ἐὰν μὴ σκανδαλισθῇ ἐν ἐμοί.

82. Jesu Zeugnis über den Täufer. Luk 7 24-35 (= Matth 11 7-19. 65. S. 53)
82. Christ's Testimony to the Baptist.

11 7-19 **S. 53 f.**
12 **S. 9**

[24] Ἀπελθόντων δὲ τῶν ἀγγέλων Ἰωάννου ἤρξατο λέγειν πρὸς τοὺς ὄχλους περὶ Ἰωάννου· τί ἐξήλθατε εἰς τὴν ἔρημον θεάσασθαι; κάλαμον ὑπὸ ἀνέμου σαλευόμενον; [25] ἀλλὰ τί ἐξήλθατε ἰδεῖν; ἄνθρωπον ἐν μαλακοῖς ἱματίοις ἠμφιεσμένον; ἰδοὺ οἱ ἐν ἱματισμῷ ἐνδόξῳ καὶ τρυφῇ ὑπάρχοντες ἐν τοῖς βασιλείοις εἰσίν. [26] ἀλλὰ τί ἐξήλθατε ἰδεῖν; προφήτην; ναὶ λέγω ὑμῖν, καὶ περισσότερον προφήτου. [27] οὗτός ἐστιν περὶ οὗ γέγραπται· *ἰδοὺ ἀποστέλλω τὸν ἄγγελόν μου πρὸ προσώπου σου, ὃς κατασκευάσει τὴν ὁδόν σου ἔμπροσθέν σου.* [28] λέγω ὑμῖν, μείζων ἐν γεννητοῖς γυναικῶν Ἰωάννου οὐδείς ἐστιν· ὁ δὲ μικρότερος ἐν τῇ βασιλείᾳ τοῦ θεοῦ μείζων αὐτοῦ ἐστιν. [29] καὶ πᾶς ὁ λαὸς ἀκούσας καὶ οἱ τελῶναι ἐδικαίωσαν τὸν θεόν, βαπτισθέντες τὸ βάπτισμα Ἰωάννου· [30] οἱ δὲ Φαρισαῖοι καὶ οἱ νομικοὶ τὴν βουλὴν τοῦ θεοῦ ἠθέτησαν εἰς ἑαυτούς, μὴ βαπτισθέντες ὑπ᾽ αὐτοῦ.* [31] Τίνι οὖν ὁμοιώσω τοὺς ἀνθρώπους τῆς γενεᾶς ταύτης, καὶ τίνι εἰσὶν ὅμοιοι; [32] ὅμοιοί εἰσιν παιδίοις τοῖς ἐν ἀγορᾷ καθημένοις καὶ προσφωνοῦσιν ἀλλήλοις λέγοντες· ηὐλήσαμεν ὑμῖν καὶ οὐκ ὠρχήσασθε· ἐθρηνήσαμεν καὶ οὐκ ἐκλαύσατε. [33] ἐλήλυθεν γὰρ Ἰωάννης ὁ βαπτιστὴς μὴ ἐσθίων ἄρτον μήτε πίνων οἶνον, καὶ λέγετε· δαιμόνιον ἔχει. [34] ἐλήλυθεν ὁ υἱὸς τοῦ ἀνθρώπου ἐσθίων καὶ πίνων, καὶ λέγετε· ἰδοὺ ἄνθρωπος φάγος καὶ οἰνοπότης, φίλος τελωνῶν καὶ ἁμαρτωλῶν. [35] καὶ ἐδικαιώθη ἡ σοφία ἀπὸ πάντων τῶν τέκνων αὐτῆς.

83. Die Büßerin in Simons Haus. Luk 7 36-50 | Joh 12 1-8 |
83. The Woman that was a Sinner.
(Vgl. 232. Matth 26 6-13 = Mark 14 3-9. S. 182 f.)

[36] Ἠρώτα δέ τις αὐτὸν τῶν Φαρισαίων ἵνα φάγῃ μετ᾽ αὐτοῦ· καὶ εἰσελθὼν εἰς τὸν οἶκον τοῦ Φαρισαίου κατεκλίθη. [37] καὶ ἰδοὺ γυνὴ ἥτις ἦν ἐν τῇ πόλει ἁμαρτωλός,

---

* Matth 21 32 (203. S. 159): Ἦλθεν γὰρ Ἰωάννης πρὸς ὑμᾶς ἐν ὁδῷ δικαιοσύνης, καὶ οὐκ ἐπιστεύσατε αὐτῷ· οἱ δὲ τελῶναι καὶ αἱ πόρναι ἐπίστευσαν αὐτῷ· ὑμεῖς δὲ ἰδόντες οὐδὲ μετεμελήθητε ὕστερον τοῦ πιστεῦσαι αὐτῷ.

Lc 7 22 (= Mt 11 5): Jes 29 18 19 32 5 6 61 1   Lc 7 27 (= Mt 11 10): Mal 3 1.

Luk 7, 26 προφήτου **+** v. **28** ὅτι οὐδεὶς μείζων ἐν γεννητοῖς γυναικῶν προφήτης Ἰωάννου τοῦ βαπτιστοῦ D, läßt diese Worte in v. **28** aus   **28** λέγω — οὐδείς ἐστιν] λέγω ὑμῖν, οὐκ ἐγήγερται ἐν γεννητοῖς γυναικῶν προφήτης μείζων Ἰωάννου τοῦ βαπτιστοῦ sy s | Ἰωάννου S B W λ φ it sa bo προφήτης Ἰωάννου A D Θ ℜ vg sy pe   **32** λέγοντες D φ it   λέγοντα W   καὶ λέγουσιν A Θ ℜ vg sy pe   ἃ λέγει S B λ   > sy s

καὶ ἐπιγνοῦσα ὅτι κατάκειται ἐν τῇ οἰκίᾳ τοῦ Φαρισαίου, κομίσασα ἀλάβαστρον μύρου. [38] καὶ στᾶσα ὀπίσω παρὰ τοὺς πόδας αὐτοῦ κλαίουσα, τοῖς δάκρυσιν ἤρξατο βρέχειν τοὺς πόδας αὐτοῦ, καὶ ταῖς θριξὶν τῆς κεφαλῆς αὐτῆς ἐξέμασσεν, καὶ κατεφίλει τοὺς πόδας αὐτοῦ καὶ ἤλειφεν τῷ μύρῳ. [39] ἰδὼν δὲ ὁ Φαρισαῖος ὁ καλέσας αὐτὸν εἶπεν ἐν ἑαυτῷ λέγων· οὗτος εἰ ἦν προφήτης, ἐγίνωσκεν ἂν τίς καὶ ποταπὴ ἡ γυνὴ ἥτις ἅπτεται αὐτοῦ, ὅτι ἁμαρτωλός ἐστιν. [40] καὶ ἀποκριθεὶς ὁ Ἰησοῦς εἶπεν πρὸς αὐτόν· Σίμων, ἔχω σοί τι εἰπεῖν. ὁ δέ· διδάσκαλε, εἰπέ, φησίν. [41] δύο χρεοφειλέται ἦσαν δανειστῇ τινι· ὁ εἷς ὤφειλεν δηνάρια πεντακόσια, ὁ δὲ ἕτερος πεντήκοντα. [42] μὴ ἐχόντων αὐτῶν ἀποδοῦναι ἀμφοτέροις ἐχαρίσατο. τίς οὖν αὐτῶν πλεῖον ἀγαπήσει αὐτόν; [43] ἀποκριθεὶς Σίμων εἶπεν· ὑπολαμβάνω ὅτι ᾧ τὸ πλεῖον ἐχαρίσατο. ὁ δὲ εἶπεν αὐτῷ· ὀρθῶς ἔκρινας. [44] καὶ στραφεὶς πρὸς τὴν γυναῖκα τῷ Σίμωνι ἔφη· βλέπεις ταύτην τὴν γυναῖκα; εἰσῆλθόν σου εἰς τὴν οἰκίαν, ὕδωρ μοι ἐπὶ πόδας οὐκ ἔδωκας· αὕτη δὲ τοῖς δάκρυσιν ἔβρεξέν μου τοὺς πόδας καὶ ταῖς θριξὶν αὐτῆς ἐξέμαξεν. [45] φίλημά μοι οὐκ ἔδωκας· αὕτη δὲ ἀφ᾽ ἧς εἰσῆλθον οὐ διέλειπεν καταφιλοῦσά μου τοὺς πόδας. [46] ἐλαίῳ τὴν κεφαλήν μου οὐκ ἤλειψας· αὕτη δὲ μύρῳ ἤλειψεν τοὺς πόδας μου. [47] οὗ χάριν λέγω σοι, ἀφέωνται αἱ ἁμαρτίαι αὐτῆς αἱ πολλαί, ὅτι ἠγάπησεν πολύ· ᾧ δὲ ὀλίγον ἀφίεται, ὀλίγον ἀγαπᾷ. [48] εἶπεν δὲ αὐτῇ· ἀφέωνταί σου αἱ ἁμαρτίαι. [49] καὶ ἤρξαντο οἱ συνανακείμενοι λέγειν ἐν ἑαυτοῖς· τίς οὗτός ἐστιν, ὃς καὶ ἁμαρτίας ἀφίησιν; [50] εἶπεν δὲ πρὸς τὴν γυναῖκα· ἡ πίστις σου σέσωκέν σε· *πορεύου εἰς εἰρήνην.*

9 22 *5 34*
   10 52

84. Die dienenden Frauen. Luk 8 1–3
84. The Ministering Women.

4 23
S. 22
9 35
S. 45
  16 9
  S. 213
27 55 *15 41*
(250. S. 206)

[1] Καὶ ἐγένετο ἐν τῷ καθεξῆς καὶ αὐτὸς διώδευεν κατὰ πόλιν καὶ κώμην κηρύσσων καὶ εὐαγγελιζόμενος τὴν βασιλείαν τοῦ θεοῦ, καὶ οἱ δώδεκα σὺν αὐτῷ, [2] καὶ γυναῖκές τινες αἳ ἦσαν τεθεραπευμέναι ἀπὸ πνευμάτων πονηρῶν καὶ ἀσθενειῶν, Μαρία ἡ καλουμένη Μαγδαληνή, ἀφ᾽ ἧς δαιμόνια ἑπτὰ ἐξεληλύθει, [3] καὶ Ἰωάννα γυνὴ Χουζᾶ ἐπιτρόπου Ἡρῴδου καὶ Σουσάννα καὶ ἕτεραι πολλαί, αἵτινες διηκόνουν αὐτοῖς ἐκ τῶν ὑπαρχόντων αὐταῖς. *(90. 8 4–8. S. 71)*

85. Die pharisäische Anklage.
85. The Pharisees' Accusation.

Matth 12 22–24	**Mark 3** 20–22
(71. 12 15–21. S. 58 f.)	*(72. 3 13–19. S. 59 f.)*
	[20] Καὶ ἔρχεται εἰς οἶκον· καὶ συνέρχεται πάλιν ὁ ὄχλος, ὥστε μὴ δύνασθαι αὐτοὺς μηδὲ ἄρτον φαγεῖν. [21] καὶ ἀκούσαντες οἱ παρ᾽

Lc 7 50: I. Reg 1 17.

Luk 7, 39 ὁ προφήτης Β

αὐτοῦ ἐξῆλθον κρατῆσαι αὐτόν·
ἔλεγον γὰρ ὅτι ἐξέστη.

11 14–16 *(149. S. 118):*

²² Τότε προσηνέχθη αὐτῷ δαι-
μονιζόμενος τυφλὸς καὶ κωφός· καὶ
ἐθεράπευσεν αὐτόν, ὥστε τὸν κω-
φὸν λαλεῖν καὶ βλέπειν. ²³ καὶ ἐξί-
σταντο πάντες οἱ ὄχλοι* καὶ ἔλε-
γον· μήτι οὗτός ἐστιν ὁ υἱὸς Δα-
υίδ; ²⁴ οἱ δὲ Φαρισαῖοι
            ἀκούσαν-
τες εἶπον·
οὗτος οὐκ ἐκβάλλει τὰ δαιμόνια εἰ
μὴ ἐν τῷ Βεεζεβοὺλ ἄρχοντι τῶν
δαιμονίων.**

¹⁴ Καὶ ἦν ἐκβάλλων δαιμόνιον, καὶ
αὐτὸ ἦν κωφόν· ἐγένετο δὲ τοῦ
δαιμονίου ἐξελθόντος ἐλάλησεν ὁ
κωφός· καὶ ἐθαύμασαν οἱ ὄχλοι·*

²² καὶ οἱ γραμμα-
τεῖς οἱ ἀπὸ Ἱεροσολύμων καταβάν-
τες   ἔλεγον ὅτι Βεεζεβοὺλ
ἔχει, καὶ ὅτι ἐν τῷ ἄρχοντι τῶν
δαιμονίων ἐκβάλλει τὰ δαιμόνια.

¹⁵ τινὲς δὲ ἐξ αὐτῶν εἶπαν·

ἐν Βεεζεβοὺλ τῷ ἄρχοντι τῶν δαι-
μονίων ἐκβάλλει τὰ δαιμόνια·**
¹⁶ ἕτεροι δὲ πειράζοντες σημεῖον ἐξ
οὐρανοῦ ἐζήτουν παρ' αὐτοῦ.

| Joh 7 20   8 48 52   10 20 |

86. Jesu Verteidigungsrede.
86. The Beelzebub Controversy.

Matth 12 25–37   **Mark 3** 23–30

²³ Καὶ προσκαλεσάμενος αὐτοὺς

11 17–23 *(149. S. 118 f.):*

²⁵ Εἰδὼς δὲ τὰς ἐνθυμήσεις αὐ-
τῶν εἶπεν αὐτοῖς·
     πᾶσα βασιλεία μερι-
σθεῖσα καθ' ἑαυτῆς ἐρημοῦται,
              καὶ
πᾶσα πόλις ἢ οἰκία μερισθεῖσα καθ'
ἑαυτῆς οὐ   σταθήσεται.
²⁶ καὶ εἰ ὁ σατανᾶς τὸν σατανᾶν
ἐκβάλλει, ἐφ' ἑαυτὸν ἐμερίσθη· πῶς
οὖν σταθήσεται ἡ βασιλεία αὐτοῦ;
²⁷ καὶ εἰ ἐγὼ ἐν Βεεζεβοὺλ ἐκ-
βάλλω τὰ δαιμόνια, οἱ υἱοὶ ὑμῶν

ἐν τίνι ἐκβάλλουσιν; διὰ τοῦτο
αὐτοὶ κριταὶ ἔσονται ὑμῶν. ²⁸ εἰ

ἐν παραβολαῖς ἔλεγεν αὐτοῖς· πῶς
δύναται σατανᾶς σατανᾶν ἐκβάλ-
λειν; ²⁴ καὶ ἐὰν βασιλεία ἐφ'
ἑαυτὴν μερισθῇ, οὐ δύναται στα-
θῆναι ἡ βασιλεία ἐκείνη· ²⁵ καὶ
ἐὰν οἰκία ἐφ' ἑαυτὴν μερισθῇ, οὐ
δυνήσεται ἡ οἰκία ἐκείνη στῆναι.
²⁶ καὶ εἰ ὁ σατανᾶς
ἀνέστη ἐφ' ἑαυτὸν καὶ ἐμερίσθη,
οὐ δύναται στῆναι ἀλλὰ τέλος
ἔχει.

¹⁷ Αὐτὸς δὲ εἰδὼς αὐτῶν τὰ δια-
νοήματα εἶπεν αὐτοῖς·
     πᾶσα βασιλεία ἐφ'
ἑαυτὴν διαμερισθεῖσα ἐρημοῦται,
καὶ οἶκος ἐπὶ οἶκον πίπτει.

¹⁸ εἰ δὲ καὶ ὁ σατανᾶς
ἐφ' ἑαυτὸν διεμερίσθη, πῶς
σταθήσεται ἡ βασιλεία αὐτοῦ;
ὅτι λέγετε ἐν Βεεζεβοὺλ ἐκ-
βάλλειν με τὰ δαιμόνια. ¹⁹ εἰ
δὲ ἐγὼ ἐν Βεεζεβοὺλ ἐκβάλ-
λω τὰ δαιμόνια, οἱ υἱοὶ ὑμῶν
ἐν τίνι ἐκβάλλουσιν; διὰ τοῦτο
αὐτοὶ ὑμῶν κριταὶ ἔσονται. ²⁰ εἰ

---

   * *Vgl. Matth 9* 32–34 *(57. S. 45).*
   ** Matth 9 34 *(57. S. 45):* Οἱ δὲ Φαρισαῖοι ἔλεγον· ἐν τῷ ἄρχοντι τῶν δαιμονίων ἐκβάλλει τὰ δαι-
μόνια.

Mark 3, 21 ἐξέστη] ἐξέσταται (+ αὐτούς D it) D Θ φ it   ἐξήρτηνται αὐτοῦ W
   Luk 11, 14 καὶ αὐτὸ ἦν A C W Θ φ ℜ it vg sy^pe   > 𝔓 ⁴⁵ S B λ sy^cs sa bo   **19** τὰ δαιμόνια
> 𝔓 ⁴⁵

δὲ ἐν πνεύματι Θεοῦ ἐγὼ ἐκβάλλω
τὰ δαιμόνια, ἄρα ἔφθασεν ἐφ' ὑμᾶς
ἡ βασιλεία τοῦ Θεοῦ.
²⁹ ἢ πῶς δύναταί τις εἰσελθεῖν εἰς
τὴν οἰκίαν τοῦ ἰσχυροῦ καὶ
τὰ σκεύη αὐτοῦ ἁρπάσαι, ἐὰν
μὴ πρῶτον δήσῃ τὸν ἰσχυρόν;
καὶ τότε τὴν οἰκίαν αὐτοῦ διαρ-
πάσει.

³⁰ ὁ
μὴ ὢν μετ' ἐμοῦ κατ' ἐμοῦ ἐστιν,
καὶ ὁ μὴ συνάγων μετ' ἐμοῦ σκορ-
πίζει.*
³¹ διὰ τοῦτο λέγω ὑμῖν, πᾶσα
ἁμαρτία καὶ βλασφημία ἀφεθήσε-
ται τοῖς ἀνθρώποις, ἡ δὲ τοῦ πνεύ-
ματος βλασφημία οὐκ ἀφεθήσεται.
³² καὶ ὃς ἐὰν εἴπῃ λόγον κατὰ τοῦ
υἱοῦ τοῦ ἀνθρώπου, ἀφεθήσεται
αὐτῷ· ὃς δ' ἂν εἴπῃ κατὰ τοῦ
πνεύματος τοῦ ἁγίου, οὐκ ἀφεθή-
σεται αὐτῷ οὔτε ἐν τούτῳ τῷ
αἰῶνι οὔτε ἐν τῷ μέλλοντι.

³³ ἢ ποιήσατε τὸ δένδρον κα-
λὸν καὶ τὸν καρπὸν αὐτοῦ καλόν,
ἢ ποιήσατε τὸ δένδρον σαπρὸν καὶ
τὸν καρπὸν αὐτοῦ σαπρόν· ἐκ γὰρ
τοῦ καρποῦ τὸ δένδρον γινώσκε-
ται.**
³⁴ γεννήματα ἐχιδνῶν, πῶς δύ-
νασθε ἀγαθὰ λαλεῖν πονηροὶ ὄν-
τες; ἐκ γὰρ τοῦ περισσεύματος τῆς
καρδίας τὸ στόμα λαλεῖ.

²⁷ ἀλλ' οὐ δύναται οὐδεὶς εἰς
τὴν οἰκίαν τοῦ ἰσχυροῦ εἰσελθὼν
τὰ σκεύη αὐτοῦ διαρπάσαι, ἐὰν
μὴ πρῶτον τὸν ἰσχυρὸν δήσῃ,
καὶ τότε τὴν οἰκίαν αὐτοῦ διαρ-
πάσει.

²⁸ ἀμὴν λέγω ὑμῖν ὅτι πάντα
ἀφεθήσεται τοῖς υἱοῖς τῶν ἀνθρώ-
πων τὰ ἁμαρτήματα καὶ αἱ βλασ-
φημίαι, ὅσα ἐὰν βλασφημήσωσιν·

²⁹ ὃς δ' ἂν βλασφημήσῃ εἰς τὸ
πνεῦμα τὸ ἅγιον, οὐκ ἔχει ἄφεσιν
εἰς τὸν αἰῶνα, ἀλλὰ ἔνοχός ἐστιν
αἰωνίου ἁμαρτήματος. ³⁰ ὅτι ἔλε-
γον· πνεῦμα ἀκάθαρτον ἔχει.
(89. 3 31–35 S. 70 f.)

δὲ ἐν δακτύλῳ Θεοῦ ἐγὼ ἐκβάλλω
τὰ δαιμόνια, ἄρα ἔφθασεν ἐφ' ὑμᾶς
ἡ βασιλεία τοῦ Θεοῦ.
²¹ ὅταν ὁ ἰσχυρὸς καθωπλισμένος
φυλάσσῃ τὴν ἑαυτοῦ αὐλήν, ἐν
εἰρήνῃ ἐστὶν τὰ ὑπάρχοντα αὐτοῦ·
²² ἐπὰν δὲ ἰσχυρότερος αὐτοῦ ἐπελ-
θὼν νικήσῃ αὐτόν, τὴν πανοπλίαν
αὐτοῦ αἴρει, ἐφ' ᾗ ἐπεποίθει, καὶ
τὰ σκῦλα αὐτοῦ διαδίδωσιν. ²³ ὁ
μὴ ὢν μετ' ἐμοῦ κατ' ἐμοῦ ἐστιν,*
καὶ ὁ μὴ συνάγων μετ' ἐμοῦ σκορ-
πίζει.

12 10 *(155. S. 124):* καὶ πᾶς ὃς
ἐρεῖ λόγον εἰς τὸν υἱὸν τοῦ ἀνθρώ-
που, ἀφεθήσεται αὐτῷ· τῷ δὲ εἰς
τὸ ἅγιον πνεῦμα βλασφημήσαντι
οὐκ ἀφεθήσεται.

6 43–45 *(77. S. 62 f.):* ⁴³ Οὐ γὰρ
ἐστιν δένδρον καλὸν ποιοῦν καρ-
πὸν σαπρόν, οὐδὲ πάλιν δένδρον
σαπρὸν ποιοῦν καρπὸν καλόν.
⁴⁴ ἕκαστον γὰρ δένδρον ἐκ τοῦ
ἰδίου καρποῦ γινώσκεται·** οὐ
γὰρ ἐξ ἀκανθῶν συλλέγουσιν σῦ-
κα, οὐδὲ ἐκ βάτου σταφυλὴν τρυ-
γῶσιν.

---

* Mark 9 40 (130. S. 108): Ὃς γὰρ οὐκ ἔστιν | Luk 9 50 (130. S. 108): Ὃς γὰρ οὐκ ἔστιν
καθ' ἡμῶν, ὑπὲρ ἡμῶν ἐστιν.   καθ' ὑμῶν, ὑπὲρ ὑμῶν ἐστιν.
** Matth 7 16–20 (41. S. 35): ¹⁶ Ἀπὸ τῶν καρπῶν αὐτῶν ἐπιγνώσεσθε αὐτούς· μήτι συλλέγουσιν
ἀπὸ ἀκανθῶν σταφυλὰς ἢ ἀπὸ τριβόλων σῦκα; ¹⁷ οὕτως πᾶν δένδρον ἀγαθὸν καρποὺς καλοὺς ποιεῖ, τὸ δὲ
σαπρὸν δένδρον καρποὺς πονηροὺς ποιεῖ. ¹⁸ οὐ δύναται δένδρον ἀγαθὸν καρποὺς πονηροὺς ἐνεγκεῖν, οὐδὲ
δένδρον σαπρὸν καρποὺς καλοὺς ἐνεγκεῖν. ¹⁹ πᾶν δένδρον μὴ ποιοῦν καρπὸν καλὸν ἐκκόπτεται καὶ εἰς
πῦρ βάλλεται. ²⁰ ἄρα γε ἀπὸ τῶν καρπῶν αὐτῶν ἐπιγνώσεσθε αὐτούς.

Mark 3, 29 Wortlaut wie Mt 12 31 sy ˢ | εἰς τὸν αἰῶνα S A B C φ ℜ vg sy ᵖᵉ sa bo   > D W Θ λ it
| ἁμαρτήματος S B Θ (delicti it vg) bo   ἁμαρτίας C D W φ   κρίσεως A λ ℜ sy ᵖᵉ   ἀλλὰ — ἁμ. > sa

35 ὁ ἀγαθὸς ἄνθρωπος ἐκ τοῦ ἀγαθοῦ
θησαυροῦ ἐκβάλλει ἀγαθά, καὶ ὁ πονηρὸς ἄν-
θρωπος ἐκ τοῦ πονηροῦ θησαυροῦ ἐκβάλλει
πονηρά.

36 λέγω δὲ ὑμῖν ὅτι πᾶν ῥῆμα ἀργὸν ὃ
λαλήσουσιν οἱ ἄνθρωποι, ἀποδώσουσιν περὶ
αὐτοῦ λόγον ἐν ἡμέρᾳ κρίσεως. 37 ἐκ γὰρ τῶν
λόγων σου δικαιωθήσῃ, καὶ ἐκ τῶν λόγων
σου καταδικασθήσῃ.

45 ὁ ἀγαθὸς ἄνθρωπος ἐκ τοῦ ἀγαθοῦ
θησαυροῦ τῆς καρδίας προφέρει τὸ ἀγαθόν,
καὶ ὁ πονηρὸς ἐκ τοῦ πονηροῦ προφέρει τὸ
πονηρόν· ἐκ γὰρ περισσεύματος καρδίας λαλεῖ
τὸ στόμα αὐτοῦ.

87. Erklärung wider die Wundersucht. Matth 12 38—42
87. Against Seeking for Signs.

38 Τότε ἀπεκρίθησαν αὐτῷ τινες τῶν γραμ-
ματέων καὶ Φαρισαίων λέγοντες· διδάσκαλε,
θέλομεν ἀπὸ σοῦ σημεῖον ἰδεῖν. 39 ὁ δὲ ἀπο-
κριθεὶς εἶπεν αὐτοῖς· γενεὰ πονηρὰ καὶ μοι-
χαλὶς σημεῖον ἐπιζητεῖ, καὶ σημεῖον οὐ δοθή-
σεται αὐτῇ εἰ μὴ τὸ σημεῖον Ἰωνᾶ τοῦ προφή-
του. * 40 ὥσπερ γὰρ *ἦν Ἰωνᾶς ἐν τῇ κοιλίᾳ
τοῦ κήτους τρεῖς ἡμέρας καὶ τρεῖς νύκτας,*
οὕτως ἔσται ὁ υἱὸς τοῦ ἀνθρώπου ἐν τῇ
καρδίᾳ τῆς γῆς τρεῖς ἡμέρας καὶ τρεῖς νύκτας.
41 ἄνδρες Νινευῖται ἀναστήσονται ἐν τῇ κρίσει
μετὰ τῆς γενεᾶς ταύτης καὶ κατακρινοῦσιν αὐ-
τήν· ὅτι μετενόησαν εἰς τὸ κήρυγμα Ἰωνᾶ, καὶ
ἰδοὺ πλεῖον Ἰωνᾶ ὧδε. 42 βασίλισσα νότου
ἐγερθήσεται ἐν τῇ κρίσει μετὰ   τῆς
γενεᾶς ταύτης καὶ κατακρινεῖ αὐτήν· ὅτι ἦλθεν
ἐκ τῶν περάτων τῆς γῆς ἀκοῦσαι τὴν σοφίαν
Σολομῶνος, καὶ ἰδοὺ πλεῖον Σολομῶνος ὧδε.

11 29—32 (152. S. 120): 29 Τῶν δὲ ὄχλων
ἐπαθροιζομένων ἤρξατο λέγειν·

ἡ γενεὰ αὕτη γενεὰ πονηρά ἐστιν·
σημεῖον ζητεῖ, καὶ σημεῖον οὐ δοθή-
σεται αὐτῇ εἰ μὴ τὸ σημεῖον Ἰω-
νᾶ.* 30 καθὼς γὰρ ἐγένετο Ἰωνᾶς τοῖς Νινευΐ-
ταις σημεῖον,
οὕτως ἔσται καὶ ὁ υἱὸς τοῦ ἀνθρώπου τῇ
γενεᾷ ταύτῃ.
32 ἄνδρες Νινευῖται ἀναστήσονται ἐν τῇ κρίσει
μετὰ τῆς γενεᾶς ταύτης καὶ κατακρινοῦσιν αὐ-
τήν· ὅτι μετενόησαν εἰς τὸ κήρυγμα Ἰωνᾶ, καὶ
ἰδοὺ πλεῖον Ἰωνᾶ ὧδε. 31 βασίλισσα νότου
ἐγερθήσεται ἐν τῇ κρίσει μετὰ τῶν ἀνδρῶν τῆς
γενεᾶς ταύτης καὶ κατακρινεῖ αὐτούς· ὅτι ἦλθεν
ἐκ τῶν περάτων τῆς γῆς ἀκοῦσαι τὴν σοφίαν
Σολομῶνος, καὶ ἰδοὺ πλεῖον Σολομῶνος ὧδε.

---

* Matth 16 1 2 4 (119. S. 94 f.): 1 Καὶ προσελ-
θόντες οἱ Φαρισαῖοι καὶ Σαδδουκαῖοι πειράζοντες
ἐπηρώτησαν αὐτὸν σημεῖον ἐκ τοῦ οὐρανοῦ ἐπιδεῖξαι
αὐτοῖς. 2 ὁ δὲ ἀποκριθεὶς εἶπεν αὐτοῖς·
4 γενεὰ πονηρὰ καὶ μοιχαλὶς σημεῖον ἐπιζητεῖ, καὶ
σημεῖον οὐ δοθήσεται αὐτῇ εἰ μὴ τὸ σημεῖον Ἰωνᾶ.

Mark 8 11—12 (119. S. 94 f.): 11 Καὶ ἐξῆλθον οἱ
Φαρισαῖοι καὶ ἤρξαντο συζητεῖν αὐτῷ, ζητοῦντες
παρ' αὐτοῦ σημεῖον ἀπὸ τοῦ οὐρανοῦ, πειράζοντες
αὐτόν. 12 καὶ ἀναστενάξας τῷ πνεύματι αὐτοῦ λέγει·
τί ἡ γενεὰ αὕτη ζητεῖ σημεῖον; ἀμὴν λέγω ὑμῖν, εἰ
δοθήσεται τῇ γενεᾷ ταύτῃ σημεῖον.

Mt 12 40: Jon 2 1.   Mt 12 41 = Lc 11 32: vgl. Jon 3 5.   Mt 12 42 = Lc 11 31: vgl.
III. Reg 10 1 ff.

Luk 11, 32 > D

Zu Matth 12 40 b: **Hebr. Evang.**: Τὸ Ἰουδαϊκὸν οὐκ ἔχει τρεῖς ἡ〈μέρας καὶ τρεῖς νύκτας〉 899.

88. Spruch vom Rückfall. Matth 12 43–45
88. The Return of the Evil Spirit.

<table>
<tr><td>

⁴³ Ὅταν δὲ τὸ ἀκάθαρτον πνεῦμα ἐξέλθῃ ἀπὸ τοῦ ἀνθρώπου, διέρχεται δι' ἀνύδρων τόπων ζητοῦν ἀνάπαυσιν, καὶ οὐχ εὑρίσκει. ⁴⁴ τότε λέγει· εἰς τὸν οἶκόν μου ἐπιστρέψω ὅθεν ἐξῆλθον· καὶ ἐλθὸν εὑρίσκει σχολάζοντα καὶ σεσαρωμένον καὶ κεκοσμημένον. ⁴⁵ τότε πορεύεται καὶ παραλαμβάνει μεθ' ἑαυτοῦ ἑπτὰ ἕτερα πνεύματα πονηρότερα ἑαυτοῦ,   καὶ εἰσελθόντα κατοικεῖ ἐκεῖ, καὶ γίνεται τὰ ἔσχατα τοῦ ἀνθρώπου ἐκείνου χείρονα τῶν πρώτων· οὕτως ἔσται καὶ τῇ γενεᾷ ταύτῃ τῇ πονηρᾷ.

</td><td>

11 24–26 *(150. S. 119):*

²⁴ Ὅταν τὸ ἀκάθαρτον πνεῦμα ἐξέλθῃ ἀπὸ τοῦ ἀνθρώπου, διέρχεται δι' ἀνύδρων τόπων ζητοῦν ἀνάπαυσιν, καὶ μὴ εὑρίσκον λέγει· ὑποστρέψω εἰς τὸν οἶκόν μου ὅθεν ἐξῆλθον· ²⁵ καὶ ἐλθὸν εὑρίσκει σεσαρωμένον καὶ κεκοσμημένον. ²⁶ τότε πορεύεται καὶ παραλαμβάνει   ἕτερα πνεύματα πονηρότερα ἑαυτοῦ ἑπτά, καὶ εἰσελθόντα κατοικεῖ ἐκεῖ, καὶ γίνεται τὰ ἔσχατα τοῦ ἀνθρώπου ἐκείνου χείρονα τῶν πρώτων.

</td></tr>
</table>

89. Jesu wahre Verwandte.
89. Christ's Real Brethren.

<table>
<tr><td>

Matth 12 46–50

⁴⁶ Ἔτι αὐτοῦ λαλοῦντος τοῖς ὄχλοις, ἰδοὺ ἡ μήτηρ καὶ οἱ ἀδελφοὶ αὐτοῦ εἱστήκεισαν ἔξω ζητοῦντες αὐτῷ λαλῆσαι.

[⁴⁷ εἶπεν δέ τις αὐτῷ· ἰδοὺ ἡ μήτηρ σου καὶ οἱ ἀδελφοί σου ἔξω ἑστήκασιν ζητοῦντές σοι λαλῆσαι.] ⁴⁸ ὁ δὲ ἀποκριθεὶς εἶπεν τῷ λέγοντι αὐτῷ· τίς ἐστιν ἡ μήτηρ μου, καὶ τίνες εἰσὶν οἱ ἀδελφοί μου; ⁴⁹ καὶ ἐκτείνας τὴν χεῖρα αὐτοῦ ἐπὶ τοὺς μαθητὰς αὐτοῦ εἶπεν· ἰδοὺ ἡ μήτηρ μου καὶ οἱ ἀδελφοί μου· ⁵⁰ ὅστις γὰρ ἂν ποιήσῃ τὸ θέλημα τοῦ πα-

</td><td>

Mark 3 31–35

(86. 3 23–30. S. 67 f.)

³¹ Καὶ ἔρχονται ἡ μήτηρ αὐτοῦ καὶ οἱ ἀδελφοὶ αὐτοῦ,   καὶ ἔξω στήκοντες ἀπέστειλαν πρὸς αὐτὸν καλοῦντες αὐτόν. ³² καὶ ἐκάθητο περὶ αὐτὸν ὄχλος, καὶ λέγουσιν αὐτῷ· ἰδοὺ ἡ μήτηρ σου καὶ οἱ ἀδελφοί σου καὶ αἱ ἀδελφαί σου ἔξω ζητοῦσίν σε. ³³ καὶ ἀποκριθεὶς αὐτοῖς λέγει· τίς ἐστιν ἡ μήτηρ μου καὶ οἱ ἀδελφοί; ³⁴ καὶ περιβλεψάμενος τοὺς περὶ αὐτὸν κύκλῳ καθημένους λέγει· ἴδε ἡ μήτηρ μου καὶ οἱ ἀδελφοί μου. ³⁵ ὃς ἂν ποιήσῃ τὸ θέλημα τοῦ θεοῦ,

</td><td>

8 19–21 *(104. S. 77):*

¹⁹ Παρεγένετο δὲ πρὸς αὐτὸν ἡ μήτηρ καὶ οἱ ἀδελφοὶ αὐτοῦ, καὶ οὐκ ἠδύναντο συντυχεῖν αὐτῷ διὰ τὸν ὄχλον.

²⁰ ἀπηγγέλη δὲ αὐτῷ· ἡ μήτηρ σου καὶ οἱ ἀδελφοί σου ἑστήκασιν ἔξω ἰδεῖν θέλοντές σε.

²¹ ὁ δὲ ἀποκριθεὶς εἶπεν πρὸς αὐτούς·   μήτηρ μου καὶ ἀδελφοί μου οὗτοί εἰσιν οἱ τὸν λόγον τοῦ θεοῦ ἀκούοντες

</td></tr>
</table>

Matth 12, 47 > S B sy ᶜˢ sa
Mark 3, 32 καὶ αἱ ἀδελφαί σου A D it   > S B C W Θ λ φ 𝔐 vg syˢ ᵖᵉ sa bo

Zu Matth 12 47–50 par.: **Ebion. Evang.:** Ἀπὸ τοῦ λόγου οὗ εἴρηκεν ὁ σωτὴρ ἐν τῷ ἀναγγελῆναι αὐτῷ ὅτι »'Ἰδοὺ ἡ μήτηρ σου καὶ οἱ ἀδελφοί σου ἔξω ἑστήκασιν«, ὅτι »τίς μού ἐστι μήτηρ καὶ ἀδελφοί; καὶ ἐκτείνας τὴν χεῖρα ἐπὶ τοὺς μαθητὰς ἔφη· οὗτοί εἰσιν οἱ ἀδελφοί μου καὶ ἡ μήτηρ καὶ ἀδελφαὶ οἱ ποιοῦντες τὰ θελήματα τοῦ πατρός μου«. Epiph., Haer. 30 14, 5 (I 351 22 ff. Holl).

τρός μου τοῦ ἐν οὐρανοῖς, αὐτός
μου ἀδελφὸς καὶ ἀδελφή καὶ μήτηρ
ἐστίν. | Joh 15 14 |

ἀδελφός μου καὶ ἀδελφή καὶ μήτηρ
ἐστίν.

οὗτος | καὶ ποιοῦντες.

90. Das Gleichnis vom Säemann.
90. The Parable of the Sower.

Matth 13 1–9	Mark 4 1–9	Luk 8 4–8
¹ Ἐν τῇ ἡμέρᾳ ἐκείνῃ ἐξελθὼν ὁ Ἰησοῦς τῆς οἰκίας ἐκάθητο παρὰ τὴν θάλασσαν· ² καὶ συνήχθησαν πρὸς αὐτὸν ὄχλοι πολλοί, ὥστε αὐτὸν εἰς πλοῖον ἐμβάντα καθῆσθαι, καὶ πᾶς ὁ ὄχλος ἐπὶ τὸν αἰγιαλὸν εἰστήκει. ³ καὶ ἐλάλησεν αὐτοῖς πολλὰ ἐν παραβολαῖς λέγων·	¹ Καὶ πάλιν ἤρξατο διδάσκειν παρὰ τὴν θάλασσαν. καὶ συνάγεται πρὸς αὐτὸν ὄχλος πλεῖστος, ὥστε αὐτὸν εἰς πλοῖον ἐμβάντα καθῆσθαι ἐν τῇ θαλάσσῃ, καὶ πᾶς ὁ ὄχλος πρὸς τὴν θάλασσαν ἐπὶ τῆς γῆς ἦσαν. ² καὶ ἐδίδασκεν αὐτοὺς ἐν παραβολαῖς πολλά, καὶ ἔλεγεν αὐτοῖς ἐν τῇ διδαχῇ αὐτοῦ·	*(84. 8 1–3. S. 66)* ⁴ Συνιόντος δὲ ὄχλου πολλοῦ καὶ τῶν κατὰ πόλιν ἐπιπορευομένων πρὸς αὐτὸν *Vgl. 5 1–3 (17. S. 23)* εἶπεν διὰ παραβολῆς·
ἰδοὺ ἐξῆλθεν ὁ σπείρων τοῦ σπείρειν.	³ ἀκούετε. ἰδοὺ ἐξῆλθεν ὁ σπείρων σπεῖραι.	⁵ ἐξῆλθεν ὁ σπείρων τοῦ σπεῖραι τὸν σπόρον αὐτοῦ.
⁴ καὶ ἐν τῷ σπείρειν αὐτὸν ἃ μὲν ἔπεσεν παρὰ τὴν ὁδόν,	⁴ καὶ ἐγένετο ἐν τῷ σπείρειν ὃ μὲν ἔπεσεν παρὰ τὴν ὁδόν,	καὶ ἐν τῷ σπείρειν αὐτὸν ὃ μὲν ἔπεσεν παρὰ τὴν ὁδόν,
καὶ ἐλθόντα τὰ πετεινὰ κατέφαγεν αὐτά. ⁵ ἄλλα δὲ ἔπεσεν ἐπὶ τὰ πετρώδη ὅπου οὐκ εἶχεν γῆν πολλήν, καὶ εὐθέως ἐξανέτειλεν διὰ τὸ μὴ ἔχειν βάθος γῆς· ⁶ ἡλίου δὲ ἀνατείλαντος ἐκαυματίσθη, καὶ διὰ τὸ μὴ ἔχειν ῥίζαν ἐξηράνθη. ⁷ ἄλλα δὲ ἔπεσεν ἐπὶ τὰς ἀκάνθας, καὶ ἀνέβησαν αἱ ἄκανθαι καὶ ἀπέπνιξαν αὐτά. ⁸ ἄλλα δὲ ἔπεσεν ἐπὶ τὴν γῆν τὴν καλὴν καὶ ἐδίδου καρπόν,	καὶ ἦλθεν τὰ πετεινὰ καὶ κατέφαγεν αὐτό. ⁵ καὶ ἄλλο ἔπεσεν ἐπὶ τὸ πετρῶδες ὅπου οὐκ εἶχεν γῆν πολλήν, καὶ εὐθὺς ἐξανέτειλεν διὰ τὸ μὴ ἔχειν βάθος γῆς· ⁶ καὶ ὅτε ἀνέτειλεν ὁ ἥλιος ἐκαυματίσθη, καὶ διὰ τὸ μὴ ἔχειν ῥίζαν ἐξηράνθη. ⁷ καὶ ἄλλο ἔπεσεν εἰς τὰς ἀκάνθας, καὶ ἀνέβησαν αἱ ἄκανθαι καὶ συνέπνιξαν αὐτό, καὶ καρπὸν οὐκ ἔδωκεν. ⁸ καὶ ἄλλα ἔπεσεν εἰς τὴν γῆν τὴν καλήν, καὶ ἐδίδου καρπὸν ἀναβαίνοντα	καὶ κατεπατήθη, καὶ τὰ πετεινὰ τοῦ οὐρανοῦ κατέφαγεν αὐτό. ⁶ καὶ ἕτερον κατέπεσεν ἐπὶ τὴν πέτραν, καὶ φυὲν ἐξηράνθη διὰ τὸ μὴ ἔχειν ἰκμάδα. ⁷ καὶ ἕτερον ἔπεσεν ἐν μέσῳ τῶν ἀκανθῶν, καὶ συμφυεῖσαι αἱ ἄκανθαι ἀπέπνιξαν αὐτό. ⁸ καὶ ἕτερον ἔπεσεν εἰς τὴν γῆν τὴν ἀγαθήν, καὶ φυὲν ἐποίησεν καρπὸν
ὁ μὲν ἑκατόν, ὁ δὲ ἑξήκοντα, ὁ δὲ τριάκοντα. ⁹ ὁ ἔχων ὦτα ἀκουέτω.	καὶ αὐξανόμενα, καὶ ἔφερεν εἰς τριάκοντα καὶ ἐν ἑξήκοντα καὶ ἐν ἑκατόν. ⁹ καὶ ἔλεγεν· ὃς ἔχει ὦτα ἀκούειν ἀκουέτω.	ἑκατονταπλασίονα. ταῦτα λέγων ἐφώνει· ὁ ἔχων ὦτα ἀκούειν ἀκουέτω.

Matth 13, 1 τῆς οἰκίας B Θ λ Orig   ἐκ τῆς οἰκίας S sa bo   ἀπὸ τῆς οἰκίας C W φ 𝔐 vg sy ᶜ ᵖᵉ
> D it sy ˢ
Mark 4, 8 αὐξανόμενα S B sa   αὐξάνοντα C Θ λ φ 𝔐 sy ᵖᵉ   αὐξανόμενον A D W it vg bo
9 ἀκουέτω + καὶ ὁ συνιὼν συνιέτω D it
Luk 8, 5 τοῦ οὐρανοῦ > D W it sy ᶜˢ ᵖᵉ

91. Zweck der Gleichnisrede.
91. *The Reason for Parables.*

Matth 13 10–15 | **Mark 4** 10–12 | **Luk 8** 9–10

¹⁰ Καὶ προσελθόντες οἱ μαθηταὶ εἶπαν αὐτῷ· διὰ τί ἐν παραβολαῖς λαλεῖς αὐτοῖς; ¹¹ ὁ δὲ ἀποκριθεὶς εἶπεν· ὅτι ὑμῖν δέδοται γνῶναι τὰ μυστήρια τῆς βασιλείας τῶν οὐρανῶν, ἐκείνοις δὲ οὐ δέδοται. ¹² ὅστις γὰρ ἔχει, δοθήσεται αὐτῷ καὶ περισσευθήσεται· ὅστις δὲ οὐκ ἔχει, καὶ ὃ ἔχει ἀρθήσεται ἀπ' αὐτοῦ. ¹³ διὰ τοῦτο ἐν παραβολαῖς αὐτοῖς λαλῶ, ὅτι βλέποντες οὐ βλέπουσιν

καὶ ἀκούοντες οὐκ ἀκούουσιν οὐδὲ συνιοῦσιν.

¹⁴ καὶ ἀναπληροῦται αὐτοῖς ἡ προφητεία Ἡσαΐου ἡ λέγουσα· *ἀκοῇ ἀκούσετε καὶ οὐ μὴ συνῆτε, καὶ βλέποντες βλέψετε καὶ οὐ μὴ ἴδητε.* ¹⁵ *ἐπαχύνθη γὰρ ἡ καρδία τοῦ λαοῦ τούτου, καὶ τοῖς ὠσὶν βαρέως ἤκουσαν, καὶ τοὺς ὀφθαλμοὺς αὐτῶν ἐκάμμυσαν· μήποτε ἴδωσιν τοῖς ὀφθαλμοῖς καὶ τοῖς ὠσὶν ἀκούσωσιν καὶ τῇ καρδίᾳ συνῶσιν καὶ ἐπιστρέψωσιν, καὶ ἰάσομαι αὐτούς.*

Joh 12 40

---

¹⁰ Καὶ ὅτε ἐγένετο κατὰ μόνας, ἠρώτων αὐτὸν οἱ περὶ αὐτὸν σὺν τοῖς δώδεκα τὰς παραβολάς. ¹¹ καὶ ἔλεγεν αὐτοῖς·

     ὑμῖν τὸ μυστήριον δέδοται τῆς βασιλείας τοῦ θεοῦ·

4 25. S. 74

ἐκείνοις δὲ τοῖς ἔξω ἐν παραβολαῖς τὰ πάντα γίνεται, ¹² ἵνα βλέποντες βλέπωσιν καὶ μὴ ἴδωσιν, καὶ ἀκούοντες ἀκούωσιν καὶ μὴ συνιῶσιν, μήποτε ἐπιστρέψωσιν καὶ ἀφεθῇ αὐτοῖς.

---

⁹ Ἐπηρώτων δὲ αὐτὸν οἱ μαθηταὶ αὐτοῦ τίς αὕτη εἴη ἡ παραβολή.

¹⁰ ὁ δὲ εἶπεν· ὑμῖν δέδοται γνῶναι τὰ μυστήρια τῆς βασιλείας τοῦ θεοῦ,

8 18 b. S. 74

τοῖς δὲ λοιποῖς ἐν παραβολαῖς,   ἵνα βλέποντες μὴ βλέπωσιν καὶ ἀκούοντες μὴ συνιῶσιν.

---

92. Selige Augenzeugen. **Matth 13** 16–17
92. *The Blessedness of the Disciples.*

¹⁶ Ὑμῶν δὲ μακάριοι οἱ ὀφθαλμοὶ ὅτι βλέπουσιν, καὶ τὰ ὦτα ὑμῶν ὅτι ἀκούουσιν. ¹⁷ ἀμὴν

10 23–24 *(142. S. 115)*: ²³ Καὶ στραφεὶς πρὸς τοὺς μαθητὰς κατ' ἰδίαν εἶπεν· μακάριοι οἱ ὀφθαλμοὶ οἱ βλέποντες ἃ βλέπετε.

Mt 13 13 = Mc 4 12 = Lc 8 10: vgl. Jes 6 9 10.   Mt 13 14 15: Jes 6 9 10.

Mark 4, 10 οἱ περὶ αὐτὸν σὺν τοῖς δώδεκα S A B C λ ℜ vg sy ᵖᵉ sa bo   οἱ μαθηταὶ αὐτοῦ D W Θ φ it sy ˢ

Luk 10, 23 κατ' ἰδίαν > D it vg sy ᶜˢ

Zu Matth 13 11: Clemens Alex. Strom. V 10 (63 7; II 368 26 Stählin): οὐ γὰρ φθονῶν, φησί (Barnabas?), παρήγγειλεν ὁ κύριος ἔν τινι εὐαγγελίῳ· μυστήριον ἐμὸν ἐμοὶ καὶ τοῖς υἱοῖς τοῦ οἴκου μου vgl. Resch ² p. 108.

λέγω   ὑμῖν ὅτι πολλοὶ προφῆται καὶ
δίκαιοι ἐπεθύμησαν ἰδεῖν ἃ βλέπετε, καὶ οὐκ
εἶδαν, καὶ ἀκοῦσαι ἃ ἀκούετε, καὶ οὐκ ἤκουσαν.

²⁴ λέγω γὰρ ὑμῖν ὅτι πολλοὶ προφῆται καὶ
βασιλεῖς ἠθέλησαν ἰδεῖν ἃ ὑμεῖς βλέπετε καὶ οὐκ
εἶδαν, καὶ ἀκοῦσαι ἃ ἀκούετε καὶ οὐκ ἤκουσαν.

93. Deutung des Gleichnisses vom Säemann.

93. The Interpretation of the Parable of the Sower.

Matth 13 18–23	Mark 4 13–20	Luk 8 11–15
¹⁸ Ὑμεῖς οὖν ἀκούσατε τὴν παραβολὴν τοῦ σπείραντος.	¹³ Καὶ λέγει αὐτοῖς· οὐκ οἴδατε τὴν παραβολὴν ταύτην, καὶ πῶς πάσας τὰς παραβολὰς γνώσεσθε; ¹⁴ ὁ σπείρων τὸν λόγον σπείρει.	¹¹ Ἔστιν δὲ αὕτη ἡ παραβολή. ὁ σπόρος ἐστὶν ὁ λόγος τοῦ θεοῦ.
¹⁹ παντὸς ἀκούοντος τὸν λόγον τῆς βασιλείας καὶ μὴ συνιέντος, ἔρχεται ὁ πονηρὸς καὶ ἁρπάζει τὸ ἐσπαρμένον ἐν τῇ καρδίᾳ αὐτοῦ· οὗτός ἐστιν ὁ παρὰ τὴν ὁδὸν σπαρείς. ²⁰ ὁ δὲ ἐπὶ τὰ πετρώδη σπαρείς, οὗτός ἐστιν ὁ τὸν λόγον ἀκούων καὶ εὐθὺς μετὰ χαρᾶς λαμβάνων αὐτόν· ²¹ οὐκ ἔχει δὲ ῥίζαν ἐν ἑαυτῷ ἀλλὰ πρόσκαιρός ἐστιν, γενομένης δὲ θλίψεως ἢ διωγμοῦ διὰ τὸν λόγον εὐθὺς σκανδαλίζεται. ²² ὁ δὲ εἰς τὰς ἀκάνθας σπαρείς, οὗτός ἐστιν ὁ τὸν λόγον ἀκούων, καὶ ἡ μέριμνα τοῦ αἰῶνος καὶ ἡ ἀπάτη τοῦ πλούτου συμπνίγει τὸν λόγον, καὶ ἄκαρπος γίνεται. ²³ ὁ δὲ ἐπὶ τὴν καλὴν γῆν σπαρείς, οὗτός ἐστιν ὁ τὸν λόγον ἀκούων καὶ συνιείς, ὃς δὴ καρποφορεῖ καὶ ποιεῖ ὃ μὲν ἑκατόν, ὃ δὲ ἑξήκοντα, ὃ δὲ τριάκοντα.	¹⁵ οὗτοι δέ εἰσιν οἱ παρὰ τὴν ὁδὸν ὅπου σπείρεται ὁ λόγος, καὶ ὅταν ἀκούσωσιν, εὐθὺς ἔρχεται ὁ σατανᾶς καὶ αἴρει τὸν λόγον τὸν ἐσπαρμένον εἰς αὐτούς. ¹⁶ καὶ οὗτοί εἰσιν ὁμοίως οἱ ἐπὶ τὰ πετρώδη σπειρόμενοι, οἳ ὅταν ἀκούσωσιν τὸν λόγον εὐθὺς μετὰ χαρᾶς λαμβάνουσιν αὐτόν, ¹⁷ καὶ οὐκ ἔχουσιν ῥίζαν ἐν ἑαυτοῖς ἀλλὰ πρόσκαιροί εἰσιν, εἶτα γενομένης θλίψεως ἢ διωγμοῦ διὰ τὸν λόγον εὐθὺς σκανδαλίζονται. ¹⁸ καὶ ἄλλοι εἰσὶν οἱ εἰς τὰς ἀκάνθας σπειρόμενοι· οὗτοί εἰσιν οἱ τὸν λόγον ἀκούσαντες, ¹⁹ καὶ αἱ μέριμναι τοῦ αἰῶνος καὶ ἡ ἀπάτη τοῦ πλούτου καὶ αἱ περὶ τὰ λοιπὰ ἐπιθυμίαι εἰσπορευόμεναι συμπνίγουσιν τὸν λόγον, καὶ ἄκαρπος γίνεται. ²⁰ καὶ ἐκεῖνοί εἰσιν οἱ ἐπὶ τὴν γῆν τὴν καλὴν σπαρέντες, οἵτινες ἀκούουσιν τὸν λόγον καὶ παραδέχονται, καὶ καρποφοροῦσιν ἐν τριάκοντα καὶ ἐν ἑξήκοντα καὶ ἐν ἑκατόν.	¹² οἱ δὲ παρὰ τὴν ὁδὸν εἰσιν οἱ ἀκούσαντες, εἶτα ἔρχεται ὁ διάβολος καὶ αἴρει τὸν λόγον ἀπὸ τῆς καρδίας αὐτῶν, ἵνα μὴ πιστεύσαντες σωθῶσιν. ¹³ οἱ δὲ ἐπὶ τῆς πέτρας οἳ ὅταν ἀκούσωσιν μετὰ χαρᾶς δέχονται τὸν λόγον, καὶ οὗτοι ῥίζαν οὐκ ἔχουσιν, οἳ πρὸς καιρὸν πιστεύουσιν καὶ ἐν καιρῷ πειρασμοῦ ἀφίστανται. ¹⁴ τὸ δὲ εἰς τὰς ἀκάνθας πεσόν, οὗτοί εἰσιν οἱ ἀκούσαντες, καὶ ὑπὸ μεριμνῶν καὶ πλούτου καὶ ἡδονῶν τοῦ βίου πορευόμενοι συμπνίγονται καὶ οὐ τελεσφοροῦσιν. ¹⁵ τὸ δὲ ἐν τῇ καλῇ γῇ, οὗτοί εἰσιν οἵτινες ἐν καρδίᾳ καλῇ καὶ ἀγαθῇ ἀκούσαντες τὸν λόγον κατέχουσιν καὶ καρποφοροῦσιν ἐν ὑπομονῇ.

Mark 4, 19 ἡ ἀπάτη τοῦ πλούτου] αἱ (< D) ἀπάται τοῦ κόσμου D Θ it
Luk 10, 24 καὶ βασιλεῖς > D it

94. Sprüche über den rechten Gebrauch der Parabeln.
94. The Right Use of Parables.

Mark 4 21–25	Luk 8 16–18
²¹ Καὶ ἔλεγεν αὐτοῖς ὅτι μήτι ἔρχεται ὁ λύχνος ἵνα ὑπὸ τὸν μόδιον τεθῇ ἢ ὑπὸ τὴν κλίνην; οὐχ ἵνα ἐπὶ τὴν λυχνίαν τεθῇ;* ²² οὐ γάρ ἐστίν τι κρυπτόν, ἐὰν μὴ ἵνα φανερωθῇ· οὐδὲ ἐγένετο ἀπόκρυφον, ἀλλ᾽ ἵνα ἔλθῃ εἰς φανερόν.** ²³ εἴ τις ἔχει ὦτα ἀκούειν, ἀκουέτω.	¹⁶ Οὐδεὶς δὲ λύχνον ἅψας καλύπτει αὐτὸν σκεύει ἢ ὑποκάτω κλίνης τίθησιν, ἀλλ᾽ ἐπὶ λυχνίας τίθησιν, ἵνα οἱ εἰσπορευόμενοι βλέπωσιν τὸ φῶς.* ¹⁷ οὐ γάρ ἐστιν κρυπτὸν ὃ οὐ φανερὸν γενήσεται, οὐδὲ ἀπόκρυφον ὃ οὐ μὴ γνωσθῇ καὶ εἰς φανερὸν ἔλθῃ.**
²⁴ καὶ ἔλεγεν αὐτοῖς· βλέπετε τί ἀκούετε. ἐν ᾧ μέτρῳ μετρεῖτε μετρηθήσεται ὑμῖν,*** καὶ	¹⁸ βλέπετε οὖν πῶς ἀκούετε·
13 12 *(91. S. 72)*: Ὅστις γὰρ ἔχει, δοθήσεται αὐτῷ καὶ περισσευθήσεται· ὅστις δὲ οὐκ ἔχει, καὶ ὃ ἔχει ἀρθήσεται ἀπ᾽ αὐτοῦ.****	προστεθήσεται ὑμῖν. ²⁵ ὃς γὰρ ἔχει, δοθήσεται αὐτῷ· καὶ ὃς οὐκ ἔχει, καὶ ὃ ἔχει ἀρθήσεται ἀπ᾽ αὐτοῦ.****	ὃς ἂν γὰρ ἔχῃ, δοθήσεται αὐτῷ, καὶ ὃς ἂν μὴ ἔχῃ, καὶ ὃ δοκεῖ ἔχειν ἀρθήσεται ἀπ᾽ αὐτοῦ.**** *(104. 8 19–21. S. 77)*

95. Das Gleichnis von der selbstwachsenden Saat. Mark 4 26–29
95. The Parable of the Seed growing Secretly.

²⁶ Καὶ ἔλεγεν· οὕτως ἐστὶν ἡ βασιλεία τοῦ θεοῦ, ὡς ἄνθρωπος βάλῃ τὸν σπόρον ἐπὶ τῆς γῆς, ²⁷ καὶ καθεύδῃ καὶ ἐγείρηται νύκτα καὶ ἡμέραν, καὶ ὁ σπόρος βλαστᾷ καὶ μηκύνηται ὡς οὐκ οἶδεν αὐτός. ²⁸ αὐτομάτη ἡ γῆ καρποφορεῖ, πρῶτον χόρτον, εἶτεν στάχυν, εἶτεν πλήρη σῖτον ἐν τῷ στάχυϊ. ²⁹ ὅταν δὲ παραδοῖ ὁ καρπός, εὐθὺς ἀποστέλλει τὸ δρέπανον, ὅτι παρέστηκεν ὁ θερισμός.

---

* Matth 5 15 (20. S. 25): Οὐδὲ καίουσιν λύχνον καὶ τιθέασιν αὐτὸν ὑπὸ τὸν μόδιον, ἀλλ᾽ ἐπὶ τὴν λυχνίαν καὶ λάμπει πᾶσιν τοῖς ἐν τῇ οἰκίᾳ.

** Matth 10 26 (60. S. 50): Οὐδὲν γάρ ἐστιν κεκαλυμμένον ὃ οὐκ ἀποκαλυφθήσεται, καὶ κρυπτὸν ὃ οὐ γνωσθήσεται.

*** Matth 7 2 (36. S. 33): Ἐν ᾧ γὰρ κρίματι κρίνετε κριθήσεσθε, καὶ ἐν ᾧ μέτρῳ μετρεῖτε μετρηθήσεται ὑμῖν.

**** Matth 25 29 (228. S. 180): Τῷ γὰρ ἔχοντι παντὶ δοθήσεται καὶ περισσευθήσεται· τοῦ δὲ μὴ ἔχοντος καὶ ὃ ἔχει ἀρθήσεται ἀπ᾽ αὐτοῦ.

Mc 4 29: Joel 4 13.

Luk 11 33 (153. S. 120): Οὐδεὶς λύχνον ἅψας εἰς κρύπτην τίθησιν οὐδὲ ὑπὸ τὸν μόδιον, ἀλλ᾽ ἐπὶ τὴν λυχνίαν, ἵνα οἱ εἰσπορευόμενοι τὸ φέγγος βλέπωσιν.

Luk 12 2 (155. S. 123): Οὐδὲν δὲ συγκεκαλυμμένον ἐστὶν ὃ οὐκ ἀποκαλυφθήσεται, καὶ κρυπτὸν ὃ οὐ γνωσθήσεται.

Luk 6 38 (76. S. 62): Ὧι γὰρ μέτρῳ μετρεῖτε ἀντιμετρηθήσεται ὑμῖν.

Luk 19 26 (195. S. 153): Λέγω ὑμῖν ὅτι παντὶ τῷ ἔχοντι δοθήσεται, ἀπὸ δὲ τοῦ μὴ ἔχοντος καὶ ὃ ἔχει ἀρθήσεται.

Mark 4, 26 ὡς ἄνθρωπος S B D   ὡς ἐὰν (ἂν C) ἄνθρ. A C 𝔎 it vg sy ᵖᵉ   ὥσπερ ἄνθρ. Θ φ   ὡς ἄνθρ. ὅταν W λ   **28** πλήρη (+ τὸν Θ) σῖτον S A Θ λ φ 𝔎 sa   πλήρης σῖτον C   πλήρης σῖτος B   πλήρης ὁ σῖτος D W bo

96. Das Gleichnis vom Unkraut unter dem Weizen. Matth 13 24–30
96. The Parable of the Tares.

²⁴ "Αλλην παραβολὴν παρέθηκεν αὐτοῖς λέγων· ὡμοιώθη ἡ βασιλεία τῶν οὐρανῶν ἀνθρώπῳ σπείραντι καλὸν σπέρμα ἐν τῷ ἀγρῷ αὐτοῦ. ²⁵ ἐν δὲ τῷ καθεύδειν τοὺς ἀνθρώπους ἦλθεν αὐτοῦ ὁ ἐχθρὸς καὶ ἐπέσπειρεν ζιζάνια ἀνὰ μέσον τοῦ σίτου καὶ ἀπῆλθεν. ²⁶ ὅτε δὲ ἐβλάστησεν ὁ χόρτος καὶ καρπὸν ἐποίησεν, τότε ἐφάνη καὶ τὰ ζιζάνια. ²⁷ προσελθόντες δὲ οἱ δοῦλοι τοῦ οἰκοδεσπότου εἶπον αὐτῷ· κύριε, οὐχὶ καλὸν σπέρμα ἔσπειρας ἐν τῷ σῷ ἀγρῷ; πόθεν οὖν ἔχει ζιζάνια; ²⁸ ὁ δὲ ἔφη αὐτοῖς· ἐχθρὸς ἄνθρωπος τοῦτο ἐποίησεν· οἱ δὲ δοῦλοι αὐτῷ λέγουσιν· θέλεις οὖν ἀπελθόντες συλλέξωμεν αὐτά; ²⁹ ὁ δέ φησιν· οὔ, μήποτε συλλέγοντες τὰ ζιζάνια ἐκριζώσητε ἅμα αὐτοῖς τὸν σῖτον. ³⁰ ἄφετε συναυξάνεσθαι ἀμφότερα ἕως τοῦ θερισμοῦ· καὶ ἐν καιρῷ τοῦ θερισμοῦ ἐρῶ τοῖς θερισταῖς· συλλέξατε πρῶτον τὰ ζιζάνια καὶ δήσατε αὐτὰ εἰς δέσμας πρὸς τὸ κατακαῦσαι αὐτά, τὸν δὲ σῖτον συναγάγετε εἰς τὴν ἀποθήκην μου.

97. Das Gleichnis vom Senfkorn.
97. The Parable of the Mustard Seed.

Matth 13 31–32	Mark 4 30–32	13 18–19 (164. S. 130):
³¹ "Αλλην παραβολὴν παρέθηκεν αὐτοῖς λέγων· ὁμοία ἐστὶν ἡ βασιλεία τῶν οὐρανῶν κόκκῳ σινάπεως, ὃν λαβὼν ἄνθρωπος ἔσπειρεν ἐν τῷ ἀγρῷ αὐτοῦ· ³² ὃ μικρότερον μέν ἐστιν πάντων τῶν σπερμάτων, ὅταν δὲ αὐξηθῇ, μεῖζον τῶν λαχάνων ἐστὶν καὶ γίνεται δένδρον ὥστε ἐλθεῖν τὰ πετεινὰ τοῦ οὐρανοῦ καὶ κατασκηνοῦν ἐν τοῖς κλάδοις αὐτοῦ.	³⁰ Καὶ ἔλεγεν· πῶς ὁμοιώσωμεν τὴν βασιλείαν τοῦ θεοῦ, ἢ ἐν τίνι αὐτὴν παραβολῇ θῶμεν; ³¹ ὡς κόκκῳ σινάπεως, ὃς ὅταν σπαρῇ ἐπὶ τῆς γῆς, μικρότερον ὃν πάντων τῶν σπερμάτων τῶν ἐπὶ τῆς γῆς, ³² καὶ ὅταν σπαρῇ, ἀναβαίνει καὶ γίνεται μεῖζον πάντων τῶν λαχάνων, καὶ ποιεῖ κλάδους μεγάλους, ὥστε δύνασθαι ὑπὸ τὴν σκιὰν αὐτοῦ τὰ πετεινὰ τοῦ οὐρανοῦ κατασκηνοῦν.	¹⁸ "Ελεγεν οὖν· τίνι ὁμοία ἐστὶν ἡ βασιλεία τοῦ θεοῦ, καὶ τίνι ὁμοιώσω αὐτήν; ¹⁹ ὁμοία ἐστὶν κόκκῳ σινάπεως, ὃν λαβὼν ἄνθρωπος ἔβαλεν εἰς κῆπον ἑαυτοῦ, καὶ ηὔξησεν καὶ ἐγένετο εἰς δένδρον καὶ τὰ πετεινὰ τοῦ οὐρανοῦ κατεσκήνωσεν ἐν τοῖς κλάδοις αὐτοῦ.

98. Das Gleichnis vom Sauerteig. Matth 13 33
98. The Parable of the Leaven.

³³ "Αλλην παραβολὴν ἐλάλησεν αὐτοῖς· ὁμοία ἐστὶν ἡ βασιλεία τῶν οὐρανῶν ζύμη, ἣν λαβοῦσα γυνὴ ἐνέκρυψεν εἰς ἀλεύρου σάτα τρία, ἕως οὗ ἐζυμώθη ὅλον.	13 20–21 (164. S. 130): ²⁰ Καὶ πάλιν εἶπεν· τίνι ὁμοιώσω τὴν βασιλείαν τοῦ θεοῦ; ²¹ ὁμοία ἐστὶν ζύμη, ἣν λαβοῦσα γυνὴ ἔκρυψεν εἰς ἀλεύρου σάτα τρία, ἕως οὗ ἐζυμώθη ὅλον.

Mt 13 32 = Mc 4 32 = Lc 13 19: Dan 4 21.

Matth 13,30 αὐτὰ εἰς δέσμας S B C W Θ φ ℜ vg sa bo　δέσμας D　αὐτὰ δέσμας λ it sy cs pe
33 ἐλάλησεν αὐτοῖς B W λ ℜ it vg sy pe bo　ἐλάλησεν (παρέθηκεν C sa) αὐτοῖς λέγων S C Θ φ sa　> D sy cs

99. Methode der Gleichnisrede.
99. The Use of Parables.

Matth 13 34—35	Mark 4 33—34
³⁴ Ταῦτα πάντα ἐλάλησεν ὁ Ἰησοῦς ἐν παραβολαῖς τοῖς ὄχλοις, καὶ χωρὶς παραβολῆς οὐδὲν ἐλάλει αὐτοῖς, ³⁵ ὅπως πληρωθῇ τὸ ῥηθὲν διὰ τοῦ προφή- του λέγοντος· ἀνοίξω ἐν παραβολαῖς τὸ στόμα μου, ἐρεύξομαι κεκρυμμένα ἀπὸ καταβολῆς.	³³ Καὶ τοιαύταις παραβολαῖς πολλαῖς ἐλά- λει αὐτοῖς τὸν λόγον, καθὼς ἠδύναντο ἀκού- ειν· ³⁴ χωρὶς δὲ παραβολῆς οὐκ ἐλάλει αὐτοῖς, κατ' ἰδίαν δὲ τοῖς ἰδίοις μαθηταῖς ἐπέλυεν πάντα. *(105. 4 35. S. 77)*

100. Deutung des Gleichnisses vom Unkraut. Matth 13 36—43
100. The Interpretation of the Parable of the Tares.

³⁶ Τότε ἀφεὶς τοὺς ὄχλους ἦλθεν εἰς τὴν οἰκίαν. καὶ προσῆλθον αὐτῷ οἱ μαθηταὶ αὐτοῦ λέγοντες· διασάφησον ἡμῖν τὴν παραβολὴν τῶν ζιζανίων τοῦ ἀγροῦ. ³⁷ ὁ δὲ ἀποκριθεὶς εἶπεν· ὁ σπείρων τὸ καλὸν σπέρμα ἐστὶν ὁ υἱὸς τοῦ ἀνθρώπου, ³⁸ ὁ δὲ ἀγρός ἐστιν ὁ κόσμος· τὸ δὲ καλὸν σπέρμα, οὗτοί εἰσιν οἱ υἱοὶ τῆς βασιλείας· τὰ δὲ ζι- ζάνιά εἰσιν οἱ υἱοὶ τοῦ πονηροῦ, ³⁹ ὁ δὲ ἐχθρὸς ὁ σπείρας αὐτά ἐστιν ὁ διάβολος· ὁ δὲ θερισμὸς συντέλεια αἰῶνός ἐστιν, οἱ δὲ θερισταὶ ἄγγελοί εἰσιν. ⁴⁰ ὥσπερ οὖν συλλέγεται τὰ ζιζάνια καὶ πυρὶ κατακαίεται, οὕτως ἔσται ἐν τῇ συντελείᾳ τοῦ αἰῶνος. ⁴¹ ἀποστελεῖ ὁ υἱὸς τοῦ ἀνθρώπου τοὺς ἀγγέλους αὐτοῦ, καὶ συλλέξουσιν ἐκ τῆς βασιλείας αὐτοῦ πάντα τὰ σκάνδαλα καὶ τοὺς ποιοῦντας τὴν ἀνομίαν, ⁴² καὶ βαλοῦσιν αὐτοὺς εἰς τὴν κάμινον τοῦ πυρός· ἐκεῖ ἔσται ὁ κλαυθμὸς καὶ ὁ βρυγμὸς τῶν ὀδόντων. ⁴³ τότε οἱ δίκαιοι ἐκλάμψουσιν ὡς ὁ ἥλιος ἐν τῇ βασιλείᾳ τοῦ πατρὸς αὐτῶν. ὁ ἔχων ὦτα ἀκουέτω.

101. Gleichnisse vom Schatz und von der Perle. Matth 13 44—46
101. The Parables of the Hidden Treasure and of the Pearl of Great Price.

⁴⁴ Ὁμοία ἐστὶν ἡ βασιλεία τῶν οὐρανῶν θησαυρῷ κεκρυμμένῳ ἐν τῷ ἀγρῷ, ὃν εὑρὼν ἄνθρωπος ἔκρυψεν, καὶ ἀπὸ τῆς χαρᾶς αὐτοῦ ὑπάγει καὶ πωλεῖ ὅσα ἔχει καὶ ἀγοράζει τὸν ἀγρὸν ἐκεῖνον.

⁴⁵ πάλιν ὁμοία ἐστὶν ἡ βασιλεία τῶν οὐρανῶν ἐμπόρῳ ζητοῦντι καλοὺς μαρ- γαρίτας· ⁴⁶ εὑρὼν δὲ ἕνα πολύτιμον μαργαρίτην ἀπελθὼν πέπρακεν πάντα ὅσα εἶχεν καὶ ἠγόρασεν αὐτόν.

Mt 13 35: Ps 77 2. Mt 13 41: vgl. Zeph 1 3. Mt 13 43: vgl. Dan 12 3.

Matth 13,35 διὰ B C D W 𝕂 it vg sy ᶜˢ ᵖᵉ sa bo διὰ Ἡσαίου S Θ φ | καταβολῆς B λ sy ᶜˢ Orig καταβολῆς κόσμου S C D W Θ φ 𝕂 it vg sy ᵖᵉ sa bo **36** διασάφησον S B Θ it vg sy ᶜˢ ᵖᵉ φράσον C D W λ φ 𝕂 **45** ἐμπόρῳ S B ἀνθρώπῳ ἐμπόρῳ C D W Θ λ φ 𝕂 it vg sy ᶜˢ ᵖᵉ sa ƚo **46** ἕνα > D Θ it sy ᶜ sa bo

102. Das Gleichnis vom Fischnetz. Matth 13 47–50
102. The Parable of the Drag-net.

⁴⁷ Πάλιν ὁμοία ἐστὶν ἡ βασιλεία τῶν οὐρανῶν σαγήνῃ βληθείσῃ εἰς τὴν θάλασσαν καὶ ἐκ παντὸς γένους συναγαγούσῃ· ⁴⁸ ἣν ὅτε ἐπληρώθη ἀναβιβάσαντες ἐπὶ τὸν αἰγιαλὸν καὶ καθίσαντες συνέλεξαν τὰ καλὰ εἰς ἄγγη, τὰ δὲ σαπρὰ ἔξω ἔβαλον. ⁴⁹ οὕτως ἔσται ἐν τῇ συντελείᾳ τοῦ αἰῶνος· ἐξελεύσονται οἱ ἄγγελοι καὶ ἀφοριοῦσιν τοὺς πονηροὺς ἐκ μέσου τῶν δικαίων, ⁵⁰ καὶ βαλοῦσιν αὐτοὺς εἰς τὴν κάμινον τοῦ πυρός· ἐκεῖ ἔσται ὁ κλαυθμὸς καὶ ὁ βρυγμὸς τῶν ὀδόντων.

103. Abschluß der Gleichnisrede. Matth 13 51–52
103. The End of the Parables.

⁵¹ Συνήκατε ταῦτα πάντα; λέγουσιν αὐτῷ· ναί. ⁵² ὁ δὲ εἶπεν αὐτοῖς· διὰ τοῦτο πᾶς γραμματεὺς μαθητευθεὶς τῇ βασιλείᾳ τῶν οὐρανῶν ὅμοιός ἐστιν ἀνθρώπῳ οἰκοδεσπότῃ, ὅστις ἐκβάλλει ἐκ τοῦ θησαυροῦ αὐτοῦ καινὰ καὶ παλαιά. *(108. 13 53–58. S. 83)*

104. Jesu wahre Verwandte.
104. Christ's Real Brethren.

Luk 8 19–21 (= Matth 12 46–50 = Mark 3 31–35. *89. S. 70 f.*)

¹⁹ Παρεγένετο δὲ πρὸς αὐτὸν ἡ μήτηρ καὶ οἱ ἀδελφοὶ αὐτοῦ, καὶ οὐκ ἠδύναντο συντυχεῖν αὐτῷ διὰ τὸν ὄχλον. ²⁰ ἀπηγγέλη δὲ αὐτῷ· ἡ μήτηρ σου καὶ οἱ ἀδελφοί σου ἑστήκασιν ἔξω ἰδεῖν θέλοντές σε. ²¹ ὁ δὲ ἀποκριθεὶς εἶπεν πρὸς αὐτούς· μήτηρ μου καὶ ἀδελφοί μου οὗτοί εἰσιν οἱ τὸν λόγον τοῦ θεοῦ ἀκούοντες καὶ ποιοῦντες. | Joh 15 14 |

105. Der Seesturm.
105. The Stilling of the Tempest.

	Mark 4 35–41	Luk 8 22–25
8 18 *(49. S. 39)*: Ἰδὼν δὲ ὁ Ἰησοῦς ὄχλον περὶ αὐτὸν ἐκέλευσεν ἀπελθεῖν εἰς τὸ πέραν.	*(99. 4 33–34. S. 76)*	²² Ἐγένετο δὲ ἐν μιᾷ τῶν ἡμερῶν καὶ αὐτὸς ἐνέβη εἰς πλοῖον καὶ οἱ μαθηταὶ αὐτοῦ, καὶ εἶπεν πρὸς αὐτούς· διέλθωμεν εἰς τὸ πέραν τῆς λίμνης· καὶ ἀνήχθησαν.
8 23–27 *(50. S. 40)*: ²³ καὶ ἐμβάντι αὐτῷ εἰς τὸ πλοῖον, ἠκολούθησαν αὐτῷ οἱ μαθηταὶ αὐτοῦ. ²⁴ καὶ ἰδοὺ σεισμὸς μέγας ἐγένετο ἐν τῇ θαλάσσῃ, ὥστε τὸ πλοῖον καλύπτεσθαι ὑπὸ τῶν κυμάτων·	³⁵ Καὶ λέγει αὐτοῖς ἐν ἐκείνῃ τῇ ἡμέρᾳ ὀψίας γενομένης· διέλθωμεν εἰς τὸ πέραν. ³⁶ καὶ ἀφέντες τὸν ὄχλον παραλαμβάνουσιν αὐτὸν ὡς ἦν ἐν τῷ πλοίῳ, καὶ ἄλλα πλοῖα ἦν μετ' αὐτοῦ. ³⁷ καὶ γίνεται λαῖλαψ μεγάλη ἀνέμου, καὶ τὰ κύματα ἐπέβαλλεν εἰς τὸ πλοῖον, ὥστε ἤδη γεμίζεσθαι τὸ πλοῖον. ³⁸ καὶ αὐτὸς ἦν ἐν τῇ πρύμνῃ ἐπὶ	²³ πλεόντων δὲ αὐτῶν ἀφύπνωσεν. καὶ κατέβη λαῖλαψ ἀνέμου εἰς τὴν λίμνην, καὶ συνεπληροῦντο καὶ ἐκινδύνευον.

αὐτὸς δὲ ἐκάθευδεν. ²⁵ καὶ προσελθόντες ἤγειραν αὐτὸν λέγοντες· κύριε, σῶσον, ἀπολλύμεθα. ²⁶ καὶ λέγει αὐτοῖς· τί δειλοί ἐστε, ὀλιγόπιστοι; τότε ἐγερθεὶς ἐπετίμησεν τοῖς ἀνέμοις καὶ τῇ θαλάσσῃ, καὶ ἐγένετο γαλήνη μεγάλη.

²⁷ οἱ δὲ ἄνθρωποι ἐθαύμασαν λέγοντες· ποταπός ἐστιν οὗτος, ὅτι καὶ οἱ ἄνεμοι καὶ ἡ θάλασσα αὐτῷ ὑπακούουσιν;

τὸ προσκεφάλαιον καθεύδων· καὶ ἐγείρουσιν αὐτὸν καὶ λέγουσιν αὐτῷ· διδάσκαλε, οὐ μέλει σοι ὅτι ἀπολλύμεθα; ³⁹ καὶ διεγερθεὶς ἐπετίμησεν τῷ ἀνέμῳ καὶ εἶπεν τῇ θαλάσσῃ· σιώπα, πεφίμωσο. καὶ ἐκόπασεν ὁ ἄνεμος, καὶ ἐγένετο γαλήνη μεγάλη. ⁴⁰ καὶ εἶπεν αὐτοῖς· τί δειλοί ἐστε οὕτως; πῶς οὐκ ἔχετε πίστιν; ⁴¹ καὶ ἐφοβήθησαν φόβον μέγαν, καὶ ἔλεγον πρὸς ἀλλήλους· τίς ἄρα οὗτός ἐστιν, ὅτι καὶ ὁ ἄνεμος καὶ ἡ θάλασσα ὑπακούει αὐτῷ;

²⁴ προσελθόντες δὲ διήγειραν αὐτὸν λέγοντες· ἐπιστάτα ἐπιστάτα, ἀπολλύμεθα. ὁ δὲ διεγερθεὶς ἐπετίμησεν τῷ ἀνέμῳ καὶ τῷ κλύδωνι τοῦ ὕδατος· καὶ ἐπαύσαντο, καὶ ἐγένετο γαλήνη. ²⁵ εἶπεν δὲ αὐτοῖς· ποῦ ἡ πίστις ὑμῶν; φοβηθέντες δὲ ἐθαύμασαν, λέγοντες πρὸς ἀλλήλους· τίς ἄρα οὗτός ἐστιν, ὅτι καὶ τοῖς ἀνέμοις ἐπιτάσσει καὶ τῷ ὕδατι, καὶ ὑπακούουσιν αὐτῷ;

106. Der gerasenische Besessene.
106. The Gadarene Demoniac.

Mark 5 1—20　　　**Luk 8 26—39**

8 28—34 (51. S. 40): ²⁸ Καὶ ἐλθόντος αὐτοῦ εἰς τὸ πέραν εἰς τὴν χώραν τῶν Γαδαρηνῶν, ὑπήντησαν αὐτῷ δύο δαιμονιζόμενοι ἐκ τῶν μνημείων ἐξερχόμενοι, χαλεποὶ λίαν, ὥστε μὴ ἰσχύειν τινὰ παρελθεῖν διὰ τῆς ὁδοῦ ἐκείνης.

¹ Καὶ ἦλθον εἰς τὸ πέραν τῆς θαλάσσης εἰς τὴν χώραν τῶν Γερασηνῶν. ² καὶ ἐξελθόντος αὐτοῦ ἐκ τοῦ πλοίου, εὐθὺς ὑπήντησεν αὐτῷ ἐκ τῶν μνημείων ἄνθρωπος ἐν πνεύματι ἀκαθάρτῳ, ³ ὃς τὴν κατοίκησιν εἶχεν ἐ τοῖς μνήμασιν, καὶ οὐδὲ ἁλύσει οὐκέτι οὐδεὶς ἐδύνατο αὐτὸν δῆσαι, ⁴ διὰ τὸ αὐτὸν πολλάκις πέδαις καὶ ἁλύσεσιν δεδέσθαι, καὶ διεσπάσθαι ὑπ' αὐτοῦ τὰς ἁλύσεις καὶ τὰς πέδας συντετρῖφθαι, καὶ οὐδεὶς ἴσχυεν αὐτὸν

²⁶ Καὶ κατέπλευσαν εἰς τὴν χώραν τῶν Γερασηνῶν, ἥτις ἐστὶν ἀντιπέρα τῆς Γαλιλαίας. ²⁷ ἐξελθόντι δὲ αὐτῷ ἐπὶ τὴν γῆν ὑπήντησεν ἀνήρ τις ἐκ τῆς πόλεως ἔχων δαιμόνια, καὶ χρόνῳ ἱκανῷ οὐκ ἐνεδύσατο ἱμάτιον, καὶ ἐν οἰκίᾳ οὐκ ἔμενεν ἀλλ' ἐν τοῖς μνήμασιν.

Matth 8, 28 Γαδαρηνῶν S B C Θ syˢ ᵖᵉ　Γεργεσηνῶν W λ φ 𝔚 bo　Γερασηνῶν it vg sa

Mark 4, 40 τί δειλοί ἐστε οὕτως; πῶς οὐκ Α C 𝔚 syᵖᵉ　τί δειλοί ἐστε; οὕπω S B D Θ it vg sa bo　τί δειλοί ἐστε οὕτως; W　τί οὕτως δειλοί ἐστε; οὕπω λ φ　τί οὕτως]... 𝔓⁴⁵　**5, 1** Γερασηνῶν S B D it vg sa　Γαδαρηνῶν Α C φ 𝔚 syᵖᵉ　Γεργεσηνῶν Θ λ syˢ bo　Γεργυστηνῶν W　**2** ἐξελθόντων αὐτῶν D W　**4** διὰ — συντετρῖφθαι S Α B C Θ φ 𝔚 syᵖᵉ bo　ὅτι πολλάκις αὐτὸν δεδεμένον πέδαις καὶ ἁλύσεσιν ἐν αἷς ἔδησαν διεσπακέναι καὶ τὰς πέδας συντετριφέναι D　διὰ τὸ πολλάκις αὐτὸν δεδέσθαι καὶ πέδαις καὶ ἁλύσεσι, διεσπακέναι δὲ τὰς ἁλύσεις καὶ τὰς πέδας συντετριφέναι W it vg sa　διὰ τὸ αὐτὸν πολλὰς πέδας καὶ ἁλύσεις αἷς ἔδησαν αὐτὸν διεσπακέναι καὶ συντετριφέναι λ　ὅτι πολλάκις τὰς πέδας καὶ τὰς ἁλύσεις διεσπάραξεν καὶ ἐξῆλθεν syˢ

Luk 8, 25 καὶ ὑπακούουσιν αὐτῷ > B　**26** Γερασηνῶν B C D it vg sa　Γεργεσηνῶν S Θ λ bo　Γαδαρηνῶν Α W φ 𝔚 syᶜˢ ᵖᵉ　ebenso v. 37

δαμάσαι. ⁵ καὶ διὰ παντὸς νυκτὸς
καὶ ἡμέρας ἐν τοῖς μνήμασιν καὶ ἐν
τοῖς ὄρεσιν ἦν κράζων καὶ κατα-
κόπτων ἑαυτὸν λίθοις. ⁶ καὶ ἰδὼν
τὸν Ἰησοῦν ἀπὸ μακρόθεν ἔδρα-

²⁸ ἰδὼν
δὲ τὸν Ἰησοῦν   ἀνα-

²⁹ καὶ
ἰδοὺ ἔκραξαν λέγοντες· τί ἡμῖν
καὶ σοί, υἱὲ τοῦ Θεοῦ;
     ἦλθες ὧδε πρὸ και-
ροῦ βασανίσαι ἡμᾶς;

μεν καὶ προσεκύνησεν αὐτόν, ⁷ καὶ
κράξας φωνῇ μεγάλῃ λέγει· τί ἐμοὶ
καὶ σοί, Ἰησοῦ υἱὲ τοῦ Θεοῦ τοῦ
ὑψίστου; ὁρκίζω σε τὸν Θεόν, μή
με βασανίσῃς. ⁸ ἔλεγεν γὰρ αὐτῷ·
ἔξελθε τὸ πνεῦμα τὸ ἀκάθαρτον
ἐκ τοῦ ἀνθρώπου.

κράξας   προσέπεσεν αὐτῷ καὶ
φωνῇ μεγάλῃ εἶπεν· τί ἐμοὶ
καὶ σοί, Ἰησοῦ υἱὲ τοῦ Θεοῦ τοῦ
ὑψίστου; δέομαί σου,   μή
με βασανίσῃς. ²⁹ παρήγγελλεν γὰρ
τῷ πνεύματι τῷ ἀκαθάρτῳ ἐξελ-
θεῖν ἀπὸ τοῦ ἀνθρώπου. πολλοῖς
γὰρ χρόνοις συνηρπάκει αὐτόν,
καὶ ἐδεσμεύετο ἁλύσεσιν καὶ πέδαις
φυλασσόμενος, καὶ διαρήσσων τὰ
δεσμὰ ἠλαύνετο ἀπὸ τοῦ δαιμο-
νίου εἰς τὰς ἐρήμους. ³⁰ ἐπηρώ-
τησεν δὲ αὐτὸν ὁ Ἰησοῦς· τί
σοι ὄνομά ἐστιν; ὁ δὲ εἶπεν· λε-
γιών, ὅτι εἰσῆλθεν δαιμόνια πολλὰ
εἰς αὐτόν. ³¹ καὶ παρεκάλουν αὐτὸν
ἵνα μὴ ἐπιτάξῃ αὐτοῖς εἰς τὴν ἄβυσ-
σον ἀπελθεῖν.

⁹ καὶ ἐπη-
ρώτα αὐτόν·   τί
ὄνομά σοι; καὶ λέγει αὐτῷ· λε-
γίων ὄνομά μοι, ὅτι πολλοί ἐσμεν.
¹⁰ καὶ παρεκάλει αὐτὸν
πολλὰ ἵνα μὴ αὐτὰ ἀποστείλῃ ἔξω
τῆς χώρας.

³⁰ ἦν δὲ μακρὰν ἀπ' αὐτῶν ἀγέ-
λη χοίρων πολλῶν βοσκομένη.
³¹ οἱ δὲ δαίμονες παρεκάλουν αὐ-
τὸν λέγοντες· εἰ ἐκβάλλεις ἡμᾶς,
ἀπόστειλον ἡμᾶς εἰς τὴν ἀγέλην
τῶν χοίρων. ³² καὶ εἶπεν αὐτοῖς·
ὑπάγετε. οἱ δὲ ἐξελθόντες ἀπῆλ-
θον εἰς τοὺς χοίρους· καὶ ἰδοὺ
ὥρμησεν πᾶσα ἡ ἀγέλη κατὰ
τοῦ κρημνοῦ εἰς τὴν θάλασσαν, καὶ
ἀπέθανον ἐν τοῖς ὕδασιν.

³³ οἱ δὲ βόσκοντες ἔφυγον, καὶ
ἀπελθόντες εἰς τὴν πόλιν

¹¹ ἦν δὲ ἐκεῖ πρὸς τῷ ὄρει ἀγέ-
λη χοίρων μεγάλη βοσκομένη·
¹² καὶ   παρεκάλεσαν αὐ-
τὸν λέγοντες· πέμψον ἡμᾶς εἰς
τοὺς χοίρους, ἵνα εἰς αὐτοὺς εἰσέλ-
θωμεν. ¹³ καὶ ἐπέτρεψεν αὐτοῖς.
καὶ ἐξελθόντα τὰ πνεύματα τὰ
ἀκάθαρτα εἰσῆλθον εἰς τοὺς
χοίρους, καὶ ὥρμησεν ἡ ἀγέλη κατὰ
τοῦ κρημνοῦ εἰς τὴν θάλασσαν, ὡς
δισχίλιοι, καὶ ἐπνίγοντο ἐν τῇ θα-
λάσσῃ.

¹⁴ καὶ οἱ βόσκοντες αὐτοὺς
ἔφυγον καὶ ἀπήγγειλαν

³² ἦν δὲ ἐκεῖ   ἀγέ-
λη χοίρων ἱκανῶν βοσκομένη ἐν
τῷ ὄρει· καὶ παρεκάλεσαν αὐ-
τὸν   ἵνα ἐπιτρέψῃ αὐ-
τοῖς   εἰς ἐκείνους εἰσελ-
θεῖν·   καὶ ἐπέτρεψεν αὐτοῖς.
³³ ἐξελθόντα δὲ τὰ δαιμόνια ἀπὸ
τοῦ ἀνθρώπου εἰσῆλθον εἰς τοὺς
χοίρους, καὶ ὥρμησεν ἡ ἀγέλη κατὰ
τοῦ κρημνοῦ εἰς τὴν λίμνην καὶ
ἀπεπνίγη.

³⁴ ἰδόντες δὲ οἱ βόσκοντες τὸ
γεγονὸς ἔφυγον καὶ ἀπήγγειλαν

Matth 8, 30 οὐ μακρὰν it vg
  Mark 5, 13 καὶ ἐπέτρεψεν αὐτοῖς (αὐτούς Θ) S B C W Θ λ it sy ˢ ᵖᵉ sa bo   καὶ ἐπέτρεψεν αὐτοῖς
εὐθέως ὁ Ἰησοῦς Α φ 𝔐 vg   καὶ εὐθέως κύριος Ἰησοῦς ἔπεμψεν αὐτοὺς εἰς τοὺς χοίρους D
  Luk 8, 28 τοῦ Θεοῦ > D λ

ἀπήγγειλαν πάντα καὶ τὰ τῶν δαιμονιζομένων.

³⁴ καὶ ἰδοὺ πᾶσα ἡ πόλις ἐξῆλ-
θεν εἰς ὑπάντησιν τῷ Ἰησοῦ καὶ
ἰδόντες αὐτὸν

παρεκάλεσαν

ὅπως μεταβῇ ἀπὸ
τῶν ὁρίων αὐτῶν.

εἰς τὴν πόλιν καὶ εἰς τοὺς ἀγρούς·
καὶ ἦλθον ἰδεῖν τί ἐστιν τὸ γεγο-
νός. ¹⁵ καὶ ἔρχονται πρὸς τὸν Ἰη-
σοῦν, καὶ θεωροῦσιν τὸν δαιμονι-
ζόμενον καθήμενον
ἱματισμένον καὶ σωφρονοῦντα, τὸν
ἐσχηκότα τὸν λεγιῶνα, καὶ ἐφο-
βήθησαν. ¹⁶ καὶ διηγήσαντο αὐ-
τοῖς οἱ ἰδόντες πῶς ἐγένετο τῷ δαι-
μονιζομένῳ καὶ περὶ τῶν χοίρων.
¹⁷ καὶ ἤρξαντο παρακαλεῖν αὐ-
τὸν
           ἀπελθεῖν ἀπὸ
τῶν ὁρίων αὐτῶν.
¹⁸ καὶ ἐμβαίνοντος αὐτοῦ εἰς τὸ
πλοῖον   παρεκάλει
αὐτόν ὁ δαιμονισθεὶς
ἵνα μετ᾽ αὐτοῦ ᾖ· ¹⁹ καὶ οὐκ ἀφῆ-
κεν αὐτόν, ἀλλὰ λέγει αὐτῷ· ὕπα-
γε εἰς τὸν οἶκόν σου πρὸς τοὺς
σούς, καὶ ἀπάγγειλον αὐτοῖς ὅσα
ὁ κύριός σοι πεποίηκεν καὶ ἠλέησέν
σε. ²⁰ καὶ ἀπῆλθεν καὶ ἤρξατο
κηρύσσειν ἐν τῇ Δεκαπόλει ὅσα
ἐποίησεν αὐτῷ ὁ Ἰησοῦς, καὶ πάν-
τες ἐθαύμαζον.

εἰς τὴν πόλιν καὶ εἰς τοὺς ἀγρούς.
³⁵ ἐξῆλθον δὲ ἰδεῖν τὸ γεγο-
νός, καὶ ἦλθον πρὸς τὸν Ἰησοῦν
καὶ εὗρον καθήμενον τὸν ἄνθρω-
πον ἀφ᾽ οὗ τὰ δαιμόνια ἐξῆλθεν
ἱματισμένον καὶ σωφρονοῦντα πα-
ρὰ τοὺς πόδας τοῦ Ἰησοῦ, καὶ ἐφο-
βήθησαν. ³⁶ ἀπήγγειλαν δὲ αὐ-
τοῖς οἱ ἰδόντες πῶς ἐσώθη ὁ δαι-
μονισθείς.
³⁷ καὶ   ἠρώτησεν αὐ-
τὸν ἅπαν τὸ πλῆθος τῆς περιχώ-
ρου τῶν Γερασηνῶν ἀπελθεῖν ἀπ᾽
αὐτῶν, ὅτι φόβῳ μεγάλῳ συν-
είχοντο·   αὐτὸς δὲ ἐμβὰς εἰς
πλοῖον ὑπέστρεψεν. ³⁸ ἐδεῖτο δὲ
αὐτοῦ ὁ ἀνὴρ ἀφ᾽ οὗ ἐξεληλύθει
τὰ δαιμόνια εἶναι σὺν αὐτῷ· ἀπέ-
λυσεν δὲ αὐτὸν λέγων· ³⁹ ὑπό-
στρεφε εἰς τὸν οἶκόν σου,

καὶ διηγοῦ   ὅσα
σοι ἐποίησεν ὁ θεός.
καὶ ἀπῆλθεν καθ᾽ ὅλην τὴν πόλιν
κηρύσσων   ὅσα
ἐποίησεν αὐτῷ ὁ Ἰησοῦς.

107. Die Tochter des Jairus und das blutflüssige Weib.

107. Jairus' Daughter and the Woman with the Issue of Blood.

Mark 5 21—43   **Luk 8** 40—56

9 18—26 *(55. S. 44)*:
¹⁸ Ταῦτα αὐτοῦ λαλοῦντος αὐτοῖς,

ἰδοὺ ἄρχων εἰς προσελθὼν

²¹ Καὶ διαπεράσαντος τοῦ Ἰη-
σοῦ ἐν τῷ πλοίῳ πάλιν εἰς τὸ πέ-
ραν συνήχθη ὄχλος πολὺς ἐπ᾽ αὐ-
τόν, καὶ ἦν παρὰ τὴν θάλασσαν.
²² καὶ ἔρχεται εἷς τῶν ἀρχισυνα-
γώγων, ὀνόματι Ἰάϊρος, καὶ ἰδὼν

⁴⁰ Ἐν δὲ τῷ ὑποστρέφειν τὸν Ἰη-
σοῦν ἀπεδέξατο αὐτὸν ὁ ὄχλος·
ἦσαν γὰρ πάντες προσδοκῶντες
αὐτόν. ⁴¹ καὶ ἰδοὺ ἦλθεν ἀνὴρ ᾧ
ὄνομα Ἰάϊρος, καὶ οὗτος ἄρχων
τῆς συναγωγῆς ὑπῆρχεν· καὶ πε-

Matth 9, 18 εἰς προσελθὼν B it vg sy ᵖᵉ   τις προσελθὼν φ   προσελθὼν S   εἰς ἐλθὼν C D W
Θ λ 𝔐 syˢ
Mark 5, 21 πάλιν εἰς τὸ πέραν A B C W λ φ 𝔐 vg bo   εἰς τὸ πέραν πάλιν S D it sy ᵖᵉ   εἰς τὸ
πέραν Θ syˢ sa | καὶ ἦν > D it syˢ
Luk 8, 36 ὁ δαιμονισθεὶς S A B C W Θ λ φ 𝔐 sy ᵖᵉ sa bo   ὁ λεγιών (λιων) D   a legione it vg
ὁ ἀνήρ syᶜˢ   **40** ἐν δὲ τῷ B λ syᶜˢ ᵖᵉ sa bo   ἐγένετο δὲ ἐν τῷ S A C D W Θ 𝔐 λ φ it vg

προσεκύνει αὐτῷ

λέγων ὅτι ἡ θυγάτηρ μου ἄρτι ἐτελεύτησεν· ἀλλὰ ἐλθὼν ἐπίθες τὴν χεῖρά σου ἐπ' αὐτήν, καὶ ζήσεται. ¹⁹ καὶ ἐγερθεὶς ὁ Ἰησοῦς ἠκολούθει αὐτῷ καὶ οἱ μαθηταὶ αὐτοῦ.

²⁰ καὶ ἰδοὺ γυνὴ αἱμορροοῦσα δώδεκα ἔτη

προσελθοῦσα ὄπισθεν ἥψατο τοῦ κρασπέδου τοῦ ἱματίου αὐτοῦ· ²¹ ἔλεγεν γὰρ ἐν ἑαυτῇ· ἐὰν μόνον ἅψωμαι τοῦ ἱματίου αὐτοῦ, σωθήσομαι.

αὐτὸν πίπτει πρὸς τοὺς πόδας αὐτοῦ, ²³ καὶ παρακαλεῖ αὐτὸν πολλὰ λέγων ὅτι τὸ θυγάτριόν μου ἐσχάτως ἔχει, ἵνα ἐλθὼν ἐπιθῇς τὰς χεῖρας αὐτῇ, ἵνα σωθῇ καὶ ζήσῃ. ²⁴ καὶ ἀπῆλθεν μετ' αὐτοῦ. καὶ ἠκολούθει αὐτῷ ὄχλος πολύς, καὶ συνέθλιβον αὐτόν.

²⁵ καὶ γυνὴ οὖσα ἐν ῥύσει αἵματος δώδεκα ἔτη, ²⁶ καὶ πολλὰ παθοῦσα ὑπὸ πολλῶν ἰατρῶν καὶ δαπανήσασα τὰ παρ' αὐτῆς πάντα, καὶ μηδὲν ὠφεληθεῖσα ἀλλὰ μᾶλλον εἰς τὸ χεῖρον ἐλθοῦσα, ²⁷ ἀκούσασα τὰ περὶ τοῦ Ἰησοῦ, ἐλθοῦσα ἐν τῷ ὄχλῳ ὄπισθεν ἥψατο τοῦ ἱματίου αὐτοῦ· ²⁸ ἔλεγεν γὰρ ὅτι ἐὰν ἅψωμαι κἂν τῶν ἱματίων αὐτοῦ σωθήσομαι. ²⁹ καὶ εὐθὺς ἐξηράνθη ἡ πηγὴ τοῦ αἵματος αὐτῆς, καὶ ἔγνω τῷ σώματι ὅτι ἴαται ἀπὸ τῆς μάστιγος. ³⁰ καὶ εὐθὺς ὁ Ἰησοῦς ἐπιγνοὺς ἐν ἑαυτῷ τὴν ἐξ αὐτοῦ δύναμιν ἐξελθοῦσαν, ἐπιστραφεὶς ἐν τῷ ὄχλῳ ἔλεγεν· τίς μου ἥψατο τῶν ἱματίων; ³¹ καὶ ἔλεγον αὐτῷ οἱ μαθηταὶ αὐτοῦ· βλέπεις τὸν ὄχλον συνθλίβοντά σε, καὶ λέγεις· τίς μου ἥψατο; ³² καὶ περιεβλέπετο ἰδεῖν τὴν τοῦτο ποιήσασαν. ³³ ἡ δὲ γυνὴ φοβηθεῖσα καὶ τρέμουσα, εἰδυῖα ὃ γέγονεν αὐτῇ, ἦλθεν καὶ προσέπεσεν αὐτῷ καὶ εἶπεν αὐτῷ πᾶσαν τὴν ἀλήθειαν.

σῶν παρὰ τοὺς πόδας Ἰησοῦ παρεκάλει αὐτὸν εἰσελθεῖν εἰς τὸν οἶκον αὐτοῦ, ⁴² ὅτι θυγάτηρ μονογενὴς ἦν αὐτῷ ὡς ἐτῶν δώδεκα καὶ αὕτη ἀπέθνησκεν.

ἐν δὲ τῷ ὑπάγειν αὐτὸν οἱ ὄχλοι συνέπνιγον αὐτόν.

⁴³ καὶ γυνὴ οὖσα ἐν ῥύσει αἵματος ἀπὸ ἐτῶν δώδεκα,

ἥτις ἰατροῖς προσαναλώσασα ὅλον τὸν βίον, οὐκ ἴσχυσεν ἀπ' οὐδενὸς θεραπευθῆναι,

⁴⁴ προσελθοῦσα ὄπισθεν ἥψατο τοῦ κρασπέδου τοῦ ἱματίου αὐτοῦ,

καὶ παραχρῆμα ἔστη ἡ ῥύσις τοῦ αἵματος αὐτῆς.

⁴⁵ καὶ εἶπεν ὁ Ἰησοῦς· τίς ὁ ἁψάμενός μου; ἀρνουμένων δὲ πάντων εἶπεν ὁ Πέτρος· ἐπιστάτα, οἱ ὄχλοι συνέχουσίν σε καὶ ἀποθλίβουσιν. ⁴⁶ ὁ δὲ Ἰησοῦς εἶπεν· ἥψατό μού τις· ἐγὼ γὰρ ἔγνων δύναμιν ἐξεληλυθυῖαν ἀπ' ἐμοῦ.

⁴⁷ ἰδοῦσα δὲ ἡ γυνὴ ὅτι οὐκ ἔλαθεν, τρέμουσα ἦλθεν καὶ προσπεσοῦσα αὐτῷ δι' ἣν αἰτίαν ἥψατο αὐτοῦ ἀπήγγειλεν ἐνώπιον παντὸς τοῦ λαοῦ, καὶ ὡς ἰάθη παραχρῆμα.

---

²² ὁ δὲ Ἰησοῦς στραφεὶς καὶ ἰδὼν αὐτὴν εἶπεν· θάρσει, θύγατερ, ἡ   ³⁴ ὁ δὲ εἶπεν αὐτῇ θύγατερ, ἡ   ⁴⁸ ὁ δὲ εἶπεν αὐτῇ· θύγατερ, ἡ

Mark 5, 23 ἵνα ¹ — αὐτῇ (αὐτῷ τ. χ. 𝔓 ⁴⁵ A) 𝔓 ⁴⁵ S A B C W Θ λ (χεῖρα αὐτῇ φ sa bo) φ (αὐτῇ τ. χ. 𝔎) 𝔎 sa bo   ἐλθὲ ἅψαι αὐτῆς ἐκ τῶν χειρῶν σου D it   veni, impone manum super eam vg sy ˢ ᵖᵉ   **33** τρέμουσα + διὸ πεποιήκει λάθρα D Θ it

Luk 8, 43 ἰατροῖς — βίον > B syˢ sa   **45** Πέτρος B syᶜˢ sa   Πέτρος καὶ οἱ σὺν αὐτῷ (μετ' αὐτοῦ 𝔎) S A C D W Θ 𝔎 λ φ it vg syᵖᵉ bo

πίστις σου σέσωκέν σε. καὶ ἐσώθη
ἡ γυνὴ ἀπὸ τῆς ὥρας ἐκείνης.

πίστις σου σέσωκέν σε· ὕπαγε εἰς
εἰρήνην, καὶ ἴσθι ὑγιὴς ἀπὸ τῆς
μάστιγός σου.

πίστις σου σέσωκέν σε· πορεύου εἰς
εἰρήνην.

³⁵ ἔτι αὐτοῦ λαλοῦντος ἔρ-
χονται   ἀπὸ τοῦ ἀρχισυναγώ-
γου λέγοντες ὅτι ἡ θυγάτηρ σου
ἀπέθανεν· τί ἔτι σκύλλεις τὸν δι-
δάσκαλον; ³⁶ ὁ δὲ Ἰησοῦς παρα-
κούσας τὸν λόγον λαλούμενον λέ-
γει τῷ ἀρχισυναγώγῳ· μὴ φοβοῦ,
μόνον πίστευε. ³⁷ καὶ οὐκ ἀφῆκεν
οὐδένα μετ' αὐτοῦ συνακολουθῆ-
σαι εἰ μὴ τὸν Πέτρον καὶ Ἰάκωβον
καὶ Ἰωάννην τὸν ἀδελφὸν Ἰακώ-
βου. ³⁸ καὶ ἔρχονται εἰς τὸν οἶκον
τοῦ ἀρχισυναγώγου, καὶ θεωρεῖ
θόρυβον, καὶ κλαίοντας καὶ ἀλα-
λάζοντας πολλά, ³⁹ καὶ εἰσελθὼν
λέγει αὐτοῖς· τί θορυβεῖσθε καὶ

⁴⁹ ἔτι αὐτοῦ λαλοῦντος ἔρ-
χεταί τις παρὰ τοῦ ἀρχισυναγώ-
γου λέγων ὅτι τέθνηκεν ἡ θυγά-
τηρ σου, μηκέτι σκύλλε τὸν δι-
δάσκαλον. ⁵⁰ ὁ δὲ Ἰησοῦς ἀκού-
σας

ἀπεκρίθη αὐτῷ· μὴ φοβοῦ·
μόνον πίστευσον, καὶ σωθήσεται.
⁵¹ ἐλθὼν δὲ εἰς τὴν οἰκίαν οὐκ
ἀφῆκεν εἰσελθεῖν τινα σὺν αὐτῷ
εἰ μὴ Πέτρον καὶ Ἰωάννην καὶ Ἰά-
κωβον καὶ τὸν πατέρα τῆς παιδὸς
καὶ τὴν μητέρα. ⁵² ἔκλαιον δὲ πάν-
τες καὶ ἐκόπτοντο αὐτήν.

ὁ δὲ εἶπεν·   μὴ

²³ καὶ ἐλθὼν ὁ Ἰησοῦς εἰς τὴν
οἰκίαν τοῦ ἄρχοντος καὶ ἰδὼν τοὺς
αὐλητὰς καὶ τὸν ὄχλον θορυβού-
μενον ἔλεγεν·

²⁴ ἀναχωρεῖτε·
οὐ γὰρ ἀπέθανεν τὸ κοράσιον
ἀλλὰ καθεύδει. καὶ κατεγέλων
αὐτοῦ. ²⁵ ὅτε δὲ ἐξεβλήθη ὁ ὄχλος,

κλαίετε; τὸ παιδίον οὐκ ἀπέθανεν
ἀλλὰ καθεύδει. ⁴⁰ καὶ κατεγέλων
αὐτοῦ. αὐτὸς δὲ ἐκβαλὼν πάντας
παραλαμβάνει τὸν πατέρα τοῦ
παιδίου καὶ τὴν μητέρα καὶ τοὺς
μετ' αὐτοῦ, καὶ εἰσπορεύεται ὅπου

κλαίετε·   οὐκ ἀπέθανεν
ἀλλὰ καθεύδει. ⁵³ καὶ κατεγέλων
αὐτοῦ, εἰδότες ὅτι ἀπέθανεν.

εἰσελθὼν ἐκράτησεν τῆς
χειρὸς αὐτῆς,

ἦν τὸ παιδίον. ⁴¹ καὶ κρατήσας τῆς
χειρὸς τοῦ παιδίου λέγει αὐτῇ·
ταλιθὰ κοῦμ, ὅ ἐστιν μεθερμηνευ-
όμενον· τὸ κοράσιον, σοὶ λέγω,

⁵⁴ αὐτὸς δὲ κρατήσας τῆς
χειρὸς αὐτῆς ἐφώνησεν λέγων·

ἡ παῖς,

καὶ ἠγέρθη τὸ κοράσιον.

ἔγειρε. ⁴² καὶ εὐθὺς ἀνέστη τὸ
κοράσιον καὶ περιεπάτει· ἦν γὰρ
ἐτῶν δώδεκα. καὶ ἐξέστησαν εὐθὺς
ἐκστάσει μεγάλῃ. ⁴³ καὶ διεστείλατο

ἔγειρε. ⁵⁵ καὶ ἐπέστρεψεν τὸ πνεῦ-
μα αὐτῆς, καὶ ἀνέστη παραχρῆμα,
καὶ διέταξεν αὐτῇ
δοθῆναι φαγεῖν. ⁵⁶ καὶ ἐξέστησαν

²⁶ καὶ ἐξῆλθεν ἡ φήμη αὕτη εἰς
ὅλην τὴν γῆν ἐκείνην.

αὐτοῖς πολλὰ ἵνα μηδεὶς γνοῖ τοῦ-
το, καὶ εἶπεν δοθῆναι αὐτῇ φαγεῖν.

οἱ γονεῖς αὐτῆς· ὁ δὲ παρήγγειλεν
αὐτοῖς μηδενὶ εἰπεῖν τὸ γεγονός.

Mark 5, 41 ταλιθὰ S A B C Θ λ φ 𝔐 vg sy ᵖᵉ sa bo   ταβιτὰ D   ταβιθὰ W it | κοῦμ
S B C λ sa bo   κοῦμι A D Θ φ 𝔐 it vg sy ᵖᵉ   > W

108. Verwerfung in Nazaret.
108. Christ is Rejected at Nazareth.

Matth 13 53–58

(103. 13 51–52. S. 77)

⁵³ Καὶ ἐγένετο ὅτε ἐτέλεσεν ὁ Ἰησοῦς τὰς παραβολὰς ταύτας, μετῆρεν ἐκεῖθεν. ⁵⁴ καὶ ἐλθὼν εἰς τὴν πατρίδα αὐτοῦ ἐδίδασκεν αὐτοὺς ἐν τῇ συναγωγῇ αὐτῶν, ὥστε ἐκπλήσσεσθαι αὐτοὺς καὶ λέγειν· πόθεν τούτῳ ἡ σοφία αὕτη καὶ αἱ δυνάμεις; | Joh 7 15 |

| Joh 6 42 | ⁵⁵ οὐχ οὗτός ἐστιν ὁ τοῦ τέκτονος υἱός; οὐχ ἡ μήτηρ αὐτοῦ λέγεται Μαριὰμ καὶ οἱ ἀδελφοὶ αὐτοῦ Ἰάκωβος καὶ Ἰωσὴφ καὶ Σίμων καὶ Ἰούδας; ⁵⁶ καὶ αἱ ἀδελφαὶ αὐτοῦ οὐχὶ πᾶσαι πρὸς ἡμᾶς εἰσιν; πόθεν οὖν τούτῳ ταῦτα πάντα; ⁵⁷ καὶ ἐσκανδαλίζοντο ἐν αὐτῷ. ὁ δὲ Ἰησοῦς εἶπεν αὐτοῖς·

    οὐκ ἔστιν προφήτης ἄτιμος εἰ μὴ ἐν τῇ πατρίδι | Joh 4 44 |

    καὶ ἐν τῇ οἰκίᾳ αὐτοῦ. ⁵⁸ καὶ οὐκ ἐποίησεν ἐκεῖ   δυνάμεις πολλὰς

                      διὰ τὴν ἀπιστίαν αὐτῶν. | Joh 7 5 |

Mark 6 1–6

4 16–30   *10. S. 17*

¹ Καὶ ἐξῆλθεν ἐκεῖθεν καὶ ἔρχεται εἰς τὴν πατρίδα αὐτοῦ, καὶ ἀκολουθοῦσιν αὐτῷ οἱ μαθηταὶ αὐτοῦ. ² καὶ γενομένου σαββάτου ἤρξατο διδάσκειν ἐν τῇ συναγωγῇ· καὶ οἱ πολλοὶ ἀκούοντες ἐξεπλήσσοντο λέγοντες· πόθεν τούτῳ ταῦτα, καὶ τίς ἡ σοφία ἡ δοθεῖσα τούτῳ; καὶ αἱ δυνάμεις τοιαῦται διὰ τῶν χειρῶν αὐτοῦ γινόμεναι; ³ οὐχ οὗτός ἐστιν ὁ τέκτων,   ὁ υἱὸς τῆς Μαρίας καὶ   ἀδελφὸς   Ἰακώβου καὶ Ἰωσῆτος καὶ Ἰούδα καὶ Σίμωνος; καὶ οὐκ εἰσὶν αἱ ἀδελφαὶ αὐτοῦ ὧδε πρὸς ἡμᾶς;

4 22

                    καὶ ἐσκανδαλίζοντο ἐν αὐτῷ. ⁴ καὶ ἔλεγεν αὐτοῖς ὁ Ἰησοῦς ὅτι οὐκ ἔστιν προφήτης ἄτιμος εἰ μὴ ἐν τῇ πατρίδι αὐτοῦ καὶ ἐν τοῖς συγγενεῦσιν αὐτοῦ καὶ ἐν τῇ οἰκίᾳ αὐτοῦ. ⁵ καὶ οὐκ ἐδύνατο ἐκεῖ ποιῆσαι οὐδεμίαν δύναμιν, εἰ μὴ ὀλίγοις ἀρρώστοις ἐπιθεὶς τὰς χεῖρας ἐθεράπευσεν. ⁶ καὶ ἐθαύμασεν διὰ τὴν ἀπιστίαν αὐτῶν.

---

109. Die Aussendung der Jünger.
109. The Sending Out of the Twelve.

Mark 6 6–13   **Luk 9** 1–6

9 35 10 1 9–11 14 *(58. S. 45 f.)*   *Vgl. 139. 10 1–12. S. 113*

9 ³⁵ Καὶ περιῆγεν ὁ Ἰησοῦς τὰς πόλεις πάσας καὶ τὰς κώμας, διδάσκων ἐν ταῖς συναγωγαῖς αὐτῶν καὶ κηρύσσων τὸ εὐαγγέλιον τῆς βασιλείας καὶ θεραπεύων πᾶσαν νόσον καὶ πᾶσαν μαλακίαν.

10 ¹ καὶ προσκαλεσάμενος τοὺς δώδεκα μαθητὰς αὐτοῦ ἔδωκεν

⁶ Καὶ περιῆγεν τὰς κώμας κύκλῳ διδάσκων.

⁷ καὶ προσκαλεῖται τοὺς δώδεκα, καὶ ἤρξατο αὐτοὺς ἀπο-

¹ Συγκαλεσάμενος δὲ τοὺς δώδεκα ἔδωκεν αὐτοῖς δύναμιν καὶ

Matth 13, 55 Ἰωσηφ S B C Θ λ it vg sy^cs   Ἰωσῆς W φ 𝔐 sy^pe sa   Ἰωσῆ bo   Ἰωάννης D
9, 35 μαλακίαν B C D W λ it vg sy^s pe sa bo   μαλακίαν ἐν τῷ λαῷ Θ 𝔐   μαλακίαν ἐν τῷ λαῷ καὶ
(+ πολλοὶ φ) ἠκολούθησαν αὐτῷ S φ
Mark 6, 3 καὶ Ἰωσῆτος B D Θ φ bo   καὶ Ἰωσὴφ S it vg   καὶ Ἰωσῆ A C W λ 𝔐 sy^pe sa

αὐτοῖς ἐξουσίαν πνευμάτων ἀκα-
θάρτων, ὥστε ἐκβάλλειν αὐτὰ καὶ
θεραπεύειν πᾶσαν νόσον καὶ πᾶ-
σαν μαλακίαν.

⁹ μὴ κτήσησθε χρυσὸν μηδὲ ἄρ-
γυρον μηδὲ χαλκον εἰς τὰς ζώνας
ὑμῶν, ¹⁰ μὴ πήραν εἰς ὁδὸν μηδὲ
δύο χιτῶνας μηδὲ ὑποδήματα μηδὲ
ῥάβδον· ἄξιος γὰρ ὁ ἐργάτης τῆς
τροφῆς αὐτοῦ.

¹¹ εἰς ἣν δ’ ἂν πόλιν ἢ κώμην εἰσέλ-
θητε, ἐξετάσατε τίς ἐν αὐτῇ ἄξιός
ἐστιν· κἀκεῖ μείνατε ἕως ἂν ἐξέλ-
θητε.   ¹⁴ καὶ
ὃς ἂν μὴ δέξηται ὑμᾶς μηδὲ
ἀκούσῃ τοὺς λόγους ὑμῶν, ἐξερ-
χόμενοι ἔξω τῆς οἰκίας ἢ τῆς πό-
λεως ἐκείνης ἐκτινάξατε τὸν κονιορ-
τὸν τῶν ποδῶν ὑμῶν.

στέλλειν δύο δύο, καὶ ἐδίδου αὐ-
τοῖς ἐξουσίαν τῶν πνευμάτων τῶν
ἀκαθάρτων,*

⁸ καὶ παρήγγειλεν αὐτοῖς ἵνα μη-
δὲν αἴρωσιν εἰς ὁδὸν εἰ μὴ ῥά-
βδον μόνον, μὴ ἄρτον, μὴ πήραν,
μὴ εἰς τὴν ζώνην χαλκόν, ⁹ ἀλλὰ
ὑποδεδεμένους σανδάλια, καὶ μὴ
ἐνδύσησθε δύο χιτῶνας.

¹⁰ καὶ ἔλεγεν αὐτοῖς· ὅπου ἐὰν
εἰσέλθητε εἰς οἰκίαν, ἐκεῖ μένετε
ἕως ἂν ἐξέλθητε ἐκεῖθεν.

                    ¹¹ καὶ
ὃς ἂν τόπος μὴ δέξηται ὑμᾶς μηδὲ
ἀκούσωσιν ὑμῶν, ἐκπορευόμενοι
ἐκεῖθεν ἐκτινάξατε τὸν χοῦν τὸν
ὑποκάτω τῶν ποδῶν ὑμῶν εἰς
μαρτύριον αὐτοῖς.

¹² καὶ ἐξελθόντες ἐκήρυξαν ἵνα
μετανοῶσιν, ¹³ καὶ δαιμόνια πολ-
λὰ ἐξέβαλλον, καὶ ἤλειφον ἐλαίῳ
πολλοὺς ἀρρώστους καὶ ἐθερά-
πευον.

ἐξουσίαν ἐπὶ πάντα τὰ δαιμόνια
καὶ νόσους θεραπεύειν· ² καὶ ἀπέ-
στειλεν αὐτοὺς κηρύσσειν τὴν βα-
σιλείαν τοῦ θεοῦ καὶ ἰᾶσθαι,*
³ καὶ εἶπεν πρὸς αὐτούς· μη-
δὲν αἴρετε εἰς τὴν ὁδόν, μήτε ῥά-
βδον μήτε πήραν μήτε ἄρτον μήτε
ἀργύριον

μήτε ἀνὰ δύο χιτῶνας ἔχειν.
⁴ καὶ   εἰς ἣν
ἂν οἰκίαν εἰσέλθητε, ἐκεῖ μένετε
καὶ ἐκεῖθεν ἐξέρχεσθε.

                    ⁵ καὶ
ὅσοι ἂν   μὴ δέχωνται ὑμᾶς,
ἐξερχόμενοι ἀπὸ τῆς πόλεως
ἐκείνης τὸν κονιορτὸν ἀπὸ τῶν
ποδῶν ὑμῶν ἀποτινάσσετε εἰς
μαρτύριον ἐπ’ αὐτούς.

⁶ ἐξερχόμενοι δὲ διήρχοντο κατὰ
τὰς κώμας εὐαγγελιζόμενοι

καὶ θεραπεύοντες πανταχοῦ.

110. Urteil des Herodes über Jesus.
110. Herod's Opinion of Christ.

Matth 14 1–2

¹ Ἐν ἐκείνῳ τῷ καιρῷ ἤκουσεν
Ἡρῴδης ὁ τετραάρχης τὴν ἀκοὴν
Ἰησοῦ, ² καὶ εἶπεν τοῖς παισὶν αὐ-
τοῦ· οὗτός ἐστιν Ἰωάννης ὁ βα-
πτιστής· αὐτὸς ἠγέρθη ἀπὸ τῶν
νεκρῶν, καὶ διὰ τοῦτο αἱ δυνάμεις
ἐνεργοῦσιν ἐν αὐτῷ.

Mark 6 14–16

¹⁴ Καὶ ἤκουσεν
ὁ βασιλεὺς Ἡρῴδης, φανερὸν γὰρ
ἐγένετο   τὸ ὄνομα αὐ-
τοῦ, καὶ ἔλεγον ὅτι Ἰωάννης ὁ βα-
πτίζων   ἐγήγερται ἐκ νεκρῶν,
καὶ διὰ τοῦτο ἐνεργοῦσιν αἱ δυ-
νάμεις ἐν αὐτῷ. ¹⁵ ἄλλοι δὲ ἔλεγον

Luk 9 7–9

⁷ Ἤκουσεν
δὲ Ἡρῴδης ὁ τετραάρχης τὰ γινό-
μενα πάντα, καὶ διηπόρει διὰ τὸ
λέγεσθαι ὑπό τινων ὅτι Ἰωάννης
ἠγέρθη ἐκ νεκρῶν,

⁸ ὑπό τινων δὲ

---

* Mark 3 14 15 (72. S. 59): ¹⁴ Καὶ ἐποίησεν δώδεκα ἵνα ὦσιν μετ’ αὐτοῦ, καὶ ἵνα ἀποστέλλῃ αὐτοὺς
κηρύσσειν   ¹⁵ καὶ ἔχειν ἐξουσίαν ἐκβάλλειν τὰ δαιμόνια.

Matth 10, 11 εἰς — εἰσέλθητε] ἡ πόλις εἰς ἣν ἂν εἰσέλθητε εἰς αὐτήν D
Mark 6, 14 ἔλεγον B W it   ἐλέγοσαν D   ἔλεγεν S A C Θ λ φ ℜ vg syˢ ᵖᵉ sa bo
Luk 9, 2 ἰᾶσθαι B syᶜˢ   ἰᾶσθαι τοὺς ἀσθενεῖς S A D λ it vg syᵖᵉ   ἰᾶσθαι τοὺς ἀσθενοῦντας
C W Θ φ ℜ sa bo

ὅτι 'Ηλίας ἐστίν· ἄλλοι δὲ ἔλεγον ὅτι προφήτης ὡς εἷς τῶν προφητῶν. ¹⁶ ἀκούσας δὲ ὁ 'Ηρῴδης ἔλεγεν· ὃν ἐγὼ ἀπεκεφάλισα 'Ιωάννην, οὗτος ἠγέρθη.

ὅτι 'Ηλίας ἐφάνη, ἄλλων δὲ ὅτι προφήτης τις τῶν ἀρχαίων ἀνέστη. ⁹ εἶπεν δὲ 'Ηρῴδης· 'Ιωάννην ἐγὼ ἀπεκεφάλισα· τίς δέ ἐστιν οὗτος περὶ οὗ ἀκούω τοιαῦτα; καὶ ἐζήτει ἰδεῖν αὐτόν.

111. Der Tod des Täufers.
III. The Death of the Baptist.

Matth 14 3–12

³ Ὁ γὰρ 'Ηρῴδης κρατήσας τὸν 'Ιωάννην ἔδησεν καὶ ἐν φυλακῇ ἀπέθετο διὰ 'Ηρῳδιάδα τὴν γυναῖκα τοῦ ἀδελφοῦ αὐτοῦ.

⁴ ἔλεγεν γὰρ ὁ 'Ιωάννης αὐτῷ· οὐκ ἔξεστίν σοι ἔχειν αὐτήν.*

⁵ καὶ θέλων αὐτὸν ἀποκτεῖναι ἐφοβήθη τὸν ὄχλον, ὅτι ὡς προφήτην αὐτὸν εἶχον.

⁶ γενεσίοις δὲ γενομένοις τοῦ 'Ηρῴδου

ὠρχήσατο ἡ θυγάτηρ τῆς 'Ηρῳδιάδος ἐν τῷ μέσῳ καὶ ἤρεσεν τῷ 'Ηρῴδῃ,

⁷ ὅθεν μεθ' ὅρκου ὡμολόγησεν αὐτῇ δοῦναι ὃ ἐὰν αἰτήσηται.

⁸ ἡ δὲ προβιβασθεῖσα ὑπὸ τῆς μητρὸς αὐτῆς·

Mark 6 17–29

¹⁷ Αὐτὸς γὰρ ὁ 'Ηρῴδης ἀποστείλας ἐκράτησεν τὸν 'Ιωάννην καὶ ἔδησεν αὐτὸν ἐν φυλακῇ διὰ 'Ηρῳδιάδα τὴν γυναῖκα Φιλίππου τοῦ ἀδελφοῦ αὐτοῦ, ὅτι αὐτὴν ἐγάμησεν· ¹⁸ ἔλεγεν γὰρ ὁ 'Ιωάννης τῷ 'Ηρῴδῃ ὅτι οὐκ ἔξεστίν σοι ἔχειν τὴν γυναῖκα τοῦ ἀδελφοῦ σου.* ¹⁹ ἡ δὲ 'Ηρῳδιὰς ἐνεῖχεν αὐτῷ καὶ ἤθελεν αὐτὸν ἀποκτεῖναι, καὶ οὐκ ἠδύνατο· ²⁰ ὁ γὰρ 'Ηρῴδης ἐφοβεῖτο τὸν 'Ιωάννην, εἰδὼς αὐτὸν ἄνδρα δίκαιον καὶ ἅγιον, καὶ συνετήρει αὐτόν, καὶ ἀκούσας αὐτοῦ πολλὰ ἠπόρει καὶ ἡδέως αὐτοῦ ἤκουεν. ²¹ καὶ γενομένης ἡμέρας εὐκαίρου ὅτε 'Ηρῴδης τοῖς γενεσίοις αὐτοῦ δεῖπνον ἐποίησεν τοῖς μεγιστᾶσιν αὐτοῦ καὶ τοῖς χιλιάρχοις καὶ τοῖς πρώτοις τῆς Γαλιλαίας, ²² καὶ εἰσελθούσης τῆς θυγατρὸς αὐτῆς τῆς 'Ηρῳδιάδος καὶ ὀρχησαμένης, ἤρεσεν τῷ 'Ηρῴδῃ καὶ τοῖς συνανακειμένοις. ὁ δὲ βασιλεὺς εἶπεν τῷ κορασίῳ· αἴτησόν με ὃ ἐὰν θέλῃς, καὶ δώσω σοι· ²³ καὶ ὤμοσεν αὐτῇ ὅτι ὃ ἐὰν αἰτήσῃς δώσω σοι ἕως ἡμίσους τῆς βασιλείας μου. ²⁴ καὶ ἐξελθοῦσα εἶπεν τῇ μητρὶ αὐτῆς· τί αἰτήσωμαι; ἡ δὲ εἶπεν· τὴν κεφαλὴν 'Ιωάννου τοῦ βαπτίζοντος. ²⁵ καὶ εἰσελθοῦσα εὐθὺς μετὰ σπουδῆς πρὸς τὸν βασι-

---

* Luk 3 19 20 (5. S. 12): ¹⁹ Ὁ δὲ 'Ηρῴδης ὁ τετραάρχης, ἐλεγχόμενος ὑπ' αὐτοῦ περὶ 'Ηρῳδιάδος τῆς γυναικὸς τοῦ ἀδελφοῦ αὐτοῦ καὶ περὶ πάντων ὧν ἐποίησεν πονηρῶν ὁ 'Ηρῴδης, ²⁰ προσέθηκεν καὶ τοῦτο ἐπὶ πᾶσιν, κατέκλεισεν τὸν 'Ιωάννην ἐν φυλακῇ.

Matth 14, 3 γυναῖκα D it vg   γυναῖκα Φιλίππου S B C W Θ λ φ 𝔑 sy ᶜˢ ᵖᵉ sa Lo   **6** γενεσίοις δὲ γενομένοις S B D sy ᶜˢ ᵖᵉ   γενεσίων δὲ γενομένων C Θ   γενεσίοις δὲ ἀγομένοις W φ 𝔑   γενεσίοις δὲ ἀγομένοις λ   die autem natalis it vg

δός | λέα ἠτήσατο λέγουσα· Θέλω ἵνα ἐξαυτῆς δῷς
μοι, φησίν, ὧδε ἐπὶ πίνακι τὴν κεφαλὴν Ἰω- | μοι   ἐπὶ πίνακι τὴν κεφαλὴν Ἰω-
άννου τοῦ βαπτιστοῦ. ⁹ καὶ λυπηθεὶς | άννου τοῦ βαπτιστοῦ. ²⁶ καὶ περίλυπος γενό-
ὁ βασιλεὺς διὰ τοὺς ὅρκους καὶ τοὺς | μενος ὁ βασιλεὺς διὰ τοὺς ὅρκους καὶ τοὺς
συνανακειμένους   ἐκέλευσεν δοθῆναι, | ἀνακειμένους οὐκ ἠθέλησεν ἀθετῆσαι αὐτήν.
¹⁰ καὶ πέμψας | ²⁷ καὶ εὐθὺς ἀποστείλας ὁ βασιλεὺς σπεκου-
 | λάτορα ἐπέταξεν ἐνέγκαι τὴν κεφαλὴν αὐτοῦ.
 | καὶ ἀπελθὼν ἀπεκεφάλισεν αὐτὸν ἐν τῇ
ἀπεκεφάλισεν Ἰωάννην   ἐν τῇ | φυλακῇ, ²⁸ καὶ ἤνεγκεν τὴν κεφαλὴν αὐτοῦ
φυλακῇ. ¹¹ καὶ ἠνέχθη ἡ κεφαλὴ αὐτοῦ | ἐπὶ πίνακι καὶ ἔδωκεν αὐτὴν τῷ κορασίῳ, καὶ
ἐπὶ πίνακι καὶ ἐδόθη   τῷ κορασίῳ, καὶ | τὸ κοράσιον ἔδωκεν αὐτὴν τῇ μητρὶ αὐτῆς.
ἤνεγκεν τῇ μητρὶ αὐτῆς. | ²⁹ καὶ ἀκούσαντες οἱ μαθηταὶ αὐτοῦ ἦλθαν
¹² καὶ προσελθόντες οἱ μαθηταὶ αὐτοῦ | καὶ ἦραν τὸ πτῶμα αὐτοῦ καὶ ἔθηκαν αὐτὸ
ἦραν τὸ πτῶμα   καὶ ἔθαψαν αὐτόν, | ἐν μνημείῳ.
καὶ ἐλθόντες ἀπήγγειλαν τῷ Ἰησοῦ. |

112. Rückkehr der Jünger und Speisung der Fünftausend.

112. The Return of the Twelve, and the Feeding of the Five Thousand.

(Vgl. 118. Matth 15 32–39 *= Mark 8* 1–10. *S. 93 f.)*   Joh 6 1–13

Matth 14 13–21	**Mark 6** 30–44	**Luk 9** 10–17
	³⁰ Καὶ συνάγονται οἱ ἀπό-	¹⁰ Καὶ ὑποστρέψαντες οἱ ἀπό-
	στολοι πρὸς τὸν Ἰησοῦν, καὶ ἀπ-	στολοι διηγήσαντο αὐτῷ ὅσα
	ήγγειλαν αὐτῷ πάντα ὅσα ἐποί-	ἐποίησαν.*
	ησαν καὶ ὅσα ἐδίδαξαν.	
¹³ Ἀκούσας δὲ ὁ Ἰησοῦς	³¹ καὶ λέγει αὐτοῖς· δεῦτε ὑμεῖς	
	αὐτοὶ κατ' ἰδίαν εἰς ἔρημον τόπον	
	καὶ ἀναπαύσασθε ὀλίγον. ἦσαν	
	γὰρ οἱ ἐρχόμενοι καὶ οἱ ὑπάγοντες	
	πολλοί, καὶ οὐδὲ φαγεῖν εὐκαί-	
ἀνεχώρησεν ἐκεῖθεν ἐν πλοίῳ	ρουν. ³² καὶ ἀπῆλθον ἐν τῷ πλοίῳ	καὶ παραλαβὼν αὐτοὺς
εἰς ἔρημον τόπον κατ' ἰδίαν· καὶ	εἰς ἔρημον τόπον κατ' ἰδίαν. ³³ καὶ	ὑπεχώρησεν κατ' ἰδίαν εἰς πόλιν
ἀκούσαντες οἱ ὄχλοι ἠκολούθησαν	εἶδον αὐτοὺς ὑπάγοντας καὶ ἐπέ-	καλουμένην Βηθσαϊδά.
αὐτῷ πεζῇ ἀπὸ τῶν πόλεων.	γνωσαν πολλοί, καὶ πεζῇ ἀπὸ πα-	¹¹ οἱ δὲ ὄχλοι γνόντες ἠκολού-
	σῶν τῶν πόλεων συνέδραμον ἐκεῖ	θησαν αὐτῷ·
	καὶ προῆλθον αὐτούς.	

---

* Luk 10 17 (140. S. 114): Ὑπέστρεψαν δὲ οἱ ἑβδομήκοντα δύο μετὰ χαρᾶς λέγοντες· κύριε, καὶ τὰ δαιμόνια ὑποτάσσεται ἡμῖν ἐν τῷ ὀνόματί σου.

Mark 6, 31 ὑμεῖς αὐτοὶ κατ' ἰδίαν S A B C φ ℜ   ὑμεῖς κατ' ἰδίαν W Θ λ vg sa Lo   ὑπάγωμεν D it ὑπάγωμεν κατ' ἰδίαν sy ˢ ᵖᵉ

Luk 9, 10 πόλιν καλουμένην Βηθσαϊδά B sa bo   κώμην καλουμένην Βηθσαϊδά εἰς τόπον ἔρημον Θ κώμην λεγομένην Βηθσαϊδά D   τόπον ἔρημον S sy ᶜ   τόπον ἔρημον (ἔ..τ. ~ A φ) πόλεως καλουμένης Βηθσαιδά A C W φ ℜ   τόπον πόλεως καλουμένης Βηθσαϊδά λ   τόπον ἔρημον ὅς ἐστιν Βηθσαϊδά it vg τὴν πύλην τῆς πόλεως καλουμένης Βηθσαϊδά sy ˢ

¹⁴ καὶ ἐξελθὼν εἶδεν πολὺν ὄχλον καὶ ἐσπλαγχνίσθη ἐπ᾽ αὐτοῖς.*

καὶ ἐθεράπευσεν τοὺς ἀρρώστους αὐτῶν.

¹⁵ ὀψίας δὲ γενομένης προσῆλθον αὐτῷ οἱ μαθηταὶ λέγοντες· ἔρημός ἐστιν ὁ τόπος καὶ ἡ ὥρα ἤδη παρῆλθεν· ἀπόλυσον οὖν τοὺς ὄχλους, ἵνα ἀπελθόντες εἰς τὰς

κώμας ἀγοράσωσιν ἑαυτοῖς βρώματα.

¹⁶ ὁ δὲ Ἰησοῦς εἶπεν αὐτοῖς· οὐ χρείαν ἔχουσιν ἀπελθεῖν· δότε αὐτοῖς ὑμεῖς φαγεῖν. ¹⁷ οἱ δὲ λέγουσιν αὐτῷ·

οὐκ ἔχομεν ὧδε εἰ μὴ πέντε ἄρτους καὶ δύο ἰχθύας.

¹⁸ ὁ δὲ εἶπεν· φέρετέ μοι ὧδε αὐτούς. ¹⁹ καὶ κελεύσας τοὺς ὄχλους ἀνακλιθῆναι ἐπὶ τοῦ χόρτου,

λαβὼν τοὺς πέντε ἄρτους καὶ τοὺς δύο ἰχθύας ἀναβλέψας εἰς τὸν οὐρανὸν εὐλόγησεν καὶ κλάσας ἔδωκεν τοῖς μαθηταῖς τοὺς ἄρτους, οἱ δὲ μαθηταὶ τοῖς ὄχλοις.

³⁴ καὶ ἐξελθὼν εἶδεν πολὺν ὄχλον, καὶ ἐσπλαγχνίσθη ἐπ᾽ αὐτοὺς ὅτι ἦσαν ὡς πρόβατα μὴ ἔχοντα ποιμένα,*

καὶ ἤρξατο διδάσκειν αὐτοὺς πολλά.

³⁵ καὶ ἤδη ὥρας πολλῆς γενομένης προσελθόντες αὐτῷ οἱ μαθηταὶ αὐτοῦ ἔλεγον ὅτι ἔρημός ἐστιν ὁ τόπος, καὶ ἤδη ὥρα πολλή· ³⁶ ἀπόλυσον αὐτούς, ἵνα ἀπελθόντες εἰς τοὺς κύκλῳ ἀγροὺς καὶ κώμας ἀγοράσωσιν ἑαυτοῖς τί φάγωσιν.

³⁷ ὁ δὲ ἀποκριθεὶς εἶπεν αὐτοῖς· δότε αὐτοῖς ὑμεῖς φαγεῖν· καὶ λέγουσιν αὐτῷ· ἀπελθόντες ἀγοράσωμεν δηναρίων διακοσίων ἄρτους, καὶ δώσομεν αὐτοῖς φαγεῖν; ³⁸ ὁ δὲ λέγει αὐτοῖς· πόσους ἔχετε ἄρτους; ὑπάγετε ἴδετε. καὶ γνόντες λέγουσιν· πέντε, καὶ δύο ἰχθύας. ³⁹ καὶ ἐπέταξεν αὐτοῖς ἀνακλιθῆναι πάντας συμπόσια συμπόσια ἐπὶ τῷ χλωρῷ χόρτῳ. ⁴⁰ καὶ ἀνέπεσαν πρασιαὶ πρασιαὶ κατὰ ἑκατὸν καὶ κατὰ πεντήκοντα. ⁴¹ καὶ λαβὼν τοὺς πέντε ἄρτους καὶ τοὺς δύο ἰχθύας ἀναβλέψας εἰς τὸν οὐρανὸν εὐλόγησεν καὶ κατέκλασεν τοὺς ἄρτους καὶ ἐδίδου τοῖς μαθηταῖς ἵνα παρατιθῶσιν αὐτοῖς, καὶ τοὺς δύο

καὶ ἀποδεξάμενος αὐτοὺς ἐλάλει αὐτοῖς περὶ τῆς βασιλείας τοῦ θεοῦ,

καὶ τοὺς χρείαν ἔχοντας θεραπείας ἰᾶτο.

¹² ἡ δὲ ἡμέρα ἤρξατο κλίνειν· προσελθόντες δὲ οἱ δώδεκα εἶπαν αὐτῷ·

ἀπόλυσον τὸν ὄχλον, ἵνα πορευθέντες εἰς τὰς κύκλῳ κώμας καὶ ἀγροὺς καταλύσωσιν καὶ εὕρωσιν ἐπισιτισμόν, ὅτι ὧδε ἐν ἐρήμῳ τόπῳ ἐσμέν. ¹³ εἶπεν δὲ πρὸς αὐτούς· δότε αὐτοῖς φαγεῖν ὑμεῖς. οἱ δὲ εἶπαν

οὐκ εἰσὶν ἡμῖν πλεῖον ἢ ἄρτοι πέντε καὶ ἰχθύες δύο, εἰ μήτι πορευθέντες ἡμεῖς ἀγοράσωμεν εἰς πάντα τὸν λαὸν τοῦτον βρώματα. ¹⁴ ἦσαν γὰρ ὡσεὶ ἄνδρες πεντακισχίλιοι. εἶπεν δὲ πρὸς τοὺς μαθητὰς αὐτοῦ· κατακλίνατε αὐτοὺς κλισίας ὡσεὶ ἀνὰ πεντήκοντα. ¹⁵ καὶ ἐποίησαν οὕτως καὶ κατέκλιναν ἅπαντας.

¹⁶ λαβὼν δὲ τοὺς πέντε ἄρτους καὶ τοὺς δύο ἰχθύας, ἀναβλέψας εἰς τὸν οὐρανὸν εὐλόγησεν αὐτοὺς καὶ κατέκλασεν, καὶ ἐδίδου τοῖς μαθηταῖς παραθεῖναι τῷ ὄχλῳ.

---

* Matth 9 36 (58. S. 45): Ἰδὼν δὲ τοὺς ὄχλους ἐσπλαγχνίσθη περὶ αὐτῶν, ὅτι ἦσαν ἐσκυλμένοι καὶ ἐρριμμένοι ὡσεὶ πρόβατα μὴ ἔχοντα ποιμένα.

Mc 6 34: vgl. Num 27 17, III. Reg 22 17.

Matth 14, 16 ὁ δὲ Ἰησοῦς B C W Θ λ φ 𝔐 it vg　　ὁ δὲ S D sy cs pe sa bo　　**18** ὧδε > D Θ λ it sy cs

Mark 6, 36 κύκλῳ] ἔγγιστα D it vg　　**39** ἀνακλῖναι A D W 𝔐 it vg sy pe　　ἀνακλιθῆναι S B Θ λ φ sy s sa bo

Luk 9, 16 εὐλόγησεν (+ ἐπ᾽ it sy cs) αὐτούς (> S) καὶ κατέκλασεν] προηύξατο καὶ εὐλόγησεν ἐπ᾽ αὐτοὺς D

²⁰ καὶ ἔφα-
γον πάντες καὶ ἐχορτάσθησαν,
καὶ ἦραν τὸ περισσεῦον τῶν κλασ-
μάτων, δώδεκα κοφίνους πλήρεις.
²¹ οἱ
δὲ ἐσθίοντες ἦσαν ἄνδρες ὡσεὶ
πεντακισχίλιοι χωρὶς γυναικῶν καὶ
παιδίων.

ἰχθύας ἐμέρισεν πᾶσιν. ⁴² καὶ ἔφα-
γον πάντες καὶ ἐχορτάσθησαν·
⁴³ καὶ ἦραν   κλάσ-
ματα δώδεκα κοφίνων πληρώ-
ματα καὶ ἀπὸ τῶν ἰχθύων. ⁴⁴ καὶ
ἦσαν οἱ φαγόντες τοὺς ἄρτους
πεντακισχίλιοι ἄνδρες.

¹⁷ καὶ ἔφα-
γον καὶ ἐχορτάσθησαν πάντες,
καὶ ἤρθη τὸ περισσεῦσαν αὐτοῖς
κλασμάτων κόφινοι δώδεκα.

(122. 9 18–22. S. 96 f.)

113. Das Wandeln auf dem See. | Joh 6 15–21 |

113. The Walking on the Water.

Matth 14 22–33

²² Καὶ εὐθέως ἠνάγκασεν τοὺς μαθητὰς
ἐμβῆναι εἰς τὸ πλοῖον καὶ προάγειν αὐτὸν
εἰς τὸ πέραν,   ἕως οὗ ἀπο-
λύσῃ τοὺς ὄχλους. ²³ καὶ ἀπολύσας τοὺς ὄχλους
ἀνέβη εἰς τὸ ὄρος κατ' ἰδίαν προσεύξασθαι.
ὀψίας δὲ γενομένης μόνος ἦν ἐκεῖ. ²⁴ τὸ δὲ
πλοῖον ἤδη σταδίους πολλοὺς ἀπὸ τῆς γῆς
ἀπεῖχεν, βασανιζόμενον ὑπὸ τῶν
κυμάτων, ἦν γὰρ ἐναντίος ὁ ἄνεμος.
²⁵ τετάρτῃ δὲ φυλακῇ τῆς νυκτὸς ἦλθεν πρὸς
αὐτοὺς περιπατῶν ἐπὶ τὴν θάλασσαν.
²⁶ οἱ δὲ μαθηταὶ ἰδόντες αὐ-
τὸν ἐπὶ τῆς θαλάσσης περιπατοῦντα ἐταρά-
χθησαν λέγοντες ὅτι φάντασμά ἐστι, καὶ ἀπὸ
τοῦ φόβου ἔκραξαν.
²⁷ εὐθὺς δὲ ἐλάλησεν ὁ Ἰησοῦς
αὐτοῖς λέγων· Θαρσεῖτε, ἐγώ εἰμι· μὴ
φοβεῖσθε.
²⁸ ἀποκριθεὶς δὲ αὐτῷ ὁ Πέτρος εἶπεν· κύριε,
εἰ σὺ εἶ, κέλευσόν με ἐλθεῖν πρός σε ἐπὶ τὰ
ὕδατα. ²⁹ ὁ δὲ εἶπεν· ἐλθέ. καὶ καταβὰς ἀπὸ
τοῦ πλοίου Πέτρος περιεπάτησεν ἐπὶ τὰ ὕδατα
καὶ ἦλθεν πρὸς τὸν Ἰησοῦν. ³⁰ βλέπων δὲ τὸν
ἄνεμον ἐφοβήθη καὶ ἀρξάμενος καταποντί-

Mark 6 45–52

⁴⁵ Καὶ εὐθὺς ἠνάγκασεν τοὺς μαθητὰς αὐ-
τοῦ ἐμβῆναι εἰς τὸ πλοῖον καὶ προάγειν
εἰς τὸ πέραν πρὸς Βηθσαϊδάν, ἕως αὐτὸς ἀπο-
λύει τὸν ὄχλον. ⁴⁶ καὶ ἀποταξάμενος αὐτοῖς
ἀπῆλθεν εἰς τὸ ὄρος προσεύξασθαι.
⁴⁷ καὶ ὀψίας γενομένης ἦν τὸ πλοῖον ἐν μέσῳ
τῆς θαλάσσης, καὶ αὐτὸς μόνος ἐπὶ τῆς γῆς.
⁴⁸ καὶ ἰδὼν αὐτοὺς βασανιζομένους ἐν τῷ
ἐλαύνειν, ἦν γὰρ ὁ ἄνεμος ἐναντίος αὐτοῖς, περὶ
τετάρτην φυλακὴν τῆς νυκτὸς ἔρχεται πρὸς
αὐτοὺς περιπατῶν ἐπὶ τῆς θαλάσσης· καὶ
ἤθελεν παρελθεῖν αὐτούς. ⁴⁹ οἱ δὲ ἰδόντες αὐ-
τὸν ἐπὶ τῆς θαλάσσης περιπατοῦντα
ἔδοξαν ὅτι φάντασμά ἐστιν, καὶ
ἀνέκραξαν· ⁵⁰ πάντες γὰρ αὐτὸν εἶδαν καὶ
ἐταράχθησαν. ὁ δὲ εὐθὺς ἐλάλησεν μετ'
αὐτῶν, καὶ λέγει αὐτοῖς· θαρσεῖτε, ἐγώ εἰμι, μὴ
φοβεῖσθε.

Matth 14, 22 εὐθέως Β D W Θ φ ℜ it vg sa bo > S C sy ᶜˢ ᵖᵉ **24** ἤδη (> sa bo) σταδίους
πολλούς (ἱκανοὺς Θ ὡς εἴκοσι πέντε bo vgl. Joh 6 19) ἀπὸ τῆς γῆς ἀπεῖχεν Β Θ φ sy ᶜˢ ᵖᵉ sa bo ἤδη
(> vg) μέσον τῆς θαλάσσης ἦν S C W λ ℜ it vg ἦν εἰς μέσον τῆς θαλάσσης D **26** οἱ δὲ μαθηταὶ
ἰδόντες αὐτὸν Β D φ καὶ ἰδόντες αὐτὸν οἱ μαθηταί (+ αὐτοῦ sy ᶜ ᵖᵉ) C W ℜ sy ᶜ ᵖᵉ (καὶ λ vg bo)
ἰδόντες δὲ (> λ vg sy ˢ bo) αὐτὸν (> sy ˢ) S Θ λ it vg sy ˢ sa bo **30** ἄνεμον S Β sa bo ἄνεμον
ἰσχυρὸν C D Θ φ ℜ it vg sy ᶜˢ ᵖᵉ ἄν. ἰσχ. σφόδρα W
Mark 6, 47 ἦν + πάλαι 𝔓 ⁴⁵ D λ it

ζεσθαι ἔκραξεν `λέγων· κύριε, σῶσόν με. ³¹ εὐ-
θέως δὲ ὁ Ἰησοῦς ἐκτείνας τὴν χεῖρα ἐπελάβετο
αὐτοῦ, καὶ λέγει αὐτῷ· ὀλιγόπιστε, εἰς τί
ἐδίστασας;
³² καὶ ἀναβάντων αὐτῶν εἰς τὸ πλοῖον
ἐκόπασεν ὁ ἄνεμος. ³³ οἱ δὲ ἐν τῷ πλοίῳ προσ-
εκύνησαν αὐτῷ λέγοντες· ἀληθῶς θεοῦ υἱὸς εἶ.

⁵¹ καὶ ἀνέβη πρὸς αὐτοὺς εἰς τὸ πλοῖον, καὶ
ἐκόπασεν ὁ ἄνεμος· καὶ λίαν ἐκ περισσοῦ ἐν
ἑαυτοῖς ἐξίσταντο· ⁵² οὐ γὰρ συνῆκαν ἐπὶ τοῖς
ἄρτοις, ἀλλ' ἦν αὐτῶν ἡ καρδία πεπωρωμένη.

114. Rückkehr nach der Landschaft Gennesar.
114. Healings at Gennesaret.

Matth 14 34–36

³⁴ Καὶ διαπεράσαντες ἦλθον ἐπὶ τὴν γῆν εἰς
Γεννησαρέτ.

³⁵ καὶ ἐπιγνόντες
αὐτὸν οἱ ἄνδρες τοῦ τόπου ἐκείνου ἀπέστειλαν
εἰς ὅλην τὴν περίχωρον ἐκείνην, καὶ προσήνεγ-
καν αὐτῷ πάντας τοὺς κακῶς ἔχοντας,

³⁶ καὶ παρεκάλουν αὐτὸν ἵνα
μόνον ἅψωνται τοῦ κρασπέδου τοῦ ἱματίου
αὐτοῦ· καὶ ὅσοι ἥψαντο διεσώθησαν.*

Mark 6 53–56

⁵³ Καὶ διαπεράσαντες ἐπὶ τὴν γῆν ἦλθον εἰς
Γεννησαρὲτ καὶ προσωρμίσθησαν. ⁵⁴ καὶ ἐξελ-
θόντων αὐτῶν ἐκ τοῦ πλοίου εὐθὺς ἐπιγνόντες
αὐτὸν ⁵⁵ περιέδραμον ὅλην τὴν χώραν ἐκείνην
καὶ ἤρξαντο ἐπὶ τοῖς κραβάτοις τοὺς κακῶς
ἔχοντας περιφέρειν, ὅπου ἤκουον ὅτι ἐστίν.
⁵⁶ καὶ ὅπου ἂν εἰσεπορεύετο εἰς κώμας ἢ εἰς
πόλεις ἢ εἰς ἀγρούς, ἐν ταῖς ἀγοραῖς ἐτίθεσαν
τοὺς ἀσθενοῦντας, καὶ παρεκάλουν αὐτὸν ἵνα
κἂν τοῦ κρασπέδου τοῦ ἱματίου αὐτοῦ ἅψων-
ται· καὶ ὅσοι ἂν ἥψαντο αὐτοῦ ἐσώζοντο.*

115. Vom Händewaschen.
115. The Tradition of the Elders.

Matth 15 1–20

¹ Τότε προσέρχονται τῷ Ἰησοῦ ἀπὸ Ἱερο-
σολύμων Φαρισαῖοι καὶ γραμματεῖς

Mark 7 1–23

¹ Καὶ συνάγονται πρὸς
αὐτὸν οἱ Φαρισαῖοι καί τινες τῶν γραμματέων
ἐλθόντες ἀπὸ Ἱεροσολύμων. ² καὶ ἰδόντες τινὰς
τῶν μαθητῶν αὐτοῦ ὅτι κοιναῖς χερσίν, τοῦτ'

---

* Matth 4 24 (16. S. 22). Καὶ ἀπῆλ-
θεν ἡ ἀκοὴ αὐτοῦ εἰς ὅλην τὴν Συρίαν·
καὶ προσήνεγκαν αὐτῷ πάντας τοὺς
κακῶς ἔχοντας ποικίλαις νόσοις καὶ
βασάνοις συνεχομένους, δαιμονιζομέ-
νους καὶ σεληνιαζομένους καὶ παρα-
λυτικούς, καὶ ἐθεράπευσεν αὐτούς.

Mark 3 10 (71. S. 58):
Πολλοὺς γὰρ ἐθεράπευσεν,
ὥστε ἐπιπίπτειν αὐτῷ ἵνα
αὐτοῦ ἅψωνται ὅσοι εἶχον
μάστιγας.
Vgl. auch 1 32 f. (14. S. 21).

Luk 6 18 19 (71. S. 58): ¹⁸ Καὶ
οἱ ἐνοχλούμενοι ἀπὸ πνευμάτων
ἀκαθάρτων ἐθεραπεύοντο· ¹⁹ καὶ
πᾶς ὁ ὄχλος ἐζήτουν ἅπτεσθαι αὐ-
τοῦ, ὅτι δύναμις παρ' αὐτοῦ ἐξήρ-
χετο καὶ ἰᾶτο πάντας.
Vgl. auch 4 40 f. (14. S. 21).

Matth 14, 34 Γεννησάρ D it vg sy ᶜˢ ᵖᵉ
Mark 6, 51 λίαν > D W Θ λ sy ˢ | ἐκ περισσοῦ A W φ 𝔐 sa bo   περισσῶς D it vg   ἐκπερισ-
σῶς λ > S B sy ˢ   περιέσωσεν (ἐν ἑαυτοῖς] αὐτοὺς καὶ Θ) Θ   ἐθαμβήθησαν καὶ sy ᵖᵉ   **53** δια-
περάσαντες **+** ἐκεῖθεν D it | Γεννησάρ D it sy ˢ ᵖᵉ

λέγοντες· ² διὰ τί οἱ μαθηταί σου παραβαίνουσιν τὴν παράδοσιν τῶν πρεσβυτέρων; οὐ γὰρ νίπτονται τὰς χεῖρας, ὅταν ἄρτον ἐσθίωσιν. ³ ὁ δὲ ἀποκριθεὶς εἶπεν αὐτοῖς· διὰ τί καὶ ὑμεῖς παραβαίνετε τὴν ἐντολὴν τοῦ θεοῦ διὰ τὴν παράδοσιν ὑμῶν; ⁴ ὁ γὰρ θεὸς εἶπεν· *τίμα τὸν πατέρα καὶ τὴν μητέρα,* καὶ· *ὁ κακολογῶν πατέρα ἢ μητέρα θανάτῳ τελευτάτω* ⁵ ὑμεῖς δὲ λέγετε· ὃς ἂν εἴπῃ τῷ πατρὶ ἢ τῇ μητρί· δῶρον ὃ ἐὰν ἐξ ἐμοῦ ὠφεληθῇς, ⁶ οὐ μὴ τιμήσει τὸν πατέρα αὐτοῦ ἢ τὴν μητέρα αὐτοῦ. καὶ ἠκυρώσατε τὸν λόγον τοῦ θεοῦ διὰ τὴν παράδοσιν ὑμῶν. ⁷ ὑποκριταί, καλῶς ἐπροφήτευσεν περὶ ὑμῶν Ἡσαΐας λέγων·

⁸ *ὁ λαὸς οὗτος τοῖς χείλεσίν με τιμᾷ, ἡ δὲ καρδία αὐτῶν πόρρω ἀπέχει ἀπ' ἐμοῦ·* ⁹ *μάτην δὲ σέβονταί με, διδάσκοντες διδασκαλίας ἐντάλματα ἀνθρώπων.*

vgl. v. 3-6

ἐστιν ἀνίπτοις, ἐσθίουσιν τοὺς ἄρτους, — ³ οἱ γὰρ Φαρισαῖοι καὶ πάντες οἱ Ἰουδαῖοι ἐὰν μὴ πυγμῇ νίψωνται τὰς χεῖρας οὐκ ἐσθίουσιν, κρατοῦντες τὴν παράδοσιν τῶν πρεσβυτέρων, ⁴ καὶ ἀπ' ἀγορᾶς ἐὰν μὴ ῥαντίσωνται οὐκ ἐσθίουσιν, καὶ ἄλλα πολλά ἐστιν ἃ παρέλαβον κρατεῖν, βαπτισμοὺς ποτηρίων καὶ ξεστῶν καὶ χαλκίων, — ⁵ καὶ ἐπερωτῶσιν αὐτὸν οἱ Φαρισαῖοι καὶ οἱ γραμματεῖς· διὰ τί οὐ περιπατοῦσιν οἱ μαθηταί σου κατὰ τὴν παράδοσιν τῶν πρεσβυτέρων, ἀλλὰ κοιναῖς χερσὶν ἐσθίουσιν τὸν ἄρτον;

⁸ ὁ δὲ εἶπεν αὐτοῖς· καλῶς ἐπροφήτευσεν Ἡσαΐας περὶ ὑμῶν τῶν ὑποκριτῶν, ὡς γέγραπται ὅτι *οὗτος ὁ λαὸς τοῖς χείλεσίν με τιμᾷ, ἡ δὲ καρδία αὐτῶν πόρρω ἀπέχει ἀπ' ἐμοῦ·* ⁷ *μάτην δὲ σέβονταί με, διδάσκοντες διδασκαλίας ἐντάλματα ἀνθρώπων.* ⁸ ἀφέντες τὴν ἐντολὴν τοῦ θεοῦ κρατεῖτε τὴν παράδοσιν τῶν ἀνθρώπων.

⁹ καὶ ἔλεγεν αὐτοῖς· καλῶς ἀθετεῖτε τὴν ἐντολὴν τοῦ θεοῦ, ἵνα τὴν παράδοσιν ὑμῶν τηρήσητε. ¹⁰ Μωϋσῆς γὰρ εἶπεν· *τίμα τὸν πατέρα σου καὶ τὴν μητέρα σου,* καὶ· *ὁ κακο-*

Mt 15₄ = Mc 7₁₀: Ex 20₁₂ Dtn 5₁₆ Ex 21₁₆ Lev 20₉.   Mt 15₈₉ = Mc 7₆₇: Jes 29₁₃.

Matth 15, 6 ἢ τὴν μητέρα αὐτοῦ > S B D sy ᶜ sa | τὸν λόγον B D Θ it sy ᶜˢ ᵖᵉ sa bo Orig τὸν νόμον S C φ   τὴν ἐντολὴν W λ 𝔐 vg
Mark 7, 2 ἐσθίουσιν S B it vg sy ᵖᵉ sa bo   ἐσθίοντας A D W Θ λ φ 𝔐 sy ˢ | ἄρτους S A B it sy ˢ sa bo   ἄρτους κατέγνωσαν D   ἄρτους ἐμέμψαντο W Θ λ φ 𝔐 vg sy ᵖᵉ **3** πυγμῇ A B D Θ λ φ 𝔐 it πυκνά S W vg sy ᵖᵉ bo > S B sa **4** ῥαντίσωνται S B sa βαπτίσωνται A D W Θ λ φ 𝔐 it vg sy ˢ ᵖᵉ bo | χαλκίων S B bo χαλκίων καὶ κλινῶν A D W Θ λ φ 𝔐 it vg sy ᵖᵉ sa > sy ˢ **5** καὶ¹ S B D Θ λ it vg sy ᵖᵉ bo ἔπειτα A W φ 𝔐 sy ˢ δὲ sa **8** > sy ˢ | παράδοσιν] ἐντολὴν 𝔓 ⁴⁵ | ἀνθρώπων 𝔓 ⁴⁵ S B W λ sa bo ἀνθρώπων + βαπτισμοὺς ξεστῶν καὶ ποτηρίων (π. κ. ξ. ~ Θ) καὶ ἄλλα (> A sy ᵖᵉ) παρόμοια (+ ἃ D) τοιαῦτα πολλά (> Θ) ποιεῖτε (ποι. τοι. π. ~ D) A φ 𝔐 vg sy ᵖᵉ, aber vor **8**: D Θ it **9** τηρήσητε S A B φ 𝔐 vg sa bo στήσητε D W Θ λ it sy ˢ ᵖᵉ

Zu Matth 15 5: **Hebr. Evang.:** Τὸ Ἰουδαϊκόν· κορβᾶν ὃ ὑμεῖς ὠφεληθήσεσθε ἐξ ὑμῶν 1424.

λογῶν πατέρα ἢ μητέρα θανάτῳ τελευτάτω.
¹¹ ὑμεῖς δὲ λέγετε· ἐὰν εἴπη ἄνθρωπος τῷ
πατρὶ ἢ τῇ μητρί· κορβᾶν, ὅ ἐστιν δῶρον, ὅ
ἐὰν ἐξ ἐμοῦ ὠφεληθῇς, ¹² οὐκέτι ἀφίετε αὐτὸν
οὐδὲν ποιῆσαι τῷ πατρὶ ἢ τῇ μητρί, ¹³ ἀκυ-
ροῦντες τὸν λόγον τοῦ θεοῦ τῇ παραδόσει
ὑμῶν ᾗ παρεδώκατε· καὶ παρόμοια τοιαῦτα
πολλὰ ποιεῖτε.

¹⁰ καὶ προσκαλεσάμενος τὸν ὄχλον
εἶπεν αὐτοῖς· ἀκούετε   καὶ συν-
ίετε·   ¹¹ οὐ τὸ
εἰσερχόμενον εἰς τὸ στόμα κοινοῖ τὸν ἄνθρω-
πον, ἀλλὰ τὸ ἐκπορευόμενον ἐκ τοῦ στόματος,
               τοῦτο κοινοῖ τὸν ἄνθρωπον.

¹⁴ καὶ προσκαλεσάμενος πάλιν τὸν ὄχλον
ἔλεγεν αὐτοῖς· ἀκούσατέ μου πάντες καὶ σύν-
ετε. ¹⁵ οὐδέν ἐστιν ἔξωθεν τοῦ ἀνθρώπου
εἰσπορευόμενον εἰς αὐτὸν ὃ δύναται κοινῶσαι
αὐτόν· ἀλλὰ τὰ ἐκ τοῦ ἀνθρώπου ἐκπορευ-
όμενά ἐστιν τὰ κοινοῦντα τὸν ἄνθρωπον. [¹⁶]

¹² τότε προσελθόντες οἱ μαθηταὶ λέγουσιν
αὐτῷ· οἶδας ὅτι οἱ Φαρισαῖοι ἀκούσαντες τὸν
λόγον ἐσκανδαλίσθησαν; ¹³ ὁ δὲ ἀποκριθεὶς
εἶπεν· πᾶσα φυτεία ἣν οὐκ ἐφύτευσεν ὁ πατήρ
μου ὁ οὐράνιος ἐκριζωθήσεται. ¹⁴ ἄφετε αὐ-
τούς· τυφλοί εἰσιν ὁδηγοὶ τυφλῶν· τυφλὸς
δὲ τυφλὸν ἐὰν ὁδηγῇ, ἀμφότεροι εἰς βόθυνον
πεσοῦνται.*

¹⁵ ἀποκριθεὶς δὲ ὁ Πέτρος εἶπεν αὐτῷ·
φράσον ἡμῖν τὴν παραβολήν.

¹⁶ ὁ δὲ εἶπεν· ἀκμὴν καὶ ὑμεῖς
ἀσύνετοί ἐστε; ¹⁷ οὐ νοεῖτε ὅτι πᾶν τὸ
εἰσπορευόμενον εἰς τὸ στόμα

                         εἰς τὴν κοιλίαν
χωρεῖ καὶ εἰς ἀφεδρῶνα ἐκβάλλεται;
            ¹⁸ τὰ δὲ ἐκπορευόμενα ἐκ
τοῦ στόματος ἐκ τῆς καρδίας ἐξέρχεται, κἀκεῖνα
κοινοῖ τὸν ἄνθρωπον.   ¹⁹ ἐκ γὰρ τῆς
καρδίας ἐξέρχονται διαλογισμοὶ πονηροί, φό-
νοι, μοιχεῖαι, πορνεῖαι, κλοπαί, ψευδομαρτυ-
ρίαι, βλασφημίαι.

¹⁷ καὶ ὅτε εἰσῆλθεν εἰς οἶκον ἀπὸ τοῦ ὄχλου,
ἐπηρώτων αὐτὸν οἱ μαθηταὶ αὐτοῦ τὴν παρα-
βολήν. ¹⁸ καὶ λέγει αὐτοῖς· οὕτως καὶ ὑμεῖς
ἀσύνετοί ἐστε; οὐ νοεῖτε ὅτι πᾶν τὸ ἔξωθεν
εἰσπορευόμενον εἰς τὸν ἄνθρωπον οὐ δύναται
αὐτὸν κοινῶσαι, ¹⁹ ὅτι οὐκ εἰσπορεύεται αὐ-
τοῦ εἰς τὴν καρδίαν ἀλλ' εἰς τὴν κοιλίαν,
καὶ εἰς τὸν ἀφεδρῶνα ἐκπορεύεται, καθαρίζων
πάντα τὰ βρώματα; ²⁰ ἔλεγεν δὲ ὅτι τὸ ἐκ
τοῦ ἀνθρώπου ἐκπορευόμενον,   ἐκεῖνο
κοινοῖ τὸν ἄνθρωπον. ²¹ ἔσωθεν γὰρ ἐκ τῆς
καρδίας τῶν ἀνθρώπων οἱ διαλογισμοὶ οἱ
κακοὶ ἐκπορεύονται, πορνεῖαι, κλοπαί, φόνοι,
²² μοιχεῖαι, πλεονεξίαι, πονηρίαι, δόλος, ἀσέλ-
γεια, ὀφθαλμὸς πονηρός, βλασφημία, ὑπερ-

---

* Luk 6 39 (76. S. 62): Εἶπεν δὲ καὶ παραβολὴν αὐτοῖς· μήτι δύναται τυφλὸς τυφλὸν ὁδηγεῖν;
οὐχὶ ἀμφότεροι εἰς βόθυνον ἐμπεσοῦνται;

Matth 15, 14 ἐὰν ὁδηγῇ] ὁδηγῶν (ὁδηγὸν φ) σφαλήσεται καὶ Θ φ
Mark 7, 13 τῇ παραδόσει ὑμῶν + τῇ μωρᾷ D it   **16** lautet: εἴ τις ἔχει ὦτα ἀκούειν, ἀκουέτω
(vgl. 4 23) A D W Θ λ φ 𝔐 it vg sy^s pe sa   fehlt S B bo   **19** ἀφεδρῶνα] ὀχετὸν D   ἔξω sy^s

²⁰ ταῦτά ἐστιν τὰ κοινοῦντα τὸν ἄνθρωπον· τὸ δὲ ἀνίπτοις χερσὶν φαγεῖν οὐ κοινοῖ τὸν ἄνθρωπον.

ηφανία, ἀφροσύνη· ²³ πάντα ταῦτα τὰ πονηρὰ ἔσωθεν ἐκπορεύεται καὶ κοινοῖ τὸν ἄνθρωπον.

116. Die Kanaanitin.

116. The Syro-phoenician Woman.

Matth 15 21—28	**Mark 7** 24—30

²¹ Καὶ ἐξελθὼν ἐκεῖθεν ὁ Ἰησοῦς ἀνεχώρησεν εἰς τὰ μέρη Τύρου καὶ Σιδῶνος.

²² καὶ ἰδοὺ γυνὴ Χαναναία ἀπὸ τῶν ὁρίων ἐκείνων ἐξελθοῦσα ἔκραζεν λέγουσα· ἐλέησόν με, κύριε υἱὸς Δαυίδ· ἡ θυγάτηρ μου κακῶς δαιμονίζεται. ²³ ὁ δὲ οὐκ ἀπεκρίθη αὐτῇ λόγον. καὶ προσελθόντες οἱ μαθηταὶ αὐτοῦ ἠρώτουν αὐτὸν λέγοντες· ἀπόλυσον αὐτήν, ὅτι κράζει ὄπισθεν ἡμῶν. ²⁴ ὁ δὲ ἀποκριθεὶς εἶπεν· οὐκ ἀπεστάλην εἰ μὴ εἰς τὰ πρόβατα τὰ ἀπολωλότα οἴκου Ἰσραήλ. ²⁵ ἡ δὲ ἐλθοῦσα προσεκύνει αὐτῷ

λέγουσα·

κύριε, βοήθει μοι.

²⁶ ὁ δὲ ἀποκριθεὶς εἶπεν·

οὐκ ἔστιν καλὸν λαβεῖν τὸν ἄρτον τῶν τέκνων καὶ βαλεῖν τοῖς κυναρίοις. ²⁷ ἡ δὲ εἶπεν· ναί, κύριε· καὶ γὰρ τὰ κυνάρια ἐσθίει ἀπὸ τῶν ψιχίων τῶν πιπτόντων ἀπὸ τῆς τραπέζης τῶν κυρίων αὐτῶν. ²⁸ τότε ἀποκριθεὶς ὁ Ἰησοῦς εἶπεν αὐτῇ· ὦ γύναι, μεγάλη σου ἡ πίστις· γενηθήτω σοι ὡς θέλεις.

καὶ ἰάθη ἡ θυγάτηρ αὐτῆς ἀπὸ τῆς ὥρας ἐκείνης.

²⁴ Ἐκεῖθεν δὲ ἀναστὰς ἀπῆλθεν εἰς τὰ ὅρια Τύρου. καὶ εἰσελθὼν εἰς οἰκίαν οὐδένα ἤθελεν γνῶναι, καὶ οὐκ ἠδυνάσθη λαθεῖν· ²⁵ ἀλλ' εὐθὺς ἀκούσασα γυνὴ περὶ αὐτοῦ,

ἧς εἶχεν τὸ θυγάτριον αὐτῆς πνεῦμα ἀκάθαρτον,

ἐλθοῦσα προσέπεσεν πρὸς τοὺς πόδας αὐτοῦ· ²⁶ ἡ δὲ γυνὴ ἦν Ἑλληνίς, Συροφοινίκισσα τῷ γένει· καὶ ἠρώτα αὐτὸν ἵνα τὸ δαιμόνιον ἐκβάλῃ ἐκ τῆς θυγατρὸς αὐτῆς. ²⁷ καὶ ἔλεγεν αὐτῇ· ἄφες πρῶτον χορτασθῆναι τὰ τέκνα· οὐ γάρ ἐστιν καλὸν λαβεῖν τὸν ἄρτον τῶν τέκνων καὶ τοῖς κυναρίοις βαλεῖν. ²⁸ ἡ δὲ ἀπεκρίθη καὶ λέγει αὐτῷ· ναί, κύριε· καὶ τὰ κυνάρια ὑποκάτω τῆς τραπέζης ἐσθίουσιν ἀπὸ τῶν ψιχίων τῶν παιδίων.

²⁹ καὶ εἶπεν αὐτῇ· διὰ τοῦτον τὸν λόγον ὕπαγε, ἐξελήλυθεν ἐκ τῆς θυγατρός σου τὸ δαιμόνιον. ³⁰ καὶ ἀπελθοῦσα εἰς τὸν οἶκον αὐτῆς εὗρεν τὸ παιδίον βεβλημένον ἐπὶ τὴν κλίνην καὶ τὸ δαιμόνιον ἐξεληλυθός.

Matth 15, 26 ἔστιν καλὸν S B C W Θ λ φ 𝔐 vg sy ᵖᵉ sa bo   ἔξεστιν D it sy ᶜˢ

Mark 7, 24 Τύρου D W Θ it sy ˢ   Τύρου καὶ Σιδῶνος S A B λ φ 𝔐 vg sy ᵖᵉ sa bo   vgl. v. 31

117. Heilung vieler Kranker (*Matth*), — eines Taubstummen (*Mark*).

117. The Healing of Many Sick Persons (Matt), — of the Deaf Mute (Mark).

Matth 15 29–31

²⁹ Καὶ μεταβὰς ἐκεῖθεν ὁ Ἰησοῦς ἦλθεν παρὰ τὴν θάλασσαν τῆς Γαλιλαίας, καὶ ἀναβὰς εἰς τὸ ὄρος ἐκάθητο ἐκεῖ. ³⁰ καὶ προσῆλθον αὐτῷ ὄχλοι πολλοὶ ἔχοντες μεθ᾽ ἑαυτῶν χωλούς, κυλλούς, τυφλούς, κωφοὺς καὶ ἑτέρους πολλούς, καὶ ἔρριψαν αὐτοὺς παρὰ τοὺς πόδας αὐτοῦ· καὶ ἐθεράπευσεν αὐτούς,

³¹ ὥστε τοὺς ὄχλους θαυμάσαι βλέποντας κωφοὺς λαλοῦντας, κυλλοὺς ὑγιεῖς καὶ χωλοὺς περιπατοῦντας καὶ τυφλοὺς βλέποντας· καὶ ἐδόξασαν τὸν θεὸν Ἰσραήλ.

Mark 7 31–37

³¹ Καὶ πάλιν ἐξελθὼν ἐκ τῶν ὁρίων Τύρου ἦλθεν διὰ Σιδῶνος εἰς τὴν θάλασσαν τῆς Γαλιλαίας ἀνὰ μέσον τῶν ὁρίων Δεκαπόλεως. ³² καὶ φέρουσιν αὐτῷ κωφὸν καὶ μογιλάλον, καὶ παρακαλοῦσιν αὐτὸν ἵνα ἐπιθῇ αὐτῷ τὴν χεῖρα. ³³ καὶ ἀπολαβόμενος αὐτὸν ἀπὸ τοῦ ὄχλου κατ᾽ ἰδίαν ἔβαλεν τοὺς δακτύλους αὐτοῦ εἰς τὰ ὦτα αὐτοῦ καὶ πτύσας ἥψατο τῆς γλώσσης αὐτοῦ, ³⁴ καὶ ἀναβλέψας εἰς τὸν οὐρανὸν ἐστέναξεν, καὶ λέγει αὐτῷ· ἐφφαθά, ὅ ἐστιν διανοίχθητι. ³⁵ καὶ ἠνοίγησαν αὐτοῦ αἱ ἀκοαί, καὶ εὐθὺς ἐλύθη ὁ δεσμὸς τῆς γλώσσης αὐτοῦ, καὶ ἐλάλει ὀρθῶς. ³⁶ καὶ διεστείλατο αὐτοῖς ἵνα μηδενὶ λέγωσιν· ὅσον δὲ αὐτοῖς διεστέλλετο, αὐτοὶ μᾶλλον περισσότερον ἐκήρυσσον. ³⁷ καὶ ὑπερπερισσῶς ἐξεπλήσσοντο λέγοντες· καλῶς πάντα πεποίηκεν, καὶ τοὺς κωφοὺς ποιεῖ ἀκούειν καὶ ἀλάλους λαλεῖν.

118. Die Speisung der Viertausend.

118. The Feeding of the Four Thousand.

(*Vgl.* 112. Matth 14 13–21 = Mark 6 30–44 = Luk 9 10–17. S. 86 f.)

Matth 15 32–39

³² Ὁ δὲ Ἰησοῦς προσκαλεσάμενος τοὺς μαθητὰς αὐτοῦ εἶπεν· σπλαγχνίζομαι ἐπὶ τὸν ὄχλον, ὅτι ἤδη ἡμέραι τρεῖς προσμένουσίν μοι καὶ οὐκ ἔχουσιν τί φάγωσιν· καὶ ἀπολῦσαι αὐτοὺς νήστεις οὐ θέλω, μήποτε ἐκλυθῶσιν ἐν τῇ ὁδῷ. ³³ καὶ λέγουσιν αὐτῷ οἱ μαθηταί· πόθεν ἡμῖν ἐν ἐρημίᾳ ἄρτοι τοσοῦτοι ὥστε χορτάσαι ὄχλον

Mark 8 1–10

¹ Ἐν ἐκείναις ταῖς ἡμέραις πάλιν πολλοῦ ὄχλου ὄντος καὶ μὴ ἐχόντων τί φάγωσιν, προσκαλεσάμενος τοὺς μαθητὰς λέγει αὐτοῖς· ² σπλαγχνίζομαι ἐπὶ τὸν ὄχλον, ὅτι ἤδη ἡμέραι τρεῖς προσμένουσίν μοι καὶ οὐκ ἔχουσιν τί φάγωσιν· ³ καὶ ἐὰν ἀπολύσω αὐτοὺς νήστεις εἰς οἶκον αὐτῶν, ἐκλυθήσονται ἐν τῇ ὁδῷ· καί τινες αὐτῶν ἀπὸ μακρόθεν ἥκασιν. ⁴ καὶ ἀπεκρίθησαν αὐτῷ οἱ μαθηταὶ αὐτοῦ ὅτι πόθεν τούτους δυνήσεταί τις ὧδε χορτάσαι ἄρ-

Matth 15, 31 τοὺς ὄχλους B W 𝔐 it vg syᶜˢ ᵖᵉ bo　vgl. v. 30　τὸν ὄχλον S C D Θ λ φ sa | κυλλοὺς ὑγιεῖς > S λ it vg syᶜˢ lo

Mark 7, 31 ἦλθεν διὰ Σιδῶνος S B D Θ it vg bo　καὶ Σιδῶνος ἦλθεν 𝔓 ⁴⁵ A W λ φ 𝔐 syˢ ᵖᵉ sa
8, 3 ἥκασιν] εἰσίν B bo

τοσοῦτον; ³⁴ καὶ λέγει αὐτοῖς ὁ Ἰησοῦς· πό-
σους ἄρτους ἔχετε; οἱ δὲ εἶπαν· ἑπτά, καὶ
ὀλίγα ἰχθύδια. ³⁵ καὶ παραγγείλας τῷ ὄχλῳ
ἀναπεσεῖν ἐπὶ τὴν γῆν, ³⁶ ἔλαβεν τοὺς ἑπτὰ
ἄρτους καὶ τοὺς ἰχθύας καὶ εὐχαριστήσας ἔ-
κλασεν καὶ ἐδίδου τοῖς μαθηταῖς, οἱ δὲ μαθηταὶ
τοῖς ὄχλοις.

³⁷ καὶ ἔφαγον
πάντες καὶ ἐχορτάσθησαν, καὶ τὸ περισσεῦον
τῶν κλασμάτων ἦραν ἑπτὰ σφυρίδας πλήρεις.
³⁸ οἱ δὲ ἐσθίοντες ἦσαν τετρακισχίλιοι ἄνδρες
χωρὶς γυναικῶν καὶ παιδίων. ³⁹ καὶ ἀπολύσας
τοὺς ὄχλους   ἐνέβη εἰς τὸ πλοῖον καὶ
ἦλθεν εἰς τὰ ὅρια Μαγα-
δάν.

των ἐπ’ ἐρημίας; ⁵ καὶ ἠρώτα αὐτούς· πό-
σους ἔχετε ἄρτους; οἱ δὲ εἶπαν· ἑπτά.

⁶ καὶ παραγγέλλει τῷ ὄχλῳ
ἀναπεσεῖν ἐπὶ τῆς γῆς· καὶ λαβὼν τοὺς ἑπτὰ
ἄρτους   εὐχαριστήσας ἔ-
κλασεν καὶ ἐδίδου τοῖς μαθηταῖς αὐτοῦ ἵνα
παρατιθῶσιν, καὶ παρέθηκαν τῷ ὄχλῳ. ⁷ καὶ
εἶχον ἰχθύδια ὀλίγα· καὶ εὐλογήσας αὐτὰ
εἶπεν καὶ ταῦτα παρατιθέναι. ⁸ καὶ ἔφαγον
καὶ ἐχορτάσθησαν, καὶ ἦραν περισσεύματα
κλασμάτων ἑπτὰ σπυρίδας.

⁹ ἦσαν δὲ ὡς τετρακισχίλιοι.
καὶ ἀπέλυσεν
αὐτούς. ¹⁰ καὶ εὐθὺς ἐμβὰς εἰς τὸ πλοῖον μετὰ
τῶν μαθητῶν αὐτοῦ ἦλθεν εἰς τὰ μέρη Δαλμα-
νουθά.

119. Die Zeichenforderung der Pharisäer.

119. The Pharisees Seek after a Sign.

Matth 16 1—4

¹ Καὶ προσελθόντες οἱ
Φαρισαῖοι καὶ Σαδδου-
καῖοι πειράζοντες ἐπη-
ρώτησαν αὐτὸν σημεῖον
ἐκ τοῦ οὐρανοῦ ἐπιδεῖξαι
αὐτοῖς. ☐ Joh 6 30

² ὁ
δὲ ἀποκριθεὶς εἶπεν αὐ-
τοῖς· [ὀψίας γενομένης
λέγετε· εὐδία, πυρράζει
γὰρ ὁ οὐρανός· ³ καὶ
πρωΐ· σήμερον χειμών,
πυρράζει γὰρ στυγνά-
ζων ὁ οὐρανός. τὸ μὲν
πρόσωπον τοῦ οὐρανοῦ

Matth 12 38—39 *(87.
S. 69)*: ³⁸ Τότε ἀπεκρί-
θησαν αὐτῷ τινες τῶν
γραμματέων καὶ Φαρι-
σαίων λέγοντες· διδά-
σκαλε, θέλομεν ἀπὸ σοῦ
σημεῖον ἰδεῖν. ³⁹ ὁ δὲ
ἀποκριθεὶς εἶπεν αὐτοῖς·

Mark 8 11—13

¹¹ Καὶ ἐξῆλθον οἱ Φα-
ρισαῖοι καὶ ἤρξαντο συ-
ζητεῖν αὐτῷ, ζητοῦντες
παρ’ αὐτοῦ σημεῖον ἀπὸ
τοῦ οὐρανοῦ, πειράζον-
τες αὐτόν. ¹² καὶ ἀνα-
στενάξας τῷ πνεύματι
αὐτοῦ λέγει·

Luk 11 29 *(152.
S. 120)*: Τῶν δὲ ὄχλων
παθροιζομένων ἤρξατο
λέγειν·

11 16 *(149. S. 118)*:
ἕτεροι δὲ πειράζοντες ση-
μεῖον ἐξ οὐρανοῦ ἐζήτουν
παρ’ αὐτοῦ.

12 54—56 *(160. S. 128)*:
⁵⁴ Ἔλεγεν δὲ καὶ τοῖς ὄ-
χλοις· ὅταν ἴδητε νεφέλην
ἀνατέλλουσαν ἐπὶ δυ-
σμῶν, εὐθέως λέγετε ὅτι
ὄμβρος ἔρχεται, καὶ γί-
νεται οὕτως· ⁵⁵ καὶ ὅταν

Matth 15, 39 Μαγαδάν S B D sy^s   Magedan it vg sa   Magedon sy^{c pe}   Μαγδαλάν C W bo
Μαγδαλά Θ λ φ ℜ   **16, 2** ὀψίας — **3** δύνασθε fehlt S B φ sy^{cs} sa
    Mark 8, 10 Δαλμανουθά S A B C W ℜ vg sy^{pe} sa bo   Μελεγαθά D   Μαγδαλά Θ λ φ
Magedam it sy^s

Zu Matth 16 2: **Hebr. Evang.**: Τὰ σεσημειωμένα διὰ τοῦ ἀστερίσκου ἐν ἑτέροις οὐκ ἐμφέρεται οὔτε
ἐν τῷ Ἰουδαϊκῷ 1424.

γινώσκετε διακρίνειν, τὰ
δὲ σημεῖα τῶν καιρῶν οὐ
δύνασϑε;]

νότον πνέοντα, λέγετε
ὅτι καύσων ἔσται, καὶ
γίνεται.   ⁵⁶ ὑποκριταί,
τὸ πρόσωπον τῆς γῆς καὶ
τοῦ οὐρανοῦ οἴδατε δο-
κιμάζειν, τὸν καιρὸν δὲ
τοῦτον πῶς οὐ δοκιμά-
ζετε;

---

⁴ γενεὰ πονηρὰ καὶ
μοιχαλὶς σημεῖον ἐπιζη-
τεῖ, καὶ σημεῖον οὐ δο-
ϑήσεται αὐτῇ εἰ μὴ τὸ
σημεῖον Ἰωνᾶ. καὶ κατα-
λιπὼν αὐτοὺς ἀπῆλϑεν.

γενεὰ πονηρὰ καὶ
μοιχαλὶς σημεῖον ἐπιζη-
τεῖ, καὶ σημεῖον οὐ δο-
ϑήσεται αὐτῇ εἰ μὴ τὸ
σημεῖον Ἰωνᾶ τοῦ προ-
φήτου.

τί ἡ γενεὰ
αὕτη ζητεῖ σημεῖον; ἀμὴν
λέγω ὑμῖν, εἰ δοϑήσεται
τῇ γενεᾷ ταύτῃ σημεῖον.
¹³ καὶ ἀφεὶς αὐτοὺς πά-
λιν ἐμβὰς ἀπῆλϑεν εἰς
τὸ πέραν.

11 ²⁹ ἡ γενεὰ αὕτη
γενεὰ πονηρά ἐστιν ση-
μεῖον ζητεῖ, καὶ σημεῖον
οὐ δοϑήσεται αὐτῇ εἰ μὴ
τὸ σημεῖον Ἰωνᾶ.

---

120. Gespräch vom Sauerteig.
120. A Discourse on Leaven.

Matth 16 5–12

⁵ Καὶ ἐλϑόντες οἱ μαϑηταὶ εἰς τὸ
πέραν ἐπελάϑοντο ἄρτους λαβεῖν.
      ⁶ ὁ δὲ Ἰη-
σοῦς εἶπεν αὐτοῖς· ὁρᾶτε καὶ προσ-
έχετε ἀπὸ τῆς ζύμης τῶν Φαρι-
σαίων καὶ Σαδδουκαίων.

⁷ οἱ δὲ διελογίζοντο ἐν ἑαυτοῖς λέ-
γοντες ὅτι ἄρτους οὐκ ἐλάβομεν.
⁸ γνοὺς δὲ ὁ Ἰησοῦς εἶπεν· τί
διαλογίζεσϑε ἐν ἑαυτοῖς, ὀλιγόπι-
στοι, ὅτι ἄρτους οὐκ ἔχετε; ⁹ οὔπω
νοεῖτε,

                οὐδὲ μνη-
μονεύετε   τοὺς πέντε ἄρτους
τῶν πεντακισχιλίων καὶ

Mark 8 14–21

¹⁴ Καὶ ἐπελάϑοντο λαβεῖν ἄρτους,
καὶ εἰ μὴ ἕνα ἄρτον οὐκ εἶχον μεϑ᾽
ἑαυτῶν ἐν τῷ πλοίῳ.   ¹⁵ καὶ διε-
στέλλετο αὐτοῖς λέγων· ὁρᾶτε, βλέ-
πετε ἀπὸ τῆς ζύμης τῶν Φαρι-
σαίων καὶ τῆς ζύμης Ἡρῴδου.

¹⁶ καὶ διελογίζοντο πρὸς ἀλλήλους
ὅτι ἄρτους οὐκ ἔχουσιν.   ¹⁷ καὶ
γνοὺς λέγει αὐτοῖς· τί διαλογί-
ζεσϑε
ὅτι ἄρτους οὐκ ἔχετε; οὔπω νοεῖτε
οὐδὲ συνίετε; πεπωρωμένην ἔχετε
τὴν καρδίαν ὑμῶν; ¹⁸ *ὀφϑαλμοὺς
ἔχοντες οὐ βλέπετε, καὶ ὦτα ἔχον-
τες οὐκ ἀκούετε;*   καὶ οὐ μνη-
μονεύετε, ¹⁹ ὅτε τοὺς πέντε ἄρτους
ἔκλασα εἰς τοὺς πεντακισχιλίους,

Luk 12 1 *(154. S. 123)*:

¹ Ἐν οἷς ἐπισυναχϑεισῶν τῶν
μυριάδων τοῦ ὄχλου, ὥστε κατα-
πατεῖν ἀλλήλους, ἤρξατο λέγειν
πρὸς τοὺς μαϑητὰς αὐτοῦ πρῶτον·
προσέχετε ἑαυτοῖς ἀπὸ τῆς ζύμης,
ἥτις ἐστὶν ὑπόκρισις, τῶν Φαρι-
σαίων.

Mt 16 9: vgl. Mt 14 19–21.   Mc 8 18: Jer 5 21 Ez 12 2.

Matth 16, 7. οἱ δὲ] τότε D it
Luk 12, 1 ἐν οἷς — ἀλλήλους (aber συναχϑ. und λαοῦ 𝔓 ⁴⁵)] πολλῶν δὲ ὄχλων συμπεριεχόντων
κύκλῳ ὥστε ἀλλήλους συμπνιγεῖν (καταπατεῖν it syᶜˢ) D it syᶜˢ

πόσους κοφίνους ἐλάβετε;

¹⁰ οὐδὲ τοὺς ἑπτὰ ἄρτους τῶν
τετρακισχιλίων καὶ πόσας σφυρί-
δας ἐλάβετε;
¹¹ πῶς οὐ νοεῖτε ὅτι οὐ περὶ ἄρτων
εἶπον ὑμῖν; προσέχετε δὲ ἀπὸ τῆς
ζύμης τῶν Φαρισαίων καὶ Σαδ-
δουκαίων. ¹² τότε συνῆκαν ὅτι οὐκ
εἶπεν προσέχειν ἀπὸ τῆς ζύμης τῶν
ἄρτων, ἀλλὰ ἀπὸ τῆς διδαχῆς τῶν
Φαρισαίων καὶ Σαδδουκαίων.

πόσους κοφίνους κλασμάτων πλή-
ρεις ἤρατε; λέγουσιν αὐτῷ· δώ-
δεκα. ²⁰ ὅτε τοὺς ἑπτὰ εἰς τοὺς
τετρακισχιλίους, πόσων σπυρίδων
πληρώματα κλασμάτων ἤρατε; καὶ
λέγουσιν· ἑπτά. ²¹ καὶ ἔλεγεν αὐ-
τοῖς· οὔπω συνίετε;

---

121. Der Blinde von Bethsaida. **Mark 8** 22–26 | Joh 9 1–7 |

121. The Blind Man of Bethsaida.

²² Καὶ ἔρχονται εἰς Βηθσαϊδάν. καὶ φέρουσιν αὐτῷ τυφλόν, καὶ παρακαλοῦσιν αὐτόν,
ἵνα αὐτοῦ ἅψηται. ²³ καὶ ἐπιλαβόμενος τῆς χειρὸς τοῦ τυφλοῦ ἐξήνεγκεν αὐτὸν ἔξω τῆς
κώμης, καὶ πτύσας εἰς τὰ ὄμματα αὐτοῦ, ἐπιθεὶς τὰς χεῖρας αὐτῷ, ἐπηρώτα αὐτόν· εἴ τι
βλέπεις, ²⁴ καὶ ἀναβλέψας ἔλεγεν· βλέπω τοὺς ἀνθρώπους, ὅτι ὡς δένδρα ὁρῶ περιπα-
τοῦντας· ²⁵ εἶτα πάλιν ἐπέθηκεν τὰς χεῖρας ἐπὶ τοὺς ὀφθαλμοὺς αὐτοῦ, καὶ διέβλεψεν καὶ
ἀπεκατέστη, καὶ ἐνέβλεπεν τηλαυγῶς ἅπαντα. ²⁶ καὶ ἀπέστειλεν αὐτὸν εἰς οἶκον αὐτοῦ
λέγων· μηδὲ εἰς τὴν κώμην εἰσέλθῃς.

---

† 122. Petrusbekenntnis und erste Leidensverkündigung.

† 122. The Confession at Caesarea Philippi and the First Prediction of the Passion.

Matth 16 13–23	**Mark 8** 27–33	**Luk 9** 18–22
		(112. 9 10–17. S. 86 f.)
¹³ Ἐλθὼν δὲ ὁ Ἰησοῦς	²⁷ Καὶ ἐξῆλθεν ὁ Ἰησοῦς καὶ οἱ	¹⁸ Καὶ ἐγένετο ἐν τῷ εἶναι αὐ-
εἰς	μαθηταὶ αὐτοῦ εἰς τὰς κώμας Και-	τὸν προσευχόμενον κατὰ μόνας
τὰ μέρη Καισαρείας τῆς Φιλίππου	σαρείας τῆς Φιλίππου. καὶ ἐν τῇ	συνῆσαν αὐτῷ οἱ μαθηταί,
ἠρώτα τοὺς μαθητὰς αὐτοῦ	ὁδῷ ἐπηρώτα τοὺς μαθητὰς αὐτοῦ	καὶ ἐπηρώτησεν αὐτοὺς
λέγων· τίνα λέγουσιν οἱ ἄνθρωποι	λέγων αὐτοῖς· τίνα με λέγουσιν οἱ	λέγων· τίνα με οἱ ὄχλοι λέγουσιν

Matth 16, 11 δὲ > D φ it vg sy ᶜ³   **12** τῆς ζύμης > λ | τῶν ἄρτων B λ vg sa bo   τοῦ ἄρτου
C W φ ℜ sy ᵖᵉ   τῶν Φαρισαίων καὶ Σαδδουκαίων S sy ᶜ   > D Θ it sy ˢ   **13** Ἐλθὼν] ἐξελθὼν W
| τίνα λέγουσιν (τίνα οἱ ἄνθ. εἶναι λέγ. S) S B vg sa bo   τίνα με λέγουσιν (τίνα με οἱ. ἀνθ. λέγ. ~ D)
D Θ (εἶναι nach λέγ. λ) λ φ ℜ it sy ᶜˢ ᵖᵉ Iren   τίνα λέγουσιν με C W

Mark 8, 22 Βηθανίαν D it   **24** ὅτι und ὁρῶ S A B C φ ℜ   > D W Θ λ it vg sy ˢ ᵖᵉ sa bo
27 τὰς κώμας Καισαρείας] Καισαρείαν D it

Luk 9, 18 αὐτὸν προσευχόμενον] αὐτοὺς D   > sy ᶜˢ | συνῆσαν] συνήντησαν B | ὄχλοι] ἄν-
θρωποι A bo

εἶναι τὸν υἱὸν τοῦ ἀνθρώπου; [14] οἱ
δὲ εἶπαν· οἱ μὲν Ἰωάννην τὸν βα
πτιστήν,   ἄλλοι δὲ
Ἡλίαν, ἕτεροι δὲ Ἰερεμίαν ἢ ἕνα
τῶν προφητῶν.

           [15] λέγει αὐτοῖς·
ὑμεῖς δὲ τίνα με λέγετε εἶναι; [16] ἀπο
κριθεὶς δὲ Σίμων Πέτρος εἶπεν· σὺ
εἶ ὁ Χριστὸς ὁ υἱὸς τοῦ θεοῦ τοῦ
ζῶντος. | Joh 6 68 69 | [17] ἀπο
κριθεὶς δὲ ὁ Ἰησοῦς εἶπεν αὐτῷ·
μακάριος εἶ, Σίμων Βαριωνά, ὅτι
σὰρξ καὶ αἷμα οὐκ ἀπεκάλυψέν σοι
ἀλλ' ὁ πατήρ μου ὁ ἐν τοῖς οὐρα
νοῖς. [18] κἀγὼ δέ σοι λέγω ὅτι σὺ
εἶ Πέτρος, καὶ ἐπὶ ταύτῃ τῇ πέτρᾳ
οἰκοδομήσω μου τὴν ἐκκλησίαν, καὶ
πύλαι ᾅδου οὐ κατισχύσουσιν αὐ
τῆς. [19] δώσω σοι τὰς κλεῖδας τῆς
βασιλείας τῶν οὐρανῶν, καὶ ὃ ἐὰν
δήσῃς ἐπὶ τῆς γῆς ἔσται δεδεμένον
ἐν τοῖς οὐρανοῖς, καὶ ὃ ἐὰν λύσῃς
ἐπὶ τῆς γῆς ἔσται λελυμένον ἐν τοῖς
οὐρανοῖς.* | Joh 20 22 23 |
[20] τότε διεστείλατο τοῖς μαθηταῖς
ἵνα μηδενὶ εἴπωσιν ὅτι αὐτός ἐστιν
ὁ Χριστός.

ἄνθρωποι εἶναι;   [28] οἱ
δὲ εἶπαν αὐτῷ λέγοντες ὅτι Ἰωάν
νην τὸν βαπτιστήν, καὶ ἄλλοι
Ἡλίαν, ἄλλοι δὲ ὅτι εἷς τῶν προφη
τῶν. [29] καὶ αὐτὸς ἐπηρώτα αὐτούς·
ὑμεῖς δὲ τίνα με λέγετε εἶναι; ἀπο
κριθεὶς ὁ Πέτρος λέγει αὐτῷ· σὺ εἶ
ὁ Χριστός.

[30] καὶ ἐπετίμησεν αὐτοῖς ἵνα μηδενὶ
λέγωσιν περὶ αὐτοῦ.

εἶναι;   [19] οἱ
δὲ ἀποκριθέντες εἶπαν· Ἰωάννην
τὸν βαπτιστήν, ἄλλοι δὲ
Ἡλίαν, ἄλλοι δὲ ὅτι προφήτης τις
τῶν ἀρχαίων ἀνέστη.

           [20] εἶπεν δὲ αὐτοῖς·
ὑμεῖς δὲ τίνα με λέγετε εἶναι; Πέ
τρος δὲ ἀποκριθεὶς εἶπεν· τὸν Χρι
στὸν τοῦ θεοῦ.

[21] ὁ δὲ ἐπιτιμήσας αὐτοῖς παρήγ
γειλεν μηδενὶ λέγειν τοῦτο,

---

* Matth 18 18 (134. S. 110): Ἀμὴν λέγω ὑμῖν, ὅσα ἐὰν δήσητε ἐπὶ τῆς γῆς ἔσται δεδεμένα ἐν οὐρανῷ,
καὶ ὅσα ἐὰν λύσητε ἐπὶ τῆς γῆς ἔσται λελυμένα ἐν οὐρανῷ.

Matth 16, 13 τὸν > D   **14** ἄλλοι] οἱ B   **16** ζῶντος] σώζοντος D   **19** δώσω σοι S B λ bo
καὶ δώσω σοι C W φ 𝕽   (καὶ it vg) σοί δώσω D it vg sy ᶜ ᵖᵉ Tert   δώσω δέ σοι Θ sa | κλεῖδας
S B W Θ Orig   κλεῖς C D λ φ 𝕽   **20** διεστείλατο S C W Θ λ φ 𝕽 it vg sy ᵖᵉ sa bo   ἐπετίμησεν
B D sy ᶜ

Mark 8, 28 εἶπαν S B C sy ˢ ᵖᵉ sa bo   ἀπεκρίθησαν A D W Θ λ φ 𝕽 it vg | αὐτῷ λέγοντες S B
C D Θ φ vg bo   λέγοντες W   αὐτῷ it sy ˢ sa   > A λ 𝕽 sy ᵖᵉ | ὅτι S B bo   οἱ μὲν C W φ (+ λέγοντες
und ἄλλοι + λέγοντες sy ˢ) sy ˢ sa   > A D Θ 𝕽 it vg sy ᵖᵉ | ὅτι εἷς S B C sy ˢ   ἕνα A W Θ λ φ
𝕽 sy ᵖᵉ   ὡς ἕνα D it vg   **29** καὶ αὐτὸς S A B C φ 𝕽 bo   αὐτὸς δὲ D sa   > W Θ λ sy ˢ ᵖᵉ   τότε
it vg | ἐπηρώτα αὐτούς S B C D sa bo   λέγει αὐτοῖς A W Θ λ φ 𝕽 it vg sy ˢ ᵖ³ | ἀποκριθεὶς B vg
sy ᵖᵉ bo   ἀποκριθεὶς δὲ S C D W Θ φ 𝕽 sa   καὶ ἀποκριθεὶς A it   > sy ˢ | Χριστός A B C D
Θ λ 𝕽 vg sy ˢ bo   Χριστὸς (+ Jesus it) ὁ υἱὸς τοῦ θεοῦ τοῦ ζῶντος (τοῦ ζ. > S) S W φ it sy ᵖᵉ sa
30 λέγωσιν] εἴπωσιν C D

Luk 9, 19 Ἡλίαν + ἄλλοι (ἕτεροι φ) δὲ Ἰερεμίαν λ φ | ἄλλοι ² — ἀνέστη] ἢ ἕνα τῶν προφητῶν D
> sy ᶜˢ   **20** Πέτρος δὲ (> sy ᶜˢ sa) ἀποκριθεὶς S B C λ sy ᶜˢ sa bo   ἀποκριθεὶς δὲ (> it vg sy ᵖᵉ) ὁ
(> W Θ) Πέτρος A D W Θ φ 𝕽 it vg sy ᵖᵉ | Χριστὸν + υἱὸν D | τοῦ θεοῦ > sy ᶜˢ

Zu Matth 16 17: **Hebr.Evang.:** Τὸ Ἰουδαϊκόν· υἱὲ Ἰωάννου 566 1424.

²¹ ἀπὸ τότε ἤρξατο Ἰησοῦς
Χριστὸς δεικνύειν τοῖς μαθηταῖς
αὐτοῦ ὅτι δεῖ αὐτὸν εἰς Ἱεροσόλυμα
ἀπελθεῖν καὶ πολλὰ παθεῖν
    ἀπὸ τῶν πρεσβυτέρων καὶ
    ἀρχιερέων καὶ
γραμματέων   καὶ ἀποκταν-
θῆναι καὶ   τῇ τρίτῃ ἡμέρᾳ
ἐγερθῆναι.

²² καὶ προσλαβόμενος αὐτὸν ὁ
Πέτρος ἤρξατο ἐπιτιμᾶν αὐτῷ λέ-
γων· ἵλεώς σοι, κύριε· οὐ μὴ ἔσται
σοι τοῦτο. ²³ ὁ δὲ στραφεὶς εἶπεν τῷ
Πέτρῳ· ὕπαγε ὀπίσω μου, σα-
τανᾶ· σκάνδαλον εἶ ἐμοῦ, ὅτι οὐ
φρονεῖς τὰ τοῦ θεοῦ ἀλλὰ τὰ τῶν
ἀνθρώπων.

³¹ καὶ ἤρξατο διδάσκειν αὐτοὺς
ὅτι δεῖ τὸν υἱὸν τοῦ ἀνθρώπου

πολλὰ παθεῖν, καὶ ἀποδοκιμασθῆ-
ναι ὑπὸ τῶν πρεσβυτέρων καὶ
τῶν ἀρχιερέων καὶ τῶν
γραμματέων   καὶ ἀποκταν-
θῆναι καὶ   μετὰ τρεῖς ἡμέρας
ἀναστῆναι·
³² καὶ παρρησίᾳ τὸν λόγον ἐλάλει.
καὶ προσλαβόμενος ὁ Πέτρος αὐ-
τὸν ἤρξατο ἐπιτιμᾶν αὐτῷ.
³³ ὁ δὲ ἐπιστραφεὶς καὶ ἰδὼν
τοὺς μαθητὰς αὐτοῦ ἐπετίμησεν
Πέτρῳ καὶ λέγει· ὕπαγε ὀπίσω μου,
σατανᾶ,   ὅτι οὐ
φρονεῖς τὰ τοῦ θεοῦ ἀλλὰ τὰ τῶν
ἀνθρώπων.

²² εἰπών

ὅτι δεῖ τὸν υἱὸν τοῦ ἀνθρώπου

πολλὰ παθεῖν καὶ ἀποδοκιμασθῆ-
ναι ἀπὸ τῶν πρεσβυτέρων καὶ
    ἀρχιερέων καὶ
γραμματέων   καὶ ἀποκταν-
θῆναι καὶ   τῇ τρίτῃ ἡμέρᾳ
ἐγερθῆναι.

† 123. Die Leidensnachfolge der Jünger.

✝ *123. The Conditions of Discipleship.*

Matth 16 24–28

²⁴ Τότε ὁ Ἰησοῦς εἶπεν τοῖς
μαθηταῖς αὐτοῦ·
    εἴ τις θέλει ὀπίσω μου ἐλ-
θεῖν, ἀπαρνησάσθω ἑαυτὸν καὶ
ἀράτω τὸν σταυρὸν αὐτοῦ,
    καὶ ἀκολουθείτω μοι. ²⁵ ὃς
γὰρ ἐὰν θέλῃ τὴν ψυχὴν αὐτοῦ
σῶσαι, ἀπολέσει αὐτήν· ὃς δ' ἂν

Mark 8 34—**9** 1

³⁴ Καὶ προσκαλεσάμενος τὸν ὄ-
χλον σὺν τοῖς μαθηταῖς αὐτοῦ εἶπεν
αὐτοῖς· εἴ τις θέλει ὀπίσω μου ἐλ-
θεῖν, ἀπαρνησάσθω ἑαυτὸν καὶ
ἀράτω τὸν σταυρὸν αὐτοῦ,
    καὶ ἀκολουθείτω μοι. ³⁵ ὃς
γὰρ ἐὰν θέλῃ τὴν ψυχὴν αὐτοῦ
σῶσαι, ἀπολέσει αὐτήν· ὃς δ' ἂν

Luk 9 23–27

²³ Ἔλεγεν δὲ πρὸς πάντας·

    εἴ τις θέλει ὀπίσω μου ἔρ-
χεσθαι, ἀρνησάσθω ἑαυτὸν καὶ
ἀράτω τὸν σταυρὸν αὐτοῦ καθ'
ἡμέραν, καὶ ἀκολουθείτω μοι. ²⁴ ὃς
γὰρ ἐὰν θέλῃ τὴν ψυχὴν αὐτοῦ
σῶσαι, ἀπολέσει αὐτήν· ὃς δ' ἂν

Matth 16, 21 Ἰησοῦς Χριστὸς S B bo   ὁ (ὁ > D) Ἰησοῦς C D W Θ λ φ 𝔐 it vg sy ᶜ ᵖᵉ sa   > Iren
Orig | τῇ — ἐγερθῆναι] μετὰ τρεῖς ἡμέρας ἀναστῆναι D it bo vgl. Mc   **22** ἤρξατο — λέγων] λέγει
αὐτῷ ἐπιτιμῶν B   εἶπεν sy ᶜ | σοι ² > it sy ᶜ   **23** στραφεὶς S B C W λ 𝔐   ἐπιστραφεὶς D Θ φ
> bo | εἰ ἐμοῦ S B φ   εἰ μου C Θ   μου εἰ W λ 𝔐   εἰ ἐμοὶ D it vg sy ᶜ ᵖᵉ | ἀλλὰ τοῦ ἀνθρώ-
που D   **24** ὁ Ἰησοῦς > B vgl. Mc Lc   **25** εὑρήσει] οὗτος σώσει λ vgl. Lc

Mark 8, 31 καὶ ¹ **+** ἀπὸ τότε W φ   ὑπὸ S B C D W   ἀπὸ A W Θ λ φ 𝔐 | μετὰ τρεῖς
ἡμέρας S A B C D Θ 𝔐 it vg sa bo   τῇ τρίτῃ ἡμέρα W λ φ sy ˢ ᵖᵉ   **32** καὶ προσλαβ. — αὐτῷ] ὁ
Σίμων δὲ Πέτρος ὡς φεισόμενος αὐτοῦ εἶπεν αὐτῷ· ἵλεώς σοι sy ˢ | ὁ Πέτρος αὐτὸν B   αὐτὸν (> D)
ὁ Πέτρος S A C D W Θ λ φ 𝔐 it vg   **33** Πέτρῳ S B D   τῷ Πέτρῳ A C W Θ λ φ 𝔐 | τὰ > D
34 εἴ τις S B C D W λ it vg   ὅστις A Θ 𝔐 sy ˢ ᵖᵉ sa bo | ἐλθεῖν S A B φ sy ˢ ᵖᵉ bo   ἀκολουθεῖν
𝔅 ⁴⁵ C D W Θ λ 𝔐 it vg sa

Luk 9, 22 ἀπὸ] ὑπὸ D λ | τῇ τρίτῃ ἡμέρᾳ] μεθ' ἡμέρας τρεῖς D it | ἐγερθῆναι] ἀναστῆναι A C D λ
23 ἀρνησάσθω S A D Θ   ἀπαρνησάσθω B C W λ φ 𝔐 sa | καθ' ἡμέραν S A B W Θ λ φ 𝔐 vg sy ᶜ ᵖᵉ
sa bo   > C D it sy ˢ vgl. Mt Mc

ἀπολέσῃ τὴν ψυχὴν αὐτοῦ ἕνεκεν
ἐμοῦ, | Joh 12 25 26 | εὑρήσει
αὐτήν.*

²⁶ τί γὰρ ὠφεληθήσεται ἄνθρω-
πος, ἐὰν τὸν κόσμον ὅλον κερδήσῃ,
τὴν δὲ ψυχὴν αὐτοῦ ζημιωθῇ;
ἢ τί δώσει ἄνθρωπος ἀντάλ-
λαγμα τῆς ψυχῆς αὐτοῦ;

²⁷ μέλλει γὰρ ὁ υἱὸς τοῦ ἀν-
θρώπου ἔρχεσθαι ἐν τῇ δόξῃ τοῦ
πατρὸς αὐτοῦ μετὰ τῶν ἀγγέλων
αὐτοῦ, καὶ τότε *ἀποδώσει ἑκάστῳ
κατὰ τὴν πρᾶξιν αὐτοῦ.*

²⁸ ἀμὴν λέγω
ὑμῖν ὅτι εἰσίν τινες τῶν ὧδε
ἑστώτων οἵτινες οὐ μὴ γεύσων-

ἀπολέσει τὴν ψυχὴν αὐτοῦ ἕνεκεν
ἐμοῦ καὶ τοῦ εὐαγγελίου, σώσει
αὐτήν.*

³⁶ τί γὰρ ὠφελεῖ ἄνθρω-
πον κερδῆσαι τὸν κόσμον ὅλον καὶ
ζημιωθῆναι τὴν ψυχὴν αὐτοῦ;
³⁷ τί γὰρ δοῖ ἄνθρωπος ἀντάλ-
λαγμα τῆς ψυχῆς αὐτοῦ; ³⁸ ὃς γὰρ
ἐὰν ἐπαισχυνθῇ με καὶ τοὺς ἐμοὺς
λόγους ἐν τῇ γενεᾷ ταύτῃ τῇ μοι-
χαλίδι καὶ ἁμαρτωλῷ, καὶ ὁ υἱὸς
τοῦ ἀνθρώπου ἐπαισχυνθήσεται
αὐτόν,**

ὅταν ἔλθῃ ἐν τῇ δόξῃ τοῦ
πατρὸς αὐτοῦ μετὰ τῶν ἀγγέλων
τῶν ἁγίων.

9 ¹ καὶ ἔλεγεν αὐτοῖς· ἀμὴν λέγω
ὑμῖν ὅτι εἰσίν τινες ὧδε τῶν
ἑστηκότων οἵτινες οὐ μὴ γεύσων-

ἀπολέσῃ τὴν ψυχὴν αὐτοῦ ἕνεκεν
ἐμοῦ, οὗτος σώσει
αὐτήν.*

²⁵ τί γὰρ ὠφελεῖται ἄνθρω-
πος κερδήσας τὸν κόσμον ὅλον
ἑαυτὸν δὲ ἀπολέσας ἢ ζημιωθείς;

²⁶ ὃς γὰρ
ἂν ἐπαισχυνθῇ με καὶ τοὺς ἐμοὺς
λόγους,

τοῦτον ὁ υἱὸς
τοῦ ἀνθρώπου ἐπαισχυνθήσεται,

ὅταν ἔλθῃ ἐν τῇ δόξῃ αὐτοῦ
καὶ τοῦ πατρὸς καὶ τῶν ἁγίων
ἀγγέλων.**

²⁷ λέγω δὲ
ὑμῖν ἀληθῶς, εἰσίν τινες τῶν αὐτοῦ
ἑστηκότων οἳ οὐ μὴ γεύσων-

---

* Matth 10 38 39 (62. S. 51):
³⁸ Καὶ ὃς οὐ λαμβάνει τὸν σταυρὸν αὐτοῦ καὶ ἀκο-
λουθεῖ ὀπίσω μου, οὐκ ἔστιν μου ἄξιος. ³⁹ ὁ εὑρὼν
τὴν ψυχὴν αὐτοῦ ἀπολέσει αὐτήν καὶ ὁ ἀπολέσας
τὴν ψυχὴν αὐτοῦ ἕνεκεν ἐμοῦ, εὑρήσει αὐτήν.

** Matth 10 33 (60. S. 50): Ὅστις δ' ἂν ἀρνή-
σηταί με ἔμπροσθεν τῶν ἀνθρώπων, ἀρνήσομαι κἀγὼ
αὐτὸν ἔμπροσθεν τοῦ πατρός μου τοῦ ἐν οὐρανοῖς.

Luk 14 27 (171. S. 134): Ὅστις οὐ βαστάζει
τὸν σταυρὸν ἑαυτοῦ καὶ ἔρχεται ὀπίσω μου, οὐ
δύναται εἶναί μου μαθητής.
17 33 (184. S. 141): Ὃς ἐὰν ζητήσῃ τὴν ψυχὴν
αὐτοῦ περιποιήσασθαι, ἀπολέσει αὐτήν, καὶ ὃς ἂν
ἀπολέσει, ζωογονήσει αὐτήν.

Luk 12 9 (155. S. 124): Ὁ δὲ ἀρνησάμενός
με ἐνώπιον τῶν ἀνθρώπων ἀπαρνηθήσεται ἐνώπιον
τῶν ἀγγέλων τοῦ θεοῦ.

Mt 16 27: Ps 61 13.

Matth 16, 26 ὠφεληθήσεται S B Θ λ φ   ὠφελεῖται C D W 𝔎 it vg sy ᶜ ᵖᵉ vgl. Lc | ὅλον] τοῦ-
τον it > Θ   **27** τῶν ἀγγέλων αὐτοῦ S B Θ W λ φ 𝔎 vg sy ᶜ sa bo   τῶν ἁγίων ἀγγέλων αὐτοῦ
D it sy ᵖᵉ   τῶν ἀγγέλων τῶν ἁγίων C | τὴν πρᾶξιν B C D W Θ φ 𝔎   τὰ ἔργα S λ it vg sy ᶜ ᵖᵉ
sa bo   **28** τῶν ὧδε ἑστώτων S B C D Θ λ φ it vg sa bo   τῶν ὧδε ἑστηκότων 𝔎   ὧδε ἑστῶτες W

Mark 8,35 ἐμοῦ καὶ > 𝔓 ⁴⁵ D it sy ˢ (ἐμοῦ nach εὐαγγελίου sy ˢ ᵖᵉ)   **36** ὠφελεῖ S B W   ὠφελήσει
A C D Θ λ φ 𝔎 it vg sy ˢ ᵖᵉ | ἄνθρωπον 𝔓 ⁴⁵ B 𝔎   τὸν ἄνθρωπον 𝔓 ⁴⁵ (?) A C D W Θ sa bo   ἄνθρωπος
S λ φ | κερδῆσαι und ζημιωθῆναι S B   ἐὰν κερδήσῃ und ζημιωθῇ 𝔓 ⁴⁵ A C D W Θ λ φ 𝔎 it vg sy ˢ ᵖᵉ
Orig sa bo   **37** τί γὰρ 𝔓 ⁴⁵ S B W sa bo   ἢ τί A C Θ λ φ 𝔎 it vg sy ᵖᵉ   ἢ τί γὰρ D   τί
sy ˢ | δοῖ S B   δώσει 𝔓 ⁴⁵ A C D W Θ λ φ 𝔎 it vg sy ˢ ᵖᵉ   **38** ταύτῃ > 𝔓 ⁴⁵ W | μετά] καὶ 𝔓 ⁴⁵
W sy ˢ   **9, 1** ὧδε τῶν ἑστηκότων B   τῶν ὧδε ἑστηκότων (ἑστώτων S) S A C W Θ φ 𝔎 sa l.o   τῶν
ἑστηκότων ὧδε 𝔓 ⁴⁵ λ   τῶν (+ ὧδε it) ἑστηκότων μετ' ἐμοῦ D it | ἂν > 𝔓 ⁴⁵ W

Luk 9, 25 ὠφελεῖται A B W Θ λ φ 𝔎   ὠφελεῖ S C D vgl. Mc | ἄνθρωπον κερδῆσαι, ἀπολέσαι ἢ
ζημιωθῆναι D vgl. Mc   **26** λόγους > D sy ᶜ Orig   **27** αὐτοῦ (ὧδε 𝔎) ἑστηκότων (ἑστώτων λ)
S B λ 𝔎   ὧδε ἑστώτων A C D W Θ φ |

ται θανάτου ἕως ἂν ἴδωσιν τὸν υἱὸν τοῦ ἀνθρώπου ἐρχόμενον ἐν τῇ βασιλείᾳ αὐτοῦ.	ται θανάτου ἕως ἂν ἴδωσιν τὴν βασιλείαν τοῦ θεοῦ ἐληλυθυῖαν ἐν δυνάμει.	ται θανάτου ἕως ἂν ἴδωσιν τὴν βασιλείαν τοῦ θεοῦ.

† 124. Die Verklärung.

† 124. The Transfiguration.

Matth 17 1–8	Mark 9 2–8	Luk 9 28–36
¹ Καὶ μεθ᾽ ἡμέρας ἓξ παραλαμβάνει ὁ Ἰησοῦς τὸν Πέτρον καὶ Ἰάκωβον καὶ Ἰωάννην τὸν ἀδελφὸν αὐτοῦ, καὶ ἀναφέρει αὐτοὺς εἰς ὄρος ὑψηλὸν κατ᾽ ἰδίαν.	² Καὶ μετὰ ἡμέρας ἓξ παραλαμβάνει ὁ Ἰησοῦς τὸν Πέτρον καὶ τὸν Ἰάκωβον καὶ Ἰωάννην, καὶ ἀναφέρει αὐτοὺς εἰς ὄρος ὑψηλὸν κατ᾽ ἰδίαν μόνους.	²⁸ Ἐγένετο δὲ μετὰ τοὺς λόγους τούτους ὡσεὶ ἡμέραι ὀκτώ, καὶ παραλαβὼν Πέτρον καὶ Ἰωάννην καὶ Ἰάκωβον ἀνέβη εἰς τὸ ὄρος προσεύξασθαι.
² καὶ μετεμορφώθη ἔμπροσθεν αὐτῶν, καὶ ἔλαμψεν τὸ πρόσωπον αὐτοῦ ὡς ὁ ἥλιος, τὰ δὲ ἱμάτια αὐτοῦ ἐγένετο λευκὰ ὡς τὸ φῶς.	καὶ μετεμορφώθη ἔμπροσθεν αὐτῶν, ³ καὶ τὰ ἱμάτια αὐτοῦ ἐγένετο στίλβοντα λευκὰ λίαν, οἷα γναφεὺς ἐπὶ τῆς γῆς οὐ δύναται οὕτως λευκᾶναι.	²⁹ καὶ ἐγένετο ἐν τῷ προσεύχεσθαι αὐτὸν τὸ εἶδος τοῦ προσώπου αὐτοῦ ἕτερον καὶ ὁ ἱματισμὸς αὐτοῦ λευκὸς ἐξαστράπτων.
³ καὶ ἰδοὺ ὤφθη αὐτοῖς Μωϋσῆς καὶ Ἡλίας συλλαλοῦντες μετ᾽ αὐτοῦ.	⁴ καὶ ὤφθη αὐτοῖς Ἡλίας σὺν Μωϋσεῖ, καὶ ἦσαν συλλαλοῦντες τῷ Ἰησοῦ.	³⁰ καὶ ἰδοὺ ἄνδρες δύο συνελάλουν αὐτῷ, οἵτινες ἦσαν Μωϋσῆς καὶ Ἡλίας, ³¹ οἱ ὀφθέντες ἐν δόξῃ ἔλεγον τὴν ἔξοδον αὐτοῦ, ἣν ἤμελλεν πληροῦν ἐν Ἱερουσαλήμ. ³² ὁ δὲ Πέτρος καὶ οἱ σὺν αὐτῷ ἦσαν βεβαρημένοι ὕπνῳ· διαγρηγορήσαντες δὲ εἶδαν τὴν δόξαν αὐτοῦ
		Joh 1 14 καὶ τοὺς δύο ἄνδρας

Matth 17, 1 καὶ ¹ **+** ἐγένετο D Θ it | Ἰάκωβον B C W λ φ 𝔎   τὸν Ἰάκωβον S D Θ | ἀναφέρει] ἀνάγει D λ ducit it vg Orig | κατ᾽ ἰδίαν] λίαν D Eus   **2** μετεμορφώθη (μεταμορφωθεὶς D) **+** ὁ Ἰησοῦς D it sy ᵖᵉ, **+** ἡ ἰδέα τοῦ προσώπου αὐτοῦ sy ᶜ vgl. Lc | τὸ φῶς] χιών D it vg sy ᶜ   **3** ἰδού > sy ᶜ ᵖᵉ | ὤφθη S B D Θ φ it sy ᶜ   ὤφθησαν C W λ 𝔎 vg sy ᵖᵉ sa bo | συλλαλοῦντες μετ᾽ αὐτοῦ S B W λ   μετ. αὐτ. σ. C D Θ φ 𝔎 it vg

Mark 9, 2 Ἰωάννην A B Θ   𝔓 ⁴⁵ S C D W λ φ 𝔎 | ἀναφέρει] ἀνάγει D duxit it ducit vg | ὑψηλὸν **+** λίαν S altissimum it | μόνους. καὶ **+** ἐν τῷ προσεύχεσθαι αὐτοὺς 𝔓 ⁴⁵ W Θ (aber αὐτὸν Θ) φ | μετεμορφώθη **+** ὁ Ἰησοῦς 𝔓 ⁴⁵ W φ | αὐτῶν **+** καὶ ἔλαμψεν sy ˢ   **3** ἐγένετο 𝔓 ⁴⁵ S B C W Θ 𝔎   ἐγένοντο A D λ φ | λίαν 𝔓 ⁴⁵ ? S B C W Θ λ sa   λίαν (> it sy ˢ) **+** ὡς χιών A D φ 𝔎 it vg sy ˢ ᵖᵉ (ὡς χιών **+** καὶ vor λευκὰ bo) bo | οἷα] ὡς D W | γναφεὺς — λευκᾶναι] οὐ δύναταί τις λευκᾶναι (facere it) ἐπὶ τῆς γῆς D it sy ˢ | γῆς — ἦσαν] καὶ Μωϋσῆς sy ˢ ᵖᵉ sa | καὶ ἦσαν συλλαλοῦντες (λαλοῦντες S it) S A B C W φ 𝔎 it vg bo   συνελάλουν D Θ λ **4** = Mt 17 3: sy ˢ | καὶ **+** ἰδοὺ W φ | σὺν — ἦσαν] καὶ Μωϋσῆς sy ˢ ᵖᵉ sa   καὶ ἦσαν συλλαλοῦντες > sy ˢ

Luk 9, 27 τὴν βασιλείαν τοῦ θεοῦ] τ. βασ. τ. θ. ἐρχομένην ἐν τῇ δόξῃ sy ᶜ   τὸν υἱὸν τοῦ ἀνθρώπου ἐρχόμενον ἐν τῇ δόξῃ αὐτοῦ D Orig   **28** καὶ ¹ A C D W Θ λ φ 𝔎 vg sy ᶜˢ > 𝔓 ⁴⁵ S B it sy ᵖᵉ sa bo | Ἰωάννην, Ἰάκωβον S A B C W Θ λ φ 𝔎 it sa   Ἰάκωβον, Ἰωάννην 𝔓 ⁴⁵ D vg sy ᶜˢ ᵖᵉ bo   **29** τὸ εἶδος — ἕτερον] ἡ ἰδέα τοῦ προσώπου αὐτοῦ ἠλλοιώθη D sy ᶜˢ | καὶ ² — αὐτοῦ ²] καὶ ἠλλοιώθη ὁ ἱματισμὸς αὐτοῦ καὶ ἐγένετο Θ Orig | ἐξαστράπτων **+** ὡς χιών sy ᶜ   **30** συνελάλουν] συλλαλοῦντ[ες 𝔓 ⁴⁵   **31** ἐν] εἰς 𝔓 ⁴⁵ D

⁴ ἀποκριθεὶς δὲ ὁ Πέτρος εἶπεν τῷ Ἰησοῦ· κύριε, καλόν ἐστιν ἡμᾶς ὧδε εἶναι· εἰ θέλεις, ποιήσω ὧδε τρεῖς σκηνάς, σοὶ μίαν καὶ Μωϋσεῖ μίαν καὶ Ἠλίᾳ μίαν.

⁵ ἔτι αὐτοῦ λαλοῦντος, ἰδοὺ νεφέλη φωτεινὴ ἐπεσκίασεν αὐτούς,

καὶ ἰδοὺ φωνὴ ἐκ τῆς νεφέλης λέγουσα· οὗτός ἐστιν ὁ υἱός μου ὁ ἀγαπητός, ἐν ᾧ εὐδόκησα· ἀκούετε αὐτοῦ. ⁶ καὶ ἀκούσαντες οἱ μαθηταὶ ἔπεσαν ἐπὶ πρόσωπον αὐτῶν καὶ ἐφοβήθησαν σφόδρα. ⁷ καὶ προσῆλθεν ὁ Ἰησοῦς καὶ ἁψάμενος αὐτῶν εἶπεν· ἐγέρθητε καὶ μὴ φοβεῖσθε. ⁸ ἐπάραντες δὲ τοὺς ὀφθαλμοὺς αὐτῶν οὐδένα εἶδον εἰ μὴ αὐτὸν Ἰησοῦν μόνον.

⁵ καὶ ἀποκριθεὶς ὁ Πέτρος λέγει τῷ Ἰησοῦ· ῥαββί, καλόν ἐστιν ἡμᾶς ὧδε εἶναι, καὶ ποιήσωμεν τρεῖς σκηνάς, σοὶ μίαν καὶ Μωϋσεῖ μίαν καὶ Ἠλίᾳ μίαν. ⁶ οὐ γὰρ ᾔδει τί ἀποκριθῇ· ἔκφοβοι γὰρ ἐγένοντο.

⁷ καὶ ἐγένετο νεφέλη ἐπισκιάζουσα αὐτοῖς,

καὶ ἐγένετο φωνὴ ἐκ τῆς νεφέλης· οὗτός ἐστιν ὁ υἱός μου ὁ ἀγαπητός, ἀκούετε αὐτοῦ.

⁸ καὶ ἐξάπινα περιβλεψάμενοι οὐκέτι οὐδένα εἶδον εἰ μὴ τὸν Ἰησοῦν μόνον μεθ' ἑαυτῶν.

τοὺς συνεστῶτας αὐτῷ. ³³ καὶ ἐγένετο ἐν τῷ διαχωρίζεσθαι αὐτοὺς ἀπ' αὐτοῦ εἶπεν ὁ Πέτρος πρὸς τὸν Ἰησοῦν· ἐπιστάτα, καλόν ἐστιν ἡμᾶς ὧδε εἶναι, καὶ ποιήσωμεν σκηνὰς τρεῖς, μίαν σοὶ καὶ μίαν Μωϋσεῖ καὶ μίαν Ἠλίᾳ, μὴ εἰδὼς ὃ λέγει.

³⁴ ταῦτα δὲ αὐτοῦ λέγοντος ἐγένετο νεφέλη καὶ ἐπεσκίαζεν αὐτούς· ἐφοβήθησαν δὲ ἐν τῷ εἰσελθεῖν αὐτοὺς εἰς τὴν νεφέλην. ³⁵ καὶ φωνὴ ἐγένετο ἐκ τῆς νεφέλης λέγουσα· οὗτός ἐστιν ὁ υἱός μου ὁ ἐκλελεγμένος. αὐτοῦ ἀκούετε.

³⁶ καὶ ἐν τῷ γενέσθαι τὴν φωνὴν εὑρέθη Ἰησοῦς μόνος. καὶ αὐτοὶ ἐσίγησαν καὶ οὐδενὶ ἀπήγγειλαν ἐν ἐκείναις ταῖς ἡμέραις οὐδὲν ὧν ἑώρακαν.

Mt 17 5 = Mc 9 7 = Lc 9 35: vgl. Mt 3 17.

Matth 17, 4 ποιήσω S B C it   ποιήσωμεν D Θ W λ φ ℜ vg sy ᶜ ᵖᵉ εα lo vgl. Mc Lc | σκηνὰς τρεῖς ~ B vgl. Lc | Ἠλίᾳ μίαν S C D W Θ λ φ it vg Orig   μίαν Ἠλίᾳ B ℜ   **5** φωτεινή] φωτὸς φ sy ᶜ | φωνὴ + ἡκούσθη sy ᶜ it ᵛᵃʳ | ἀκούετε αὐτοῦ S B D λ Orig   αὐτοῦ ἀκούετε C W Θ φ ℜ it vg vgl. Lc   **8** αὐτὸν Ἰησοῦν μόνον S B W Θ   τὸν Ἰησοῦν μόνον C λ φ ℜ εγ ᶜ ᵖᵉ εα bo   μόνον τὸν Ἰησοῦν D it vg

Mark 9, 5 ἀποκριθεὶς > sy ᵖᵉ | ὁ Πέτρος λέγει S A B C ℜ it vg   εἶπεν Πέτρος ℜ⁴⁵ W   ὁ Πέτρος εἶπεν D Θ sy ˢ ᵖᵉ   ὁ Πέτρος ἔλεγε λ φ | καὶ (> sa) ποιήσωμεν S A B λ ℜ vg sy ˢ ᵖᵉ sa bo   καὶ ποιήσωμεν ὧδε ℜ⁴⁵ C   θέλεις ποιήσω ὧδε (+ ὧδε W) D W it   θέλεις ποιήσωμεν ὧδε (> φ) Θ φ | τρεῖς σκηνὰς ℜ⁴⁵ S B C it vg sy ᶜ ᵖᵉ   σκηνὰς τρεῖς A D W Θ λ φ ℜ   **6** ἀποκριθῇ S B C λ lo   λαλήσει A D φ   λαλήσῃ ℜ it vg sy ˢ ᵖᵉ   ἐλάλει Θ   λαλεῖ ℜ⁴⁵ W εα | ἔκφοβοι γὰρ ἐγένοντο S B C D Θ it sa lo   ἦσαν γὰρ ἔκφοβοι ℜ⁴⁵ A W λ φ ℜ vg εγ ᵖᵉ   ἦν γὰρ ἔκφοβος sy ˢ (vgl. 7)   **7** καὶ¹ S A B C D λ ℜ it vg sy ˢ ᵖᵉ sa lo   καὶ ἰδοὺ W Θ φ | αὐτοῖς] αὐτοὺς W φ vgl. Mt Lc   αὐτῷ sy ˢ | ἐγένετο² S B C bo   ἦλθεν A D Θ φ ℜ it vg sy ˢ sa   > W λ sy ᵖᵉ | νεφέλης S B C sy ˢ sa lo   νεφέλης λέγουσα A D W Θ λ φ ℜ it vg sy ᵖᵉ vgl. Mt Lc   **8** εἰ μὴ S B D it vg sy ˢ sa bo   ἀλλὰ A C W Θ λ φ ℜ sy ᵖᵉ

Luk 9, 33 ἐπιστάτα] διδάσκαλε ℜ⁴⁵ | καὶ (> ℜ⁴⁵ εα) ποιήσωμεν ℜ⁴⁵ S A B C W Θ λ φ ℜ it vg sy ᶜˢ ᵖᵉ sa   θέλεις ποιήσω ὧδε D   καὶ εἰ θέλεις ποιήσωμεν lo   **34** ἐπεσκίαζεν S B   ἐπεσκίασεν ℜ⁴⁵ A C D W Θ λ φ ℜ it vg | εἰσελθεῖν αὐτοὺς S B bo   αὐτοὺς εἰσελθεῖν C   ἐκείνους εἰσελθεῖν ℜ⁴⁵ A D W Θ λ φ ℜ sa   ἐφοβήθησαν δὲ ἰδόντες εἰσελθεῖν sy ᶜ ᵖᵉ | αὐτοὺς] Μωσῇ καὶ Ἠλίαν sy ᵖ   **35** ἐγένετο mit ℜ⁴⁵] ἦλθεν D   ἡκούσθη sy ᶜˢ | λέγουσα > sy ˢ | ἐκλελεγμένος ℜ⁴⁵ S B sy ˢ sa bo   ἐκλεκτός Θ λ   ἀγαπητός A C W φ ℜ it vg sy ᶜ ᵖᵉ   ἀγαπητός, ἐν ᾧ εὐδόκησα D   **36** καὶ (> sa) + ἐγένετο ℜ⁴⁵ | αὐτοὶ > ℜ⁴⁵ | οὐδὲν > ℜ⁴⁵

† 125. Gespräch beim Abstieg.
† 125. The Coming of Elijah.

Matth 17 9–13	Mark 9 9–13	
⁹ Καὶ καταβαινόντων αὐτῶν ἐκ τοῦ ὄρους ἐνετείλατο αὐτοῖς ὁ Ἰησοῦς λέγων· μηδενὶ εἴπητε τὸ ὅραμα ἕως οὗ ὁ υἱὸς τοῦ ἀνθρώπου ἐκ νεκρῶν ἐγερθῇ.	⁹ Καὶ καταβαινόντων αὐτῶν ἐκ τοῦ ὄρους διεστείλατο αὐτοῖς ἵνα μηδενὶ ἃ εἶδον διηγήσωνται, εἰ μὴ ὅταν ὁ υἱὸς τοῦ ἀνθρώπου ἐκ νεκρῶν ἀναστῇ. ¹⁰ καὶ τὸν λόγον ἐκράτησαν πρὸς ἑαυτοὺς συζητοῦντες τί ἐστιν τὸ ἐκ νεκρῶν ἀναστῆναι.	s. u. v. 37
¹⁰ καὶ ἐπηρώτησαν αὐτὸν οἱ μαθηταὶ λέγοντες· τί οὖν οἱ γραμματεῖς λέγουσιν ὅτι Ἠλίαν δεῖ ἐλθεῖν πρῶτον; ¹¹ ὁ δὲ ἀποκριθεὶς εἶπεν· Ἠλίας μὲν ἔρχεται καὶ ἀποκαταστήσει πάντα.	¹¹ καὶ ἐπηρώτων αὐτὸν λέγοντες· ὅτι λέγουσιν οἱ γραμματεῖς ὅτι Ἠλίαν δεῖ ἐλθεῖν πρῶτον; ¹² ὁ δὲ ἔφη αὐτοῖς· Ἠλίας μὲν ἐλθὼν πρῶτον ἀποκαθιστάνει πάντα. καὶ πῶς γέγραπται ἐπὶ τὸν υἱὸν τοῦ ἀνθρώπου, ἵνα πολλὰ πάθῃ καὶ ἐξουδενηθῇ;	
v. 12 b ¹² λέγω δὲ ὑμῖν ὅτι Ἠλίας ἤδη ἦλθεν, καὶ οὐκ ἐπέγνωσαν αὐτόν, ἀλλ᾽ ἐποίησαν ἐν αὐτῷ ὅσα ἠθέλησαν· οὕτως καὶ ὁ υἱὸς τοῦ ἀνθρώπου μέλλει πάσχειν ὑπ᾽ αὐτῶν. ¹³ τότε συνῆκαν οἱ μαθηταὶ ὅτι περὶ Ἰωάννου τοῦ βαπτιστοῦ εἶπεν αὐτοῖς.	¹³ ἀλλὰ λέγω ὑμῖν ὅτι καὶ Ἠλίας ἐλήλυθεν, καὶ ἐποίησαν αὐτῷ ὅσα ἤθελον, καθὼς γέγραπται ἐπ᾽ αὐτόν.	

† 126. Heilung des epileptischen Knaben.
† 126. An Epileptic Child Healed.

Matth 17 14–21	Mark 9 14–29	Luk 9 37–43 a
s. o. v. 9	s. o. v. 9	³⁷ Ἐγένετο δὲ τῇ ἑξῆς ἡμέρᾳ κατελθόντων αὐτῶν ἀπὸ τοῦ ὄρους συνήντησεν αὐτῷ ὄχλος πολύς.

Mt 17 10 11 = Mc 9 11 12: Mal 3 22 23.　　Mt 17 12 = Mc 9 13: vgl. III. Reg 19 2 10.　　Mc 9 12 b: vgl. Ps 21 7 Jes 53 3.

Matth 17, 9 ἐκ S B C D W Θ λ φ　ἀπὸ 𝔐 | ἐγερθῇ B D　ἀναστῇ S C W Θ λ φ 𝔐　**10** μαθηταὶ S W Θ λ it vg sa bo Orig　μαθηταὶ αὐτοῦ B C D φ 𝔐 sy ᶜ ᵖᵉ　**11** ὁ δὲ S B D W λ it vg (ἀποκριθεὶς > sy ᶜ vgl. Mc) sy ᶜ sa bo　ὁ δὲ Ἰησοῦς C Θ φ 𝔐 sy ᵖᵉ | εἶπεν B D W Θ it sy ᵖᵉ sa bo　εἶπεν αὐτοῖς S C (~ λ) λ φ 𝔐 vg sy ᶜ | ἔρχεται S B D W Θ λ it vg sy ᶜ sa bo　ἔρχεται πρῶτον C φ 𝔐 sy ᵖᵉ | ἀποκαταστήσει D it sy ᶜ ᵖᵉ　ἀποκαταστῆσαι S B C W Θ λ φ 𝔐 vg sa b)　**12** ἐν B C Θ λ φ 𝔐 vg sy ᶜˢ ᵖᵉ sa　> S D W it bo vgl. Mc | οὕτως — αὐτῶν nach v. 13 αὐτοῖς ~ D it

Mark 9, 9 καὶ καταβαινόντων S B C D it vg sy ᵖᵉ bo vgl. Mt　καταβαινόντων δὲ A W Θ λ φ 𝔐 sa καταβ. sy ˢ | ἐκ B D vgl. Mt　ἀπὸ S A C W Θ λ φ 𝔐　de it vg　**10** τὸ (> Θ) ἐκ νεκρῶν ἀναστῆναι S A B C Θ 𝔐 sa bo　ὅταν ἐκ νεκρῶν ἀναστῇ D W λ φ it vg sy ˢ ᵖᵉ　**11** ἐπηρώτων S B C D Θ 𝔐 it vg　ἐπηρώτων αὐτὸν A W Θ λ φ 𝔐 vg sy ᵖᵉ vgl. Mt | ὅτι S A B C D 𝔐 it sy ˢ　τί οὖν W Θ vg sy ᵖᵉ　πῶς οὖν φ | οἱ γραμματεῖς A B C D W Θ λ φ 𝔐 it sy ˢ ᵖᵉ sa bo　οἱ Φαρισαῖοι καὶ οἱ γραμματεῖς S vg　**12** ἔφη S B C sy ᵖᵉ sa bo　ἀποκριθεὶς εἶπεν A D W Θ λ φ 𝔐 it vg sy ˢ | αὐτοῖς + εἰ D | μὲν S A B C Θ φ 𝔐 sa bo　> D W λ it vg sy ˢ ᵖ³ | ἀποκαθιστάνει S A B D W λ　ἀποκαταστήσει C Θ it vg sy ˢ ᵖᵉ sa bo　ἀποκαθιστᾷ φ 𝔐 | ἐξουδενηθῇ B D　ἐξουθενηθῇ W Θ λ　ἐξουδενωθῇ A C 𝔐　ἐξουθενωθῇ S B　σταυρωθῇ φ 𝔐　**13** ἐλήλυθεν S A B D Θ φ 𝔐 it vg sy ᵖᵉ sa bo　ἤδη ἦλθεν C W λ

Luk 9, 37 τῇ ἑξῆς ἡμέρᾳ S B W λ φ　ἐν τῇ ἑξῆς ἡμέρᾳ A C Θ 𝔐 vg sy ᵖᵉ　διὰ τῆς ἡμέρας (+ πάλιν sy ᶜ) D it sy ᶜˢ　τῆς ἡμέρας 𝔓 ⁴⁵ sy ˢ (?)

¹⁴ Καὶ ἐλθόντων πρὸς τὸν ὄχλον

προσῆλθεν αὐτῷ ἄνθρωπος γονυ-πετῶν αὐτὸν ¹⁵ καὶ λέγων· κύριε, ἐλέησόν μου τὸν υἱόν, ὅτι σεληνιά-ζεται καὶ κακῶς ἔχει· πολλάκις γὰρ πίπτει εἰς τὸ πῦρ καὶ πολλάκις εἰς τὸ ὕδωρ.

¹⁶ καὶ προσήνεγκα αὐτὸν τοῖς μαθηταῖς σου, καὶ οὐκ ἠδυνήθησαν αὐτὸν θεραπεῦσαι.   ¹⁷ ἀπο-κριθεὶς δὲ ὁ Ἰησοῦς εἶπεν· ὦ γενεὰ ἄπιστος καὶ διεστραμμένη, ἕως πότε μεθ᾽ ὑμῶν ἔσομαι; ἕως πότε ἀνέξομαι ὑμῶν; φέρετέ μοι αὐτὸν ὧδε. | Joh 14 9 |

---

¹⁴ Καὶ ἐλθόντες πρὸς τοὺς μα-θητὰς εἶδον ὄχλον πολὺν περὶ αὐ-τοὺς καὶ γραμματεῖς συζητοῦντας πρὸς αὐτούς. ¹⁵ καὶ εὐθὺς πᾶς ὁ ὄχλος ἰδόντες αὐτὸν ἐξεθαμβήθη-σαν, καὶ προστρέχοντες ἠσπάζοντο αὐτόν. ¹⁶ καὶ ἐπηρώτησεν αὐτούς· τί συζητεῖτε πρὸς αὐτούς; ¹⁷ καὶ ἀπεκρίθη αὐτῷ εἷς ἐκ τοῦ ὄχλου· διδά-σκαλε, ἤνεγκα τὸν υἱόν μου πρὸς σέ, ἔχοντα πνεῦμα ἄλαλον· ¹⁸ καὶ ὅπου ἐὰν αὐτὸν καταλάβῃ, ῥήσσει αὐτόν, καὶ ἀφρίζει καὶ τρίζει τοὺς ὀδόντας καὶ ξηραίνεται·

s. u. v. 22

καὶ εἶπα τοῖς μαθηταῖς σου ἵνα αὐτὸ ἐκβάλωσιν, καὶ οὐκ ἴσχυσαν. ¹⁹ ὁ δὲ ἀπο-κριθεὶς αὐτοῖς λέγει· ὦ γενεὰ ἄπιστος, ἕως πότε πρὸς ὑμᾶς ἔσομαι; ἕως πότε ἀνέξομαι ὑμῶν; φέρετε αὐτὸν πρός με. ²⁰ καὶ ἤνεγκαν αὐτὸν πρὸς αὐτόν. καὶ ἰδὼν αὐτὸν τὸ πνεῦμα εὐθὺς συνεσπάραξεν αὐτόν, καὶ πε-σὼν ἐπὶ τῆς γῆς ἐκυλίετο ἀφρίζων. ²¹ καὶ ἐπηρώτησεν τὸν πατέρα αὐ-τοῦ· πόσος χρόνος ἐστὶν ὡς τοῦτο γέγονεν αὐτῷ; ὁ δὲ εἶπεν· ἐκ παι-

---

³⁸ καὶ ἰδοὺ ἀνὴρ ἀπὸ τοῦ ὄχλου ἐβόησεν λέγων· διδά-σκαλε, δέομαί σου ἐπιβλέψαι ἐπὶ τὸν υἱόν μου, ὅτι μονογενής μοί ἐστιν, ³⁹ καὶ ἰδοὺ πνεῦμα λαμβάνει αὐτόν, καὶ ἐξαίφνης κράζει καὶ σπαράσσει αὐτὸν μετὰ ἀφροῦ, καὶ μόλις ἀποχωρεῖ ἀπ᾽ αὐτοῦ συν-τρῖβον αὐτόν· ⁴⁰ καὶ ἐδεήθην τῶν μαθητῶν σου ἵνα ἐκβάλωσιν αὐτό, καὶ οὐκ ἠδυνήθησαν. ⁴¹ ἀπο-κριθεὶς δὲ ὁ Ἰησοῦς εἶπεν· ὦ γενεὰ ἄπιστος καὶ διεστραμμένη, ἕως πότε ἔσομαι πρὸς ὑμᾶς καὶ ἀνέξομαι ὑμῶν; προσάγαγε ὧδε τὸν υἱόν σου. ⁴² ἔτι δὲ προσ-ερχομένου αὐτοῦ ἔρρηξεν αὐτὸν τὸ δαιμόνιον καὶ συνεσπάραξεν·

Matth 17, 14 ἐλθόντων S B λ sy ᵖᵉ sa bo   ἐλθόντων αὐτῶν C W Θ φ 𝔐   ἐλθὼν D it vg sy ᶜˢ (+ ὁ Ἰησοῦς sy ᶜˢ)   **15** ἔχει S B Θ sy ᶜˢ ? ᵖᵉ   πάσχει C D W λ φ 𝔐 vg torquetur it | πολλάκις ² S B C φ 𝔐 sy ᶜˢ ᵖᵉ sa bo vg   ἐνίοτε D Θ λ it   > W   **17** Ἰησοῦς > S | εἶπεν+αὐτοῖς S sy ᶜ vgl. Mc

Mark 9, 14 ἐλθόντες (-ος sy ˢ) un l εἶδον S B W sy ˢ sa   ἐλθὼν und εἶδεν A C D Θ λ φ 𝔐 it vg sy ᵖᵉ bo | πολὺν > W λ   **15** αὐτὸν] τὸν Ἰησοῦν D it > λ | προστρέχοντες] προσχαίροντες D it   **16** αὐ-τοὺς ¹ S B D W Θ λ it vg sy ˢ sa bo   τοὺς γραμματεῖς A C φ 𝔐 sy ᵖᵉ | πρὸς αὐτούς ² B C (?) λ φ 𝔐 sy ˢ ᵖᵉ bo   πρὸς ἑαυτοὺς S A W   ἐν ὑμῖν D it sy   πρὸς ἀλλήλους D sa   **18** αὐτό ² ➣ S D W | ἴσχυσαν (ἠδυνήθησαν W) + ἐκβαλεῖν αὐτό D W Θ it sa   **19** αὐτοῖς (αὐτῷ 𝔐) λέγει S A B D λ 𝔐 sa bo   αὐτοῖς (αὐτῷ sy ᵖᵉ) ὁ Ἰησοῦς (> it vg) εἶπεν 𝔓 ⁴⁵ Θ it vg sy ˢ ᵖᵉ   αὐτοῖς (> φ) ὁ Ἰησοῦς λέγει W φ λέγει C | ἄπιστος S A B C λ 𝔐 it vg sy ˢ ᵖᵉ sa bo   ἄπιστε D Θ   ἄπιστος (-στε W) καὶ διεστραμμένη 𝔓 ⁴⁵ W φ   **20** συνεσπάραξεν S B C it vg sa   ἐσπάραξεν 𝔓 ⁴⁵ A W Θ λ φ 𝔐 sy ˢ ᵖᵉ   ἐτάραξεν D bo   **21** ὡς S A D λ 𝔐   ἕως 𝔓 ⁴⁵ B   ἐξ οὗ C W it vg sy ˢ pe sa bo   ἀφ᾽ οὗ φ

Luk 9, 38 ἐπίβλεψαι 𝔓 ⁴⁵ A B C Θ it vg sa bo   ἐπίβλεψον S D W λ 𝔐   ἐπίστρεψαι sy ˢ ᵖᵉ   ἐπι-βλέψαι φ   ἐλέησον sy ᶜ vgl. Mt   **39** ἰδοὺ > S D sy ᶜˢ ᵖᵉ | καὶ ² und κράζει > D it sy ᶜˢ | καὶ ³ A B C W φ 𝔐 sy ᶜ sa   καὶ ῥήσσει καὶ S D Θ λ it vg sy ˢ ᵖᵉ bo | μόλις B W Θ λ   μόγις S A C D φ 𝔐   **40** ἵνα ἐκβάλωσιν αὐτό ➣ sy ᶜ   ἐκβάλωσιν S A B C W Θ φ it vg sy ˢ ᵖᵉ sa bo   ἀπαλλάξουσιν D ἐκβάλωσιν λ 𝔐 | αὐτό S A B C W Θ λ φ 𝔐   αὐτὸν 𝔓 ⁴⁵ D | ἠδυνήθησαν + θεραπεύειν αὐτὸν καὶ ἐκβάλλειν αὐτό sy ᶜ, + βοηθεῖν αὐτῷ sy ˢ   **42** συνετάραξεν D bo

s. o. v. 18	διόθεν· ²² καὶ πολλάκις καὶ εἰς πῦρ αὐτὸν ἔβαλεν καὶ εἰς ὕδατα ἵνα ἀπολέσῃ αὐτόν· ἀλλ' εἴ τι δύνῃ, βοήθησον ἡμῖν σπλαγχνισθεὶς ἐφ' ἡμᾶς. ²³ ὁ δὲ Ἰησοῦς εἶπεν αὐτῷ· τὸ εἰ δύνῃ, πάντα δυνατὰ τῷ πιστεύοντι. ²⁴ εὐθὺς κράξας ὁ πατὴρ τοῦ παιδίου ἔλεγεν· πιστεύω· βοήθει μου τῇ ἀπιστίᾳ· ²⁵ ἰδὼν δὲ ὁ	

¹⁸ καὶ
ἐπετίμησεν αὐτῷ ὁ Ἰησοῦς,

Ἰησοῦς ὅτι ἐπισυντρέχει ὄχλος, ἐπετίμησεν τῷ πνεύματι τῷ ἀκαθάρτῳ λέγων αὐτῷ· τὸ ἄλαλον καὶ κωφὸν πνεῦμα, ἐγὼ ἐπιτάσσω σοι, ἔξελθε ἐξ αὐτοῦ καὶ μηκέτι εἰσέλθῃς εἰς αὐτόν. ²⁶ καὶ κράξας

ἐπετίμησεν δὲ ὁ Ἰησοῦς τῷ πνεύματι τῷ ἀκαθάρτῳ,

καὶ
ἐξῆλθεν ἀπ' αὐτοῦ τὸ δαιμόνιον,

καὶ πολλὰ σπαράξας ἐξῆλθεν· καὶ ἐγένετο ὡσεὶ νεκρός, ὥστε τοὺς πολλοὺς λέγειν ὅτι ἀπέθανεν.

καὶ ἐθεραπεύθη ὁ
παῖς ἀπὸ τῆς ὥρας ἐκείνης.

²⁷ ὁ δὲ Ἰησοῦς κρατήσας τῆς χειρὸς αὐτοῦ ἤγειρεν αὐτόν, καὶ ἀνέστη.

καὶ ἰάσατο τὸν παῖδα καὶ ἀπέδωκεν αὐτὸν τῷ πατρὶ αὐτοῦ. ⁴³ ἐξεπλήσσοντο δὲ πάντες ἐπὶ τῇ μεγαλειότητι τοῦ θεοῦ.

¹⁹ τότε προσελθόντες
οἱ μαθηταὶ τῷ Ἰησοῦ κατ' ἰδίαν εἶπον·   διὰ τί ἡμεῖς
οὐκ ἠδυνήθημεν ἐκβαλεῖν αὐτό;
²⁰ ὁ δὲ λέγει αὐτοῖς· διὰ τὴν ὀλιγοπιστίαν ὑμῶν· ἀμὴν γὰρ λέγω ὑμῖν, ἐὰν ἔχητε πίστιν ὡς κόκκον σινάπεως, ἐρεῖτε τῷ ὄρει τούτῳ· μετάβα ἔνθεν ἐκεῖ, καὶ μεταβήσε-

²⁸ καὶ εἰσελθόντος αὐτοῦ εἰς οἶκον οἱ μαθηταὶ αὐτοῦ κατ' ἰδίαν ἐπηρώτων αὐτόν· ὅτι ἡμεῖς οὐκ ἠδυνήθημεν ἐκβαλεῖν αὐτό;

17 c *(180. S. 139)*: εἶπεν δὲ ὁ κύριος·

εἰ ἔχετε πίστιν ὡς κόκκον σινάπεως, ἐλέγετε ἂν τῇ συκαμίνῳ ταύτῃ· ἐκριζώθητι καὶ φυτεύθητι

Matth 17, 19 ἐκβαλεῖν αὐτό] θεραπεῦσαι αὐτόν sy^{s pe}   **20** ὁ δὲ S B D Θ it sy^{cs} sa bo   ὁ δὲ Ἰησοῦς C W λ φ ℜ vg sy^{pe} | λέγει S B D Θ λ φ it   εἶπεν C W ℜ vg | ὀλιγοπιστίαν S B Θ λ φ sy^c sa bo Orig   ἀπιστίαν C D W ℜ it vg sy^{s pe}

Mark 9, 23 τὸ — πιστεύοντι] εἰ πιστεύεις, πάντα δυνατά σου sy^s | τὸ S A B C λ ℜ sa bo τοῦτο W > 𝔓⁴⁵ D Θ it vg sy^{s pe} | δύνῃ 𝔓⁴⁵ S B W λ sa bo   δύνασαι C   δύνῃ πιστεῦσαι D Θ it vg sy^{pe}   δύνασαι πιστεῦσαι A φ ℜ   **24** ἔλεγεν S A B C sy^s sa bo   εἶπεν 𝔓⁴⁵ W   μετὰ δακρύων λέγει D Θ it   μετὰ δακρύων ἔλεγε λ ℜ vg sy^{pe}   μ. δ. εἶπεν φ   **25** τῷ ἀκαθάρτῳ > 𝔓⁴⁵ W λ sy^s   **28** εἰσελθόντος αὐτοῦ S B C D W Θ λ φ   εἰσελθόντα αὐτὸν A ℜ   -όντι αὐτῷ 𝔓⁴⁵ | εἰς οἶκον — αὐτὸν S (κατ' ἰδίαν nach αὐτὸν A ℜ sy^{s pe}) A B C (ἠρώτων D λ) D λ ℜ (αὐτὸν + λέγοντες it) it vg sy^s sa bo   προσῆλθον [αὐτῷ κατ' ἰδίαν οἱ μαθηταὶ αὐ]τοῦ καὶ ἠρώτησαν αὐτὸν λέγοντες 𝔓⁴⁵   εἰς οἶκον προσῆλθον αὐτῷ οἱ μαθηταὶ αὐτοῦ (> W) κατ' ἰδίαν καὶ ἐπηρώτησαν αὐτὸν λέγοντες W Θ φ

Luk 9, 42 ἰάσατο τὸν παῖδα] ἀφῆκεν αὐτόν D   **17, 6** εἴχετε D | ἂν + τῷ ὄρει τούτῳ μετάβα ἐντεῦθεν ἐκεῖ, καὶ μετέβαινεν· καὶ D sy^c vgl. Mt 17 20

ται, καὶ οὐδὲν ἀδυνατήσει ὑμῖν.*

vgl. App. v. [21]

²⁹ καὶ εἶπεν αὐτοῖς· τοῦτο τὸ γένος ἐν οὐδενὶ δύναται ἐξελθεῖν εἰ μὴ ἐν προσευχῇ.

ἐν τῇ θαλάσσῃ· καὶ ὑπήκουσεν ἂν ὑμῖν.*

† **127. Zweite Leidensverkündigung.**

† *127. The Second Prediction of the Passion.*

Matth 17 22—23	**Mark 9** 30—32	**Luk 9** 43 b—45
²² Συστρεφομένων δὲ αὐτῶν ἐν τῇ Γαλιλαίᾳ εἶπεν αὐτοῖς ὁ Ἰησοῦς·	³⁰ Κἀκεῖθεν ἐξελθόντες παρεπορεύοντο διὰ τῆς Γαλιλαίας, καὶ οὐκ ἤθελεν ἵνα τις γνοῖ · 〔Joh 7 1〕	Πάντων δὲ θαυμαζόντων ἐπὶ πᾶσιν οἷς ἐποίει εἶπεν πρὸς τοὺς μαθητὰς αὐτοῦ·
	³¹ ἐδίδασκεν γὰρ τοὺς μαθητὰς	⁴⁴ θέσθε ὑμεῖς εἰς τὰ ὦτα ὑμῶν
μέλλει ὁ υἱὸς τοῦ ἀνθρώπου παραδίδοσθαι εἰς χεῖρας ἀνθρώπων, ²³ καὶ ἀποκτενοῦσιν αὐτόν, καὶ τῇ τρίτῃ ἡμέρᾳ ἐγερθήσεται.	αὐτοῦ, καὶ ἔλεγεν αὐτοῖς ὅτι ὁ υἱὸς τοῦ ἀνθρώπου παραδίδοται εἰς χεῖρας ἀνθρώπων, καὶ ἀποκτενοῦσιν αὐτόν, καὶ ἀποκτανθεὶς μετὰ τρεῖς ἡμέρας ἀναστήσεται.	τοὺς λόγους τούτους· ὁ γὰρ υἱὸς τοῦ ἀνθρώπου μέλλει παραδίδοσθαι εἰς χεῖρας ἀνθρώπων.
	³² οἱ δὲ ἠγνόουν τὸ ῥῆμα,	⁴⁵ οἱ δὲ ἠγνόουν τὸ ῥῆμα τοῦτο. καὶ ἦν παρακεκαλυμμένον ἀπ᾽ αὐτῶν ἵνα μὴ αἴσθωνται αὐτό, καὶ
καὶ ἐλυπήθησαν σφόδρα.	καὶ ἐφοβοῦντο αὐτὸν ἐπερωτῆσαι.	ἐφοβοῦντο ἐρωτῆσαι αὐτὸν περὶ τοῦ ῥήματος τούτου.

---

* Matth 21 21 (201. S. 157): Ἀποκριθεὶς δὲ ὁ Ἰησοῦς εἶπεν αὐτοῖς· ἀμὴν λέγω ὑμῖν, ἐὰν ἔχητε πίστιν καὶ μὴ διακριθῆτε, οὐ μόνον τὸ τῆς συκῆς ποιήσετε, ἀλλὰ κἂν τῷ ὄρει τούτῳ εἴπητε· ἄρθητι καὶ βλήθητι εἰς τὴν θάλασσαν, γενήσεται.

Mark 11 22—23 (201. S. 157): ²² Ἔχετε πίστιν θεοῦ. ²³ ἀμὴν λέγω ὑμῖν ὅτι ὃς ἂν εἴπῃ τῷ ὄρει τούτῳ· ἄρθητι καὶ βλήθητι εἰς τὴν θάλασσαν, καὶ μὴ διακριθῇ ἐν τῇ καρδίᾳ αὐτοῦ ἀλλὰ πιστεύῃ ὅτι ὃ λαλεῖ γίνεται, ἔσται αὐτῷ.

Matth 17, 20 Gegen S B Θ syᶜˢ sa bo haben als v. 21: τοῦτο δὲ τὸ γένος οὐκ ἐκπορεύεται (ἐξέρχεται 𝕽) εἰ μὴ ἐν προσευχῇ καὶ νηστείᾳ C D W λ φ 𝕽 it vg syᵖᵉ Orig vgl. Mc 9 29　　**22** συστρεφομένων S B λ it vg　ἀναστρεφομένων C D W Θ φ 𝕽 sa bo　　**23** τῇ τρίτῃ ἡμέρᾳ S B C W Θ λ φ 𝕽 vg syᶜ ᵖᵉ sa　μετὰ τρεῖς ἡμέρας D it syˢ bo vgl. Mc 9 31　|　ἐγερθήσεται S C D W Θ λ 𝕽　ἀναστήσεται B φ vgl. Mc 9 31

Mark 9, 29 προσευχῇ S B Clem　προσευχῇ καὶ νηστείᾳ 𝔓 ⁴⁵ (?) A C D W Θ λ φ 𝕽 it vg syˢ ᵖᵉ sa bo　　**30** ἐπορεύοντο B D　　**31** μετὰ τρεῖς ἡμέρας S B C D it sa bo　τῇ τρίτῃ ἡμέρᾳ A W Θ λ φ 𝕽 vg syˢ ᵖᵉ　|　ἀναστήσεται S A B C D Θ 𝕽　ἐγερθήσεται λ φ　ἐγείρεται W

Luk 9, 43 ἐποίει S B D λ it vg syᶜˢ sa bo　ἐποίει ὁ Ἰησοῦς A C Θ φ　ἐποίησεν ὁ Ἰησοῦς W 𝕽 sy ᵖᵉ　　**45** ἐρωτῆσαι] ἐπερωτῆσαι C D

† 128. Die Tempelsteuer. Matth 17 24-27
† 128. The Temple Tax.

²⁴ Ἐλθόντων δὲ αὐτῶν εἰς Καφαρναοὺμ προσῆλθον οἱ τὰ δίδραχμα λαμβάνοντες τῷ Πέτρῳ καὶ εἶπαν· ὁ διδάσκαλος ὑμῶν οὐ τελεῖ δίδραχμα; ²⁵ λέγει· ναί. καὶ ἐλθόντα εἰς τὴν οἰκίαν προέφθασεν αὐτὸν ὁ Ἰησοῦς λέγων· τί σοι δοκεῖ, Σίμων; οἱ βασιλεῖς τῆς γῆς ἀπὸ τίνων λαμβάνουσιν τέλη ἢ κῆνσον; ἀπὸ τῶν υἱῶν αὐτῶν ἢ ἀπὸ τῶν ἀλλοτρίων; ²⁶ εἰπόντος δέ· ἀπὸ τῶν ἀλλοτρίων, ἔφη αὐτῷ ὁ Ἰησοῦς· ἄρα γε ἐλεύθεροί εἰσιν οἱ υἱοί. ²⁷ ἵνα δὲ μὴ σκανδαλίσωμεν αὐτούς, πορευθεὶς εἰς θάλασσαν βάλε ἄγκιστρον καὶ τὸν ἀναβάντα πρῶτον ἰχθὺν ἆρον, καὶ ἀνοίξας τὸ στόμα αὐτοῦ εὑρήσεις στατῆρα· ἐκεῖνον λαβὼν δὸς αὐτοῖς ἀντὶ ἐμοῦ καὶ σοῦ.

† 129. Der Rangstreit.
† 129. The Dispute about Greatness.

Matth 18 1-5	Mark 9 33-37	Luk 9 46-48
	³³ Καὶ ἦλθον εἰς Καφαρναούμ. καὶ ἐν τῇ οἰκίᾳ γενόμενος ἐπηρώτα	
¹ Ἐν ἐκείνῃ τῇ ὥρᾳ προσῆλθον οἱ μαθηταὶ τῷ Ἰησοῦ λέγοντες· τίς ἄρα μείζων ἐστὶν ἐν τῇ βασιλείᾳ τῶν οὐρανῶν;*	αὐτούς· τί ἐν τῇ ὁδῷ διελογίζεσθε; ³⁴ οἱ δὲ ἐσιώπων· πρὸς ἀλλήλους γὰρ διελέχθησαν ἐν τῇ ὁδῷ τίς μείζων. ³⁵ καὶ καθίσας ἐφώνησεν τοὺς δώδεκα καὶ λέγει αὐτοῖς· εἴ τις θέλει πρῶτος εἶναι, ἔσται πάντων ἔσχατος καὶ πάντων διάκονος.*	⁴⁶ Εἰσῆλθεν δὲ διαλογισμὸς ἐν αὐτοῖς, τὸ τίς ἂν εἴη μείζων αὐτῶν. ⁴⁷ ὁ δὲ Ἰησοῦς εἰδὼς τὸν διαλογισμὸν τῆς καρδίας αὐτῶν, s. 9 48b*
² καὶ προσκαλεσάμενος παιδίον ἔστησεν αὐτὸ ἐν μέσῳ αὐτῶν ³ καὶ	νος.* ³⁶ καὶ λαβὼν παιδίον ἔστησεν αὐτὸ ἐν μέσῳ αὐτῶν, καὶ	ἐπιλαβόμενος παιδίον ἔστησεν αὐτὸ παρ᾽ ἑαυτῷ, ⁴⁸ καὶ

* Matth 20 26 27 (192. S. 150):
²⁶ Οὐχ οὕτως ἐστὶν ἐν ὑμῖν· ἀλλ᾽ ὃς ἐὰν θέλῃ ἐν ὑμῖν μέγας γενέσθαι, ἔσται ὑμῶν διάκονος, ²⁷ καὶ ὃς ἂν θέλῃ ἐν ὑμῖν εἶναι πρῶτος, ἔσται ὑμῶν δοῦλος.
23 11 (210. S. 167): ὁ δὲ μείζων ὑμῶν ἔσται ὑμῶν διάκονος.

Mark 10 43 44 (192. S. 150):
⁴³ Οὐχ οὕτως δέ ἐστιν ἐν ὑμῖν· ἀλλ᾽ ὃς ἂν θέλῃ μέγας γενέσθαι ἐν ὑμῖν, ἔσται ὑμῶν διάκονος, ⁴⁴ καὶ ὃς ἂν θέλῃ ἐν ὑμῖν εἶναι πρῶτος, ἔσται πάντων δοῦλος.

Luk 22 26 (237 b. S. 187):
Ὑμεῖς δὲ οὐχ οὕτως, ἀλλ᾽ ὁ μείζων ἐν ὑμῖν γινέσθω ὡς ὁ νεώτερος, καὶ ὁ ἡγούμενος ὡς ὁ διακονῶν.

Mt 17 24: vgl. Ex 30 13.

Matth 17, 24 δίδραχμα ² S D τὰ δίδραχμα B C Θ λ φ 𝔐 sy ˢ τὸ δίδραχμα W, so beidemal τὰ δύο δίδραχμα sy ᶜ ᵖᵉ | τῷ Πέτρῳ > sy ˢ **25** ἐλθόντα B λ εἰσελθόντα S εἰσελθόντι D it ἐλθόντων Θ φ ὅτε ἦλθον C sy ᶜ ὅτε εἰσῆλθεν W 𝔐 vg sy ˢ ᵖᵉ sa bo **26** υἱοί + ἔφη Σίμων· ναί. λέγει ὁ Ἰησοῦς· δὸς οὖν καὶ σὺ ὡς ἀλλότριος αὐτῶν Diat ᵃʳ 713 Ephraem **18, 1** ὥρᾳ S B D W φ 𝔐 vg sy ᵖᵉ sa bo ἡμέρᾳ Θ λ it sy ᶜˢ Orig **2** παιδίον + ἐν D sy ᶜˢ
Mark 9, 33 ἦλθον S B D W λ it vg sy ᵖᵉ sa ἦλθεν A C Θ 𝔐 sy ˢ bo εἰσῆλθεν φ | διελογίζεσθε] διελέχθητε W λ sy ˢ ᵖᵉ sa δ. + ἑαυτούς (vor δ. A 𝔐) A W Θ λ φ 𝔐 sy ˢ ᵖᵉ sa **34** πρὸς ἀλλήλους] οὗτοι sy ˢ | διελέχθησαν] διελογίζοντο it sy ˢ ᵖᵉ | ἐν τῇ ὁδῷ > A D it sy ˢ | μείζων A B C λ 𝔐 μείζων ἐστίν sy ᵖᵉ αὐτῶν γένηται αὐτῶν (> sy ˢ) D Θ sy ˢ αὐτῶν μείζων εἴη W φ it vg sa bo **35** καὶ λέγει — διάκονος > D **36** αὐτὸ ¹ > W Θ λ
Luk 9, 47 εἰδὼς S B sy ᶜˢ ᵖᵉ sa ἰδὼν A C D W Θ φ 𝔐 it vg bo Orig γνοὺς λ παιδίον B C D παιδίου S A W Θ λ φ 𝔐

εἶπεν·

	ἐναγκαλισάμενος αὐτὸ εἶπεν αὐτοῖς·	εἶπεν αὐτοῖς·

ἀμὴν λέγω ὑμῖν, │ Joh 3 3 5 │ ἐὰν
μὴ στραφῆτε καὶ γένησθε ὡς τὰ
παιδία, οὐ μὴ εἰσέλθητε εἰς τὴν
βασιλείαν τῶν οὐρανῶν. ⁴ ὅστις
οὖν ταπεινώσει ἑαυτὸν ὡς τὸ παι-
δίον τοῦτο, οὗτός ἐστιν ὁ μείζων
ἐν τῇ βασιλείᾳ τῶν οὐρανῶν.*
⁵ καὶ ὃς ἐὰν δέξηται ἓν παιδίον
τοιοῦτο ἐπὶ τῷ ὀνόματί μου, ἐμὲ
δέχεται.**

10 15 *(188. S. 145)*:
ἀμὴν λέγω ὑμῖν,   ὃς ἂν
μὴ δέξηται τὴν βασιλείαν τοῦ θεοῦ
ὡς παιδίον, οὐ μὴ εἰσέλθῃ εἰς αὐ-
τήν.

9 37 ὃς ἂν ἓν τῶν τοιούτων παιδίων
δέξηται ἐπὶ τῷ ὀνόματί μου, ἐμὲ
δέχεται· καὶ ὃς ἂν ἐμὲ δέχηται,
οὐκ ἐμὲ δέχεται ἀλλὰ τὸν ἀποστεί-
λαντά με.**

│ Joh 12 44 15 13 20 │
s. 9 35 b

18 17 *(188. S. 145)*:
ἀμὴν λέγω ὑμῖν,   ὃς ἂν
μὴ δέξηται τὴν βασιλείαν τοῦ θεοῦ
ὡς παιδίον, οὐ μὴ εἰσέλθῃ εἰς αὐ-
τήν.

9 48 ὃς ἐὰν δέξηται τοῦτο τὸ παιδίον
ἐπὶ τῷ ὀνόματί μου, ἐμὲ
δέχεται· καὶ ὃς ἂν ἐμὲ δέξηται,
δέχεται   τὸν ἀποστεί-
λαντά με ·** ὁ γὰρ μικρότερος ἐν
πᾶσιν ὑμῖν ὑπάρχων, οὗτός ἐστιν
μέγας.

130. Der fremde Exorzist.

130. The Strange Exorcist.

Mark 9 38–41	**Luk 9** 49–50

³⁸ Ἔφη αὐτῷ ὁ Ἰωάννης·   διδάσκαλε,
εἴδομέν τινα ἐν τῷ ὀνόματί σου ἐκβάλλοντα
δαιμόνια, ὃς οὐκ ἀκολουθεῖ ἡμῖν, καὶ ἐκωλύ-
ομεν αὐτόν, ὅτι οὐκ ἠκολούθει ἡμῖν.
³⁹ ὁ δὲ Ἰησοῦς εἶπεν·   μὴ κωλύετε

⁴⁹ Ἀποκριθεὶς δὲ ὁ Ἰωάννης εἶπεν· ἐπιστάτα,
εἴδομέν τινα ἐν τῷ ὀνόματί σου ἐκβάλλοντα
δαιμόνια,   καὶ ἐκωλύ-
ομεν αὐτόν, ὅτι οὐκ ἀκολουθεῖ μεθ᾽ ἡμῶν.
⁵⁰ εἶπεν δὲ πρὸς αὐτὸν Ἰησοῦς· μὴ κωλύετε·

---

* Matth 23 12 (210. S. 167):   Luk 14 11 (169. S. 133):   Luk 18 14 (186. S. 142):
Ὅστις δὲ ὑψώσει ἑαυτὸν ταπει-   Ὅτι πᾶς ὁ ὑψῶν ἑαυτὸν ταπει-   Ὅτι πᾶς ὁ ὑψῶν ἑαυτὸν ταπει-
νωθήσεται, καὶ ὅστις ταπεινώσει   νωθήσεται,   καὶ ὁ ταπεινῶν   νωθήσεται,   ὁ δὲ ταπεινῶν
ἑαυτὸν ὑψωθήσεται.   ἑαυτὸν ὑψωθήσεται.   ἑαυτὸν ὑψωθήσεται.

** Matth 10 40 (63. S. 52): Ὁ δεχόμενος ὑμᾶς ἐμὲ δέχεται, καὶ ὁ ἐμὲ δεχόμενος δέχεται τὸν ἀποστείλαντά
με. *Vgl. auch Luk 10 16 (139. S. 114)*.

Mark 9, 37 ἐν — παιδίων] etwa: τινα ὡς τὸ παιδίον τοῦτο sy ˢ ᵖᵉ │ ἐν S A B C λ ℵ sa bo   ἐκ
W Θ φ it vg   > D │ τῶν τοιούτων παιδίων A B D W Θ λ φ ℵ it vg bo Orig   τῶν παιδίων τούτων
S C sa   **38** ἔφη αὐτῷ ὁ Ἰωάννης S B Θ sy ᵖᵉ sa bo   ἀπεκρίθη αὐτῷ Ἰωάννης καὶ εἶπεν D sy ˢ (αὐ-
τῷ nach εἶπεν sy ˢ)   ἀπεκρίθη δὲ αὐτῷ Ἰωάννης καὶ λέγει λ it   ἀπεκρίθη δὲ αὐτῷ Ἰωάννης λέγων
A ℵ vg   ἀποκριθεὶς δὲ ἔφη αὐτῷ ὁ Ἰωάννης C   καὶ ἀποκριθεὶς αὐτῷ ὁ (> φ) Ἰωάννης εἶπεν W φ │
ὅτι — ἡμῖν S A B C Θ ℵ sy ˢ ᵖᵉ sa bo   > D W λ φ it vg
Luk 9, 48 αὐτοῖς > 𝔓 ⁴⁵ D it vg sy ᶜˢ │ ἐὰν] ἂν 𝔓 ⁴⁵ D λ φ │ ἂν] ἐὰν A C W λ φ ℵ   > S │
ἐστιν 𝔓 ⁴⁵ S B C λ it vg sy ᶜˢ sa bo   ἔσται A D W Θ φ ℵ sy ᵖᵉ

Zu Matth 18 3: Acta Philippi c. 34: Ἐὰν μὴ ποιήσητε ὑμῶν τὰ κάτω εἰς τὰ ἄνω (καὶ τὰ ἄνω εἰς τὰ
κάτω καὶ τὰ δεξιὰ εἰς τὰ ἀριστερὰ) καὶ τὰ ἀριστερὰ εἰς τὰ δεξιά, οὐ μὴ εἰσέλθητε εἰς τὴν βασιλείαν μου
(τῶν οὐρανῶν).

αὐτόν· οὐδεὶς γάρ ἐστιν ὃς ποιήσει δύναμιν
ἐπὶ τῷ ὀνόματί μου καὶ δυνήσεται ταχὺ κακο-
λογῆσαί με·

⁴⁰ ὃς γὰρ οὐκ ἔστιν καθ' ἡμῶν, ὑπὲρ ἡμῶν   ὃς γὰρ οὐκ ἔστιν καθ' ὑμῶν, ὑπὲρ ὑμῶν
ἐστιν.* ⁴¹ ὃς γὰρ ἂν ποτίσῃ ὑμᾶς ποτήριον ὕδα-   ἐστιν.*
τος ἐν ὀνόματι, ὅτι Χριστοῦ ἐστε, ἀμὴν λέγω
ὑμῖν ὅτι οὐ μὴ ἀπολέσῃ τὸν μισθὸν αὐτοῦ. **   (137. 9 51–56. S. 112)

131. Vom Ärgernis.
131. About Offences.

Matth 18 6–9	Mark 9 42–48	

Matth 18 6–9

⁶ Ὃς δ' ἂν σκανδαλίσῃ ἕνα τῶν
μικρῶν τούτων τῶν πιστευόντων
εἰς ἐμέ, συμφέρει αὐτῷ ἵνα
κρεμασθῇ μύλος ὀνικὸς περὶ τὸν
τράχηλον αὐτοῦ καὶ καταποντι-
σθῇ ἐν τῷ πελάγει τῆς θαλάσσης.
⁷ οὐαὶ τῷ κόσμῳ ἀπὸ τῶν σκανδά-
λων· ἀνάγκη γὰρ ἐλθεῖν τὰ σκάν-
δαλα, πλὴν οὐαὶ τῷ ἀνθρώπῳ δι'
οὗ τὸ σκάνδαλον ἔρχεται.

⁸ εἰ δὲ ἡ χείρ σου ἢ ὁ πούς
σου σκανδαλίζει σε, ἔκκοψον αὐ-
τὸν καὶ βάλε ἀπὸ σοῦ· καλόν σοί
ἐστιν εἰσελθεῖν εἰς τὴν ζωὴν κυλ-
λὸν ἢ χωλόν, ἢ δύο χεῖρας ἢ δύο
πόδας ἔχοντα βληθῆναι
εἰς τὸ πῦρ τὸ αἰώνιον.

⁹ καὶ

Mark 9 42–48

⁴² Καὶ ὃς ἂν σκανδαλίσῃ ἕνα τῶν
μικρῶν τούτων τῶν πιστευόντων,
καλόν ἐστιν αὐτῷ μᾶλλον εἰ
περίκειται μύλος ὀνικὸς περὶ τὸν
τράχηλον αὐτοῦ καὶ βέβληται
εἰς   τὴν θάλασσαν.

⁴³ καὶ ἐὰν σκανδαλίσῃ σε ἡ χείρ
σου,   ἀπόκοψον αὐ-
τήν·   καλόν ἐστίν σε
κυλλὸν εἰσελθεῖν εἰς τὴν ζωήν,
ἢ τὰς δύο χεῖρας
ἔχοντα ἀπελθεῖν εἰς τὴν γέεν-
ναν, εἰς τὸ πῦρ τὸ ἄσβεστον. [⁴⁴]
⁴⁵ καὶ ἐὰν ὁ πούς σου σκανδαλίζῃ
σε, ἀπόκοψον αὐτόν· καλόν ἐστίν
σε εἰσελθεῖν εἰς τὴν ζωὴν χωλόν,
ἢ τοὺς δύο πόδας ἔχοντα βλη-
θῆναι εἰς τὴν γέενναν. [⁴⁶] ⁴⁷ καὶ

17 1–2 (178. S. 138 f.): ¹Εἶπεν δὲ
πρὸς τοὺς μαθητὰς αὐτοῦ· ἀνέν-
δεκτόν ἐστιν τοῦ τὰ σκάνδαλα μὴ
ἐλθεῖν, οὐαὶ δὲ δι' οὗ ἔρχεται·
² λυσιτελεῖ αὐτῷ εἰ λίθος μυλικὸς
περίκειται περὶ τὸν τράχηλον αὐ-
τοῦ καὶ ἔρριπται εἰς τὴν θάλασ-
σαν, ἢ ἵνα σκανδαλίσῃ τῶν μικρῶν
τούτων ἕνα.

---

* Matth 12 30 (86. S. 68) = Luk 11 23 (149. S. 119): Ὁ μὴ ὢν μετ' ἐμοῦ κατ' ἐμοῦ ἐστιν, καὶ ὁ μὴ
συνάγων μετ' ἐμοῦ σκορπίζει.
** Matth 10 42 (63. S. 52): Καὶ ὃς ἐὰν ποτίσῃ ἕνα τῶν μικρῶν τούτων ποτήριον ψυχροῦ μόνον εἰς
ὄνομα μαθητοῦ, ἀμὴν λέγω ὑμῖν, ὅτι οὐ μὴ ἀπολέσῃ τὸν μισθὸν αὐτοῦ.

Mark 9, 40 ἡμῶν ὑπὲρ ἡμῶν S B C W Θ λ φ sy⁸ sa bo   ὑμῶν ὑπὲρ ὑμῶν A D 𝔎 it vg sy^pe
42 πιστευόντων S it bo   πιστευόντων εἰς ἐμέ Α Β W Θ λ φ 𝔎 vg sy⁸ sa   πίστιν ἐχόντων C D
44 46 ὅπου ὁ σκώληξ αὐτῶν οὐ τελευτᾷ καὶ τὸ πῦρ οὐ σβέννυται A D Θ φ 𝔎 it vg sy^pe vgl. v. 48
> S B C W λ sy⁸ sa bo

Zu Mark 9 40 = Luk 9 50: Oxyrhynchus Pap. 1224 fol. 2ʳ col. 1: Ὁ γὰρ μὴ ὢν [κατὰ ὑμ]ῶν ὑπὲρ
ὑμῶν ἐστιν. [ὁ σήμερον ὢ]ν μακρὰν αὔριον [ἐγγὺς ὑμῶν γ]ενήσεται . . .

εἰ ὁ ὀφθαλμός σου σκανδαλίζει σε, | ἐὰν ὁ ὀφθαλμός σου σκανδαλίζῃ σε,
ἔξελε αὐτὸν καὶ βάλε ἀπὸ σοῦ· | ἔκβαλε αὐτόν·
καλόν σοί ἐστιν μονόφθαλμον εἰς | καλόν σέ ἐστιν μονόφθαλμον εἰσελ-
τὴν ζωὴν εἰσελθεῖν, | θεῖν εἰς τὴν βασιλείαν τοῦ θεοῦ,
ἢ δύο ὀφθαλμοὺς ἔχοντα βληθῆ- | ἢ δύο ὀφθαλμοὺς ἔχοντα βληθῆ-
ναι εἰς τὴν γέενναν τοῦ πυρός.* | ναι εἰς τὴν γέενναν,* ⁴⁸ ὅπου ὁ
| σκώληξ αὐτῶν οὐ τελευτᾷ καὶ τὸ
| πῦρ οὐ σβέννυται.

132. Vom Salz. Mark 9 49–50

132. About Salt.

5 13 *(20. S. 24)*: | ⁴⁹ Πᾶς γὰρ πυρὶ ἁλισθήσεται. | 14 34–35 *(171. S. 134 f.)*:
Ὑμεῖς ἐστε τὸ ἅλας τῆς γῆς· ἐὰν δὲ | ⁵⁰ καλὸν τὸ ἅλας· ἐὰν δὲ | ³⁴ Καλὸν οὖν τὸ ἅλας· ἐὰν δὲ
τὸ ἅλας μωρανθῇ, ἐν τίνι ἁλι- | τὸ ἅλας ἄναλον γένηται, ἐν τίνι | καὶ τὸ ἅλας μωρανθῇ, ἐν τίνι ἀρτυ-
σθήσεται; εἰς οὐδὲν ἰσχύει ἔτι εἰ | αὐτὸ ἀρτύσετε; | θήσεται; ³⁵ οὔτε εἰς γῆν οὔτε εἰς
μὴ βληθὲν ἔξω καταπατεῖσθαι ὑπὸ | | κοπρίαν εὔθετόν ἐστιν· ἔξω βάλ-
τῶν ἀνθρώπων. | | λουσιν αὐτό. ὁ ἔχων ὦτα ἀκούειν
| | ἀκουέτω.

| ἔχετε ἐν ἑαυτοῖς ἅλα καὶ εἰρηνεύετε
| ἐν ἀλλήλοις.
| *(187. 10 1–12. S. 143 f.)*

133. Die Rettung des Verlorenen. Matth 18 10–14

133. The Lost Sheep.

¹⁰ Ὁρᾶτε μὴ καταφρονήσητε ἑνὸς τῶν μι-
κρῶν τούτων· λέγω γὰρ ὑμῖν ὅτι οἱ ἄγγελοι
αὐτῶν ἐν οὐρανοῖς διὰ παντὸς βλέπουσιν τὸ | 15 3–7 *(172. S. 135)*: ³ Εἶπεν δὲ πρὸς αὐτοὺς
πρόσωπον τοῦ πατρός μου τοῦ ἐν οὐρανοῖς.[¹¹] | τὴν παραβολὴν ταύτην λέγων·
¹² τί ὑμῖν δοκεῖ; ἐὰν γένηταί τινι ἀνθρώπῳ | ⁴ τίς ἄνθρωπος ἐξ ὑμῶν ἔχων ἑκατὸν πρό-
ἑκατὸν πρόβατα καὶ πλανηθῇ ἓν ἐξ αὐτῶν, | βατα καὶ ἀπολέσας ἐξ αὐτῶν ἓν οὐ καταλείπει

---

* Matth 5 29–30 (23. S. 26): ²⁹ Εἰ δὲ ὁ ὀφθαλμός σου ὁ δεξιὸς σκανδαλίζει σε, ἔξελε αὐτὸν καὶ βάλε
ἀπὸ σοῦ· συμφέρει γάρ σοι ἵνα ἀπόληται ἓν τῶν μελῶν σου καὶ μὴ ὅλον τὸ σῶμά σου βληθῇ εἰς γέενναν.
³⁰ καὶ εἰ ἡ δεξιά σου χεὶρ σκανδαλίζει σε, ἔκκοψον αὐτὴν καὶ βάλε ἀπὸ σοῦ· συμφέρει γάρ σοι ἵνα ἀπόληται
ἓν τῶν μελῶν σου καὶ μὴ ὅλον τὸ σῶμά σου εἰς γέενναν ἀπέλθῃ.

Mc 9 48: Jes 66 24.   9 49: vgl. Lev 2 13.

Matth 18, 10 τούτων τῶν μικρῶν τῶν πιστευόντων εἰς ἐμέ D it sy ᶜ ᵉᵃ   **11** ἦλθεν γὰρ (> it) ὁ
υἱὸς τοῦ ἀνθρώπου σῶσαι τὸ ἀπολωλός (= Lc 19 10) D W φ ℜ it vg sy ᶜ ᵖᵉ   > S B Θ λ sy ˢ sa bo
Mark 9, 49 πᾶς γὰρ (> bo + ἐν S) πυρὶ ἁλισθήσεται S BW λ sy ˢ sa bo   πᾶς γὰρ (+ ἐν C) πυρὶ
ἁλισθήσεται (ἀναλωθήσεται Θ) καὶ πᾶσα θυσία ἁλὶ ἁλισθήσεται A C Θ φ ℜ vg sy ᵖᵉ   πᾶσα γὰρ θυσία
ἁλὶ ἁλισθήσεται D it

οὐχὶ ἀφήσει τὰ ἐνενήκοντα ἐννέα ἐπὶ τὰ ὄρη καὶ πορευθεὶς ζητεῖ τὸ πλανώμενον; ¹³ καὶ ἐὰν γένηται εὑρεῖν αὐτό, ἀμὴν λέγω ὑμῖν ὅτι χαίρει ἐπ' αὐτῷ μᾶλλον ἢ ἐπὶ τοῖς ἐνενήκοντα ἐννέα τοῖς μὴ πεπλανημένοις.
¹⁴ οὕτως οὐκ ἔστιν θέλημα ἔμπροσθεν τοῦ πατρὸς ὑμῶν τοῦ ἐν οὐρανοῖς, ἵνα ἀπόληται ἓν τῶν μικρῶν τούτων.

τὰ ἐνενήκοντα ἐννέα ἐν τῇ ἐρήμῳ καὶ πορεύεται ἐπὶ τὸ ἀπολωλὸς ἕως εὕρῃ αὐτό; ⁵ καὶ εὑρὼν ἐπιτίθησιν ἐπὶ τοὺς ὤμους αὐτοῦ χαίρων, ⁶ καὶ ἐλθὼν εἰς τὸν οἶκον συγκαλεῖ τοὺς φίλους καὶ τοὺς γείτονας λέγων αὐτοῖς· συγχάρητέ μοι, ὅτι εὗρον τὸ πρόβατόν μου τὸ ἀπολωλός. ⁷ λέγω ὑμῖν ὅτι οὕτως χαρὰ ἐν τῷ οὐρανῷ ἔσται ἐπὶ ἑνὶ ἁμαρτωλῷ μετανοοῦντι ἢ ἐπὶ ἐνενήκοντα ἐννέα δικαίοις οἵτινες οὐ χρείαν ἔχουσιν μετανοίας.

134. Bruderpflichten. Matth 18 15–20

134. On Reproving one's Brother.

¹⁵ Ἐὰν δὲ ἁμαρτήσῃ ὁ ἀδελφός σου, ὕπαγε ἔλεγξον αὐτὸν μεταξὺ σοῦ καὶ αὐτοῦ μόνου. ἐάν σου ἀκούσῃ, ἐκέρδησας τὸν ἀδελφόν σου· ¹⁶ ἐὰν δὲ μὴ ἀκούσῃ, παράλαβε μετὰ σοῦ ἔτι ἕνα ἢ δύο, ἵνα *ἐπὶ στόματος δύο μαρτύρων ἢ τριῶν σταθῇ πᾶν ῥῆμα.* ¹⁷ ἐὰν δὲ παρακούσῃ αὐτῶν, εἰπὸν τῇ ἐκκλησίᾳ· ἐὰν δὲ καὶ τῆς ἐκκλησίας παρακούσῃ, ἔστω σοι ὥσπερ ὁ ἐθνικὸς καὶ ὁ τελώνης.
¹⁸ ἀμὴν λέγω ὑμῖν, ὅσα ἐὰν δήσητε ἐπὶ τῆς γῆς ἔσται δεδεμένα ἐν οὐρανῷ, καὶ ὅσα ἐὰν λύσητε ἐπὶ τῆς γῆς ἔσται λελυμένα ἐν οὐρανῷ.*

| Joh 20 23 |

¹⁹ πάλιν ἀμὴν λέγω ὑμῖν ὅτι ἐὰν δύο συμφωνήσωσιν ἐξ ὑμῶν ἐπὶ τῆς γῆς περὶ παντὸς πράγματος οὗ ἐὰν αἰτήσωνται, γενήσεται αὐτοῖς παρὰ τοῦ πατρός μου τοῦ ἐν οὐρανοῖς. ²⁰ οὗ γάρ εἰσιν δύο ἢ τρεῖς συνηγμένοι εἰς τὸ ἐμὸν ὄνομα, ἐκεῖ εἰμι ἐν μέσῳ αὐτῶν.

¹⁷ 3 *(179. S. 139):* ³ προσέχετε ἑαυτοῖς. ἐὰν ἁμάρτῃ ὁ ἀδελφός σου, ἐπιτίμησον αὐτῷ, καὶ ἐὰν μετανοήσῃ, ἄφες αὐτῷ.

* Matth 16 19 (122. S. 97): Δώσω σοι τὰς κλεῖδας τῆς βασιλείας τῶν οὐρανῶν, καὶ ὃ ἐὰν δήσῃς ἐπὶ τῆς γῆς ἔσται δεδεμένον ἐν τοῖς οὐρανοῖς, καὶ ὃ ἐὰν λύσῃς ἐπὶ τῆς γῆς ἔσται λελυμένον ἐν τοῖς οὐρανοῖς.

Mt 18 16: Dtn 19 15.

Matth 18, 14 ὑμῶν S W λ 𝕵 it vg sy ᶜ ᵖᵉ   ἡμῶν D   μου B Θ φ sy ˢ sa bo | ἐν S B D εἰς W Θ λ φ 𝕵 it vg   **15** ἁμαρτήσῃ S B λ sa   ἁμαρτήσῃ εἰς σὲ D W Θ λ φ 𝕵 it vg sy ᶜˢ bo vgl. Lc **19** πάλιν ἀμὴν B φ it sy ᶜˢ sa   ἀμὴν Θ   πάλιν S D λ 𝕵 vg sy ᵖᵉ bo   πάλιν δὲ W **Luk 17, 3** ἁμάρτῃ S A B W Θ λ it sy ᶜˢ ᵖᵉ sa bo   ἁμάρτῃ εἰς σὲ D φ 𝕵 vg

Zu Matth 18 20: Oxyrhynchus Pap. 1 Nr. 5: [Λέγ]ει ['Ιησοῦς· ὅπ]ου ἐὰν ὦσιν [β', οὐκ] ε[ἰσὶ]ν ἄθεοι, καὶ [ὅ]που ε[ἶς] ἐστιν μόνος [λέ]γω. ἐγώ εἰμι μετ' αὐτ[οῦ]. ἔγειρ[ρ]ον τὸν λίθον, κἀκεῖ εὑρήσεις με, σχίσον τὸ ξύλον, κἀγὼ ἐκεῖ εἰμι.

135. Von der Versöhnlichkeit. Matth 18 21–22

135. On Reconciliation.

²¹ Τότε προσελθὼν ὁ Πέτρος εἶπεν αὐτῷ· κύριε, ποσάκις ἁμαρτήσει εἰς ἐμὲ ὁ ἀδελφός μου καὶ ἀφήσω αὐτῷ; ἕως ἑπτάκις; ²² λέγει αὐτῷ ὁ Ἰησοῦς· οὐ λέγω σοι ἕως ἑπτάκις, ἀλλὰ ἕως ἑβδομηκοντάκις ἑπτά.

17 4 (*179. S. 139*): ⁴ Καὶ ἐὰν ἑπτάκις τῆς ἡμέρας ἁμαρτήσῃ εἰς σὲ καὶ ἑπτάκις ἐπιστρέψῃ πρὸς σὲ λέγων· μετανοῶ, ἀφήσεις αὐτῷ.

136. Das Gleichnis vom Schalksknecht. Matth 18 23–35

136. The Parable of the Unmerciful Servant.

²³ Διὰ τοῦτο ὡμοιώθη ἡ βασιλεία τῶν οὐρανῶν ἀνθρώπῳ βασιλεῖ, ὃς ἠθέλησεν συνᾶραι λόγον μετὰ τῶν δούλων αὐτοῦ. ²⁴ ἀρξαμένου δὲ αὐτοῦ συναίρειν, προσήχθη εἷς αὐτῷ ὀφειλέτης μυρίων ταλάντων. ²⁵ μὴ ἔχοντος δὲ αὐτοῦ ἀποδοῦναι, ἐκέλευσεν αὐτὸν ὁ κύριος πραθῆναι καὶ τὴν γυναῖκα καὶ τὰ τέκνα καὶ πάντα ὅσα ἔχει, καὶ ἀποδοθῆναι. ²⁶ πεσὼν οὖν ὁ δοῦλος προσεκύνει αὐτῷ λέγων· μακροθύμησον ἐπ᾽ ἐμοί, καὶ πάντα ἀποδώσω σοι. ²⁷ σπλαγχνισθεὶς δὲ ὁ κύριος τοῦ δούλου ἐκείνου ἀπέλυσεν αὐτόν, καὶ τὸ δάνειον ἀφῆκεν αὐτῷ. ²⁸ ἐξελθὼν δὲ ὁ δοῦλος ἐκεῖνος εὗρεν ἕνα τῶν συνδούλων αὐτοῦ, ὃς ὤφειλεν αὐτῷ ἑκατὸν δηνάρια, καὶ κρατήσας αὐτὸν ἔπνιγεν λέγων· ἀπόδος εἴ τι ὀφείλεις. ²⁹ πεσὼν οὖν ὁ σύνδουλος αὐτοῦ παρεκάλει αὐτὸν λέγων· μακροθύμησον ἐπ᾽ ἐμοί, καὶ ἀποδώσω σοι. ³⁰ ὁ δὲ οὐκ ἤθελεν, ἀλλὰ ἀπελθὼν ἔβαλεν αὐτὸν εἰς φυλακὴν ἕως ἀποδῷ τὸ ὀφειλόμενον. ³¹ ἰδόντες οὖν οἱ σύνδουλοι αὐτοῦ τὰ γινόμενα ἐλυπήθησαν σφόδρα καὶ ἐλθόντες διεσάφησαν τῷ κυρίῳ ἑαυτῶν πάντα τὰ γενόμενα. ³² τότε προσκαλεσάμενος αὐτὸν ὁ κύριος αὐτοῦ λέγει αὐτῷ· δοῦλε πονηρέ, πᾶσαν τὴν ὀφειλὴν ἐκείνην ἀφῆκά σοι, ἐπεὶ παρεκάλεσάς με· ³³ οὐκ ἔδει καὶ σὲ ἐλεῆσαι τὸν σύνδουλόν σου, ὡς κἀγὼ σὲ ἠλέησα; ³⁴ καὶ ὀργισθεὶς ὁ κύριος αὐτοῦ παρέδωκεν αὐτὸν τοῖς βασανισταῖς ἕως οὗ ἀποδῷ πᾶν τὸ ὀφειλόμενον αὐτῷ. ³⁵ οὕτως καὶ ὁ πατήρ μου ὁ οὐράνιος ποιήσει ὑμῖν, ἐὰν μὴ ἀφῆτε ἕκαστος τῷ ἀδελφῷ αὐτοῦ ἀπὸ τῶν καρδιῶν ὑμῶν.*

(*187. 19 1–12. S. 143 f.*).

---

* Matth 6 15 (30. S. 30): Ἐὰν δὲ μὴ ἀφῆτε τοῖς ἀνθρώποις, οὐδὲ ὁ πατὴρ ὑμῶν ἀφήσει τὰ παραπτώματα ὑμῶν.

Zu Matth 18 21 22 (Luk 17 3 4): **Hebr. Evang.**: Si peccaverit, inquit, frater tuus in verbo, et satis tibi fecerit, septies in die suscipe eum. Dixit illi Simon discipulus eius: Septies in die ? respondit dominus, et dixit ei: Etiam ego dico tibi, usque septuagies septies. Etenim in prophetis quoque postquam uncti sunt spiritu sancto, inventus est sermo peccati. Hieronymus, adv. Pelag. III 2. (II ¹ 768 D—769 A Vallarsi).

Τὸ Ἰουδαϊκὸν ἑξῆς ἔχει μετὰ τὸ ἑβδομηκοντάκις ἑπτά· καὶ γὰρ ἐν τοῖς προφήταις μετὰ τὸ χρισθῆναι αὐτοὺς ἐν πνεύματι ἁγίῳ εὑρίσκετο ἐν αὐτοῖς λόγος ἁμαρτίας. 566 899.

II. Der lukanische Reisebericht.

II. The Lucan Travel Narrative.

Luk 9 51—18 14

137. Die Samariterherberge. Luk 9 51–56 *(130. 9 49–50. S. 107 f.)*

137. The Samaritan Villages.

⁵¹ Ἐγένετο δὲ ἐν τῷ συμπληροῦσθαι τὰς ἡμέρας τῆς ἀναλήμψεως αὐτοῦ, καὶ αὐτὸς τὸ πρόσωπον ἐστήρισεν τοῦ πορεύεσθαι εἰς Ἱερουσαλήμ, ⁵² καὶ ἀπέστειλεν ἀγγέλους πρὸ προσώπου αὐτοῦ. καὶ πορευθέντες εἰσῆλθον εἰς κώμην Σαμαριτῶν, ὥστε ἑτοιμάσαι αὐτῷ· ⁵³ καὶ οὐκ ἐδέξαντο αὐτόν, ὅτι τὸ πρόσωπον αὐτοῦ ἦν πορευόμενον εἰς Ἱερουσαλήμ. ⁵⁴ ἰδόντες δὲ οἱ μαθηταὶ Ἰάκωβος καὶ Ἰωάννης εἶπαν· κύριε, θέλεις εἴπωμεν πῦρ καταβῆναι ἀπὸ τοῦ οὐρανοῦ καὶ ἀναλῶσαι αὐτούς; ⁵⁵ στραφεὶς δὲ ἐπετίμησεν αὐτοῖς. ⁵⁶ καὶ ἐπορεύθησαν εἰς ἑτέραν κώμην.

138. Verschiedene Nachfolger. Luk 9 57–62

138. Claimants to Discipleship.

8 19–22 *(49 S. 39)*:

¹⁹ Καὶ προσελθὼν εἷς γραμματεὺς εἶπεν αὐτῷ· διδάσκαλε, ἀκολουθήσω σοι ὅπου ἐὰν ἀπέρχῃ. ²⁰ καὶ λέγει αὐτῷ ὁ Ἰησοῦς· αἱ ἀλώπεκες φωλεοὺς ἔχουσιν καὶ τὰ πετεινὰ τοῦ οὐρανοῦ κατασκηνώσεις, ὁ δὲ υἱὸς τοῦ ἀνθρώπου οὐκ ἔχει ποῦ τὴν κεφαλὴν κλίνῃ.

²¹ ἕτερος δὲ τῶν μαθητῶν εἶπεν αὐτῷ· κύριε, ἐπίτρεψόν μοι πρῶτον ἀπελθεῖν καὶ θάψαι τὸν πατέρα μου. ²² ὁ δὲ Ἰησοῦς λέγει αὐτῷ· ἀκολούθει μοι, καὶ ἄφες τοὺς νεκροὺς θάψαι τοὺς ἑαυτῶν νεκρούς.

⁵⁷ Καὶ πορευομένων αὐτῶν ἐν τῇ ὁδῷ εἶπέν τις πρὸς αὐτόν· ἀκολουθήσω σοι ὅπου ἐὰν ἀπέρχῃ. ⁵⁸ καὶ εἶπεν αὐτῷ ὁ Ἰησοῦς· αἱ ἀλώπεκες φωλεοὺς ἔχουσιν καὶ τὰ πετεινὰ τοῦ οὐρανοῦ κατασκηνώσεις, ὁ δὲ υἱὸς τοῦ ἀνθρώπου οὐκ ἔχει ποῦ τὴν κεφαλὴν κλίνῃ.

⁵⁹ εἶπεν δὲ πρὸς ἕτερον· ἀκολούθει μοι. ὁ δὲ εἶπεν· ἐπίτρεψόν μοι πρῶτον ἀπελθόντι θάψαι τὸν πατέρα μου. ⁶⁰ εἶπεν δὲ αὐτῷ· ἄφες τοὺς νεκροὺς θάψαι τοὺς ἑαυτῶν νεκρούς, σὺ δὲ ἀπελθὼν διάγγελλε τὴν βασιλείαν τοῦ θεοῦ. ⁶¹ Εἶπεν δὲ καὶ ἕτερος· ἀκολουθήσω σοι, κύριε· πρῶτον δὲ ἐπίτρεψόν μοι ἀποτάξασθαι τοῖς εἰς τὸν οἶκόν μου. ⁶² εἶπεν δὲ πρὸς αὐτὸν ὁ Ἰησοῦς· οὐδεὶς ἐπιβαλὼν τὴν χεῖρα ἐπ' ἄροτρον καὶ βλέπων εἰς τὰ ὀπίσω εὔθετός ἐστιν τῇ βασιλείᾳ τοῦ θεοῦ.

Lc 9 54: IV. Reg 1 10 12.

Matth 8, 22 ὁ δὲ Ἰησοῦς B C W Θ λ φ 𝕽 vg sy^{cs} sa bo ὁ δὲ S it
  Luk 9, 52 κώμην 𝔓 ⁴⁵ A B C D W Θ λ 𝕽 sy^{cs pe} sa bo πόλιν S φ it vg **53** πορευομένου 𝔓 ⁴⁵
it vg **54** αὐτούς 𝔓 ⁴⁵ S B vg sy^{cs} sa αὐτοὺς ὡς καὶ Ἡλίας ἐποίησεν A C D W Θ λ φ 𝕽 it sy^{pe} bo
55 αὐτοῖς 𝔓 ⁴⁵ S A B C W sy^s sa αὐτοῖς καὶ εἶπεν· οὐκ οἴδατε ποίου πνεύματός ἐστε D αὐτοῖς καὶ
εἶπεν· οὐκ οἴδατε ποίου πνεύματός ἐστε (+ ὑμεῖς λ 𝕽 sy^{pe}) ὁ (+ γὰρ 𝕽 it sy^{c pe}) υἱὸς τοῦ ἀνθρώπου οὐκ
ἦλθε ψυχὰς ἀνθρώπων (> vg sy^{c pe}) ἀπολέσαι, ἀλλὰ σῶσαι Θ λ φ 𝕽 it vg sy^{c pe} bo vgl. Lc 19 10
57 καὶ 𝔓 ^{.5} S B C Θ sy^{cs pe} bo δὲ (πορ. δὲ) sa ἐγένετο δὲ A W λ 𝕽 it vg καὶ ἐγένετο D φ | ἀπέρχῃ
ὑπάγῃς 𝔓 ⁴⁵ ὑπάγεις D **59** ἀπελθόντι 𝔓 ⁴⁵ S B C W 𝕽 bo ἀπελθεῖν A λ φ it vg ἀπελθόντα D Θ >sa

139. Die Aussendung der Siebzig. Luk 10 1–16

139. The Sending Out of the Seventy.

9 37–38. 10 7–16 *(58. S. 45 f.):* 9 ³⁷ Τότε λέγει τοῖς μαθηταῖς αὐτοῦ· ὁ μὲν θερισμὸς πολύς, οἱ δὲ ἐργάται ὀλίγοι· ³⁸ δεήθητε οὖν τοῦ κυρίου τοῦ θερισμοῦ ὅπως ἐκβάλῃ ἐργάτας εἰς τὸν θερισμὸν αὐτοῦ.

10 ¹⁶ Ἰδοὺ ἐγὼ ἀποστέλλω ὑμᾶς ὡς πρόβατα ἐν μέσῳ λύκων· γίνεσθε οὖν φρόνιμοι ὡς οἱ ὄφεις καὶ ἀκέραιοι ὡς αἱ περιστεραί.

⁹ μὴ κτήσησθε χρυσὸν μηδὲ ἄργυρον μηδὲ χαλκὸν εἰς τὰς ζώνας ὑμῶν.

¹⁰ ᵃ μὴ πήραν εἰς ὁδὸν μηδὲ δύο χιτῶνας μηδὲ ὑποδήματα μηδὲ ῥάβδον·

¹¹ εἰς ἣν δ' ἂν πόλιν ἢ κώμην εἰσέλθητε, ἐξετάσατε τίς ἐν αὐτῇ ἄξιός ἐστιν· κἀκεῖ μείνατε ἕως ἂν ἐξέλθητε. ¹² εἰσερχόμενοι δὲ εἰς τὴν οἰκίαν ἀσπάσασθε αὐτήν. ¹³ καὶ ἐὰν μὲν ᾖ ἡ οἰκία ἀξία, ἐλθάτω ἡ εἰρήνη ὑμῶν ἐπ' αὐτήν· ἐὰν δὲ μὴ ᾖ ἀξία, ἡ εἰρήνη ὑμῶν πρὸς ὑμᾶς ἐπιστραφήτω.

¹⁰ ᵇ ἄξιος γὰρ ὁ ἐργάτης τῆς τροφῆς αὐτοῦ.

⁷ πορευόμενοι δὲ κηρύσσετε λέγοντες ὅτι ἤγγικεν ἡ βασιλεία τῶν οὐρανῶν. ⁸ ἀσθενοῦντας θεραπεύετε, νεκροὺς ἐγείρετε, λεπροὺς καθαρίζετε, δαιμόνια ἐκβάλλετε· δωρεὰν ἐλάβετε, δωρεὰν δότε.

¹⁴ καὶ ὃς ἂν μὴ δέξηται ὑμᾶς μηδὲ ἀκούσῃ τοὺς λόγους ὑμῶν, ἐξερχόμενοι ἔξω τῆς οἰκίας ἢ τῆς πόλεως ἐκείνης ἐκτινάξατε τὸν κονιορτὸν ἐκ τῶν ποδῶν ὑμῶν.

¹⁵ ἀμὴν λέγω ὑμῖν, ἀνεκτότερον ἔσται γῇ Σοδόμων καὶ Γομόρρων ἐν ἡμέρᾳ κρίσεως ἢ τῇ πόλει ἐκείνῃ.

Vgl.
Mark
6 6–11
= Luk
9 1–5.
109.
S. 83 f.

¹ Μετὰ δὲ ταῦτα ἀνέδειξεν ὁ κύριος ἑτέρους ἑβδομήκοντα δύο καὶ ἀπέστειλεν αὐτοὺς ἀνὰ δύο πρὸ προσώπου αὐτοῦ εἰς πᾶσαν πόλιν καὶ τόπον οὗ ἤμελλεν αὐτὸς ἔρχεσθαι. ² ἔλεγεν δὲ πρὸς αὐτούς· ὁ μὲν θερισμὸς πολύς, οἱ δὲ ἐργάται ὀλίγοι· δεήθητε οὖν τοῦ κυρίου τοῦ θερισμοῦ ὅπως ἐργάτας ἐκβάλῃ εἰς τὸν θερισμὸν αὐτοῦ Joh 4 35 . ³ ὑπάγετε·
ἰδοὺ ἀποστέλλω ὑμᾶς ὡς ἄρνας ἐν μέσῳ λύκων.

⁴ μὴ βαστάζετε βαλλάντιον, μὴ πήραν, μὴ ὑποδήματα· καὶ μηδένα κατὰ τὴν ὁδὸν ἀσπάσησθε.

⁵ εἰς ἣν δ' ἂν εἰσέλθητε οἰκίαν, πρῶτον λέγετε· εἰρήνη τῷ οἴκῳ τούτῳ.

⁶ καὶ ἐὰν ἐκεῖ ᾖ υἱὸς εἰρήνης, ἐπαναπαήσεται ἐπ' αὐτὸν ἡ εἰρήνη ὑμῶν· εἰ δὲ μή γε, ἐφ' ὑμᾶς ἀνακάμψει. ⁷ ἐν αὐτῇ δὲ τῇ οἰκίᾳ μένετε, ἐσθοντες καὶ πίνοντες τὰ παρ' αὐτῶν· ἄξιος γὰρ ὁ ἐργάτης τοῦ μισθοῦ αὐτοῦ. μὴ μεταβαίνετε ἐξ οἰκίας εἰς οἰκίαν. ⁸ καὶ εἰς ἣν ἂν πόλιν εἰσέρχησθε καὶ δέχωνται ὑμᾶς, ἐσθίετε τὰ παρατιθέμενα ὑμῖν, ⁹ καὶ θεραπεύετε τοὺς ἐν αὐτῇ ἀσθενεῖς, καὶ λέγετε αὐτοῖς· ἤγγικεν ἐφ' ὑμᾶς ἡ βασιλεία τοῦ θεοῦ. ¹⁰ εἰς ἣν δ' ἂν πόλιν εἰσέλθητε καὶ μὴ δέχωνται ὑμᾶς, ἐξελθόντες εἰς τὰς πλατείας αὐτῆς εἴπατε· ¹¹ καὶ τὸν κονιορτὸν τὸν κολληθέντα ἡμῖν ἐκ τῆς πόλεως ὑμῶν εἰς τοὺς πόδας ἀπομασσόμεθα ὑμῖν· πλὴν τοῦτο γινώσκετε, ὅτι ἤγγικεν ἡ βασιλεία τοῦ θεοῦ. ¹² λέγω ὑμῖν ὅτι Σοδόμοις ἐν τῇ ἡμέρᾳ ἐκείνῃ ἀνεκτότερον ἔσται ἢ τῇ πόλει ἐκείνῃ.

Matth 10, 11 εἰς ἣν — εἰσέλθητε] ἡ πόλις εἰς ἣν ἂν εἰσέλθητε εἰς αὐτήν D
Luk 10, 1 ἑβδομήκοντα δύο B D vg sy ᶜˢ sa Iren   ἑβδομήκοντα S A C W Θ λ φ ℵ it sy ᵖᵉ bo
6 ἐπαναπαήσεται S B   ἐπαναπαύσεται A C D W Θ λ φ ℵ

Zu Luk 10 7: vgl. oben zu Matth 10 10 S. 47.

11 21–23 *(66. S. 54)*: ²¹ οὐαί σοι, Χοραζίν·
οὐαί σοι, Βηθσαϊδά· ὅτι εἰ ἐν Τύρῳ καὶ Σιδῶνι
ἐγένοντο αἱ δυνάμεις αἱ γενόμεναι ἐν ὑμῖν,
πάλαι ἂν ἐν σάκκῳ καὶ σποδῷ
μετενόησαν. ²² πλὴν λέγω ὑμῖν, Τύρῳ καὶ Σι-
δῶνι ἀνεκτότερον ἔσται ἐν ἡμέρᾳ κρίσεως ἢ
ὑμῖν. ²³ καὶ σύ, Καφαρναούμ, μὴ ἕως οὐρανοῦ
ὑψωθήσῃ; ἕως ᾅδου καταβήσῃ.

10 ⁴⁰ *(63. S. 52)*: ὁ δεχόμενος ὑμᾶς ἐμὲ δέ-
χεται, καὶ ὁ ἐμὲ δεχόμενος δέχεται   τὸν
ἀποστείλαντά με.*

¹³ οὐαί σοι, Χοραζίν,
οὐαί σοι, Βηθσαϊδά· ὅτι εἰ ἐν Τύρῳ καὶ Σιδῶνι
ἐγενήθησαν αἱ δυνάμεις αἱ γενόμεναι ἐν ὑμῖν,
πάλαι ἂν ἐν σάκκῳ καὶ σποδῷ καθήμενοι
μετενόησαν. ¹⁴ πλὴν   Τύρῳ καὶ Σι-
δῶνι ἀνεκτότερον ἔσται ἐν τῇ   κρίσει ἢ
ὑμῖν. ¹⁵ καὶ σύ, Καφαρναούμ, μὴ ἕως οὐρανοῦ
ὑψωθήσῃ; ἕως τοῦ ᾅδου καταβήσῃ. ¹⁶ Ὁ
ἀκούων ὑμῶν ἐμοῦ ἀκούει, καὶ ὁ ἀθετῶν
ὑμᾶς ἐμὲ ἀθετεῖ· ὁ δὲ ἐμὲ ἀθετῶν ἀθετεῖ τὸν
ἀποστείλαντά με.* | Joh 5 23   15 23 |

140. Die Rückkehr der Siebzig. Luk 10 17–2c
140. The Return of the Seventy.

Vgl.
16 17 18
S. 213

¹⁷ Ὑπέστρεψαν δὲ οἱ ἑβδομήκοντα δύο μετὰ χαρᾶς λέγοντες· κύριε, καὶ τὰ δαι-
μόνια ὑποτάσσεται ἡμῖν ἐν τῷ ὀνόματί σου.** ¹⁸ Εἶπεν δὲ αὐτοῖς· ἐθεώρουν τὸν σατανᾶν
ὡς ἀστραπὴν ἐκ τοῦ οὐρανοῦ πεσόντα. | Joh 12 31 | ¹⁹ ἰδοὺ δέδωκα ὑμῖν τὴν ἐξουσίαν
τοῦ *πατεῖν ἐπάνω ὄφεων* καὶ σκορπίων, καὶ ἐπὶ πᾶσαν τὴν δύναμιν τοῦ ἐχθροῦ, καὶ
οὐδὲν ὑμᾶς οὐ μὴ ἀδικήσει. ²⁰ πλὴν ἐν τούτῳ μὴ χαίρετε ὅτι τὰ πνεύματα ὑμῖν ὑποτάσ-
σεται, χαίρετε δὲ ὅτι τὰ ὀνόματα ὑμῶν ἐγγέγραπται ἐν τοῖς οὐρανοῖς.

141. Jubelruf. Luk 10 21–22
141. Christ's Gratitude to His Father.

11 25–27 *(67. S. 54f.)*:
²⁵ Ἐν ἐκείνῳ τῷ καιρῷ ἀποκριθεὶς ὁ Ἰησοῦς
εἶπεν·   ἐξομολογοῦμαί σοι,
πάτερ, κύριε τοῦ οὐρανοῦ καὶ τῆς γῆς, ὅτι
ἔκρυψας ταῦτα ἀπὸ σοφῶν καὶ συνετῶν, καὶ
ἀπεκάλυψας αὐτὰ νηπίοις· ²⁶ ναί, ὁ πατήρ,
ὅτι οὕτως εὐδοκία ἐγένετο ἔμπροσθέν σου.

²¹ Ἐν αὐτῇ τῇ ὥρᾳ ἠγαλλιάσατο τῷ πνεύ-
ματι τῷ ἁγίῳ καὶ εἶπεν· ἐξομολογοῦμαί σοι,
πάτερ, κύριε τοῦ οὐρανοῦ καὶ τῆς γῆς, ὅτι
ἀπέκρυψας ταῦτα ἀπὸ σοφῶν καὶ συνετῶν, καὶ
ἀπεκάλυψας αὐτὰ νηπίοις· ναί, ὁ πατήρ,
ὅτι οὕτως εὐδοκία ἐγένετο ἔμπροσθέν σου.

---

* Vgl. Mt 18 5 = Mc 9 37 = Lc 9 48 (129. S. 107).   ** Vgl. Mc 6 30 = Lc 9 10 (112. S. 86).

Matth 11, 23 μὴ ἕως (+ τοῦ C λ) οὐρανοῦ ὑψωθήσῃ S B C D Θ W λ it vg syᶜ sa bo   ἢ ἕως
(+ τοῦ φ) οὐρανοῦ ὑψωθῇς φ syˢ ᵖᵉ   ἢ ἕως οὐρανοῦ ὑψωθεῖσα ℵ | καταβήσῃ B D W it vg syᶜˢ sa
καταβιβασθήσῃ S C Θ λ φ ℵ syᵖᵉ bo

Luk 10, 14 ἐν τῇ κρίσει S A B C W Θ λ ℵ it vg syᵖᵉ sa bo   ἐν ἡμέρᾳ κρίσεως φ syᶜ   ἐν ταύτῃ
τῇ ἡμέρᾳ syˢ > 𝔓⁴⁵ D   **15** καταβήσῃ B D syᶜˢ   καταβιβασθήσῃ 𝔓⁴⁵ S A C W Θ λ φ ℵ it vg syᵖᵉ
sa bo   **16** ἀθετεῖ¹ + καὶ τὸν ἀποστείλαντά με it | ὁ δὲ ἐμὲ ἀθετῶν ἀθετεῖ τὸν ἀποστείλαντά με
𝔓⁴⁵ S A B C W λ ℵ vg syᵖᵉ sa bo   ὁ δὲ ἐμοῦ ἀκούων ἀκούει τοῦ ἀποστείλαντός με D it   ὁ δὲ ἐμὲ
ἀθετῶν ἀθετεῖ τὸν ἀποστείλαντά με + καὶ ὁ ἐμοῦ ἀκούων ἀκούει τοῦ ἀποστείλαντός με Θ φ syᶜˢ
17 ἑβδομήκοντα δύο 𝔓⁴⁵ B D vg syˢ (?)   ἑβδομήκοντα S A C W Θ λ φ ℵ it syᶜ ᵖᵉ bo   **21** τῷ
(ἐν τῷ S D sa bo) πνεύματι τῷ ἁγίῳ S B D it vg syᶜˢ sa bo   ἐν (> C λ) τῷ πνεύματι τῷ ἁγίῳ ὁ
Ἰησοῦς C Θ λ syᵖᵉ   ἐν τῷ πνεύματι 𝔓⁴⁵   τῷ πνεύματι ὁ Ἰησοῦς A W φ ℵ

²⁷ πάντα μοι παρεδόθη ὑπὸ τοῦ πατρός μου, καὶ οὐδεὶς ἐπιγινώσκει τὸν υἱὸν εἰ μὴ ὁ πατήρ, οὐδὲ τὸν πατέρα τις ἐπιγινώσκει εἰ μὴ ὁ υἱὸς καὶ ᾧ ἐὰν βούληται ὁ υἱὸς ἀποκαλύψαι.

²² πάντα μοι παρεδόθη ὑπὸ τοῦ πατρός μου, καὶ οὐδεὶς γινώσκει τίς ἐστιν ὁ υἱὸς εἰ μὴ ὁ πατήρ, καὶ τίς ἐστιν ὁ πατὴρ   εἰ μὴ ὁ υἱὸς καὶ ᾧ ἐὰν βούληται ὁ υἱὸς ἀποκαλύψαι.

| Joh 10 15 17 2 |

142. Selige Augenzeugen. Luk 10 23—24
142. The Blessedness of the Disciples.

13 16—17 (92. S. 72 f.):

¹⁶ Ὑμῶν δὲ μακάριοι οἱ ὀφθαλμοὶ ὅτι βλέπουσιν, καὶ τὰ ὦτα ὑμῶν ὅτι ἀκούουσιν.

¹⁷ ἀμὴν γὰρ λέγω ὑμῖν ὅτι πολλοὶ προφῆται καὶ δίκαιοι ἐπεθύμησαν ἰδεῖν ἃ βλέπετε, καὶ οὐκ εἶδαν, καὶ ἀκοῦσαι ἃ ἀκούετε, καὶ οὐκ ἤκουσαν.

²³ Καὶ στραφεὶς πρὸς τοὺς μαθητὰς κατ' ἰδίαν εἶπεν· μακάριοι οἱ ὀφθαλμοὶ οἱ βλέποντες ἃ βλέπετε.

²⁴ λέγω γὰρ ὑμῖν ὅτι πολλοὶ προφῆται καὶ βασιλεῖς ἠθέλησαν ἰδεῖν ἃ ὑμεῖς βλέπετε καὶ οὐκ εἶδαν, καὶ ἀκοῦσαι ἃ ἀκούετε καὶ οὐκ ἤκουσαν.

143. Die Frage nach dem großen Gebot. Luk 10 25—28
143. The Lawyer's Question.

22 34—40 (208. S. 164 f.):

³⁴ Οἱ δὲ Φαρισαῖοι ἀκούσαντες ὅτι ἐφίμωσεν τοὺς Σαδδουκαίους, συνήχθησαν ἐπὶ τὸ αὐτό, ³⁵ καὶ ἐπηρώτησεν εἷς ἐξ αὐτῶν νομικὸς πειράζων αὐτόν· ³⁶ διδάσκαλε, ποία ἐντολὴ μεγάλη ἐν τῷ νόμῳ; ³⁷ ὁ δὲ ἔφη αὐτῷ·

ἀγαπήσεις κύριον τὸν θεόν σου ἐν ὅλῃ τῇ καρδίᾳ σου καὶ ἐν ὅλῃ τῇ ψυχῇ σου καὶ ἐν ὅλῃ τῇ διανοίᾳ σου. ³⁸ αὕτη ἐστὶν ἡ μεγάλη καὶ πρώτη ἐντολή. ³⁹ δευτέρα ὁμοία αὐτῇ· *ἀγαπήσεις τὸν πλησίον σου*

12 28—31 (208. S. 164 f.):

²⁸ Καὶ προσελθὼν εἷς τῶν γραμματέων, ἀκούσας αὐτῶν συζητούντων, εἰδὼς ὅτι καλῶς ἀπεκρίθη αὐτοῖς, ἐπηρώτησεν αὐτόν·

ποία ἐστὶν ἐντολὴ πρώτη πάντων; ²⁹ ἀπεκρίθη ὁ Ἰησοῦς ὅτι πρώτη ἐστίν· ἄκουε, Ἰσραήλ, κύριος ὁ θεὸς ἡμῶν κύριος εἷς ἐστιν, ³⁰ καὶ *ἀγαπήσεις κύριον τὸν θεόν σου ἐξ ὅλης τῆς καρδίας σου καὶ ἐξ ὅλης τῆς ψυχῆς σου καὶ ἐξ ὅλης τῆς διανοίας σου καὶ ἐξ ὅλης τῆς ἰσχύος σου.* ³¹ δευτέρα αὕτη· *ἀγαπήσεις τὸν πλησίον σου*

²⁵ Καὶ ἰδοὺ νομικός τις ἀνέστη ἐκπειράζων αὐτὸν λέγων· διδάσκαλε, τί ποιήσας ζωὴν αἰώνιον κληρονομήσω; ²⁶ ὁ δὲ εἶπεν πρὸς αὐτόν· ἐν τῷ νόμῳ τί γέγραπται; πῶς ἀναγινώσκεις; ²⁷ ὁ δὲ ἀποκριθεὶς εἶπεν·

ἀγαπήσεις κύριον τὸν θεόν σου ἐν ὅλῃ τῇ καρδίᾳ σου καὶ ἐν ὅλῃ τῇ ψυχῇ σου καὶ ἐν ὅλῃ τῇ ἰσχύϊ σου καὶ ἐν ὅλῃ τῇ διανοίᾳ σου,

καὶ τὸν πλησίον σου

Lc 10 27: Dtn 6 5   Lev 19 18.

Matth 22, 34 ἐπὶ τὸ αὐτό] ἐπ' αὐτόν D it sy cs   **35** νομικός > λ sy s Orig
Luk 10, 22 πάντα 𝔓 45 S B D λ φ it vg sy cs sa bo   καὶ στραφεὶς πρὸς τοὺς μαθητὰς εἶπεν· πάντα A C W Θ ℜ sy pe   **23** κατ' ἰδίαν > D it vg sy cs   **24** καὶ βασιλεῖς > D it   **27** ἐν ὅλῃ τῇ καρδίᾳ usw. immer ἐν D λ it sa   ἐξ ὅλης τῆς καρδίας usw. immer ἐξ A C W Θ φ ℜ vg sy cs pe (aber ἐν — διανοίᾳ bo) bo   ἐξ ὅλης τ. καρδίας und dann ἐν S B | καὶ ἐν — διανοίᾳ σου > D it Marcion

ὡς σεαυτόν. ⁴⁰ ἐν ταύταις ταῖς δυσὶν ἐντολαῖς ὅλος ὁ νόμος κρέμαται καὶ οἱ προφῆται.	ὡς σεαυτόν. μείζων τούτων ἄλλη ἐντολὴ οὐκ ἔστιν.	ὡς σεαυτόν. ²⁸ εἶπεν δὲ αὐτῷ· ὀρθῶς ἀπεκρίθης· τοῦτο ποίει καὶ ζήσῃ.

144. Das Gleichnis vom barmherzigen Samariter. Luk 10 29–37

144. The Parable of the Good Samaritan.

²⁹ Ὁ δὲ θέλων δικαιῶσαι ἑαυτὸν εἶπεν πρὸς τὸν Ἰησοῦν· καὶ τίς ἐστίν μου πλησίον; ³⁰ ὑπολαβὼν ὁ Ἰησοῦς εἶπεν· ἄνθρωπός τις κατέβαινεν ἀπὸ Ἰερουσαλὴμ εἰς Ἰεριχώ, καὶ λῃσταῖς περιέπεσεν, οἳ καὶ ἐκδύσαντες αὐτὸν καὶ πληγὰς ἐπιθέντες ἀπῆλθον ἀφέντες ἡμιθανῆ. ³¹ κατὰ συγκυρίαν δὲ ἱερεύς τις κατέβαινεν ἐν τῇ ὁδῷ ἐκείνῃ, καὶ ἰδὼν αὐτὸν ἀντιπαρῆλθεν. ³² ὁμοίως δὲ καὶ Λευίτης κατὰ τὸν τόπον ἐλθὼν καὶ ἰδὼν ἀντιπαρῆλθεν. ³³ Σαμαρίτης δέ τις ὁδεύων ἦλθεν κατ' αὐτὸν καὶ ἰδὼν ἐσπλαγχνίσθη, ³⁴ καὶ προσελθὼν κατέδησεν τὰ τραύματα αὐτοῦ ἐπιχέων ἔλαιον καὶ οἶνον, ἐπιβιβάσας δὲ αὐτὸν ἐπὶ τὸ ἴδιον κτῆνος ἤγαγεν αὐτὸν εἰς πανδοχεῖον καὶ ἐπεμελήθη αὐτοῦ. ³⁵ καὶ ἐπὶ τὴν αὔριον ἐκβαλὼν δύο δηνάρια ἔδωκεν τῷ πανδοχεῖ καὶ εἶπεν· ἐπιμελήθητι αὐτοῦ, καὶ ὅ τι ἂν προσδαπανήσῃς ἐγὼ ἐν τῷ ἐπανέρχεσθαί με ἀποδώσω σοι. ³⁶ τίς τούτων τῶν τριῶν πλησίον δοκεῖ σοι γεγονέναι τοῦ ἐμπεσόντος εἰς τοὺς λῃστάς; ³⁷ ὁ δὲ εἶπεν· ὁ ποιήσας τὸ ἔλεος μετ' αὐτοῦ. εἶπεν δὲ αὐτῷ ὁ Ἰησοῦς· πορεύου καὶ σὺ ποίει ὁμοίως.

145. Maria und Martha. Luk 10 38–42 | Joh 11 1 |

145. Martha and Mary.

³⁸ Ἐν δὲ τῷ πορεύεσθαι αὐτοὺς αὐτὸς εἰσῆλθεν εἰς κώμην τινά· γυνὴ δέ τις ὀνόματι Μάρθα ὑπεδέξατο αὐτὸν εἰς τὴν οἰκίαν. ³⁹ καὶ τῇδε ἦν ἀδελφὴ καλουμένη Μαριάμ, ἣ καὶ παρακαθεσθεῖσα πρὸς τοὺς πόδας τοῦ κυρίου ἤκουεν τὸν λόγον αὐτοῦ. ⁴⁰ ἡ δὲ Μάρθα περιεσπᾶτο περὶ πολλὴν διακονίαν· ἐπιστᾶσα δὲ εἶπεν· κύριε, οὐ μέλει σοι ὅτι ἡ ἀδελφή μου μόνην με κατέλειπεν διακονεῖν; εἰπὸν οὖν αὐτῇ ἵνα μοι συναντιλάβηται. ⁴¹ ἀποκριθεὶς δὲ εἶπεν αὐτῇ ὁ κύριος· Μάρθα Μάρθα, μεριμνᾷς καὶ θορυβάζῃ περὶ πολλά, ⁴² ὀλίγων δέ ἐστιν χρεία ἢ ἑνός· Μαριὰμ γὰρ τὴν ἀγαθὴν μερίδα ἐξελέξατο, ἥτις οὐκ ἀφαιρεθήσεται αὐτῆς.

Lc 10 28: vgl. Lev 18 5.

Luk 10, 32 fehlt S | κατὰ τὸν τόπον ἐλθὼν B λ   γενόμενος κατὰ τὸν τόπον ἐλθὼν A C W Θ φ 𝔐 sy ᵖᵉ   γενόμενος κατὰ τὸν τόπον 𝔓 ⁴⁵ D it vg sy ᶜˢ sa bo   **38** εἰς τὴν οἰκίαν 𝔓 ³ S C εἰς τὸν οἶκον αὐτῆς A D W Θ λ φ 𝔐 it vg sy ᶜ ᵖᵉ bo   > 𝔓 ⁴⁵ B sa   **39** ἣ καὶ A B C W Θ λ φ 𝔐 it vg   καὶ 𝔓 ⁴⁵ S bo   ἣ D sa   καὶ ἦκεν (oder ἦλθεν) καὶ sy ᶜˢ ᵖᵉ | κυρίου S B C D it vg sy ᶜ bo   Ἰησοῦ 𝔓 ⁴⁵ A W Θ λ φ 𝔐 sy ˢ sa   **41 42** lautet: Μάρθα Μάρθα θορυβάζῃ (> it sy ˢ) Μαρία τὴν ἀγαθὴν μερίδα ἐξελέξατο, ἣ οὐκ ἀφαιρεθήσεται αὐτῆς D it sy ˢ | ὀλίγων δέ ἐστιν χρεία (> S) ἢ ἑνός 𝔓 ³ S B λ bo   ἑνὸς δέ ἐστιν χρεία 𝔓 ⁴⁵ A C W Θ φ 𝔐 vg sy ᶜ ᵖᵉ sa

146. Das Unser-Vater. Luk 11 1–4

146. The Lord's Prayer.

6 9–13 *(30. S. 29 f.)*: ⁹ Οὕτως οὖν προσεύχεσϑε ὑμεῖς· πάτερ ἡμῶν ὁ ἐν τοῖς οὐρανοῖς, ἁγιασϑήτω τὸ ὄνομά σου· ¹⁰ ἐλϑάτω ἡ βασιλεία σου· γενηϑήτω τὸ ϑέλημά σου, ὡς ἐν οὐρανῷ καὶ ἐπὶ γῆς· ¹¹ τὸν ἄρτον ἡμῶν τὸν ἐπιούσιον δὸς ἡμῖν σήμερον. ¹² καὶ ἄφες ἡμῖν τὰ ὀφειλήματα ἡμῶν, ὡς καὶ ἡμεῖς ἀφήκαμεν τοῖς ὀφειλέταις ἡμῶν. ¹³ καὶ μὴ εἰσενέγκῃς ἡμᾶς εἰς πειρασμόν, ἀλλὰ ῥῦσαι ἡμᾶς ἀπὸ τοῦ πονηροῦ.

¹ Καὶ ἐγένετο ἐν τῷ εἶναι αὐτὸν ἐν τόπῳ τινὶ προσευχόμενον, ὡς ἐπαύσατο, εἶπέν τις τῶν μαϑητῶν αὐτοῦ πρὸς αὐτόν· κύριε, δίδαξον ἡμᾶς προσεύχεσϑαι, καϑὼς καὶ Ἰωάννης ἐδίδαξεν τοὺς μαϑητὰς αὐτοῦ. ² εἶπεν δὲ αὐτοῖς· ὅταν προσεύχησϑε, λέγετε· πάτερ, ἁγιασϑήτω τὸ ὄνομά σου· ἐλϑάτω ἡ βασιλεία σου· ³ τὸν ἄρτον ἡμῶν τὸν ἐπιούσιον δίδου ἡμῖν τὸ καϑ᾽ ἡμέραν· ⁴ καὶ ἄφες ἡμῖν τὰς ἁμαρτίας ἡμῶν, καὶ γὰρ αὐτοὶ ἀφίομεν παντὶ ὀφείλοντι ἡμῖν· καὶ μὴ εἰσενέγκῃς ἡμᾶς εἰς πειρασμόν.

147. Gleichnis vom bittenden Freund. Luk 11 5–8

147. The Friend at Midnight.

⁵ Καὶ εἶπεν πρὸς αὐτούς· τίς ἐξ ὑμῶν ἕξει φίλον, καὶ πορεύσεται πρὸς αὐτὸν μεσονυκτίου καὶ εἴπῃ αὐτῷ· φίλε, χρῆσόν μοι τρεῖς ἄρτους, ⁶ ἐπειδὴ φίλος μου παρεγένετο ἐξ ὁδοῦ πρός με καὶ οὐκ ἔχω ὃ παραϑήσω αὐτῷ· ⁷ κἀκεῖνος ἔσωϑεν ἀποκριϑεὶς εἴπῃ μή μοι κόπους πάρεχε· ἤδη ἡ ϑύρα κέκλεισται, καὶ τὰ παιδία μου μετ᾽ ἐμοῦ εἰς τὴν κοίτην εἰσίν· οὐ δύναμαι ἀναστὰς δοῦναί σοι. ⁸ λέγω ὑμῖν, εἰ καὶ οὐ δώσει αὐτῷ ἀναστὰς διὰ τὸ εἶναι φίλον αὐτοῦ, διά γε τὴν ἀναίδειαν αὐτοῦ ἐγερϑεὶς δώσει αὐτῷ ὅσων χρῄζει.

148. Von der Gebetserhörung. Luk 11 9–13

148. The Answer to Prayer.

7 7–11 *(38. S. 33 f.)*: ⁷ Αἰτεῖτε, καὶ δοϑήσεται ὑμῖν· ζητεῖτε, καὶ εὑρήσετε· κρούετε, καὶ ἀνοιγήσεται ὑμῖν. ⁸ πᾶς γὰρ ὁ αἰτῶν λαμβάνει, καὶ ὁ ζητῶν εὑρίσκει, καὶ τῷ κρούοντι ἀνοιγήσεται. ⁹ ἢ τίς ἐστιν ἐξ ὑμῶν ἄνϑρωπος, ὃν αἰτήσει ὁ υἱὸς αὐτοῦ ἄρτον, μὴ λίϑον ἐπιδώσει

⁹ Κἀγὼ ὑμῖν λέγω, αἰτεῖτε, καὶ δοϑήσεται ὑμῖν· ζητεῖτε, καὶ εὑρήσετε· κρούετε, καὶ ἀνοιγήσεται ὑμῖν. ¹⁰ πᾶς γὰρ ὁ αἰτῶν λαμβάνει, καὶ ὁ ζητῶν εὑρίσκει, καὶ τῷ κρούοντι ἀνοιγήσεται. ¹¹ τίνα δὲ ἐξ ὑμῶν τὸν πατέρα αἰτήσει ὁ υἱὸς

Matth 6, 10 ὡς > D it Tert   **12** ἀφήκαμεν S B λ syᵖᵉ   ἀφίομεν D W Θ sa bo   ἀφίεμεν φ ℜ it vg syᶜ Didache   **13** πονηροῦ + ὅτι σοῦ ἐστιν ἡ βασιλεία καὶ (ἡ. β. καὶ > sa Didache) ἡ δύναμις καὶ ἡ δόξα εἰς τοὺς αἰῶνας W Θ φ ℜ syᶜ ᵖᵉ sa Didache

Luk 11, 2 πάτερ S B λ vg syˢ Marcion Orig   πάτερ ἡμῶν ὁ ἐν τοῖς οὐρανοῖς A C D W Θ φ ℜ it syᶜ ᵖᵉ sa bo vgl. Mt | ἐλϑάτω ἡ βασιλεία σου alle Hss., jedoch: ἐφ᾽ ἡμᾶς ἐλϑέτω σου ἡ βασιλεία D ἐλϑάτω τὸ ἅγιον πνεῦμά σου ἐφ᾽ ἡμᾶς καὶ καϑαρισάτω ἡμᾶς 162 700 Greg. Nyss. Maximus Conf., Marcion hat diesen Text an Stelle der ersten Bitte | βασιλεία σου B λ syᶜˢ   + γενηϑήτω τὸ ϑέλημά σου ὡς ἐν οὐρανῷ (+ οὕτως S) καὶ ἐπὶ γῆς S A C D W Θ φ ℜ it vg syᵖᵉ bo   + dein Wille geschehe sa **3** δίδου] δὸς S D | τὸ καϑ᾽ ἡμέραν] σήμερον D it   **4** τὰς ἁμαρτίας] τὰ ὀφειλήματα D it | καὶ γὰρ αὐτοὶ A B C W Θ λ φ ℜ vg syᵖᵉ sa bo   ὡς καὶ αὐτοὶ S   ὡς καὶ ἡμεῖς D it syᶜ vgl. Mt   ὡς καὶ ἡμεῖς αὐτοὶ syˢ | παντὶ ὀφείλοντι ἡμῖν] τοῖς ὀφειλέταις ἡμῶν D it vgl. Mt | πειρασμόν S B λ vg syˢ bo Marcion Orig   πειρασμόν, ἀλλὰ ῥῦσαι ἡμᾶς ἀπὸ τοῦ πονηροῦ A C D W Θ φ ℜ it syᶜ ᵖᵉ   **6** παρεγένετο ἐξ ὁδοῦ] πάρεστιν ἀπ᾽ ἀγροῦ D   **8** λέγω] et ille si (si ille vg) perseveraverit pulsans, dico it vg   **11** τὸν πατέρα > it syᶜˢ | ὁ υἱὸς > S vg

αὐτῷ; ¹⁰ ἢ καὶ ἰχθὺν αἰτήσει, μὴ
ὄφιν ἐπιδώσει αὐτῷ;

¹¹ εἰ οὖν ὑμεῖς πονη-
ροὶ ὄντες οἴδατε δόματα ἀγαθὰ διδόναι
τοῖς τέκνοις ὑμῶν, πόσῳ μᾶλλον ὁ πατὴρ
ὑμῶν ὁ ἐν τοῖς οὐρανοῖς δώσει ἀγαθὰ τοῖς
αἰτοῦσιν αὐτόν.

ἰχθύν,   μὴ ἀντὶ ἰχθύος
ὄφιν αὐτῷ ἐπιδώσει; ¹² ἢ καὶ αἰτήσει ᾠόν,
ἐπιδώσει αὐτῷ σκορπίον; ¹³ εἰ οὖν ὑμεῖς πονη-
ροὶ ὑπάρχοντες οἴδατε δόματα ἀγαθὰ διδόναι
τοῖς τέκνοις ὑμῶν, πόσῳ μᾶλλον ὁ πατὴρ
ὁ ἐξ οὐρανοῦ δώσει πνεῦμα ἅγιον τοῖς
αἰτοῦσιν αὐτόν.

149. Jesu Verteidigungsrede gegen den Vorwurf des Teufelsbündnísses. Luk 11 14-23

149. The Beelzebub Controversy.

12 22-30 (85. 86. S. 67 f.):
²² Τότε προσηνέχθη αὐτῷ δαι-
μονιζόμενος τυφλὸς καὶ κωφός·
καὶ ἐθεράπευσεν αὐτόν, ὥστε τὸν
κωφὸν λαλεῖν καὶ βλέπειν. ²³ καὶ
ἐξίσταντο πάντες οἱ ὄχλοι καὶ
ἔλεγον· μήτι οὗτός ἐστιν ὁ υἱὸς
Δαυίδ; ²⁴ οἱ δὲ Φαρισαῖοι ἀκού-
σαντες εἶπον· οὗτος οὐκ ἐκβάλλει
τὰ δαιμόνια εἰ μὴ ἐν τῷ Βεεζεβοὺλ
ἄρχοντι τῶν δαιμονίων.*

²⁵ εἰδὼς δὲ τὰς ἐνθυμήσεις αὐ-
τῶν εἶπεν αὐτοῖς·

πᾶσα βασιλεία μερισθεῖσα καθ᾿
ἑαυτῆς ἐρημοῦται, καὶ πᾶσα πόλις
ἢ οἰκία μερισθεῖσα καθ᾿ ἑαυτῆς οὐ
σταθήσεται.

²⁶ καὶ εἰ
ὁ σατανᾶ̃; τὸν σατανᾶν ἐκβάλλει,
ἐφ᾿ ἑαυτὸν ἐμερίσθη· πῶς οὖν στα-
θήσεται ἡ βασιλεία αὐτοῦ;

²⁷ καὶ εἰ

3 22-27 (85. 86. S. 67 f.):
²² Καὶ οἱ γραμματεῖς οἱ ἀπὸ Ἱερο-
σολύμων καταβάντες ἔλεγον ὅτι
Βεεζεβοὺλ ἔχει, καὶ ὅτι ἐν τῷ
ἄρχοντι τῶν δαιμονίων ἐκβάλλει
τὰ δαιμόνια.*

²³ καὶ προσκαλεσάμενος αὐτοὺς
ἐν παραβολαῖς ἔλεγεν αὐτοῖς· πῶς
δύναται σατανᾶς σατανᾶν ἐκβάλ-
λειν; ²⁴ καὶ ἐὰν βασιλεία ἐφ᾿ ἑαυ-
τὴν μερισθῇ, οὐ δύναται σταθῆναι
ἡ βασιλεία ἐκείνη. ²⁵ καὶ ἐὰν οἰκία
ἐφ᾿ ἑαυτὴν μερισθῇ, οὐ δυνήσεται
ἡ οἰκία ἐκείνη στῆναι. ²⁶ καὶ εἰ
ὁ σατανᾶς ἀνέστη ἐφ᾿ ἑαυτὸν καὶ
ἐμερίσθη οὐ δύναται στῆναι ἀλλὰ
τέλος ἔχει.

¹⁴ Καὶ ἦν ἐκβάλλων δαιμόνιον,
καὶ αὐτὸ ἦν κωφόν· ἐγένετο δὲ τοῦ
δαιμονίου ἐξελθόντος ἐλάλησεν ὁ
κωφός·   καὶ
ἐθαύμασαν οἱ ὄχλοι·

¹⁵ τινὲς δὲ ἐξ αὐτῶν εἶπαν· ἐν
Βεεζεβοὺλ τῷ ἄρχοντι τῶν δαι-
μονίων ἐκβάλλει τὰ δαιμόνια·*
¹⁶ ἕτεροι δὲ πειράζοντες σημεῖον ἐξ
οὐρανοῦ ἐζήτουν παρ᾿ αὐτοῦ.**

¹⁷ αὐτὸς δὲ εἰδὼς αὐτῶν τὰ δια-
νοήματα εἶπεν αὐτοῖς·

πᾶσα βασιλεία ἐφ᾿ ἑαυτὴν δια-
μερισθεῖσα ἐρημοῦται, καὶ οἶκος
ἐπὶ οἶκον πίπτει.

¹⁸ εἰ δὲ καὶ
ὁ σατανᾶς ἐφ᾿ ἑαυτὸν διεμερίσθη,
πῶς σταθήσεται ἡ βασιλεία αὐ-
τοῦ; ὅτι λέγετε ἐν Βεεζεβοὺλ ἐκ-
βάλλειν με τὰ δαιμόνια. ¹⁹ εἰ δὲ

---

* Matth 9 32-34 (57. S. 45): ³² Αὐτῶν δὲ ἐξερχομένων, ἰδοὺ προσήνεγκαν αὐτῷ κωφὸν δαιμονιζό-
μενον. ³³ καὶ ἐκβληθέντος τοῦ δαιμονίου ἐλάλησεν ὁ κωφός. καὶ ἐθαύμασαν οἱ ὄχλοι λέγοντες· οὐδέποτε
ἐφάνη οὕτως ἐν τῷ Ἰσραήλ. ³⁴ οἱ δὲ Φαρισαῖοι ἔλεγον· ἐν τῷ ἄρχοντι τῶν δαιμονίων ἐκβάλλει τὰ δαιμόνια.
** Vgl. Matth 12 38 (87. S. 69) und Matth 16 1 = Mark 8 11 (119. S. 94); s. zu Luk 11 29 (S. 120).

Luk 11, ¹¹ ἰχθύν 𝔓⁴⁵ B sy^s sa   ἄρτον, μὴ λίθον ἐπιδώσει αὐτῷ (αὐτῷ ἐπιδ. ~ D) ἢ καὶ (> S bo)
ἰχθύν S A D W Θ λ φ 𝔐 it vg sy^{c pe} bo | ἰχθύν — ὄφιν] ἄρτον μὴ λίθον C   **13** πνεῦμα ἅγιον
S A B C W λ φ 𝔐 sy^{c pe} sa bo   πνεῦμα ἀγαθὸν 𝔓⁴⁵ L vg   ἀγαθὸν δόμα D it   δόματα ἀγαθὰ Θ
ἀγαθὰ sy^s   **14** καὶ αὐτὸ ἦν A C W Θ φ 𝔐 it vg sy^{pe}   > 𝔓⁴⁵ S B λ sy^{cs} sa bo

ἐγὼ ἐν Βεεζεβοὺλ ἐκβάλλω τὰ δαι-
μόνια, οἱ υἱοὶ ὑμῶν ἐν τίνι ἐκβάλ-
λουσιν; διὰ τοῦτο αὐτοὶ κριταὶ
ἔσονται ὑμῶν. 28 εἰ δὲ ἐν πνεύματι
θεοῦ ἐγὼ ἐκβάλλω τὰ δαιμόνια,
ἄρα ἔφθασεν ἐφ᾽ ὑμᾶς ἡ βασιλεία
τοῦ θεοῦ.

29 ἢ πῶς δύναταί τις εἰσελθεῖν
εἰς τὴν οἰκίαν τοῦ ἰσχυροῦ
καὶ　　τὰ σκεύη αὐτοῦ ἁρπάσαι,
ἐὰν μὴ πρῶτον δήσῃ τὸν ἰσχυρόν;
καὶ τότε τὴν οἰκίαν αὐτοῦ διαρ-
πάσει·

30 ὁ μὴ ὢν μετ᾽ ἐμοῦ κατ᾽ ἐμοῦ
ἐστιν, καὶ ὁ μὴ συνάγων μετ᾽ ἐμοῦ
σκορπίζει.

27 ἀλλ᾽ οὐ δύναται οὐδεὶς
εἰς τὴν οἰκίαν τοῦ ἰσχυροῦ εἰσελ-
θὼν τὰ σκεύη αὐτοῦ διαρπάσαι,
ἐὰν μὴ πρῶτον τὸν ἰσχυρὸν δήσῃ,
καὶ τότε τὴν οἰκίαν αὐτοῦ διαρ-
πάσει.

9 40 = Luk 9 50 S. 108

ἐγὼ ἐν Βεεζεβοὺλ ἐκβάλλω τὰ δαι-
μόνια, οἱ υἱοὶ ὑμῶν ἐν τίνι ἐκβάλ-
λουσιν; διὰ τοῦτο αὐτοὶ ὑμῶν
κριταὶ ἔσονται. 20 εἰ δὲ ἐν δακτύλῳ
θεοῦ ἐγὼ ἐκβάλλω τὰ δαιμόνια,
ἄρα ἔφθασεν ἐφ᾽ ὑμᾶς ἡ βασιλεία
τοῦ θεοῦ.

21 ὅταν ὁ ἰσχυρὸς καθωπλισ-
μένος φυλάσσῃ τὴν ἑαυτοῦ αὐλήν,
ἐν εἰρήνῃ ἐστὶν τὰ ὑπάρχοντα αὐ-
τοῦ· 22 ἐπὰν δὲ ἰσχυρότερος αὐτοῦ
ἐπελθὼν νικήσῃ αὐτόν, τὴν πανο-
πλίαν αὐτοῦ αἴρει, ἐφ᾽ ᾗ ἐπεποίθει,
καὶ τὰ σκῦλα αὐτοῦ διαδίδωσιν.
23 ὁ μὴ ὢν μετ᾽ ἐμοῦ κατ᾽ ἐμοῦ
ἐστιν, καὶ ὁ μὴ συνάγων μετ᾽ ἐμοῦ
σκορπίζει.

150. Spruch vom Rückfall. Luk 11 24–26
150. The Return of the Evil Spirit.

12 43–45 (88. S. 70): 43 Ὅταν δὲ τὸ ἀκά-
θαρτον πνεῦμα ἐξέλθῃ ἀπὸ τοῦ ἀνθρώπου,
διέρχεται δι᾽ ἀνύδρων τόπων ζητοῦν ἀνάπαυ-
σιν καὶ οὐχ εὑρίσκει. 44 τότε λέγει· εἰς τὸν
οἶκόν μου ἐπιστρέψω ὅθεν ἐξῆλθον· καὶ ἐλθὸν
εὑρίσκει　　σχολάζοντα καὶ σεσαρωμένον καὶ
κεκοσμημένον. 45 τότε πορεύεται καὶ παρα-
λαμβάνει μεθ᾽ ἑαυτοῦ ἑπτὰ ἕτερα πνεύματα
πονηρότερα ἑαυτοῦ,　　καὶ εἰσελθόντα κα-
τοικεῖ ἐκεῖ, καὶ γίνεται τὰ ἔσχατα τοῦ ἀνθρώ-
που ἐκείνου χείρονα τῶν πρώτων. οὕτως ἔσται
καὶ τῇ γενεᾷ ταύτῃ τῇ πονηρᾷ.

24 Ὅταν τὸ ἀκά-
θαρτον πνεῦμα ἐξέλθῃ ἀπὸ τοῦ ἀνθρώπου,
διέρχεται δι᾽ ἀνύδρων τόπων ζητοῦν ἀνάπαυ-
σιν, καὶ μὴ εὑρίσκον λέγει· ὑποστρέψω εἰς τὸν
οἶκόν μου ὅθεν ἐξῆλθον· 25 καὶ ἐλθὸν
εὑρίσκει　　σεσαρωμένον καὶ
κεκοσμημένον. 26 τότε πορεύεται καὶ παρα-
λαμβάνει　　ἕτερα πνεύματα
πονηρότερα ἑαυτοῦ ἑπτά, καὶ εἰσελθόντα κα-
τοικεῖ ἐκεῖ, καὶ γίνεται τὰ ἔσχατα τοῦ ἀνθρώ-
του ἐκείνου χείρονα τῶν πρώτων.

151. Seligpreisung der Mutter Jesu. Luk 11 27–28
151. The Blessedness of Christ's Mother.

27 Ἐγένετο δὲ ἐν τῷ λέγειν αὐτὸν ταῦτα ἐπάρασά τις φωνὴν γυνὴ ἐκ τοῦ ὄχλου
εἶπεν αὐτῷ· μακαρία ἡ κοιλία ἡ βαστάσασά σε καὶ μαστοὶ οὓς ἐθήλασας. 28 αὐτὸς δὲ
εἶπεν· μενοῦν μακάριοι οἱ ἀκούοντες τὸν λόγον τοῦ θεοῦ καὶ φυλάσσοντες.

Luk 11, 19 τὰ δαιμόνια > 𝔓 45

152. Erklärung wider die Wundersucht. Luk 11 29–32

152. The Sign for this Generation.

12 38–42 *(87. S. 69):* ³⁸ Τότε ἀπεκρίθησαν αὐτῷ τινες τῶν γραμματέων καὶ Φαρισαίων λέγοντες· διδάσκαλε, θέλομεν ἀπὸ σοῦ σημεῖον ἰδεῖν. ³⁹ ὁ δὲ ἀποκριθεὶς εἶπεν αὐτοῖς·

γενεὰ πονηρὰ καὶ μοιχαλὶς σημεῖον ἐπιζητεῖ, καὶ σημεῖον οὐ δοθήσεται αὐτῇ εἰ μὴ τὸ σημεῖον Ἰωνᾶ τοῦ προφήτου.* ⁴⁰ *ὥσπερ γὰρ ἦν Ἰωνᾶς ἐν τῇ κοιλίᾳ τοῦ κήτους τρεῖς ἡμέρας καὶ τρεῖς νύκτας, οὕτως ἔσται ὁ υἱὸς τοῦ ἀνθρώπου ἐν τῇ καρδίᾳ τῆς γῆς τρεῖς ἡμέρας καὶ τρεῖς νύκτας.* 42 βασίλισσα νότου ἐγερθήσεται ἐν τῇ κρίσει μετὰ   τῆς γενεᾶς ταύτης καὶ κατακρινεῖ αὐτήν· ὅτι ἦλθεν ἐκ τῶν περάτων τῆς γῆς ἀκοῦσαι τὴν σοφίαν Σολομῶνος, καὶ ἰδοὺ πλεῖον Σολομῶνος ὧδε. 41 ἄνδρες Νινευῖται ἀναστήσονται ἐν τῇ κρίσει μετὰ τῆς γενεᾶς ταύτης καὶ κατακρινοῦσιν αὐτήν· ὅτι μετενόησαν εἰς τὸ κήρυγμα Ἰωνᾶ, καὶ ἰδοὺ πλεῖον Ἰωνᾶ ὧδε.

²⁹ Τῶν δὲ ὄχλων ἐπαθροιζομένων ἤρξατο λέγειν·

cf. 11 16

ἡ γενεὰ αὕτη γενεὰ πονηρά ἐστιν· σημεῖον ζητεῖ, καὶ σημεῖον οὐ δοθήσεται αὐτῇ εἰ μὴ τὸ σημεῖον Ἰωνᾶ.* ³⁰ καθὼς γὰρ ἐγένετο Ἰωνᾶς τοῖς Νινευίταις σημεῖον, οὕτως ἔσται καὶ ὁ υἱὸς τοῦ ἀνθρώπου τῇ γενεᾷ ταύτῃ.

³¹ βασίλισσα νότου ἐγερθήσεται ἐν τῇ κρίσει μετὰ τῶν ἀνδρῶν τῆς γενεᾶς ταύτης καὶ κατακρινεῖ αὐτούς· ὅτι ἦλθεν ἐκ τῶν περάτων τῆς γῆς ἀκοῦσαι τὴν σοφίαν Σολομῶνος, καὶ ἰδοὺ πλεῖον Σολομῶνος ὧδε. ³² ἄνδρες Νινευῖται ἀναστήσονται ἐν τῇ κρίσει μετὰ τῆς γενεᾶς ταύτης καὶ κατακρινοῦσιν αὐτήν· ὅτι μετενόησαν εἰς τὸ κήρυγμα Ἰωνᾶ, καὶ ἰδοὺ πλεῖον Ἰωνᾶ ὧδε.

153. Vom Licht. Luk 11 33–36

153. About Light.

5 15 *(20. S. 25):* Οὐδὲ καίουσιν λύχνον καὶ τιθέασιν αὐτὸν ὑπὸ τὸν μόδιον, ἀλλ᾽ ἐπὶ τὴν λυχνίαν, καὶ λάμπει πᾶσιν τοῖς ἐν τῇ οἰκίᾳ.**

6 22 23 *(33. S. 31):* ²² ὁ λύχνος τοῦ σώματός ἐστιν ὁ ὀφθαλμός. ἐὰν οὖν ᾖ ὁ ὀφθαλμός σου ἁπλοῦς, ὅλον τὸ σῶμά σου φωτεινὸν ἔσται·

³³ Οὐδεὶς λύχνον ἅψας εἰς κρύπτην τίθησιν οὐδὲ ὑπὸ τὸν μόδιον, ἀλλ᾽ ἐπὶ τὴν λυχνίαν, ἵνα οἱ εἰσπορευόμενοι τὸ φέγγος βλέπωσιν.**

³⁴ ὁ λύχνος τοῦ σώματός ἐστιν ὁ ὀφθαλμός σου. ὅταν ὁ ὀφθαλμός σου ἁπλοῦς ᾖ, καὶ ὅλον τὸ σῶμά σου φωτεινὸν

---

* Matth 16 1 2 4 (119. S. 94 f.): ¹ Καὶ προσελθόντες οἱ Φαρισαῖοι καὶ Σαδδουκαῖοι πειράζοντες ἐπηρώτησαν αὐτὸν σημεῖον ἐκ τοῦ οὐρανοῦ ἐπιδεῖξαι αὐτοῖς. ² ὁ δὲ ἀποκριθεὶς εἶπεν αὐτοῖς· ⁴ γενεὰ πονηρὰ καὶ μοιχαλὶς σημεῖον ἐπιζητεῖ, καὶ σημεῖον οὐ δοθήσεται αὐτῇ εἰ μὴ τὸ σημεῖον Ἰωνᾶ.

Mark 8 11 12 (119. S. 94 f.): ¹¹ Καὶ ἐξῆλθον οἱ Φαρισαῖοι καὶ ἤρξαντο συζητεῖν αὐτῷ, ζητοῦντες παρ᾽ αὐτοῦ σημεῖον ἀπὸ τοῦ οὐρανοῦ, πειράζοντες αὐτόν. ¹² καὶ ἀναστενάξας τῷ πνεύματι αὐτοῦ λέγει· τί ἡ γενεὰ αὕτη ζητεῖ σημεῖον; ἀμὴν λέγω ὑμῖν, εἰ δοθήσεται τῇ γενεᾷ ταύτῃ σημεῖον.

** Vgl. auch 94. Mark 4 21 = Luk 8 16 S. 74.

Lc 11 31: vgl. III. Reg 10 1 ff.   32: vgl. Jon 3 5.

Matth 6, 22 ἐὰν οὖν B W Θ λ φ 𝔐 it sy pe sa bo   ἐὰν S vg sy c
Luk 11, 32 fehlt D

²³ ἐὰν δὲ ὁ ὀφθαλμός σου πονηρὸς ᾖ, ὅλον τὸ σῶμά σου σκοτεινὸν ἔσται. εἰ οὖν τὸ φῶς τὸ ἐν σοὶ σκότος ἐστίν, τὸ σκότος πόσον.

ἐστιν· ἐπὰν δὲ πονηρὸς ᾖ, καὶ τὸ σῶμά σου σκοτεινόν. ³⁵ σκόπει οὖν μὴ τὸ φῶς τὸ ἐν σοὶ σκότος ἐστίν. ³⁶ εἰ οὖν τὸ σῶμά σου ὅλον φωτεινόν, μὴ ἔχον μέρος τι σκοτεινόν, ἔσται φωτεινὸν ὅλον ὡς ὅταν ὁ λύχνος τῇ ἀστραπῇ φωτίζῃ σε.

154. Rede gegen den Pharisäismus. Luk 11 37—12 1
154. Discourse against the Pharisees.

³⁷ Ἐν δὲ τῷ λαλῆσαι ἐρωτᾷ αὐτὸν Φαρισαῖος ὅπως ἀριστήσῃ παρ᾽ αὐτῷ· εἰσελθὼν δὲ ἀνέπεσεν. ³⁸ ὁ δὲ Φαρισαῖος ἰδὼν ἐθαύμασεν ὅτι οὐ πρῶτον ἐβαπτίσθη πρὸ τοῦ ἀρίστου.*

23 (210. S. 166 f.): ²⁵ Οὐαὶ ὑμῖν, γραμματεῖς καὶ Φαρισαῖοι ὑποκριταί, ὅτι καθαρίζετε τὸ ἔξωθεν τοῦ ποτηρίου καὶ τῆς παροψίδος, ἔσωθεν δὲ γέμουσιν ἐξ ἁρπαγῆς καὶ ἀκρασίας. ²⁶ Φαρισαῖε τυφλέ, καθάρισον πρῶτον τὸ ἐντὸς τοῦ ποτηρίου ἵνα γένηται καὶ τὸ ἐκτὸς αὐτοῦ καθαρόν.

³⁹ εἶπεν δὲ ὁ κύριος πρὸς αὐτόν· νῦν ὑμεῖς οἱ Φαρισαῖοι τὸ ἔξωθεν τοῦ ποτηρίου καὶ τοῦ πίνακος καθαρίζετε, τὸ δὲ ἔσωθεν ὑμῶν γέμει ἁρπαγῆς καὶ πονηρίας. ⁴⁰ ἄφρονες, οὐχ ὁ ποιήσας τὸ ἔξωθεν καὶ τὸ ἔσωθεν ἐποίησεν; ⁴¹ πλὴν τὰ ἐνόντα δότε ἐλεημοσύνην, καὶ ἰδοὺ πάντα καθαρὰ ὑμῖν ἐστιν. ⁴² ἀλλὰ οὐαὶ ὑμῖν τοῖς Φαρισαίοις, ὅτι ἀποδεκατοῦτε τὸ

²³ οὐαὶ ὑμῖν, γραμματεῖς καὶ Φαρισαῖοι ὑποκριταί, ὅτι ἀποδεκατοῦτε τὸ ἡδύοσμον καὶ τὸ ἄνηθον καὶ τὸ κύμινον, καὶ ἀφήκατε τὰ βαρύτερα τοῦ νόμου, τὴν κρίσιν καὶ τὸ ἔλεος καὶ τὴν πίστιν· ταῦτα δὲ ἔδει ποιῆσαι κἀκεῖνα μὴ ἀφεῖναι. ⁶ φιλοῦσιν δὲ τὴν πρωτοκλισίαν ἐν τοῖς δείπνοις καὶ τὰς πρωτοκαθεδρίας ἐν ταῖς συναγωγαῖς ⁷ καὶ τοὺς ἀσπασμοὺς ἐν ταῖς ἀγοραῖς** καὶ καλεῖσθαι ὑπὸ τῶν ἀνθρώπων ῥαββί.

ἡδύοσμον καὶ τὸ πήγανον καὶ πᾶν λάχανον, καὶ παρέρχεσθε τὴν κρίσιν καὶ τὴν ἀγάπην τοῦ θεοῦ· ταῦτα δὲ ἔδει ποιῆσαι κἀκεῖνα μὴ παρεῖναι. ⁴³ οὐαὶ ὑμῖν τοῖς Φαρισαίοις, ὅτι ἀγαπᾶτε τὴν πρωτοκαθεδρίαν ἐν ταῖς συναγωγαῖς καὶ τοὺς ἀσπασμοὺς ἐν ταῖς ἀγοραῖς.**

---

* Vgl. Matth 15 1 ff. = Mark 7 1 ff. (115. S. 89 f.).

** Mark 12 38 39 (210. S. 166): ³⁸ Βλέπετε ἀπὸ τῶν γραμματέων τῶν θελόντων ἐν στολαῖς περιπατεῖν καὶ ἀσπασμοὺς ἐν ταῖς ἀγοραῖς ³⁹ καὶ πρωτοκαθεδρίας ἐν ταῖς συναγωγαῖς καὶ πρωτοκλισίας ἐν τοῖς δείπνοις.

Luk 20 46 (210. S. 166): Προσέχετε ἀπὸ τῶν γραμματέων τῶν θελόντων περιπατεῖν ἐν στολαῖς καὶ φιλούντων ἀσπασμοὺς ἐν ταῖς ἀγοραῖς καὶ πρωτοκαθεδρίας ἐν ταῖς συναγωγαῖς καὶ πρωτοκλισίας ἐν τοῖς δείπνοις.

Lc 11 42 (= Mt 23 23): vgl. Mi 6 8.

Matth 23, 25 ἀκρασίας S B D Θ λ φ 𝔎 it   ἀδικίας C sy ᵖᵉ   ἀκρασίας ἀδικίας W   ἀκαθαρσίας vg syˢ sa bo   **26** ποτηρίου D Θ λ it syˢ   ποτηρίου καὶ τῆς παροψίδος (πίνακος sa) S B C W φ 𝔎 vg sy ᵖᵉ sa bo

Luk 11, 35 gegen alle (auch 𝔓 ⁴⁵) Zeugen: εἰ οὖν τὸ φῶς τὸ ἐν σοὶ σκότος, τὸ σκότος πόσον (= Mt 6 23 b) D it   **36** fehlt D it, lautet εἰ οὖν τὸ φῶς τὸ ἐν σοὶ σκότος, τὸ σκότος πόσον sy ᶜ vgl. v. 35, si ergo corpus tuum lucernam non habens lucidam obscurum est; quanto magis cum lucerna luceat inluminat te q, ähnlich f syˢ   **37** ἐν δὲ — αὐτῷ] ἐξῄτη δὲ αὐτοῦ τις Φαρισαῖος, ἵνα ἀριστήσῃ μετ᾽ αὐτοῦ D sy ᶜˢ sa   **38** ἰδὼν ἐθαύμασεν ὅτι] ἤρξατο διακρινόμενος ἐν ἑαυτῷ λέγειν διὰ τί D it vg sy ᶜ   **42** πήγανον] ἄνηθον 𝔓 ⁴⁵   ἄνηθον καὶ τὸ πήγανον φ | ταῦτα — παρεῖναι > D

²⁷ οὐαὶ ὑμῖν, γραμματεῖς καὶ Φαρισαῖοι ὑπο-
κριταί, ὅτι παρομοιάζετε τάφοις κεκονιαμένοις,
οἵτινες ἔξωθεν μὲν φαίνονται ὡραῖοι, ἔσωθεν
δὲ γέμουσιν ὀστέων νεκρῶν καὶ πάσης ἀκα-
θαρσίας.

⁴ δεσμεύουσιν δὲ φορτία βαρέα καὶ ἐπιτι-
θέασιν ἐπὶ τοὺς ὤμους τῶν ἀνθρώπων, αὐτοὶ
δὲ τῷ δακτύλῳ αὐτῶν οὐ θέλουσιν κινῆσαι
αὐτά.

²⁹ οὐαὶ ὑμῖν, γραμματεῖς καὶ Φαρισαῖοι ὑπο-
κριταί, ὅτι οἰκοδομεῖτε τοὺς τάφους τῶν προ-
φητῶν, καὶ κοσμεῖτε τὰ μνημεῖα τῶν δικαίων
³⁰ καὶ λέγετε· εἰ ἤμεθα ἐν ταῖς ἡμέραις τῶν
πατέρων ἡμῶν, οὐκ ἂν ἤμεθα αὐτῶν κοινωνοὶ
ἐν τῷ αἵματι τῶν προφητῶν. ³¹ ὥστε μαρ-
τυρεῖτε ἑαυτοῖς ὅτι υἱοί ἐστε τῶν φονευσάντων
τοὺς προφήτας.

³⁴ διὰ τοῦτο ἰδοὺ ἐγὼ ἀποστέλλω πρὸς
ὑμᾶς προφήτας καὶ σοφοὺς καὶ γραμματεῖς·
ἐξ αὐτῶν ἀποκτενεῖτε καὶ σταυρώσετε, καὶ ἐξ
αὐτῶν μαστιγώσετε ἐν ταῖς συναγωγαῖς ὑμῶν
καὶ διώξετε ἀπὸ πόλεως εἰς πόλιν· ³⁵ ὅπως
ἔλθῃ ἐφ' ὑμᾶς πᾶν αἷμα δίκαιον ἐκχυννόμενον
ἐπὶ τῆς γῆς

     ἀπὸ τοῦ αἵματος Ἅβελ τοῦ δικαίου
ἕως τοῦ αἵματος Ζαχαρίου υἱοῦ Βαραχίου, ὃν
ἐφονεύσατε μεταξὺ τοῦ ναοῦ καὶ τοῦ θυσια-
στηρίου.

³⁶ ἀμὴν λέγω ὑμῖν, ἥξει ταῦτα πάντα ἐπὶ
τὴν γενεὰν ταύτην.

¹³ οὐαὶ δὲ ὑμῖν, γραμματεῖς καὶ Φαρισαῖοι
ὑποκριταί, ὅτι κλείετε τὴν βασιλείαν τῶν οὐ-
ρανῶν ἔμπροσθεν τῶν ἀνθρώπων· ὑμεῖς γὰρ
οὐκ εἰσέρχεσθε, οὐδὲ τοὺς εἰσερχομένους ἀφίετε
εἰσελθεῖν.

⁴⁴ οὐαὶ ὑμῖν, ὅτι ἐστὲ ὡς τὰ μνημεῖα τὰ
ἄδηλα, καὶ οἱ ἄνθρωποι οἱ περιπατοῦντες
ἐπάνω οὐκ οἴδασιν.

⁴⁵ ἀποκριθεὶς δέ τις τῶν νομικῶν λέγει αὐ-
τῷ· διδάσκαλε, ταῦτα λέγων καὶ ἡμᾶς ὑβρί-
ζεις. ⁴⁶ ὁ δὲ εἶπεν· καὶ ὑμῖν τοῖς νομικοῖς οὐαί,
ὅτι φορτίζετε τοὺς ἀνθρώπους φορτία δυσβά-
στακτα, καὶ αὐτοὶ ἑνὶ τῶν δακτύλων ὑμῶν
οὐ προσψαύετε τοῖς φορτίοις. ⁴⁷ οὐαὶ ὑμῖν,
ὅτι οἰκοδομεῖτε τὰ μνημεῖα τῶν προφητῶν,
οἱ δὲ πατέρες ὑμῶν ἀπέκτειναν αὐτούς. ⁴⁸ ἄρα
μάρτυρές ἐστε καὶ συνευδοκεῖτε τοῖς ἔργοις
τῶν πατέρων ὑμῶν, ὅτι αὐτοὶ μὲν ἀπέκτειναν
αὐτούς, ὑμεῖς δὲ οἰκοδομεῖτε.

⁴⁹ διὰ τοῦτο καὶ ἡ σοφία τοῦ θεοῦ εἶπεν·
ἀποστελῶ εἰς αὐτοὺς προφήτας καὶ ἀποστό-
λους, καὶ ἐξ αὐτῶν ἀποκτενοῦσιν καὶ διώ-
ξουσιν,

           ⁵⁰ ἵνα
ἐκζητηθῇ τὸ αἷμα πάντων τῶν προφητῶν τὸ
ἐκκεχυμένον ἀπὸ καταβολῆς κόσμου ἀπὸ τῆς
γενεᾶς ταύτης, ⁵¹ ἀπὸ αἵματος Ἅβελ ἕως αἵ-
ματος Ζαχαρίου τοῦ ἀπολομένου μεταξὺ τοῦ
θυσιαστηρίου καὶ τοῦ οἴκου· ναὶ λέγω ὑμῖν,
ἐκζητηθήσεται ἀπὸ τῆς γενεᾶς ταύτης.

⁵² οὐαὶ ὑμῖν τοῖς νομικοῖς,
     ὅτι ἤρατε τὴν κλεῖδα τῆς γνώσεως·
αὐτοὶ οὐκ εἰσήλθατε καὶ τοὺς εἰσερχομένους
ἐκωλύσατε.

Lc 11 50 51 (= Mt 23 35): vgl. Gen 4 8 II. Chr 24 20 21.

Matth 23, 4 βαρέα λ it sy ᶜˢ ᵖᵉ bo   μεγάλα βαρέα S   βαρέα καὶ δυσβάστακτα B W Θ φ א vg sa
βαρέα καὶ ἀδυσβάστακτα D   **35** υἱοῦ Βαραχίου > S Euseb
     Luk 11, 48 καὶ συνευδοκεῖτε] μὴ συνευδοκεῖν D, ähnlich it   **49** καὶ ἡ σοφία τοῦ θεοῦ εἶπεν > D it

---

Zu Lc 11 49: Origenes Hom. in Jerem. XIV 5 (110, 13 Klostermann): Καὶ ἐν τῷ εὐαγγελίῳ
ἀναγέγραπται· καὶ ἀποστέλλει ἡ σοφία τὰ τέκνα αὐτῆς. Tertullian adv. Marcionem IV 31: et adhuc
ingerit: et emisi ad vos omnes famulos meos prophetas.

⁵³ κἀκεῖθεν ἐξελθόντος αὐτοῦ ἤρξαντο οἱ γραμματεῖς καὶ οἱ Φαρισαῖοι δεινῶς ἐνέχειν καὶ ἀποστοματίζειν αὐτὸν περὶ πλειόνων, ⁵⁴ ἐνεδρεύοντες αὐτὸν θηρεῦσαί τι ἐκ τοῦ στόματος αὐτοῦ.

12 ¹ Ἐν οἷς ἐπισυναχθεισῶν τῶν μυριάδων τοῦ ὄχλου, ὥστε καταπατεῖν ἀλλήλους, ἤρξατο λέγειν πρὸς τοὺς μαθητὰς αὐτοῦ πρῶτον· προσέχετε ἑαυτοῖς ἀπὸ τῆς ζύμης ἥτις ἐστὶν ὑπόκρισις τῶν Φαρισαίων.

vgl. 16 6 12 (120. S. 95 f.)

vgl. 8 15 (120. S. 95)

155. Ermahnung zu freimütigem Bekenntnis. Luk 12 2—12
155. Exhortation to Fearless Confession.

10 26—33 *(60. S. 50):* ²⁶ Μὴ οὖν φοβηθῆτε αὐτούς· οὐδὲν γάρ ἐστιν κεκαλυμμένον ὃ οὐκ ἀποκαλυφθήσεται, καὶ κρυπτὸν ὃ οὐ γνωσθήσεται.* ²⁷ ὃ λέγω ὑμῖν ἐν τῇ σκοτίᾳ, εἴπατε ἐν τῷ φωτί· καὶ ὃ εἰς τὸ οὖς ἀκούετε, κηρύξατε ἐπὶ τῶν δωμάτων.

²⁸ καὶ μὴ φοβεῖσθε ἀπὸ τῶν ἀποκτεννόντων τὸ σῶμα, τὴν δὲ ψυχὴν μὴ δυναμένων ἀποκτεῖναι· φοβεῖσθε δὲ μᾶλλον τὸν δυνάμενον καὶ ψυχὴν καὶ σῶμα ἀπολέσαι ἐν γεέννῃ.

²⁹ οὐχὶ δύο

² Οὐδὲν δὲ συγκεκαλυμμένον ἐστὶν ὃ οὐκ ἀποκαλυφθήσεται, καὶ κρυπτὸν ὃ οὐ γνωσθήσεται.* ³ ἀνθ᾽ ὧν ὅσα ἐν τῇ σκοτίᾳ εἴπατε ἐν τῷ φωτὶ ἀκουσθήσεται, καὶ ὃ πρὸς τὸ οὖς ἐλαλήσατε ἐν τοῖς ταμείοις κηρυχθήσεται ἐπὶ τῶν δωμάτων. ⁴ λέγω δὲ ὑμῖν τοῖς φίλοις μου, μὴ φοβηθῆτε ἀπὸ τῶν ἀποκτεννόντων τὸ σῶμα καὶ μετὰ ταῦτα μὴ ἐχόντων περισσότερόν τι ποιῆσαι. ⁵ ὑποδείξω δὲ ὑμῖν τίνα φοβηθῆτε· φοβήθητε τὸν μετὰ τὸ ἀποκτεῖναι ἔχοντα ἐξουσίαν ἐμβαλεῖν εἰς τὴν γέενναν. ναὶ λέγω ὑμῖν, τοῦτον φοβήθητε. ⁶ οὐχὶ πέντε

* Mark 4 22 (94. S. 74): Οὐ γάρ ἐστίν τι κρυπτόν. ἐὰν μὴ ἵνα φανερωθῇ· οὐδὲ ἐγένετο ἀπόκρυφον, ἀλλ᾽ ἵνα ἔλθῃ εἰς φανερόν.

Luk 8 17 (94. S. 74): Οὐ γάρ ἐστιν κρυπτὸν ὃ οὐ φανερὸν γενήσεται, οὐδὲ ἀπόκρυφον ὃ οὐ μὴ γνωσθῇ καὶ εἰς φανερὸν ἔλθῃ.

Luk 11, 53 54 κἀκεῖθεν ἐξελθόντος αὐτοῦ 𝔓⁴⁵ S B C sa bo　　λέγοντος δὲ αὐτοῦ ταῦτα πρὸς αὐτοὺς A W λ φ 𝕬 vg sy ᵖᵉ　　λέγοντος δὲ αὐτοῦ ταῦτα πρὸς αὐτοὺς ἐνώπιον παντὸς τοῦ λαοῦ (+ κατησχύνοντο καὶ Θ) D it sy ᶜˢ | οἱ γραμματεῖς καὶ οἱ Φαρισαῖοι 𝔓⁴⁵ S A B C W φ 𝕬 sy ᶜ ᵖᵉ sa bo　　οἱ Φαρισαῖοι καὶ οἱ νομικοὶ D it vg　　οἱ γρ. κ. οἱ. Φ. καὶ οἱ νομικοὶ Θ　　οἱ νομικοὶ καὶ οἱ Φαρισαῖοι λ | ἐνέχειν (+ αὐτῷ λ + αὐτοῖς καὶ ὀργίζειν sy ᵖᵉ) καὶ ἀποστοματίζειν αὐτὸν (αὐτῷ φ) S A B W Θ λ φ 𝕬 vg sy ᵖᵉ ἐπέχειν καὶ ἀποστοματίζειν αὐτὸν C　　ἔχειν (ἐπέχειν bo) καὶ συμβάλλειν αὐτῷ D it (φ ᵛᵃʳ) sy ᶜˢ bo | ἐνεδρεύοντες αὐτὸν 𝔓⁴⁵ B λ sa bo　　ἐνεδρεύοντες S Θ　　ζητοῦντες D it sy ᶜˢ ἐνεδρεύοντες αὐτὸν (+ καὶ 𝕬 vg) ζητοῦντες A C W φ 𝕬 vg sy ᵖᵉ | θηρεῦσαί τι ἐκ τοῦ στόματος αὐτοῦ 𝔓⁴⁵ S B sa bo　　θηρεῦσαί τι ἐκ τοῦ στόματος αὐτοῦ ἵνα κατηγορήσωσιν αὐτοῦ A C W Θ λ φ 𝕬 vg sy ᵖᵉ ἀφορμήν τινα λαβεῖν αὐτοῦ ἵνα εὕρωσιν κατηγορῆσαι αὐτοῦ D it sy ᶜ　　ἀφορμήν τινα λαβεῖν αὐτοῦ sy ˢ **12, 1** ἐν οἷς — ἀλλήλους (aber συναχθ. und λαοῦ 𝔓⁴⁵)] πολλῶν δὲ ὄχλων συμπεριερχόντων κύκλῳ ὥστε ἀλλήλους συμπνιγεῖν (καταπατεῖν it sy ᶜˢ) D it sy ᶜˢ　　**4** φοβηθῆτε] πτοηθῆτε 𝔓⁴⁵　　**5** φοβήθητε] φοβηθῆναι 𝔓⁴⁵

Zu Lc 12 2: Oxyrhynchus Pap. 654 Nr. 5: Λέγει Ἰησοῦς· [πᾶν τὸ μὴ ἔμπρος]θεν τῆς ὄψεώς σου καὶ [τὸ κεκαλυμμένον] ἀπό σου ἀποκαλυφ(θ)ήσετ[αί σοι· οὐ γάρ ἐσ]τιν κρυπτὸν ὃ οὐ φαν[ερὸν γενήσεται] καὶ τεθαμμένον ὃ ο[ὐκ ἐγερθήσεται].

στρουθία ἀσσαρίου πωλεῖται; καὶ ἓν ἐξ αὐτῶν οὐ πεσεῖται ἐπὶ τὴν γῆν ἄνευ τοῦ πατρὸς ὑμῶν. ³⁰ ὑμῶν δὲ καὶ αἱ τρίχες τῆς κεφαλῆς πᾶσαι ἠριθμημέναι εἰσίν. ³¹ μὴ οὖν φοβεῖσθε· πολλῶν στρουθίων διαφέρετε ὑμεῖς. ³² πᾶς οὖν ὅστις ὁμολογήσει ἐν ἐμοὶ ἔμπροσθεν τῶν ἀνθρώπων, ὁμολογήσω κἀγὼ ἐν αὐτῷ ἔμπροσθεν τοῦ πατρός μου τοῦ ἐν τοῖς οὐρανοῖς· ³³ ὅστις δ' ἂν ἀρνήσηταί με ἔμπροσθεν τῶν ἀνθρώπων, ἀρνήσομαι κἀγὼ αὐτὸν ἔμπροσθεν τοῦ πατρός μου τοῦ ἐν τοῖς οὐρανοῖς.*

12 32 (86. S. 68): καὶ ὃς ἐὰν εἴπῃ λόγον κατὰ τοῦ υἱοῦ τοῦ ἀνθρώπου, ἀφεθήσεται αὐτῷ· ὃς δ' ἂν εἴπῃ κατὰ τοῦ πνεύματος τοῦ ἁγίου, οὐκ ἀφεθήσεται αὐτῷ οὔτε ἐν τούτῳ τῷ αἰῶνι οὔτε ἐν τῷ μέλλοντι.**

10 19 (59. S. 49): ὅταν δὲ παραδῶσιν ὑμᾶς, μὴ μεριμνήσητε πῶς ἢ τί λαλήσητε· δοθήσεται γὰρ ὑμῖν ἐν ἐκείνῃ τῇ ὥρᾳ τί λαλήσητε· ²⁰ οὐ γὰρ ὑμεῖς ἐστε οἱ λαλοῦντες, ἀλλὰ τὸ πνεῦμα τοῦ πατρὸς ὑμῶν τὸ λαλοῦν ἐν ὑμῖν.***

στρουθία πωλοῦνται ἀσσαρίων δύο; καὶ ἓν ἐξ αὐτῶν οὐκ ἔστιν ἐπιλελησμένον ἐνώπιον τοῦ θεοῦ. ⁷ ἀλλὰ καὶ αἱ τρίχες τῆς κεφαλῆς ὑμῶν πᾶσαι ἠρίθμηνται. μὴ φοβεῖσθε· πολλῶν στρουθίων διαφέρετε. ⁸ λέγω δὲ ὑμῖν, πᾶς ὃς ἂν ὁμολογήσῃ ἐν ἐμοὶ ἔμπροσθεν τῶν ἀνθρώπων, καὶ ὁ υἱὸς τοῦ ἀνθρώπου ὁμολογήσει ἐν αὐτῷ ἔμπροσθεν τῶν ἀγγέλων τοῦ θεοῦ· ⁹ ὁ δὲ ἀρνησάμενός με ἐνώπιον τῶν ἀνθρώπων ἀπαρνηθήσεται ἐνώπιον τῶν ἀγγέλων τοῦ θεοῦ.* ¹⁰ καὶ πᾶς ὃς ἐρεῖ λόγον εἰς τὸν υἱὸν τοῦ ἀνθρώπου, ἀφεθήσεται αὐτῷ· τῷ δὲ εἰς τὸ ἅγιον πνεῦμα βλασφημήσαντι οὐκ ἀφεθήσεται.**

¹¹ ὅταν δὲ εἰσφέρωσιν ὑμᾶς ἐπὶ τὰς συναγωγὰς καὶ τὰς ἀρχὰς καὶ τὰς ἐξουσίας, μὴ μεριμνήσητε πῶς ἢ τί ἀπολογήσησθε ἢ τί εἴπητε·

$\boxed{\text{Joh 14 26}}$ ¹² τὸ γὰρ ἅγιον πνεῦμα διδάξει ὑμᾶς ἐν αὐτῇ τῇ ὥρᾳ ἃ δεῖ εἰπεῖν.***

156. Gleichnis vom törichten Reichen. Luk 12 13–21
156. The Parable of the Rich Fool.

¹³ Εἶπεν δέ τις ἐκ τοῦ ὄχλου αὐτῷ· διδάσκαλε, εἰπὲ τῷ ἀδελφῷ μου μερίσασθαι μετ' ἐμοῦ τὴν κληρονομίαν. ¹⁴ ὁ δὲ εἶπεν αὐτῷ· ἄνθρωπε, τίς με κατέστησεν κριτὴν ἢ μεριστὴν ἐφ' ὑμᾶς; ¹⁵ εἶπεν δὲ πρὸς αὐτούς· ὁρᾶτε καὶ φυλάσσεσθε ἀπὸ πάσης πλεονεξίας, ὅτι

* Mark 8 38 (123. S. 99): Ὃς γὰρ ἐὰν ἐπαισχυνθῇ με καὶ τοὺς ἐμοὺς λόγους ἐν τῇ γενεᾷ ταύτῃ τῇ μοιχαλίδι καὶ ἁμαρτωλῷ, καὶ ὁ υἱὸς τοῦ ἀνθρώπου ἐπαισχυνθήσεται αὐτόν, ὅταν ἔλθῃ ἐν τῇ δόξῃ τοῦ πατρὸς αὐτοῦ μετὰ τῶν ἀγγέλων τῶν ἁγίων.

** Mark 3 28 29 (86. S. 68): ²⁸ Ἀμὴν λέγω ὑμῖν ὅτι πάντα ἀφεθήσεται τοῖς υἱοῖς τῶν ἀνθρώπων τὰ ἁμαρτήματα καὶ αἱ βλασφημίαι, ὅσα ἐὰν βλασφημήσωσιν· ²⁹ ὃς δ' ἂν βλασφημήσῃ εἰς τὸ πνεῦμα τὸ ἅγιον, οὐκ ἔχει ἄφεσιν εἰς τὸν αἰῶνα, ἀλλὰ ἔνοχός ἐστιν αἰωνίου ἁμαρτήματος.

*** Mark 13 11 (215. S. 172): Καὶ ὅταν ἄγωσιν ὑμᾶς παραδιδόντες, μὴ προμεριμνᾶτε τί λαλήσητε, ἀλλ' ὃ ἐὰν δοθῇ ὑμῖν ἐν ἐκείνῃ τῇ ὥρᾳ, τοῦτο λαλεῖτε· οὐ γὰρ ἐστε ὑμεῖς οἱ λαλοῦντες ἀλλὰ τὸ πνεῦμα τὸ ἅγιον.

Luk 9 26 (123. S. 99): Ὃς γὰρ ἂν ἐπαισχυνθῇ με καὶ τοὺς ἐμοὺς λόγους, τοῦτον ὁ υἱὸς τοῦ ἀνθρώπου ἐπαισχυνθήσεται, ὅταν ἔλθῃ ἐν τῇ δόξῃ αὐτοῦ καὶ τοῦ πατρὸς καὶ τῶν ἁγίων ἀγγέλων.

Luk 21 14 15 (215. S. 172): ¹⁴ Θέτε οὖν ἐν ταῖς καρδίαις ὑμῶν μὴ προμελετᾶν ἀπολογηθῆναι· ¹⁵ ἐγὼ γὰρ δώσω ὑμῖν στόμα καὶ σοφίαν, ᾗ οὐ δυνήσονται ἀντιστῆναι ἢ ἀντειπεῖν ἅπαντες οἱ ἀντικείμενοι ὑμῖν.

Luk 12, 9 fehlt 𝔓 ⁴⁵ sy ˢ it (e) iudicem aut divisorem it vg sy ᵖᵉ bo

14 κριτὴν ἢ μεριστὴν S B λ φ κριτὴν D sy ᶜˢ Marcion δικαστὴν ἢ μεριστὴν A W Θ 𝔐 μεριστὴν sa

οὐκ ἐν τῷ περισσεύειν τινὶ ἡ ζωὴ αὐτοῦ ἐστιν ἐκ τῶν ὑπαρχόντων αὐτῷ. ¹⁶ εἶπεν δὲ
παραβολὴν πρὸς αὐτοὺς λέγων· ἀνθρώπου τινὸς πλουσίου εὐφόρησεν ἡ χώρα. ¹⁷ καὶ
διελογίζετο ἐν ἑαυτῷ λέγων· τί ποιήσω, ὅτι οὐκ ἔχω ποῦ συνάξω τοὺς καρπούς μου;
¹⁸ καὶ εἶπεν· τοῦτο ποιήσω· καθελῶ μου τὰς ἀποθήκας καὶ μείζονας οἰκοδομήσω, καὶ
συνάξω ἐκεῖ πάντα τὸν σῖτον καὶ τὰ ἀγαθά μου, ¹⁹ καὶ ἐρῶ τῇ ψυχῇ μου· ψυχή, ἔχεις
πολλὰ ἀγαθὰ κείμενα εἰς ἔτη πολλά· ἀναπαύου, φάγε, πίε, εὐφραίνου. ²⁰ εἶπεν δὲ αὐτῷ
ὁ θεός· ἄφρων, ταύτῃ τῇ νυκτὶ τὴν ψυχήν σου ἀπαιτοῦσιν ἀπὸ σοῦ· ἃ δὲ ἡτοίμασας,
τίνι ἔσται; ²¹ οὕτως ὁ θησαυρίζων αὐτῷ καὶ μὴ εἰς θεὸν πλουτῶν.

157. Vom Sorgen und Schätzesammeln. Luk 12 22–34

157. Cares about Earthly Things.

6 25–33 *(35. S. 32):* ²⁵ Διὰ
τοῦτο λέγω ὑμῖν, μὴ μεριμνᾶτε τῇ ψυχῇ ὑμῶν
τί φάγητε, μηδὲ τῷ σώματι ὑμῶν τί ἐνδύσησθε.
οὐχὶ ἡ ψυχὴ πλεῖόν ἐστιν τῆς τροφῆς καὶ τὸ
σῶμα τοῦ ἐνδύματος; ²⁶ ἐμβλέψατε εἰς τὰ πε-
τεινὰ τοῦ οὐρανοῦ, ὅτι οὐ σπείρουσιν οὐδὲ
θερίζουσιν οὐδὲ συνάγουσιν εἰς ἀποθήκας, καὶ
ὁ πατὴρ ὑμῶν ὁ οὐράνιος τρέφει αὐτά· οὐχ
ὑμεῖς μᾶλλον διαφέρετε αὐτῶν; ²⁷ τίς δὲ ἐξ
ὑμῶν μεριμνῶν δύναται προσθεῖναι ἐπὶ τὴν
ἡλικίαν αὐτοῦ πῆχυν ἕνα; ²⁸ καὶ περὶ ἐνδύ-
ματος   τί μεριμνᾶτε; καταμάθετε τὰ κρίνα
τοῦ ἀγροῦ, πῶς αὐξάνουσιν· οὐ κοπιῶσιν
οὐδὲ νήθουσιν. ²⁹ λέγω δὲ ὑμῖν ὅτι οὐδὲ Σολο-
μὼν ἐν πάσῃ τῇ δόξῃ αὐτοῦ περιεβάλετο ὡς
ἓν τούτων. ³⁰ εἰ δὲ τὸν χόρτον τοῦ ἀγροῦ
σήμερον ὄντα καὶ αὔριον εἰς κλίβανον βαλλό-
μενον ὁ θεὸς οὕτως ἀμφιέννυσιν, οὐ πολλῷ
μᾶλλον ὑμᾶς, ὀλιγόπιστοι; ³¹ μὴ οὖν μερι-
μνήσητε λέγοντες· τί φάγωμεν; ἤ· τί πίωμεν;
ἤ· τί περιβαλώμεθα; ³² πάντα γὰρ ταῦτα τὰ
ἔθνη   ἐπιζητοῦσιν· οἶδεν γὰρ ὁ
πατὴρ ὑμῶν ὁ οὐράνιος ὅτι χρῄζετε τούτων

²² Εἶπεν δὲ πρὸς τοὺς μαθητὰς αὐτοῦ· διὰ
τοῦτο λέγω ὑμῖν· μὴ μεριμνᾶτε τῇ ψυχῇ
τί φάγητε, μηδὲ τῷ σώματι   τί ἐνδύσησθε.
²³ ἡ γὰρ ψυχὴ πλεῖόν ἐστιν τῆς τροφῆς καὶ τὸ
σῶμα τοῦ ἐνδύματος. ²⁴ κατανοήσατε τοὺς
κόρακας, ὅτι οὔτε σπείρουσιν οὔτε θερίζουσιν,
οἷς οὐκ ἔστιν ταμιεῖον οὐδὲ ἀποθήκη, καὶ ὁ
θεὸς τρέφει αὐτούς· πόσῳ μᾶλλον ὑμεῖς δια-
φέρετε τῶν πετεινῶν. ²⁵ τίς δὲ ἐξ
ὑμῶν μεριμνῶν δύναται ἐπὶ τὴν ἡλικίαν αὐ-
τοῦ προσθεῖναι πῆχυν; ²⁶ εἰ οὖν οὐδὲ ἐλάχι-
στον δύνασθε, τί περὶ τῶν λοιπῶν μεριμνᾶτε;
²⁷ κατανοήσατε τὰ κρίνα, πῶς οὔτε νήθει οὔτε
ὑφαίνει·   λέγω δὲ ὑμῖν, οὐδὲ Σολο-
μὼν ἐν πάσῃ τῇ δόξῃ αὐτοῦ περιεβάλετο ὡς
ἓν τούτων. ²⁸ εἰ δὲ ἐν ἀγρῷ τὸν χόρτον
ὄντα σήμερον καὶ αὔριον εἰς κλίβανον βαλλό-
μενον ὁ θεὸς οὕτως ἀμφιάζει,   πόσῳ
μᾶλλον ὑμᾶς, ὀλιγόπιστοι. ²⁹ καὶ ὑμεῖς μὴ
ζητεῖτε τί φάγητε καὶ τί πίητε,   καὶ μὴ
μετεωρίζεσθε·   ³⁰ ταῦτα γὰρ πάντα τὰ
ἔθνη τοῦ κόσμου ἐπιζητοῦσιν· ὑμῶν δὲ ὁ
πατὴρ οἶδεν ὅτι χρῄζετε τούτων·

Matth 6, 25 τί φάγητε S λ it vg sy ᶜ sa Orig   τί φάγητε ἤ τί πίητε B W φ bo   τί φάγητε καὶ
τί πίητε Θ ℜ sy ᵖᵉ Orig

Luk 12, 18 τὸν σῖτον (+ μου φ sa bo sy ᵖᵉ) B λ φ sy ᵖᵉ sa bo   τὰ γεννήματα μου S A D W Θ ℜ
it vg sy ᶜˢ ᵖᵉ | καὶ τὰ ἀγαθά μου > S D it sy ᶜˢ   **19** κείμενα — πίε > D it   **21** > D it   **22** σώ-
ματι + ὑμῶν B sa bo   **24** τοὺς κόρακας] τὰ πετεινὰ τοῦ οὐρανοῦ D vgl. Mt   τὰ πετεινὰ τοῦ οὐρανοῦ
καὶ τοὺς κόρακας 𝔓 ⁴⁵   **26** lautet D it: καὶ περὶ τῶν λοιπῶν τί μεριμνᾶτε;   **27** (+ πῶς αὐξάνει· οὐ
κοπιᾷ it) οὔτε νήθει οὔτε ὑφαίνει D it sy ᶜˢ   αὐξάνει (> vg) οὐ κοπιᾷ οὐδὲ νήθει 𝔓 ⁴⁵ S A B W Θ λ φ
ℜ vg sy ᵖᵉ sa bo vgl. Mt

ἀπάντων. ³³ ζητεῖτε δὲ πρῶτον τὴν βασιλείαν
καὶ τὴν δικαιοσύνην αὐτοῦ, καὶ ταῦτα πάντα
προστεθήσεται ὑμῖν.

6 19—21 *(32. S. 31)*: ¹⁹ μὴ θησαυρίζετε ὑμῖν
θησαυροὺς ἐπὶ τῆς γῆς, ὅπου σὴς καὶ βρῶσις
ἀφανίζει, καὶ ὅπου κλέπται διορύσσουσιν καὶ
κλέπτουσιν· ²⁰ θησαυρίζετε δὲ ὑμῖν θησαυροὺς
ἐν οὐρανῷ, ὅπου οὔτε σὴς οὔτε βρῶσις ἀφανί-
ζει, καὶ ὅπου κλέπται οὐ διορύσσουσιν οὐδὲ
κλέπτουσιν. ²¹ ὅπου γάρ ἐστιν ὁ θησαυρός
σου, ἐκεῖ ἔσται καὶ ἡ καρδία σου.

³¹ πλὴν ζητεῖτε τὴν βασιλείαν
αὐτοῦ, καὶ ταῦτα
προστεθήσεται ὑμῖν. ³² μὴ φοβοῦ, τὸ μικρὸν
ποίμνιον· ὅτι εὐδόκησεν ὁ πατὴρ ὑμῶν δοῦναι
ὑμῖν τὴν βασιλείαν.

³³ πωλήσατε τὰ ὑπάρχοντα ὑμῶν καὶ δότε
ἐλεημοσύνην· ποιήσατε ἑαυτοῖς βαλλάντια μὴ
παλαιούμενα, θησαυρὸν ἀνέκλειπτον ἐν τοῖς
οὐρανοῖς, ὅπου κλέπτης οὐκ ἐγγίζει οὐδὲ σὴς
διαφθείρει·

³⁴ ὅπου γάρ ἐστιν ὁ θησαυρὸς
ὑμῶν, ἐκεῖ καὶ ἡ καρδία ὑμῶν ἔσται.

158. Von der Wachsamkeit und Treue. Luk 12 35—46

158. Watchfulness and Faithfulness.

Vgl. 25 1—13 (227. S. 179)

³⁵ Ἔστωσαν ὑμῶν αἱ ὀσφύες περιεζωσμέναι
καὶ οἱ λύχνοι καιόμενοι· ³⁶ καὶ ὑμεῖς ὅμοιοι
ἀνθρώποις προσδεχομένοις τὸν κύριον ἑαυτῶν,
πότε ἀναλύσῃ ἐκ τῶν γάμων, ἵνα ἐλθόντος
καὶ κρούσαντος εὐθέως ἀνοίξωσιν αὐτῷ.
³⁷ μακάριοι οἱ δοῦλοι ἐκεῖνοι, οὓς ἐλθὼν ὁ
κύριος εὑρήσει γρηγοροῦντας· ἀμὴν λέγω ὑμῖν
ὅτι περιζώσεται καὶ ἀνακλινεῖ αὐτοὺς καὶ
παρελθὼν διακονήσει αὐτοῖς. ⟨Joh 13 4 5⟩
³⁸ κἂν ἐν τῇ δευτέρᾳ κἂν ἐν τῇ τρίτῃ φυλακῇ
ἔλθῃ καὶ εὕρῃ οὕτως, μακάριοί εἰσιν ἐκεῖνοι.

³⁹ τοῦτο
δὲ γινώσκετε, ὅτι εἰ ᾔδει ὁ οἰκοδεσπότης
ποίᾳ ὥρᾳ ὁ κλέπτης ἔρχεται,

οὐκ ἂν ἀφῆκεν διορυχθῆναι τὸν
οἶκον αὐτοῦ. ⁴⁰ καὶ ὑμεῖς γίνεσθε

24 43—51 *(225. 226. S. 178)*: ⁴³ Ἐκεῖνο
δὲ γινώσκετε ὅτι εἰ ᾔδει ὁ οἰκοδεσπότης
ποίᾳ φυλακῇ ὁ κλέπτης ἔρχεται, ἐγρηγόρη-
σεν ἂν καὶ οὐκ ἂν εἴασεν διορυχθῆναι τὴν
οἰκίαν αὐτοῦ. ⁴⁴ διὰ τοῦτο καὶ ὑμεῖς γίνεσθε

Matth 6, 33 βασιλείαν S B sa bo Eus   βασιλείαν τοῦ θεοῦ W Θ λ φ 𝔖 it vg sy ᶜ ᵖᵉ

Luk 12, 38 κἂν — οὕτως S B Θ sy ˢ ᵖᵉ sa bo   καὶ ἐὰν ἔλθῃ ἐν τῇ δευτέρᾳ φυλακῇ καὶ ἐν τῇ τρίτῃ
φυλακῇ καὶ ἐλθὼν (κ. ἐλθ.] ἔλθῃ καὶ φ 𝔖 vg) εὕρῃ οὕτως A φ 𝔖 vg   καὶ ἐὰν ἔλθῃ τῇ ἑσπερινῇ φυλακῇ
καὶ εὑρήσει οὕτως ποιήσει καὶ ἐὰν ἐν τῇ δευτέρᾳ καὶ τῇ τρίτῃ D it (κ. τ. τριτ. > it)   καὶ ἐὰν ἐν τῇ τρίτῃ
φυλακῇ ἔλθῃ καὶ εὕρῃ οὕτως W   καὶ ἐὰν ἔλθῃ τῇ ἑσπερινῇ φυλακῇ καὶ εὕρῃ οὕτως ποιοῦντας (οὔτ. π.]
γρηγοροῦντας sy ᶜ), μακάριοι εἰσιν, ὅτι ἀνακλινεῖ αὐτοὺς καὶ διακονήσει αὐτοῖς. κἂν ἐν τῇ δευτέρᾳ κἂν ἐν
τῇ τρίτῃ φυλακῇ ἔλθῃ καὶ εὕρῃ οὕτως λ (v. 37 wie oben: λ!) sy ᶜ | εἰσιν ἐκεῖνοι
B D sy ᶜˢ bo   εἰσιν S   εἰσιν οἱ δοῦλοι ἐκεῖνοι A W Θ λ φ 𝔖 vg sy ᵖᵉ sa   εἰσιν + quia iubebit illos
discumbere et transiet et ministrabit illis et si secunda et tertia, beati sunt it (vgl. λ sy ᶜ)   **39** ἔρχεται
S D sy ᶜˢ sa   ἔρχεται ἐγρηγόρησεν ἂν καὶ A B W Θ λ φ 𝔖 it vg sy ᵖᵉ bo   **40** fehlt λ

ἕτοιμοι, ὅτι ᾗ οὐ δοκεῖτε ὥρᾳ ὁ υἱὸς τοῦ ἀν-
θρώπου ἔρχεται.*

⁴⁵ τίς ἄρα ἐστὶν ὁ πιστὸς
δοῦλος καὶ φρόνιμος, ὃν κατέστησεν ὁ κύριος
ἐπὶ τῆς οἰκετείας αὐτοῦ τοῦ δοῦναι αὐτοῖς τὴν
τροφὴν ἐν καιρῷ; ⁴⁶ μακάριος ὁ δοῦλος ἐκεῖ-
νος ὃν ἐλθὼν ὁ κύριος αὐτοῦ εὑρήσει οὕτως
ποιοῦντα. ⁴⁷ ἀμὴν λέγω ὑμῖν ὅτι ἐπὶ πᾶσιν
τοῖς ὑπάρχουσιν αὐτοῦ καταστήσει αὐτόν.
⁴⁸ ἐὰν δὲ εἴπῃ ὁ κακὸς δοῦλος ἐκεῖνος ἐν τῇ καρ-
δίᾳ αὐτοῦ· χρονίζει μου ὁ κύριος,
⁴⁹ καὶ ἄρξηται τύπτειν τοὺς συνδούλους αὐ-
τοῦ, ἐσθίῃ δὲ καὶ πίνῃ μετὰ τῶν μεθυόντων,
⁵⁰ ἥξει ὁ κύριος τοῦ δούλου ἐκείνου ἐν ἡμέρᾳ
ᾗ οὐ προσδοκᾷ καὶ ἐν ὥρᾳ ᾗ οὐ γινώσκει,
⁵¹ καὶ διχοτομήσει αὐτόν, καὶ τὸ μέρος αὐτοῦ
μετὰ τῶν ὑποκριτῶν θήσει· ἐκεῖ ἔσται ὁ κλαυθ-
μὸς καὶ ὁ βρυγμὸς τῶν ὀδόντων.

ἕτοιμοι, ὅτι ᾗ ὥρᾳ οὐ δοκεῖτε ὁ υἱὸς τοῦ ἀν-
θρώπου ἔρχεται.*

⁴¹ εἶπεν δὲ ὁ Πέτρος· κύριε, πρὸς ἡμᾶς τὴν
παραβολὴν ταύτην λέγεις ἢ καὶ πρὸς πάντας;
⁴² καὶ εἶπεν ὁ κύριος· τίς ἄρα ἐστὶν ὁ πιστὸς
οἰκονόμος ὁ φρόνιμος, ὃν καταστήσει ὁ κύριος
ἐπὶ τῆς θεραπείας αὐτοῦ τοῦ διδόναι ἐν καιρῷ
τὸ σιτομέτριον; ⁴³ μακάριος ὁ δοῦλος ἐκεῖ-
νος, ὃν ἐλθὼν ὁ κύριος αὐτοῦ εὑρήσει ποιοῦντα
οὕτως. ⁴⁴ ἀληθῶς λέγω ὑμῖν ὅτι ἐπὶ πᾶσιν
τοῖς ὑπάρχουσιν αὐτοῦ καταστήσει αὐτόν.
⁴⁵ ἐὰν δέ εἴπῃ ὁ δοῦλος ἐκεῖνος ἐν τῇ καρ-
δίᾳ αὐτοῦ· χρονίζει ὁ κύριός μου ἔρχεσθαι,
καὶ ἄρξηται τύπτειν τοὺς παῖδας καὶ τὰς παι-
δίσκας, ἐσθίειν τε καὶ πίνειν καὶ μεθύσκεσθαι,
⁴⁶ ἥξει ὁ κύριος τοῦ δούλου ἐκείνου ἐν ἡμέρᾳ
ᾗ οὐ προσδοκᾷ καὶ ἐν ὥρᾳ ᾗ οὐ γινώσκει,
καὶ διχοτομιῇσει αὐτόν, καὶ τὸ μέρος αὐτοῦ
μετὰ τῶν ἀπίστων θήσει.

159. Vom Knechtslohn. Luk 12 47–48

159. The Servant's Wages.

Vgl. Luk 17 7–10 (181. S. 140)

⁴⁷ Ἐκεῖνος δὲ ὁ δοῦλος ὁ γνοὺς τὸ θέλημα τοῦ κυρίου αὐτοῦ καὶ μὴ ἑτοιμάσας
ἢ ποιήσας πρὸς τὸ θέλημα αὐτοῦ δαρήσεται πολλάς· ⁴⁸ ὁ δὲ μὴ γνούς, ποιήσας δὲ ἄξια
πληγῶν, δαρήσεται ὀλίγας. παντὶ δὲ ᾧ ἐδόθη πολύ, πολὺ ζητηθήσεται παρ' αὐτοῦ,
καὶ ᾧ παρέθεντο πολύ, περισσότερον αἰτήσουσιν αὐτόν.

---

* Mark 13 35 36 (222. S. 177): ³⁵ Γρηγορεῖτε οὖν· οὐκ οἴδατε γὰρ πότε ὁ κύριος τῆς οἰκίας ἔρχεται,
ἢ ὀψὲ ἢ μεσονύκτιον ἢ ἀλεκτοροφωνίας ἢ πρωΐ· ³⁶ μὴ ἐλθὼν ἐξαίφνης εὕρῃ ὑμᾶς καθεύδοντας.

Matth 24, 48 δοῦλος ἐκεῖνος B C D W λ φ ℜ it vg sy ᵖᵉ bo   δοῦλος S Θ sy ˢ sa Iren

Luk 12, 42 ὁ φρόνιμος B W   ὁ φρόνιμος ὁ ἀγαθὸς D sy ᶜ   καὶ (> sa) φρόνιμος S A λ φ ℜ it
vg sy ᵖᵉ sa bo   καὶ ὁ φρόνιμος Θ   > sy ˢ   **47** μὴ ἑτοιμάσας ἢ ποιήσας S B sa   μὴ ἑτοιμάσας μηδὲ
ποιήσας A Θ λ φ ℜ vg bo   μὴ ποιήσας D   καὶ ποιήσας ℜ **45**   μὴ ἑτοιμάσας W it sy ᶜˢ ᵖᵉ

160. Vom Ernst der Zeit. Luk 12 49—5G

160. Signs for this Age.

10 34—36 (61. S. 51): ³⁴ Μὴ νομίσητε ὅτι ἦλθον βαλεῖν εἰρήνην ἐπὶ τὴν γῆν· οὐκ ἦλθον βαλεῖν εἰρήνην ἀλλὰ μάχαιραν.

³⁵ ἦλθον γὰρ διχάσαι ἄνθρωπον κατὰ τοῦ πατρὸς αὐτοῦ καὶ θυγατέρα κατὰ τῆς μητρὸς αὐτῆς καὶ νύμφην κατὰ τῆς πενθερᾶς αὐτῆς, ³⁶ καὶ ἐχθροὶ τοῦ ἀνθρώπου οἱ οἰκιακοὶ αὐτοῦ.

16 2—3 (119. S. 94 f.): ² Ὁ δὲ ἀποκριθεὶς εἶπεν αὐτοῖς· [ὀψίας γενομένης λέγετε· εὐδία, πυρράζει γὰρ ὁ οὐρανός· ³ καὶ πρωΐ· σήμερον χειμών, πυρράζει γὰρ στυγνάζων ὁ οὐρανός. τὸ μὲν πρόσωπον τοῦ οὐρανοῦ γινώσκετε διακρίνειν, τὰ δὲ σημεῖα τῶν καιρῶν οὐ δύνασθε·]

⁴⁹ Πῦρ ἦλθον βαλεῖν ἐπὶ τὴν γῆν, καὶ τί θέλω εἰ ἤδη ἀνήφθη. ⁵⁰ βάπτισμα δὲ ἔχω βαπτισθῆναι, καὶ πῶς συνέχομαι ἕως ὅτου τελεσθῇ.* ⎡ Joh 12 27 ⎤ ⁵¹ δοκεῖτε ὅτι εἰρήνην παρεγενόμην δοῦναι ἐν τῇ γῇ; οὐχί, λέγω ὑμῖν, ἀλλ' ἢ διαμερισμόν. ⁵² ἔσονται γὰρ ἀπὸ τοῦ νῦν πέντε ἐν ἑνὶ οἴκῳ διαμεμερισμένοι, τρεῖς ἐπὶ δυσὶν καὶ δύο ἐπὶ τρισὶν ⁵³ διαμερισθήσονται, πατὴρ ἐπὶ υἱῷ καὶ υἱὸς ἐπὶ πατρί, μήτηρ ἐπὶ θυγατέρα καὶ θυγάτηρ ἐπὶ τὴν μητέρα, πενθερὰ ἐπὶ τὴν νύμφην αὐτῆς καὶ νύμφη ἐπὶ τὴν πενθεράν.

⁵⁴ Ἔλεγεν δὲ καὶ τοῖς ὄχλοις· ὅταν ἴδητε νεφέλην ἀνατέλλουσαν ἐπὶ δυσμῶν, εὐθέως λέγετε ὅτι ὄμβρος ἔρχεται, καὶ γίνεται οὕτως· ⁵⁵ καὶ ὅταν νότον πνέοντα, λέγετε ὅτι καύσων ἔσται, καὶ γίνεται. ⁵⁶ ὑποκριταί, τὸ πρόσωπον τῆς γῆς καὶ τοῦ οὐρανοῦ οἴδατε δοκιμάζειν, τὸν καιρὸν δὲ τοῦτον πῶς οὐ δοκιμάζετε;

161. Empfehlung rechtzeitigen Ausgleichs. Luk 12 57—59

161. Agreement with one's Adversary.

5 25—26 (22. S. 26): Ἴσθι εὐνοῶν τῷ ἀντιδίκῳ σου ταχὺ ἕως ὅτου εἶ μετ' αὐτοῦ ἐν τῇ ὁδῷ·

μήποτέ σε παραδῷ ὁ ἀντίδικος τῷ κριτῇ καὶ ὁ κριτὴς τῷ ὑπηρέτῃ, καὶ εἰς φυλακὴν βληθήσῃ·

²⁶ ἀμὴν λέγω σοι, οὐ μὴ ἐξέλθῃς ἐκεῖθεν ἕως ἂν ἀποδῷς τὸν ἔσχατον κοδράντην.

⁵⁷ Τί δὲ καὶ ἀφ' ἑαυτῶν οὐ κρίνετε τὸ δίκαιον; ⁵⁸ ὡς γὰρ ὑπάγεις μετὰ τοῦ ἀντιδίκου σου ἐπ' ἄρχοντα, ἐν τῇ ὁδῷ δὸς ἐργασίαν ἀπηλλάχθαι ἀπ' αὐτοῦ, μήποτε κατασύρῃ σε πρὸς τὸν κριτήν, καὶ ὁ κριτὴς σε παραδώσει τῷ πράκτορι, καὶ ὁ πράκτωρ σε βαλεῖ εἰς φυλακήν.

⁵⁹ λέγω σοι, οὐ μὴ ἐξέλθῃς ἐκεῖθεν ἕως καὶ τὸ ἔσχατον λεπτὸν ἀποδῷς.

---

* Mark 10 38 (192. S. 149): Δύνασθε πιεῖν τὸ ποτήριον ὃ ἐγὼ πίνω, ἢ τὸ βάπτισμα ὃ ἐγὼ βαπτίζομαι βαπτισθῆναι;

Lc 12 53 (= Mt 10 35): Mi 7 6.

Matth 16, 2 ὀψίας — 3 δύνασθε > S B φ sy^cs sa

Zu Lc 12 49: Διό φησιν ὁ σωτήρ· ὁ ἐγγύς μου, ἐγγύς τοῦ πυρός. ὁ δὲ μακρὰν ἀπ' ἐμοῦ, μακρὰν ἀπὸ τῆς βασιλείας. Didymus, in Psalm. 88 s. Ait autem ipse salvator: qui iuxta me est, iuxta ignem est; qui longe est a me, longe est a regno. Orig., in Jerem. hom. lat. III 3 (312, 25 f. Bachrens).

162. Bußruf. Luk 13 1–9
162. The Call to Repentance.

¹ Παρῆσαν δέ τινες ἐν αὐτῷ τῷ καιρῷ ἀπαγγέλλοντες αὐτῷ περὶ τῶν Γαλιλαίων ὧν τὸ αἷμα Πιλᾶτος ἔμιξεν μετὰ τῶν θυσιῶν αὐτῶν. ² καὶ ἀποκριθεὶς εἶπεν αὐτοῖς· δοκεῖτε ὅτι οἱ Γαλιλαῖοι οὗτοι ἁμαρτωλοὶ παρὰ πάντας τοὺς Γαλιλαίους ἐγένοντο, ὅτι ταῦτα πεπόνθασιν; ³ οὐχί, λέγω ὑμῖν, ἀλλ' ἐὰν μὴ μετανοῆτε, πάντες ὁμοίως ἀπολεῖσθε. ⁴ ἢ ἐκεῖνοι οἱ δεκαοκτὼ ἐφ' οὓς ἔπεσεν ὁ πύργος ἐν τῷ Σιλωὰμ καὶ ἀπέκτεινεν αὐτούς, δοκεῖτε ὅτι αὐτοὶ ὀφειλέται ἐγένοντο παρὰ πάντας τοὺς ἀνθρώπους τοὺς κατοικοῦντας Ἱερουσαλήμ; ⁵ οὐχί, λέγω ὑμῖν, ἀλλ' ἐὰν μὴ μετανοήσητε, πάντες ὡσαύτως ἀπολεῖσθε.

⁶ Ἔλεγεν δὲ ταύτην τὴν παραβολήν. συκῆν εἶχέν τις πεφυτευμένην ἐν τῷ ἀμπελῶνι αὐτοῦ, καὶ ἦλθεν ζητῶν καρπὸν ἐν αὐτῇ καὶ οὐχ εὗρεν. ⁷ εἶπεν δὲ πρὸς τὸν ἀμπελουργόν· ἰδοὺ τρία ἔτη ἀφ' οὗ ἔρχομαι ζητῶν καρπὸν ἐν τῇ συκῇ ταύτῃ καὶ οὐχ εὑρίσκω· ἔκκοψον αὐτήν· ἱνατί καὶ τὴν γῆν καταργεῖ; ⁸ ὁ δὲ ἀποκριθεὶς λέγει αὐτῷ· κύριε, ἄφες αὐτὴν καὶ τοῦτο τὸ ἔτος, ἕως ὅτου σκάψω περὶ αὐτὴν καὶ βάλω κόπρια, ⁹ κἂν μὲν ποιήσῃ καρπὸν εἰς τὸ μέλλον· εἰ δὲ μή γε, ἐκκόψεις αὐτήν.

163. Heilung der verkrümmten Frau. Luk 13 10–17
163. The Healing of the Woman with a Spirit of Infirmity.
Vgl. Luk 14 1–6 (168. S. 132)

¹⁰ Ἦν δὲ διδάσκων ἐν μιᾷ τῶν συναγωγῶν ἐν τοῖς σάββασιν. ¹¹ καὶ ἰδοὺ γυνὴ πνεῦμα ἔχουσα ἀσθενείας ἔτη δεκαοκτώ, καὶ ἦν συγκύπτουσα καὶ μὴ δυναμένη ἀνακύψαι εἰς τὸ παντελές. ¹² ἰδὼν δὲ αὐτὴν ὁ Ἰησοῦς προσεφώνησεν καὶ εἶπεν αὐτῇ· γύναι, ἀπολέλυσαι τῆς ἀσθενείας σου, ¹³ καὶ ἐπέθηκεν αὐτῇ τὰς χεῖρας· καὶ παραχρῆμα ἀνωρθώθη, καὶ ἐδόξαζεν τὸν θεόν. ¹⁴ ἀποκριθεὶς δὲ ὁ ἀρχισυνάγωγος, ἀγανακτῶν ὅτι τῷ σαββάτῳ ἐθεράπευσεν ὁ Ἰησοῦς, ἔλεγεν τῷ ὄχλῳ ὅτι ἓξ ἡμέραι εἰσὶν ἐν αἷς δεῖ ἐργάζεσθαι· ἐν αὐταῖς οὖν ἐρχόμενοι θεραπεύεσθε καὶ μὴ τῇ ἡμέρᾳ τοῦ σαββάτου. ¹⁵ ἀπεκρίθη δὲ αὐτῷ ὁ κύριος καὶ εἶπεν· ὑποκριταί, ἕκαστος ὑμῶν τῷ σαββάτῳ οὐ λύει τὸν βοῦν αὐτοῦ ἢ τὸν ὄνον ἀπὸ τῆς φάτνης καὶ ἀπαγαγὼν ποτίζει; ¹⁶ ταύτην δὲ θυγατέρα Ἀβραὰμ οὖσαν, ἣν ἔδησεν ὁ σατανᾶς ἰδοὺ δέκα καὶ ὀκτὼ ἔτη, οὐκ ἔδει λυθῆναι ἀπὸ τοῦ δεσμοῦ τούτου τῇ ἡμέρᾳ τοῦ σαββάτου;* ¹⁷ καὶ ταῦτα λέγοντος αὐτοῦ κατῃσχύνοντο πάντες οἱ ἀντικείμενοι αὐτῷ, καὶ πᾶς ὁ ὄχλος ἔχαιρεν ἐπὶ πᾶσιν τοῖς ἐνδόξοις τοῖς γινομένοις ὑπ' αὐτοῦ.

---

* Matth 12 11 12 (70. S. 57): Ὁ δὲ εἶπεν αὐτοῖς· τίς ἔσται ἐξ ὑμῶν ἄνθρωπος ὃς ἕξει πρόβατον ἕν, καὶ ἐὰν ἐμπέσῃ τοῦτο τοῖς σάββασιν εἰς βόθυνον, οὐχὶ κρατήσει αὐτὸ καὶ ἐγερεῖ; ¹²πόσῳ οὖν διαφέρει ἄνθρωπος προβάτου. ὥστε ἔξεστιν τοῖς σάββασιν καλῶς ποιεῖν.

Luk 14 5 (168. S. 132): Τίνος ὑμῶν υἱὸς ἢ βοῦς εἰς φρέαρ πεσεῖται, καὶ οὐκ εὐθέως ἀνασπάσει αὐτὸν ἐν ἡμέρᾳ τοῦ σαββάτου;

Lc 13 14: Ex 20 9 Dtn 5 13.

Luk 13, 7 εὑρίσκω + φέρε τὴν ἀξίνην D   **8** κόπρια 𝔓⁴⁵? S A B W Θ vg   κόπρον λ φ κοπρίαν ℵ   κόφινον κοπρίων D it   **9** κἂν — καρπόν > λ | εἰς τὸ μέλλον εἰ δὲ μή γε S B sa bo εἰ δὲ μή γε εἰς τὸ μέλλον 𝔓⁴⁵ A D W Θ λ φ ℵ it vg sy^{cs} pe   **15** ὑποκριταί S A B Θ φ it vg sa bo ὑποκριτά 𝔓⁴⁵ D W λ ℵ sy^{cs pe}

164. Gleichnisse vom Senfkorn und Sauerteig. Luk 13 18—21
164. The Parables of the Mustard Seed and Leaven.

13 31—33 *(97. 98. S. 75)*:

³¹ Ἄλλην παραβολὴν παρέθηκεν
αὐτοῖς λέγων·   ὁμοία
ἐστὶν ἡ βασιλεία τῶν οὐρανῶν
κόκκῳ σινάπεως, ὃν λαβὼν
ἄνθρωπος ἔσπειρεν ἐν τῷ ἀγρῷ
αὐτοῦ·

³² ὃ μικρότερον μέν ἐστιν πάντων
τῶν σπερμάτων, ὅταν δὲ αὐξηθῇ,
μεῖζον τῶν λαχάνων ἐστὶν καὶ
γίνεται δένδρον, ὥστε ἐλθεῖν τὰ
*πετεινὰ τοῦ οὐρανοῦ καὶ κατα-
σκηνοῦν ἐν τοῖς κλάδοις αὐτοῦ.*

³³ ἄλλην παραβολὴν ἐλάλησεν
αὐτοῖς· ὁμοία ἐστὶν ἡ βασιλεία
τῶν οὐρανῶν ζύμη, ἣν λαβοῦσα
γυνὴ ἐνέκρυψεν εἰς ἀλεύρου σάτα
τρία, ἕως οὗ ἐζυμώθη ὅλον.

4 30—32 *(97. S. 75)*:

³⁰ Καὶ ἔλεγεν· πῶς ὁμοιώσωμεν
τὴν βασιλείαν τοῦ θεοῦ, ἢ ἐν τίνι
αὐτὴν παραβολῇ θῶμεν; ³¹ ὡς
κόκκῳ σινάπεως, ὃς ὅταν σπαρῇ
ἐπὶ τῆς γῆς, μικρότερον ὂν πάντων
τῶν σπερμάτων τῶν ἐπὶ τῆς γῆς,

³² καὶ ὅταν σπαρῇ, ἀναβαίνει καὶ
γίνεται μεῖζον πάντων τῶν λαχά-
νων, καὶ ποιεῖ κλάδους μεγάλους,
ὥστε δύνασθαι ὑπὸ τὴν σκιὰν
*αὐτοῦ τὰ πετεινὰ τοῦ οὐρανοῦ
κατασκηνοῦν.*

¹⁸ Ἔλεγεν οὖν· τίνι ὁμοία ἐστὶν
ἡ βασιλεία τοῦ θεοῦ, καὶ τίνι
ὁμοιώσω αὐτήν; ¹⁹ ὁμοία ἐστὶν
κόκκῳ σινάπεως, ὃν λαβὼν
ἄνθρωπος ἔβαλεν   εἰς κῆπον
ἑαυτοῦ,
καὶ ηὔξησεν καὶ ἐγένετο εἰς δέν-
*δρον, καὶ τὰ πετεινὰ τοῦ οὐρανοῦ
κατεσκήνωσεν ἐν τοῖς κλάδοις αὐ-
τοῦ.*

²⁰ καὶ πάλιν εἶπεν· τίνι ὁμοι-
ώσω τὴν βασιλείαν τοῦ θεοῦ;
²¹ ὁμοία ἐστὶν ζύμη, ἣν λαβοῦσα
γυνὴ ἔκρυψεν εἰς ἀλεύρου σάτα
τρία, ἕως οὗ ἐζυμώθη ὅλον.

165. Bedrohung Israels mit der Ausschließung aus dem Reiche Gottes. Luk 13 22—30
165. The Condemnation of Israel.

7 13—14 *(40. S. 34)*: ¹³ Εἰσέλθατε
διὰ τῆς στενῆς πύλης· ὅτι πλατεῖα
καὶ εὐρύχωρος ἡ ὁδὸς ἡ ἀπάγουσα
εἰς τὴν ἀπώλειαν, καὶ πολλοί εἰσιν
οἱ εἰσερχόμενοι δι’ αὐτῆς· ¹⁴ ὅτι
στενὴ ἡ πύλη καὶ τεθλιμμένη ἡ
ὁδὸς ἡ ἀπάγουσα εἰς τὴν ζωήν, καὶ
ὀλίγοι εἰσὶν οἱ εὑρίσκοντες αὐτήν.

25 10—12 *(227. S. 179)*: ¹⁰ καὶ
ἐκλείσθη ἡ θύρα. ¹¹ ὕστερον δὲ
ἔρχονται καὶ αἱ λοιπαὶ παρθένοι
λέγουσαι· κύριε κύριε, ἄνοιξον
ἡμῖν. ¹² ὁ δὲ ἀποκριθεὶς εἶπεν·
ἀμὴν λέγω ὑμῖν, οὐκ οἶδα ὑμᾶς.

²² Καὶ διεπορεύετο κατὰ πόλεις
καὶ κώμας διδάσκων καὶ πορείαν
ποιούμενος εἰς Ἱεροσόλυμα. ²³ Εἶ-
πεν δέ τις αὐτῷ· κύριε, εἰ ὀλίγοι
οἱ σωζόμενοι; ὁ δὲ εἶπεν πρὸς αὐ-
τούς· ²⁴ ἀγωνίζεσθε εἰσελθεῖν διὰ
τῆς στενῆς θύρας, ὅτι πολλοί, λέ-
γω ὑμῖν, ζητήσουσιν εἰσελθεῖν καὶ
οὐκ ἰσχύσουσιν.

²⁵ ἀφ’ οὗ ἂν ἐγερθῇ ὁ οἰκοδεσπό-
της καὶ ἀποκλείσῃ τὴν θύραν, καὶ
ἄρξησθε ἔξω ἑστάναι καὶ κρούειν
τὴν θύραν λέγοντες· κύριε, ἄνοιξον
ἡμῖν, καὶ ἀποκριθεὶς ἐρεῖ ὑμῖν· οὐκ
οἶδα ὑμᾶς πόθεν ἐστέ. ²⁶ τότε

Lc 13 19 (= Mt 13 32 Mc 4 32): Dan 4 21.

Matth 13, 33 ἐλάλησεν αὐτοῖς B W λ 𝔐 it vg sy ᵖᵉ bo   ἐλάλησεν (παρέθηκεν C sa) αὐτοῖς λέγων
S C Θ φ sa   > D sy ᶜˢ   **7, 13** πλατεῖα S it Clem Orig   πλατεῖα ἡ πύλη B C W Θ λ φ 𝔐 vg sy ᶜ ᵖᵉ
sa bo   **14** ὅτι S bo   ὅτι δὲ B 𝔐 sa   τί C W Θ λ φ it vg sy ᶜ ᵖᵉ

7 22–23 *(42. S. 35)*: ²² πολλοὶ ἐροῦσίν μοι ἐν ἐκείνῃ τῇ ἡμέρᾳ· κύριε κύριε, οὐ τῷ σῷ ὀνόματι ἐπροφητεύσαμεν, καὶ τῷ σῷ ὀνό- ματι δαιμόνια ἐξεβάλομεν, καὶ τῷ σῷ ὀνόματι δυνάμεις πολλὰς ἐποι- ήσαμεν; ²³ καὶ τότε ὁμολογήσω αὐτοῖς ὅτι οὐδέποτε ἔγνων ὑμᾶς, *ἀποχωρεῖτε ἀπ' ἐμοῦ οἱ ἐργαζόμενοι τὴν ἀνομίαν.*

8 11–12 *(46. S. 38)*: ¹¹ λέγω δὲ ὑμῖν ὅτι πολλοὶ *ἀπὸ ἀνατολῶν καὶ δυσμῶν* ἥξουσιν καὶ ἀνακλιθήσον- ται μετὰ 'Αβραὰμ καὶ 'Ισαὰκ καὶ 'Ιακὼβ ἐν τῇ βασιλείᾳ τῶν οὐρα- νῶν· ¹² οἱ δὲ υἱοὶ τῆς βασιλείας ἐκβληθήσονται εἰς τὸ σκότος τὸ ἐξώτερον· ἐκεῖ ἔσται ὁ κλαυθμὸς καὶ ὁ βρυγμὸς τῶν ὀδόντων.

19 30 *(189. S. 147)*: πολλοὶ δὲ ἔσονται πρῶτοι ἔσχατοι καὶ ἔσχα- τοι πρῶτοι.

20 16 *(190. S. 148)*: οὕτως ἔσον- ται οἱ ἔσχατοι πρῶτοι καὶ οἱ πρῶτοι ἔσχατοι.

---

10 31 *(189. S. 147)*: πολλοὶ δὲ ἔσονται πρῶτοι ἔσχατοι καὶ οἱ ἔσχατοι πρῶτοι.

ἄρξεσθε λέγειν· ἐφάγομεν ἐνώπιόν σου καὶ ἐπίομεν, καὶ ἐν ταῖς πλα- τείαις ἡμῶν ἐδίδαξας·

²⁷ καὶ ἐρεῖ λέγων ὑμῖν· οὐκ οἶδα πόθεν ἐστέ· *ἀπόστητε ἀπ' ἐμοῦ πάντες ἐργάται ἀδικίας.* ²⁸ ἐκεῖ ἔσται ὁ κλαυθμὸς καὶ ὁ βρυγμὸς τῶν ὀδόντων, ὅταν ὄψησθε 'Αβραὰμ καὶ 'Ισαὰκ καὶ 'Ιακὼβ καὶ πάντας τοὺς προφήτας ἐν τῇ βασιλείᾳ τοῦ Θεοῦ, ὑμᾶς δὲ ἐκβαλλομένους ἔξω. ²⁹ καὶ ἥξουσιν *ἀπὸ ἀνατολῶν καὶ δυσμῶν* καὶ ἀπὸ βορρᾶ καὶ νότου, καὶ ἀνακλιθήσονται ἐν τῇ βασι- λείᾳ τοῦ Θεοῦ·

³⁰ καὶ ἰδοὺ εἰσὶν ἔσχατοι οἳ ἔσον- ται πρῶτοι, καὶ εἰσὶν πρῶτοι οἳ ἔσονται ἔσχατοι.

166. Abschied von Galiläa. Luk 13 31–33

166. The Departure from Galilee.

³¹ 'Εν αὐτῇ τῇ ὥρᾳ προσῆλθάν τινες Φαρισαῖοι λέγοντες αὐτῷ· ἔξελθε καὶ πορεύου ἐντεῦθεν, ὅτι 'Ηρῴδης θέλει σε ἀποκτεῖναι. ³² καὶ εἶπεν αὐτοῖς· πορευθέντες εἴπατε τῇ ἀλώπεκι ταύτῃ· ἰδοὺ ἐκβάλλω δαιμόνια καὶ ἰάσεις ἀποτελῶ σήμερον καὶ αὔριον, καὶ τῇ τρίτῃ τελειοῦμαι. ³³ πλὴν δεῖ με σήμερον καὶ αὔριον καὶ τῇ ἐχομένῃ πορεύ- εσθαι, ὅτι οὐκ ἐνδέχεται προφήτην ἀπολέσθαι ἔξω 'Ιερουσαλήμ.

Lc 13 27 (= Mt 7 23): Ps 6 9.   29 (= Mt 8 11): Ps 106 3.

Matth 8,12 ἐκβληθήσονται B C W Θ λ φ 𝕸 vg sa bo   ἐξελεύσονται S sy ^{cs pe}   ἐλεύσονται it

167. Weissagung über Jerusalem. Luk 13 34-35
167. The Lament over Jerusalem.

23 37-39 *(211. S. 170)*: ³⁷ Ἰερουσαλήμ Ἰε-
ρουσαλήμ, ἡ ἀποκτείνουσα τοὺς προφήτας καὶ
λιθοβολοῦσα τοὺς ἀπεσταλμένους πρὸς αὐτήν,
ποσάκις ἠθέλησα ἐπισυναγαγεῖν τὰ τέκνα σου,
ὃν τρόπον ὄρνις ἐπισυνάγει τὰ νοσσία αὐτῆς
ὑπὸ τὰς πτέρυγας, καὶ οὐκ ἠθελήσατε. ³⁸ ἰδοὺ
ἀφίεται ὑμῖν ὁ οἶκος ὑμῶν. ³⁹ λέγω γὰρ ὑμῖν,
οὐ μή με ἴδητε ἀπ' ἄρτι ἕως ἂν εἴπητε· εὐ-
λογημένος ὁ ἐρχόμενος ἐν ὀνόματι κυρίου.

³⁴ Ἰερουσαλήμ Ἰε-
ρουσαλήμ, ἡ ἀποκτείνουσα τοὺς προφήτας καὶ
λιθοβολοῦσα τοὺς ἀπεσταλμένους πρὸς αὐτήν,
ποσάκις ἠθέλησα ἐπισυνάξαι τὰ τέκνα σου
ὃν τρόπον ὄρνις   τὴν ἑαυτῆς νοσσιὰν
ὑπὸ τὰς πτέρυγας, καὶ οὐκ ἠθελήσατε. ³⁵ ἰδοὺ
ἀφίεται ὑμῖν ὁ οἶκος ὑμῶν. λέγω δὲ ὑμῖν,
οὐ μὴ ἴδητέ με   ἕως ἥξει ὅτε εἴπητε· εὐ-
λογημένος ὁ ἐρχόμενος ἐν ὀνόματι κυρίου.

168. Heilung eines Wassersüchtigen.* Luk 14 1-6
*168. Healing of a Man with the Dropsy.**

¹ Καὶ ἐγένετο ἐν τῷ ἐλθεῖν αὐτὸν εἰς οἶκόν τινος τῶν ἀρχόντων τῶν Φαρισαίων
σαββάτῳ φαγεῖν ἄρτον, καὶ αὐτοὶ ἦσαν παρατηρούμενοι αὐτόν. ² καὶ ἰδοὺ ἄνθρωπός
τις ἦν ὑδρωπικὸς ἔμπροσθεν αὐτοῦ. ³ καὶ ἀποκριθεὶς ὁ Ἰησοῦς εἶπεν πρὸς τοὺς νομικοὺς
καὶ Φαρισαίους λέγων· ἔξεστιν τῷ σαββάτῳ θεραπεῦσαι ἢ οὔ; ⁴ οἱ δὲ ἡσύχασαν. καὶ
ἐπιλαβόμενος ἰάσατο αὐτὸν καὶ ἀπέλυσεν. ⁵ καὶ πρὸς αὐτοὺς εἶπεν· τίνος ὑμῶν υἱὸς
ἢ βοῦς εἰς φρέαρ πεσεῖται, καὶ οὐκ εὐθέως ἀνασπάσει αὐτὸν ἐν ἡμέρᾳ τοῦ σαββάτου;
⁶ καὶ οὐκ ἴσχυσαν ἀνταποκριθῆναι πρὸς ταῦτα.

169. Gastmahlsreden. Luk 14 7-14
169. Teaching on Humility.

⁷ Ἔλεγεν δὲ πρὸς τοὺς κεκλημένους παραβολήν, ἐπέχων πῶς τὰς πρωτοκλισίας
ἐξελέγοντο, λέγων πρὸς αὐτούς· ⁸ ὅταν κληθῇς ὑπό τινος εἰς γάμους, μὴ κατακλιθῇς εἰς
τὴν πρωτοκλισίαν, μήποτε ἐντιμότερός σου ᾖ κεκλημένος ὑπ' αὐτοῦ, ⁹ καὶ ἐλθὼν ὁ σὲ καὶ
αὐτὸν καλέσας ἐρεῖ σοι· δὸς τούτῳ τόπον, καὶ τότε ἄρξῃ μετὰ αἰσχύνης τὸν ἔσχατον

---

* Vgl. 70. Matth 12 9-1   = Mark 3 1-6 = Luk 6 6-11. S. 56 f.; 163. Luk 13 10-17. S. 129.

Lc 13 35 (= Mt 23 29): Ps 117 26.

Matth 23, 37 πρὸς αὐτήν S B C W Θ λ φ 𝔐 syᵖᵉ sa bo   πρὸς σέ D it vg syˢ   **38** ὑμῶν B syˢ
sa   ὑμῶν ἔρημος S C D W Θ λ φ 𝔐 it vg syᵖᵉ vgl. Jer 22 5
     Luk 13, 35 ὑμῶν 𝔓 ⁴⁵ S A B W λ syˢ sa bo   ὑμῶν ἔρημος D Θ φ 𝔐 it vg syᶜ ᵖᵉ | ἕως (+ ἂν
A W λ φ 𝔐) ἥξει (ἥξῃ λ φ 𝔐) ὅτε εἴπητε A D W λ φ 𝔐 it vg syˢ   ἕως ἥξει ἡ ἡμέρα ὅτε εἴπητε syᶜ itᵛᵃʳ
ἕως (+ ἂν 𝔓 ⁴⁵ S Θ) εἴπητε 𝔓 ⁴⁵ S B Θ syᵖᵉ sa bo   **14, 5** υἱὸς ἢ βοῦς 𝔓 ⁴⁵ A B W syᵖᵉ sa   υἱὸς
ἢ βοῦς ἢ ὄνος syᶜ   ὄνος υἱὸς ἢ βοῦς Θ   ὄνος ἢ βοῦς S λ φ 𝔐 it vg bo   βοῦς ἢ ὄνος syˢ   πρόβα-
τον ἢ βοῦς D   **8** ᾖ — αὐτοῦ] ἥξει D | ὑπ' αὐτοῦ > 𝔓 ⁴⁵ it syᵖᵉ bo

---

Zu Lc 14 8: D Φ it vgᵛᵃʳ syᶜ fügen in Mt 20 28 hinzu (vgl. S. 150): Ὑμεῖς δὲ ζητεῖτε ἐκ μικροῦ
αὐξῆσαι καὶ ἐκ μείζονος ἔλαττον εἶναι. εἰσερχόμενοι δὲ καὶ παρακληθέντες δειπνῆσαι μὴ ἀνακλίνεσθε εἰς τοὺς
ἐξέχοντας τόπους μή ποτε ἐνδοξότερός σου ἐπέλθῃ καὶ προσελθὼν ὁ δειπνοκλήτωρ εἴπῃ σοι· ἔτι κάτω χώρει,
καὶ καταισχυνθήσῃ· ἐὰν δὲ ἀναπέσῃς εἰς τὸν ἥττονα τόπον καὶ ἐπέλθῃ σου ἥττων ἐρεῖ σοι ὁ δειπνοκλήτωρ·
σύναγε ἔτι ἄνω καὶ ἔσται σοι τοῦτο χρήσιμον (χρησιμώτερον Φ it).

τόπον κατέχειν. ¹⁰ ἀλλ' ὅταν κληθῇς, πορευθεὶς ἀνάπεσε εἰς τὸν ἔσχατον τόπον, ἵνα ὅταν ἔλθῃ ὁ κεκληκώς σε ἐρεῖ σοι· φίλε, προσανάβηθι ἀνώτερον· τότε ἔσται σοι δόξα ἐνώπιον πάντων τῶν συνανακειμένων σοι. ¹¹ ὅτι πᾶς ὁ ὑψῶν ἑαυτὸν ταπεινωθήσεται, καὶ ὁ ταπεινῶν ἑαυτὸν ὑψωθήσεται.* ¹² ἔλεγεν δὲ καὶ τῷ κεκληκότι αὐτόν· ὅταν ποιῇς ἄριστον ἢ δεῖπνον, μὴ φώνει τοὺς φίλους σου μηδὲ τοὺς ἀδελφούς σου μηδὲ τοὺς συγγενεῖς σου μηδὲ γείτονας πλουσίους, μήποτε καὶ αὐτοὶ ἀντικαλέσωσίν σε καὶ γένηται ἀνταπόδομά σοι. ¹³ ἀλλ' ὅταν δοχὴν ποιῇς, κάλει πτωχούς, ἀναπήρους, χωλούς, τυφλούς· ¹⁴ καὶ μακάριος ἔσῃ, ὅτι οὐκ ἔχουσιν ἀνταποδοῦναί σοι· ἀνταποδοθήσεται γάρ σοι ἐν τῇ ἀναστάσει τῶν δικαίων.

170. Das Gleichnis vom Abendmahl. Luk 14 15–24

170. The Parable of the Great Supper.

22 1–10 *(205. S. 161):* ¹ Καὶ ἀποκριθεὶς ὁ Ἰησοῦς πάλιν εἶπεν ἐν παραβολαῖς αὐτοῖς λέγων· ² ὡμοιώθη ἡ βασιλεία τῶν οὐρανῶν ἀνθρώπῳ βασιλεῖ, ὅστις ἐποίησεν γάμους τῷ υἱῷ αὐτοῦ. ³ καὶ ἀπέστειλεν τοὺς δούλους αὐτοῦ καλέσαι τοὺς κεκλημένους εἰς τοὺς γάμους, καὶ οὐκ ἤθελον ἐλθεῖν. ⁴ πάλιν ἀπέστειλεν ἄλλους δούλους λέγων· εἴπατε τοῖς κεκλημένοις· ἰδοὺ τὸ ἄριστόν μου ἡτοίμακα, οἱ ταῦροί μου καὶ τὰ σιτιστὰ τεθυμένα καὶ πάντα ἕτοιμα· δεῦτε εἰς τοὺς γάμους. ⁵ οἱ δὲ ἀμελήσαντες ἀπῆλθον, ὃς μὲν εἰς τὸν ἴδιον ἀγρόν, ὃς δὲ ἐπὶ τὴν ἐμπορίαν αὐτοῦ· ⁶ οἱ δὲ λοιποὶ κρατήσαντες τοὺς δούλους αὐτοῦ ὕβρισαν καὶ ἀπέκτειναν.

⁷ ὁ δὲ βασιλεὺς ὠργίσθη, καὶ πέμψας τὰ στρατεύματα αὐτοῦ ἀπώλεσεν τοὺς φονεῖς ἐκείνους καὶ τὴν πόλιν αὐτῶν ἐνέπρησεν. ⁸ τότε λέγει τοῖς δούλοις αὐτοῦ· ὁ μὲν γάμος ἕτοιμός ἐστιν, οἱ δὲ κεκλημένοι οὐκ ἦσαν ἄξιοι. ⁹ πορεύεσθε οὖν ἐπὶ τὰς διεξόδους τῶν ὁδῶν, καὶ ὅσους ἐὰν εὕρητε καλέσατε εἰς τοὺς γάμους. ¹⁰ καὶ ἐξελθόντες οἱ δοῦλοι ἐκεῖνοι εἰς τὰς ὁδοὺς

¹⁵ Ἀκούσας δέ τις τῶν συνανακειμένων ταῦτα εἶπεν αὐτῷ· μακάριος ὅστις φάγεται ἄρτον ἐν τῇ βασιλείᾳ τοῦ θεοῦ. ¹⁶ ὁ δὲ εἶπεν αὐτῷ· ἄνθρωπός τις ἐποίει δεῖπνον μέγα, καὶ ἐκάλεσεν πολλούς, ¹⁷ καὶ ἀπέστειλεν τὸν δοῦλον αὐτοῦ τῇ ὥρᾳ τοῦ δείπνου εἰπεῖν τοῖς κεκλημένοις· ἔρχεσθε, ὅτι ἤδη ἕτοιμά ἐστιν. ¹⁸ καὶ ἤρξαντο ἀπὸ μιᾶς πάντες παραιτεῖσθαι. ὁ πρῶτος εἶπεν αὐτῷ· ἀγρὸν ἠγόρασα, καὶ ἔχω ἀνάγκην ἐξελθὼν ἰδεῖν αὐτόν· ἐρωτῶ σε, ἔχε με παρῃτημένον. ¹⁹ καὶ ἕτερος εἶπεν· ζεύγη βοῶν ἠγόρασα πέντε, καὶ πορεύομαι δοκιμάσαι αὐτά· ἐρωτῶ σε, ἔχε με παρῃτημένον. ²⁰ καὶ ἕτερος εἶπεν· γυναῖκα ἔγημα, καὶ διὰ τοῦτο οὐ δύναμαι ἐλθεῖν. ²¹ καὶ παραγενόμενος ὁ δοῦλος ἀπήγγειλεν τῷ κυρίῳ αὐτοῦ ταῦτα. τότε ὀργισθεὶς ὁ οἰκοδεσπότης

εἶπεν τῷ δούλῳ αὐτοῦ· ἔξελθε ταχέως εἰς τὰς πλατείας καὶ ῥύμας τῆς πόλεως, καὶ τοὺς πτωχοὺς καὶ ἀναπήρους καὶ τυφλοὺς καὶ χωλοὺς εἰσάγαγε ὧδε. ²² καὶ εἶπεν ὁ δοῦλος· κύριε, γέγονεν ὃ ἐπέταξας, καὶ ἔτι τόπος ἐστίν.

---

* Vgl. Matth 18 4 (129. S. 107); 23 12 (210. S. 167); Luk 18 14 (186. S. 142).

Luk 14, 15 ἄρτον S A B D Θ λ ℜ it vg sy^pe sa bo   ἄριστον W φ sy^cs   **19** ἐρωτῶ — παρῃτημένον] διὸ οὐ δύναμαι ἐλθεῖν D it

συνήγαγον πάντας οὓς εὗρον, πονηρούς τε
καὶ ἀγαθούς, καὶ ἐπλήσθη ὁ νυμφὼν ἀνακει-
μένων.

²³ καὶ εἶπεν ὁ κύριος πρὸς τὸν δοῦλον· ἔξελθε
εἰς τὰς ὁδοὺς καὶ φραγμοὺς καὶ ἀνάγκασον
εἰσελθεῖν, ἵνα γεμισθῇ μου ὁ οἶκος· ²⁴ λέγω
γὰρ ὑμῖν ὅτι οὐδεὶς τῶν ἀνδρῶν ἐκείνων τῶν
κεκλημένων γεύσεταί μου τοῦ δείπνου.

171. Bedingungen der Jüngerschaft. Luk 14 25—35

171. The Cost of Discipleship.

10 37—38 *(62. S. 51):* ³⁷ Ὁ φιλῶν πατέρα ἢ
μητέρα ὑπὲρ ἐμὲ οὐκ ἔστιν μου ἄξιος· καὶ ὁ
φιλῶν υἱὸν ἢ θυγατέρα ὑπὲρ ἐμὲ οὐκ ἔστιν
μου ἄξιος,

³⁸ καὶ ὃς οὐ λαμβάνει τὸν σταυρὸν αὐτοῦ
καὶ ἀκολουθεῖ ὀπίσω μου, οὐκ ἔστιν μου
ἄξιος.*

²⁵ Συνεπορεύοντο δὲ αὐτῷ ὄχλοι πολλοί,
καὶ στραφεὶς εἶπεν πρὸς αὐτούς· ²⁶ εἴ τις ἔρ-
χεται πρός με καὶ οὐ μισεῖ τὸν πατέρα αὐτοῦ
καὶ τὴν μητέρα καὶ τὴν γυναῖκα καὶ τὰ τέκνα
καὶ τοὺς ἀδελφοὺς καὶ τὰς ἀδελφάς, ἔτι δὲ καὶ
τὴν ψυχὴν ἑαυτοῦ, οὐ δύναται εἶναί μου μα-
θητής. ²⁷ ὅστις οὐ βαστάζει τὸν σταυρὸν ἑαυ-
τοῦ καὶ ἔρχεται ὀπίσω μου, οὐ δύναται εἶναί
μου μαθητής.* ²⁸ τίς γὰρ ἐξ ὑμῶν θέλων
πύργον οἰκοδομῆσαι οὐχὶ πρῶτον καθίσας
ψηφίζει τὴν δαπάνην, εἰ ἔχει εἰς ἀπαρτισμόν;
²⁹ ἵνα μή ποτε θέντος αὐτοῦ θεμέλιον καὶ μὴ
ἰσχύοντος ἐκτελέσαι πάντες οἱ θεωροῦντες ἄρ-
ξωνται αὐτῷ ἐμπαίζειν ³⁰ λέγοντες ὅτι οὗτος
ὁ ἄνθρωπος ἤρξατο οἰκοδομεῖν καὶ οὐκ ἴσχυσεν
ἐκτελέσαι. ³¹ ἢ τίς βασιλεὺς πορευόμενος ἑτέρῳ
βασιλεῖ συμβαλεῖν εἰς πόλεμον οὐχὶ καθίσας
πρῶτον βουλεύσεται εἰ δυνατός ἐστιν ἐν δέκα
χιλιάσιν ὑπαντῆσαι τῷ μετὰ εἴκοσι χιλιάδων
ἐρχομένῳ ἐπ' αὐτόν; ³² εἰ δὲ μή γε, ἔτι αὐτοῦ
πόρρω ὄντος πρεσβείαν ἀποστείλας ἐρωτᾷ τὰ
πρὸς εἰρήνην. ³³ οὕτως οὖν πᾶς ἐξ ὑμῶν ὃς
οὐκ ἀποτάσσεται πᾶσιν τοῖς ἑαυτοῦ ὑπάρ-
χουσιν οὐ δύναται εἶναί μου μαθητής. ³⁴ κα-
λὸν οὖν τὸ ἅλας· ἐὰν δὲ καὶ τὸ ἅλας μωρανθῇ,

zu Luk 34 35 *vgl. 20. Matth 5* 13 *S. 24*

zu Luk 34
vgl. 132.
Mark 9 50
S. 109

---

* Matth 16 24 (123. S. 98): Εἴ
τις θέλει ὀπίσω μου ἐλθεῖν, ἀπαρ-
νησάσθω ἑαυτὸν καὶ ἀράτω τὸν
σταυρὸν αὐτοῦ, καὶ ἀκολουθείτω
μοι.

Mark 8 34 (123. S. 98): Εἴ
τις θέλει ὀπίσω μου ἐλθεῖν, ἀπαρ-
νησάσθω ἑαυτὸν καὶ ἀράτω τὸν
σταυρὸν αὐτοῦ, καὶ ἀκολουθείτω
μοι.

Luk 9 23 (123. S. 98): Εἴ
τις θέλει ὀπίσω μου ἔρχεσθαι, ἀρ-
νησάσθω ἑαυτὸν καὶ ἀράτω τὸν
σταυρὸν αὐτοῦ καθ' ἡμέραν, καὶ
ἀκολουθείτω μοι.

Matth 22, 10 νυμφῶν S B sa   γάμος C D W Θ φ 𝔎 it vg bo
Luk 14, 23 ἀνάγκασον] ποίησον 𝔓⁴⁵   26 δὲ 𝔓⁴⁵ S A D W Θ λ φ 𝔎 vg sa bo   τε B it
27 > sysʳ bo und Codd. graec.

ἐν τίνι ἀρτυθήσεται; ³⁵ οὔτε εἰς γῆν οὔτε εἰς
κοπρίαν εὔθετόν ἐστιν· ἔξω βάλλουσιν αὐτό.
ὁ ἔχων ὦτα ἀκούειν ἀκουέτω.

172. Die Gleichnisse vom verlorenen Schaf und vom verlorenen Groschen. Luk 15 1–10
172. The Lost Sheep and the Lost Coin.

*zu Luk 1–2 vgl. 53. Matth 9 10 11 = Mark 2 15 16
= Luk 5 29 30 (S.42)*

18 12–14 (133. S. 109 f.): ¹² Τί ὑμῖν δοκεῖ;
ἐὰν γένηταί τινι ἀνθρώπῳ ἑκατὸν πρόβατα
καὶ πλανηθῇ ἓν ἐξ αὐτῶν, οὐχὶ ἀφήσει τὰ ἐνενή-
κοντα ἐννέα ἐπὶ τὰ ὄρη καὶ πορευθεὶς ζητεῖ τὸ
πλανώμενον; ¹³ καὶ ἐὰν γένηται εὑρεῖν αὐτό,
ἀμὴν λέγω ὑμῖν ὅτι χαίρει ἐπ᾽ αὐτῷ μᾶλλον
ἢ ἐπὶ τοῖς ἐνενήκοντα ἐννέα τοῖς μὴ πεπλανη-
μένοις.
¹⁴ οὕτως οὐκ ἔστιν θέλημα ἔμπροσθεν τοῦ πα-
τρὸς ὑμῶν τοῦ ἐν οὐρανοῖς, ἵνα ἀπόληται ἓν
τῶν μικρῶν τούτων.

¹ ἮΗσαν δὲ αὐτῷ ἐγγίζοντες πάντες οἱ τελῶ-
ναι καὶ οἱ ἁμαρτωλοὶ ἀκούειν αὐτοῦ. ² καὶ
διεγόγγυζον οἵ τε Φαρισαῖοι καὶ οἱ γραμμα-
τεῖς λέγοντες ὅτι οὗτος ἁμαρτωλοὺς προσ-
δέχεται καὶ συνεσθίει αὐτοῖς. ³ εἶπεν δὲ πρὸς
αὐτοὺς τὴν παραβολὴν ταύτην λέγων· ⁴ τίς
ἄνθρωπος ἐξ ὑμῶν ἔχων ἑκατὸν πρόβατα καὶ
ἀπολέσας ἐξ αὐτῶν ἓν οὐ καταλείπει τὰ ἐνενή-
κοντα ἐννέα ἐν τῇ ἐρήμῳ καὶ πορεύεται ἐπὶ τὸ
ἀπολωλὸς ἕως εὕρῃ αὐτό; ⁵ καὶ εὑρὼν ἐπιτί-
θησιν ἐπὶ τοὺς ὤμους αὐτοῦ χαίρων, ⁶ καὶ
ἐλθὼν εἰς τὸν οἶκον συγκαλεῖ τοὺς φίλους καὶ
τοὺς γείτονας, λέγων αὐτοῖς· συγχάρητέ μοι,
ὅτι εὗρον τὸ πρόβατόν μου τὸ ἀπολωλός.
⁷ λέγω ὑμῖν ὅτι οὕτως χαρὰ ἐν τῷ οὐρανῷ
ἔσται ἐπὶ ἑνὶ ἁμαρτωλῷ μετανοοῦντι ἢ ἐπὶ
ἐνενήκοντα ἐννέα δικαίοις οἵτινες οὐ χρείαν
ἔχουσιν μετανοίας. ⁸ ἢ τίς γυνὴ δραχμὰς ἔχου-
σα δέκα, ἐὰν ἀπολέσῃ δραχμὴν μίαν, οὐχὶ
ἅπτει λύχνον καὶ σαροῖ τὴν οἰκίαν καὶ ζητεῖ
ἐπιμελῶς ἕως οὗ εὕρῃ; ⁹ καὶ εὑροῦσα συγκαλεῖ
τὰς φίλας καὶ γείτονας λέγουσα· συγχάρητέ
μοι, ὅτι εὗρον τὴν δραχμὴν ἣν ἀπώλεσα.
¹⁰ οὕτως, λέγω ὑμῖν, γίνεται χαρὰ ἐνώπιον
τῶν ἀγγέλων τοῦ θεοῦ ἐπὶ ἑνὶ ἁμαρτωλῷ
μετανοοῦντι.

173. Das Gleichnis vom verlorenen Sohn. Luk 15 11–32
173. The Prodigal Son.

¹¹ Εἶπεν δέ· ἄνθρωπός τις εἶχεν δύο υἱούς. ¹² καὶ εἶπεν ὁ νεώτερος αὐτῶν τῷ
πατρί· πάτερ, δός μοι τὸ ἐπιβάλλον μέρος τῆς οὐσίας. ὁ δὲ διεῖλεν αὐτοῖς τὸν βίον.
¹³ καὶ μετ᾽ οὐ πολλὰς ἡμέρας συναγαγὼν πάντα ὁ νεώτερος υἱὸς ἀπεδήμησεν εἰς χώραν

Matth 18, 14 ὑμῶν S W λ ℜ it vg syᶜ ᵖᵉ   ἡμῶν D   μου B Θ φ ℜ sy⁸ sa bo | ἐν S B D   εἰς
W Θ λ φ ℜ it vg
Luk 15, 11—32 fehlt bei Marcion

μακράν, καὶ ἐκεῖ διεσκόρπισεν τὴν οὐσίαν αὐτοῦ ζῶν ἀσώτως. ¹¹δαπανήσαντος δὲ αὐτοῦ πάντα ἐγένετο λιμὸς ἰσχυρὰ κατὰ τὴν χώραν ἐκείνην, καὶ αὐτὸς ἤρξατο ὑστερεῖσθαι. ¹⁵καὶ πορευθεὶς ἐκολλήθη ἑνὶ τῶν πολιτῶν τῆς χώρας ἐκείνης, καὶ ἔπεμψεν αὐτὸν εἰς τοὺς ἀγροὺς αὐτοῦ βόσκειν χοίρους· ¹⁶καὶ ἐπεθύμει γεμίσαι τὴν κοιλίαν αὐτοῦ ἐκ τῶν κερατίων ὧν ἤσθιον οἱ χοῖροι, καὶ οὐδεὶς ἐδίδου αὐτῷ. ¹⁷εἰς ἑαυτὸν δὲ ἐλθὼν ἔφη· πόσοι μίσθιοι τοῦ πατρός μου περισσεύονται ἄρτων, ἐγὼ δὲ λιμῷ ὧδε ἀπόλλυμαι. ¹⁸ἀναστὰς πορεύσομαι πρὸς τὸν πατέρα μου καὶ ἐρῶ αὐτῷ· πάτερ, ἥμαρτον εἰς τὸν οὐρανὸν καὶ ἐνώπιόν σου, ¹⁹οὐκέτι εἰμὶ ἄξιος κληθῆναι υἱός σου· ποίησόν με ὡς ἕνα τῶν μισθίων σου. ²⁰καὶ ἀναστὰς ἦλθεν πρὸς τὸν πατέρα ἑαυτοῦ. ἔτι δὲ αὐτοῦ μακρὰν ἀπέχοντος εἶδεν αὐτὸν ὁ πατὴρ αὐτοῦ καὶ ἐσπλαγχνίσθη, καὶ δραμὼν ἐπέπεσεν ἐπὶ τὸν τράχηλον αὐτοῦ καὶ κατεφίλησεν αὐτόν. ²¹εἶπεν δὲ ὁ υἱὸς αὐτῷ· πάτερ, ἥμαρτον εἰς τὸν οὐρανὸν καὶ ἐνώπιόν σου, οὐκέτι εἰμὶ ἄξιος κληθῆναι υἱός σου. ²²εἶπεν δὲ ὁ πατὴρ πρὸς τοὺς δούλους αὐτοῦ· ταχὺ ἐξενέγκατε στολὴν τὴν πρώτην καὶ ἐνδύσατε αὐτόν, καὶ δότε δακτύλιον εἰς τὴν χεῖρα αὐτοῦ καὶ ὑποδήματα εἰς τοὺς πόδας, ²³καὶ φέρετε τὸν μόσχον τὸν σιτευτόν, θύσατε, καὶ φαγόντες εὐφρανθῶμεν, ²⁴ὅτι οὗτος ὁ υἱός μου νεκρὸς ἦν καὶ ἀνέζησεν, ἦν ἀπολωλὼς καὶ εὑρέθη. καὶ ἤρξαντο εὐφραίνεσθαι. ²⁵ἦν δὲ ὁ υἱὸς αὐτοῦ ὁ πρεσβύτερος ἐν ἀγρῷ· καὶ ὡς ἐρχόμενος ἤγγισεν τῇ οἰκίᾳ, ἤκουσεν συμφωνίας καὶ χορῶν, ²⁶καὶ προσκαλεσάμενος ἕνα τῶν παίδων ἐπυνθάνετο τί ἂν εἴη ταῦτα. ²⁷ὁ δὲ εἶπεν αὐτῷ ὅτι ὁ ἀδελφός σου ἥκει, καὶ ἔθυσεν ὁ πατήρ σου τὸν μόσχον τὸν σιτευτόν, ὅτι ὑγιαίνοντα αὐτὸν ἀπέλαβεν. ²⁸ὠργίσθη δὲ καὶ οὐκ ἤθελεν εἰσελθεῖν· ὁ δὲ πατὴρ αὐτοῦ ἐξελθὼν παρεκάλει αὐτόν. ²⁹ὁ δὲ ἀποκριθεὶς εἶπεν τῷ πατρί· ἰδοὺ τοσαῦτα ἔτη δουλεύω σοι καὶ οὐδέποτε ἐντολήν σου παρῆλθον, καὶ ἐμοὶ οὐδέποτε ἔδωκας ἔριφον ἵνα μετὰ τῶν φίλων μου εὐφρανθῶ· ³⁰ὅτε δὲ ὁ υἱός σου οὗτος ὁ καταφαγών σου τὸν βίον μετὰ πορνῶν ἦλθεν, ἔθυσας αὐτῷ τὸν σιτευτὸν μόσχον. ³¹ὁ δὲ εἶπεν αὐτῷ· τέκνον, σὺ πάντοτε μετ' ἐμοῦ εἶ, καὶ πάντα τὰ ἐμὰ σά ἐστιν· ³²εὐφρανθῆναι δὲ καὶ χαρῆναι ἔδει, ὅτι ὁ ἀδελφός σου οὗτος νεκρὸς ἦν καὶ ἔζησεν, καὶ ἀπολωλὼς καὶ εὑρέθη.

174. Das Gleichnis vom ungerechten Haushalter. Luk 16 1–13

174. The Unjust Steward.

¹Ἔλεγεν δὲ καὶ πρὸς τοὺς μαθητάς· ἄνθρωπός τις ἦν πλούσιος ὃς εἶχεν οἰκονόμον, καὶ οὗτος διεβλήθη αὐτῷ ὡς διασκορπίζων τὰ ὑπάρχοντα αὐτοῦ. ²καὶ φωνήσας αὐτὸν εἶπεν αὐτῷ· τί τοῦτο ἀκούω περὶ σοῦ; ἀπόδος τὸν λόγον τῆς οἰκονομίας σου· οὐ γὰρ δύνῃ ἔτι οἰκονομεῖν. ³εἶπεν δὲ ἐν ἑαυτῷ ὁ οἰκονόμος· τί ποιήσω, ὅτι ὁ κύριός μου ἀφαιρεῖται τὴν οἰκονομίαν ἀπ' ἐμοῦ; σκάπτειν οὐκ ἰσχύω, ἐπαιτεῖν αἰσχύνομαι. ⁴ἔγνων τί ποιήσω, ἵνα ὅταν μετασταθῶ ἐκ τῆς οἰκονομίας δέξωνταί με εἰς τοὺς οἴκους ἑαυτῶν. ⁵καὶ προσκαλεσάμενος ἕνα ἕκαστον τῶν χρεοφειλετῶν τοῦ κυρίου ἑαυτοῦ ἔλεγεν τῷ

Luk 15, 13 αὐτοῦ **+** mit unpassenden Speisen sy^c | ἀσώτως **+** σὺν πόρναις sy^cs   **16** γεμίσαι τὴν κοιλίαν αὐτοῦ Α Θ 𝔐 it vg sy^s pe bo   χορτασθῆναι S B D λ φ sy^c sa   γεμίσαι τὴν κοιλίαν καὶ χορτασθῆναι W   **21** υἱός σου Α W Θ λ φ 𝔐 it vg sy^cs pe sa bo   υἱός σου ποίησόν με ὡς ἕνα τῶν μισθίων σου S B D   **22** ταχὺ S B it vg sy^cs sa bo   ταχέως D φ   > Α W Θ 𝔐 sy^pe   **29** ἔριφον ἐξ αἰγῶν D   **30** σου τὸν βίον] πάντα D

πρώτῳ· πόσον ὀφείλεις τῷ κυρίῳ μου; ⁶ ὁ δὲ εἶπεν· ἑκατὸν βάτους ἐλαίου. ὁ δὲ εἶπεν
αὐτῷ· δέξαι σου τὰ γράμματα καὶ καθίσας ταχέως γράψον πεντήκοντα. ⁷ ἔπειτα
ἑτέρῳ εἶπεν· σὺ δὲ πόσον ὀφείλεις; ὁ δὲ εἶπεν· ἑκατὸν κόρους σίτου. λέγει αὐτῷ· δέξαι
σου τὰ γράμματα καὶ γράψον ὀγδοήκοντα. ⁸ καὶ ἐπῄνεσεν ὁ κύριος τὸν οἰκονόμον τῆς
ἀδικίας ὅτι φρονίμως ἐποίησεν· ὅτι οἱ υἱοὶ τοῦ αἰῶνος τούτου φρονιμώτεροι ὑπὲρ τοὺς
υἱοὺς τοῦ φωτὸς εἰς τὴν γενεὰν τὴν ἑαυτῶν εἰσιν. ⁹ καὶ ἐγὼ ὑμῖν λέγω, ἑαυτοῖς ποιήσατε
φίλους ἐκ τοῦ μαμωνᾶ τῆς ἀδικίας, ἵνα ὅταν ἐκλίπῃ δέξωνται ὑμᾶς εἰς τὰς αἰωνίους
σκηνάς. ¹⁰ ὁ πιστὸς ἐν ἐλαχίστῳ καὶ ἐν πολλῷ πιστός ἐστιν, καὶ ὁ ἐν ἐλαχίστῳ ἄδικος
καὶ ἐν πολλῷ ἄδικός ἐστιν. ¹¹ εἰ οὖν ἐν τῷ ἀδίκῳ μαμωνᾷ πιστοὶ οὐκ ἐγένεσθε, τὸ ἀλη-
θινὸν τίς ὑμῖν πιστεύσει; ¹² καὶ εἰ ἐν τῷ ἀλλοτρίῳ πιστοὶ οὐκ ἐγένεσθε, τὸ ἡμέτερον τίς
δώσει ὑμῖν; ¹³ οὐδεὶς οἰκέτης δύναται δυσὶ κυρίοις δουλεύειν· ἢ γὰρ τὸν ἕνα μισήσει
καὶ τὸν ἕτερον ἀγαπήσει, ἢ ἑνὸς ἀνθέξεται καὶ τοῦ ἑτέρου καταφρονήσει. οὐ δύνασθε
θεῷ δουλεύειν καὶ μαμωνᾷ.*

175. Verurteilung des pharisäischen Hochmuts. Luk 16 14–15
175. The Hypocrisy of the Pharisees.

¹⁴ Ἤκουον δὲ ταῦτα πάντα οἱ Φαρισαῖοι φιλάργυροι ὑπάρχοντες, καὶ ἐξεμυ-
κτήριζον αὐτόν. ¹⁵ καὶ εἶπεν αὐτοῖς· ὑμεῖς ἐστε οἱ δικαιοῦντες ἑαυτοὺς ἐνώπιον τῶν
ἀνθρώπων, ὁ δὲ θεὸς γινώσκει τὰς καρδίας ὑμῶν· ὅτι τὸ ἐν ἀνθρώποις ὑψηλὸν βδέλυγμα
ἐνώπιον τοῦ θεοῦ.

176. Vom Gesetz und Ehescheidung. Luk 16 16–18
176. About the Law and about Divorce.

11 12–13 *(65. S. 53)*: ¹² Ἀπὸ δὲ τῶν ἡμερῶν
Ἰωάννου τοῦ βαπτιστοῦ ἕως ἄρτι ἡ βασιλεία
τῶν οὐρανῶν βιάζεται, καὶ βιασταὶ ἁρπάζου-
σιν αὐτήν. ¹³ πάντες γὰρ οἱ προφῆται καὶ ὁ
νόμος ἕως Ἰωάννου ἐπροφήτευσαν.

5 18 *(21. S.·25 f.)*: ἀμὴν γὰρ λέγω ὑμῖν, ἕως
ἂν παρέλθῃ ὁ οὐρανὸς καὶ ἡ γῆ, ἰῶτα ἓν ἢ
μία κεραία οὐ μὴ παρέλθῃ ἀπὸ τοῦ νόμου, ἕως
ἂν πάντα γένηται.

¹⁶ Ὁ νόμος καὶ οἱ προφῆται μέχρι Ἰωάννου·
ἀπὸ τότε ἡ βασιλεία τοῦ θεοῦ εὐαγγελίζεται
καὶ πᾶς εἰς αὐτὴν βιάζεται.

¹⁷ εὐκοπώτερον δέ ἐστιν τὸν οὐρανὸν καὶ τὴν
γῆν παρελθεῖν ἢ τοῦ νόμου μίαν κεραίαν πεσεῖν.

---

* Matth 6 24 *(34. S. 31)*: Οὐδεὶς δύναται δυσὶ κυρίοις δουλεύειν· ἢ γὰρ τὸν ἕνα μισήσει καὶ τὸν
ἕτερον ἀγαπήσει, ἢ ἑνὸς ἀνθέξεται καὶ τοῦ ἑτέρου καταφρονήσει· οὐ δύνασθε θεῷ δουλεύειν καὶ μαμωνᾷ.

Luk 16, 6 βάτους A B Θ λ φ 𝔐 it sa bo   βάδους S W   κάδους D it (e) vg   κάτους 124
μετρητὰς sy ᶜˢ ᵖᵉ

Zu Lc 16 10 11: II. Clemens 8 5: Λέγει γὰρ ὁ κύριος ἐν τῷ εὐαγγελίῳ· εἰ τὸ μικρὸν οὐκ ἐτηρήσατε,
τὸ μέγα τίς ὑμῖν δώσει; λέγω γὰρ ὑμῖν ὅτι ὁ πιστὸς ἐν ἐλαχίστῳ καὶ ἐν πολλῷ πιστός ἐστιν.
Iren., adv. Haer. II 34 3: Et ideo dominus dicebat ingratis existentibus in eum: Si in modico
fideles non fuistis, quod magnum est, quis dabit vobis ?

5 32 *(24. S. 27)*: ἐγὼ δὲ λέγω ὑμῖν ὅτι πᾶς ὁ ἀπολύων τὴν γυναῖκα αὐτοῦ παρεκτὸς λόγου πορνείας, ποιεῖ αὐτὴν μοιχευθῆναι, καὶ ὃς ἐὰν ἀπολελυμένην γαμήσῃ, μοιχᾶται.*

18 πᾶς ὁ ἀπολύων τὴν γυναῖκα αὐτοῦ καὶ γαμῶν ἑτέραν μοιχεύει, καὶ ὁ ἀπολελυμένην ἀπὸ ἀνδρὸς γαμῶν μοιχεύει.*

177. Das Gleichnis vom reichen Mann und armen Lazarus. Luk 16 19–31

177. Dives and Lazarus.

19 Ἄνθρωπος δέ τις ἦν πλούσιος, καὶ ἐνεδιδύσκετο πορφύραν καὶ βύσσον εὐφραινόμενος καθ᾽ ἡμέραν λαμπρῶς. 20 πτωχὸς δέ τις ὀνόματι Λάζαρος ἐβέβλητο πρὸς τὸν πυλῶνα αὐτοῦ εἱλκωμένος 21 καὶ ἐπιθυμῶν χορτασθῆναι ἀπὸ τῶν πιπτόντων ἀπὸ τῆς τραπέζης τοῦ πλουσίου· ἀλλὰ καὶ οἱ κύνες ἐρχόμενοι ἐπέλειχον τὰ ἕλκη αὐτοῦ. 22 ἐγένετο δὲ ἀποθανεῖν τὸν πτωχὸν καὶ ἀπενεχθῆναι αὐτὸν ὑπὸ τῶν ἀγγέλων εἰς τὸν κόλπον Ἀβραάμ· ἀπέθανεν δὲ καὶ ὁ πλούσιος καὶ ἐτάφη. 23 καὶ ἐν τῷ ᾄδῃ ἐπάρας τοὺς ὀφθαλμοὺς αὐτοῦ, ὑπάρχων ἐν βασάνοις, ὁρᾷ Ἀβραὰμ ἀπὸ μακρόθεν καὶ Λάζαρον ἐν τοῖς κόλποις αὐτοῦ. 24 καὶ αὐτὸς φωνήσας εἶπεν· πάτερ Ἀβραάμ, ἐλέησόν με καὶ πέμψον Λάζαρον ἵνα βάψῃ τὸ ἄκρον τοῦ δακτύλου αὐτοῦ ὕδατος καὶ καταψύξῃ τὴν γλῶσσάν μου, ὅτι ὀδυνῶμαι ἐν τῇ φλογὶ ταύτῃ. 25 εἶπεν δὲ Ἀβραάμ· τέκνον, μνήσθητι ὅτι ἀπέλαβες τὰ ἀγαθά σου ἐν τῇ ζωῇ σου, καὶ Λάζαρος ὁμοίως τὰ κακά· νῦν δὲ ὧδε παρακαλεῖται, σὺ δὲ ὀδυνᾶσαι. 26 καὶ ἐν πᾶσι τούτοις μεταξὺ ἡμῶν καὶ ὑμῶν χάσμα μέγα ἐστήρικται, ὅπως οἱ θέλοντες διαβῆναι ἔνθεν πρὸς ὑμᾶς μὴ δύνωνται, μηδὲ ἐκεῖθεν πρὸς ἡμᾶς διαπερῶσιν. 27 εἶπεν δέ· ἐρωτῶ σε οὖν, πάτερ, ἵνα πέμψῃς αὐτὸν εἰς τὸν οἶκον τοῦ πατρός μου· 28 ἔχω γὰρ πέντε ἀδελφούς· ὅπως διαμαρτύρηται αὐτοῖς, ἵνα μὴ καὶ αὐτοὶ ἔλθωσιν εἰς τὸν τόπον τοῦτον τῆς βασάνου. 29 λέγει δὲ Ἀβραάμ· ἔχουσι Μωϋσέα καὶ τοὺς προφήτας· ἀκουσάτωσαν αὐτῶν. 30 ὁ δὲ εἶπεν· οὐχί, πάτερ Ἀβραάμ, ἀλλ᾽ ἐάν τις ἀπὸ νεκρῶν πορευθῇ πρὸς αὐτούς, μετανοήσουσιν. 31 εἶπεν δὲ αὐτῷ· εἰ Μωϋσέως καὶ τῶν προφητῶν οὐκ ἀκούουσιν, οὐδὲ ἐάν τις ἐκ νεκρῶν ἀναστῇ πεισθήσονται.

178. Vom Ärgernis. Luk 17 1–2

178. On Offences.

18 6 7 *(131. S. 108)*: 6 Ὃς δ᾽ ἂν σκανδαλίσῃ ἕνα τῶν μικρῶν τούτων τῶν πιστευόντων εἰς ἐμέ, συμφέρει αὐτῷ ἵνα κρεμασθῇ μύλος ὀνικὸς περὶ τὸν τράχηλον αὐτοῦ

9 42 *(131. S. 108)*: Καὶ ὃς ἂν σκανδαλίσῃ ἕνα τῶν μικρῶν τούτων τῶν πιστευόντων, καλόν ἐστιν αὐτῷ μᾶλλον εἰ περίκειται μύλος ὀνικὸς περὶ τὸν τράχηλον αὐτοῦ

1 Εἶπεν δὲ πρὸς τοὺς μαθητὰς αὐτοῦ· ἀνένδεκτόν ἐστιν τοῦ τὰ σκάνδαλα μὴ ἐλθεῖν, οὐαὶ δὲ δι᾽ οὗ ἔρχεται· 2 λυσιτελεῖ αὐτῷ εἰ λίθος μυλικὸς περίκειται περὶ τὸν

---

* Vgl. 187. Matth 19 9 = Mark 10 11 12 (S. 144).

Matth 5, 32 καὶ ὃς — μοιχᾶται > D
Mark 9, 42 πιστευόντων S it bo   πιστευόντων εἰς ἐμέ A B W Θ φ 𝔐 vg sy s pe sa   πίστιν ἐχόντων C D
Luk 16, 21 ἀπὸ 1 S B it sy s sa bo   ἀπὸ τῶν ψιχίων A D W Θ φ 𝔐 vg sy pe   **31** ἀναστῇ]
ἀναστῇ καὶ ἀπέλθῃ πρὸς αὐτοὺς D   ἀπέλθῃ πρὸς αὐτοὺς it sy s   ἀπέλθῃ W

καὶ καταποντισϑῇ ἐν τῷ πελάγει τῆς ϑαλάσσης. ⁷ οὐαὶ τῷ κόσμῳ ἀπὸ τῶν σκανδάλων· ἀνάγκη γὰρ ἐλϑεῖν τὰ σκάνδαλα, πλὴν οὐαὶ τῷ ἀνϑρώπῳ δι' οὗ τὸ σκάνδαλον ἔρχεται. | καὶ βέβληται εἰς τὴν ϑάλασσαν. | τράχηλον αὐτοῦ καὶ ἔρριπται εἰς τὴν ϑάλασσαν, ἢ ἵνα σκανδαλίσῃ τῶν μικρῶν τούτων ἕνα.

179. Von der Versöhnlichkeit. Luk 17 3–4

179. On Forgiveness.

18 15 *(134. S. 110)*: 'Ἐὰν δὲ ἁμαρτήσῃ ὁ ἀδελφός σου, ὕπαγε ἔλεγξον αὐτὸν μεταξὺ σοῦ καὶ αὐτοῦ μόνου. ἐάν σου ἀκούσῃ, ἐκέρδησας τὸν ἀδελφόν σου.

18 21–22 *(135. S. 111)*: ²¹ τότε προσελϑὼν ὁ Πέτρος εἶπεν αὐτῷ· κύριε, ποσάκις ἁμαρτήσει εἰς ἐμὲ ὁ ἀδελφός μου καὶ ἀφήσω αὐτῷ; ἕως ἑπτάκις; ²² λέγει αὐτῷ ὁ Ἰησοῦς· οὐ λέγω σοι ἕως ἑπτάκις, ἀλλὰ ἕως ἑβδομηκοντάκις ἑπτά.

³ Προσέχετε ἑαυτοῖς. ἐὰν ἁμάρτῃ ὁ ἀδελφός σου, ἐπιτίμησον αὐτῷ, καὶ ἐὰν μετανοήσῃ, ἄφες αὐτῷ.

⁴ καὶ ἐὰν ἑπτάκις τῆς ἡμέρας ἁμαρτήσῃ εἰς σὲ καὶ ἑπτάκις ἐπιστρέψῃ πρὸς σὲ λέγων· μετανοῶ, ἀφήσεις αὐτῷ.

180. Vom Glauben. Luk 17 5–6

180. On Faith.

17 20 *(126. S. 104)*: 'Ὁ δὲ λέγει αὐτοῖς· διὰ τὴν ὀλιγοπιστίαν ὑμῶν· ἀμὴν γὰρ λέγω ὑμῖν, ἐὰν ἔχητε πίστιν ὡς κόκκον σινάπεως, ἐρεῖτε τῷ ὄρει τούτῳ· μετάβα ἔνϑεν ἐκεῖ, καὶ μεταβήσεται, καὶ οὐδὲν ἀδυνατήσει ὑμῖν.*

⁵ Καὶ εἶπαν οἱ ἀπόστολοι τῷ κυρίῳ· πρόσϑες ἡμῖν πίστιν. ⁶ εἶπεν δὲ ὁ κύριος· εἰ ἔχετε πίστιν ὡς κόκκον σινάπεως, ἐλέγετε ἂν τῇ συκαμίνῳ ταύτῃ· ἐκριζώϑητι καὶ φυτεύϑητι ἐν τῇ ϑαλάσσῃ· καὶ ὑπήκουσεν ἂν ὑμῖν.*

---

* Matth 21 21 (201. S. 157): 'Ἀποκριϑεὶς δὲ ὁ Ἰησοῦς εἶπεν αὐτοῖς· ἀμὴν λέγω ὑμῖν, ἐὰν ἔχητε πίστιν καὶ μὴ διακριϑῆτε, οὐ μόνον τὸ τῆς συκῆς ποιήσετε, ἀλλὰ κἂν τῷ ὄρει τούτῳ εἴπητε· ἄρϑητι καὶ βλήϑητι εἰς τὴν ϑάλασσαν, γενήσεται.

Mark 11 22–23 (201. S. 157): ²² Ἔχετε πίστιν ϑεοῦ. ²³ ἀμὴν λέγω ὑμῖν ὅτι ὃς ἂν εἴπῃ τῷ ὄρει τούτῳ· ἄρϑητι καὶ βλήϑητι εἰς τὴν ϑάλασσαν, καὶ μὴ διακριϑῇ ἐν τῇ καρδίᾳ αὐτοῦ ἀλλὰ πιστεύῃ ὅτι ὃ λαλεῖ γίνεται, ἔσται αὐτῷ.

Matth 18, 15 ἁμαρτήσῃ S B λ sa   ἁμαρτήσῃ εἰς σὲ D W Θ φ 𝕽 it vg sy cs pe bo vgl. Lc
17, 20 ὀλιγοπιστίαν S B Θ λ φ sy c sa bo Orig   ἀπιστίαν C D W 𝕽 it vg sy s pe
Luk 17, 3 ἁμάρτῃ S A B W Θ λ it sy cs pe sa bo   ἁμάρτῃ εἰς σὲ D φ 𝕽 vg   **6** εἴχετε D | ἂν
+ τῷ ὄρει τούτῳ μετάβα ἐντεῦϑεν ἐκεῖ, καὶ μετέβαινεν· καὶ D sy c vgl. Mt 17 20

181. Vom Knechtslohn. Luk 17 7–10

181. The Servant's Wages.

⁷ Τίς δὲ ἐξ ὑμῶν δοῦλον ἔχων ἀροτριῶντα ἢ ποιμαίνοντα, ὃς εἰσελθόντι ἐκ τοῦ ἀγροῦ ἐρεῖ αὐτῷ· εὐθέως παρελθὼν ἀνάπεσε, ⁸ ἀλλ' οὐχὶ ἐρεῖ αὐτῷ· ἑτοίμασον τί δειπνήσω, καὶ περιζωσάμενος διακόνει μοι ἕως φάγω καὶ πίω, καὶ μετὰ ταῦτα φάγεσαι καὶ πίεσαι σύ; ⁹ μὴ ἔχει χάριν τῷ δούλῳ ὅτι ἐποίησεν τὰ διαταχθέντα; ¹⁰ οὕτως καὶ ὑμεῖς, ὅταν ποιήσητε πάντα τὰ διαταχθέντα ὑμῖν, λέγετε ὅτι δοῦλοι ἀχρεῖοί ἐσμεν, ὃ ὠφείλομεν ποιῆσαι πεποιήκαμεν.

182. Heilung von 10 Aussätzigen. Luk 17 11–19

182. The Healing of Ten Lepers.

¹¹ Καὶ ἐγένετο ἐν τῷ πορεύεσθαι εἰς Ἰερουσαλήμ, καὶ αὐτὸς διήρχετο διὰ μέσον Σαμαρείας καὶ Γαλιλαίας. ¹² καὶ εἰσερχομένου αὐτοῦ εἴς τινα κώμην ἀπήντησαν δέκα λεπροὶ ἄνδρες, οἳ ἔστησαν πόρρωθεν, ¹³ καὶ αὐτοὶ ἦραν φωνὴν λέγοντες· Ἰησοῦ ἐπιστάτα, ἐλέησον ἡμᾶς. ¹⁴ καὶ ἰδὼν εἶπεν αὐτοῖς· πορευθέντες ἐπιδείξατε ἑαυτοὺς τοῖς ἱερεῦσιν. καὶ ἐγένετο ἐν τῷ ὑπάγειν αὐτοὺς ἐκαθαρίσθησαν. ¹⁵ εἷς δὲ ἐξ αὐτῶν, ἰδὼν ὅτι ἰάθη, ὑπέστρεψεν μετὰ φωνῆς μεγάλης δοξάζων τὸν θεόν, ¹⁶ καὶ ἔπεσεν ἐπὶ πρόσωπον παρὰ τοὺς πόδας αὐτοῦ εὐχαριστῶν αὐτῷ· καὶ αὐτὸς ἦν Σαμαρίτης. ¹⁷ ἀποκριθεὶς δὲ ὁ Ἰησοῦς εἶπεν· οὐχ οἱ δέκα ἐκαθαρίσθησαν; οἱ δὲ ἐννέα ποῦ; ¹⁸ οὐχ εὑρέθησαν ὑποστρέψαντες δοῦναι δόξαν τῷ θεῷ εἰ μὴ ὁ ἀλλογενὴς οὗτος; ¹⁹ καὶ εἶπεν αὐτῷ· ἀναστὰς πορεύου· ἡ πίστις σου σέσωκέν σε.

183. Vom Reiche Gottes. Luk 17 20–21

183. On the Kingdom of God.

²⁰ Ἐπερωτηθεὶς δὲ ὑπὸ τῶν Φαρισαίων πότε ἔρχεται ἡ βασιλεία τοῦ θεοῦ, ἀπεκρίθη αὐτοῖς καὶ εἶπεν· οὐκ ἔρχεται ἡ βασιλεία τοῦ θεοῦ μετὰ παρατηρήσεως, ²¹ οὐδὲ ἐροῦσιν· ἰδοὺ ὧδε ἢ ἐκεῖ· ἰδοὺ γὰρ ἡ βασιλεία τοῦ θεοῦ ἐντὸς ὑμῶν ἐστιν.*

* Matth 24 23 (217. S. 174): Τότε ἐάν τις ὑμῖν   Mark 13 21 (217. S. 174): Καὶ τότε ἐάν τις ὑμῖν εἴπῃ· ἰδοὺ ὧδε ὁ Χριστὸς ἢ ὧδε, μὴ πιστεύσητε.   εἴπῃ· ἴδε ὧδε ὁ Χριστός, ἴδε ἐκεῖ, μὴ πιστεύετε.

Luk 17, 9 διαταχθέντα S B W λ   διαταχθέντα αὐτῷ φ it vg sy ᶜˢ ᵖᵉ sa bo   διαταχθέντα αὐτῷ (> A Θ) οὐ δοκῶ A D Θ 𝔐   **10** ἀχρεῖοι > sy ˢ   **11** Γαλιλαίας + εἰς Ἱεριχώ sy ᶜ it

Zu Lc 17 21: vgl. Oxyrhynchus Pap. 654, 3: . . . καὶ ἡ βασ[ιλεία τῶν οὐρανῶν] ἐντὸς ὑμῶν [ἐ]στι [καὶ ὅστις ἂν ἑαυτὸν] γνῷ ταύτην εὑρή[σει . . .]

184. Der Tag des Menschensohns. Luk 17 22-37
184. The Day of the Son of Man.

24 26-28 *(218. S. 174 f.)*:　²⁶ Ἐὰν οὖν εἴπωσιν ὑμῖν· ἰδοὺ ἐν τῇ ἐρήμῳ ἐστίν, μὴ ἐξέλθητε· ἰδοὺ ἐν τοῖς ταμείοις, μὴ πιστεύσητε· ²⁷ ὥσπερ γὰρ ἡ ἀστραπὴ ἐξέρχεται ἀπὸ ἀνατολῶν καὶ φαίνεται ἕως δυσμῶν, οὕτως ἔσται ἡ παρουσία τοῦ υἱοῦ τοῦ ἀνθρώπου.

v. 28 s. zu Luk 17 37

24 37-41 *(224. S. 177 f.)*:　³⁷ ὥσπερ γὰρ αἱ ἡμέραι τοῦ Νῶε, οὕτως ἔσται ἡ παρουσία τοῦ υἱοῦ τοῦ ἀνθρώπου. ³⁸ ὡς γὰρ ἦσαν ἐν ταῖς ἡμέραις ἐκείναις ταῖς πρὸ τοῦ κατακλυσμοῦ τρώγοντες καὶ πίνοντες, γαμοῦντες καὶ γαμίζοντες, ἄχρι ἧς ἡμέρας *εἰσῆλθεν Νῶε εἰς τὴν κιβωτόν,* ³⁹ καὶ οὐκ ἔγνωσαν ἕως ἦλθεν ὁ κατακλυσμὸς καὶ ἦρεν ἅπαντας, οὕτως ἔσται καὶ ἡ παρουσία τοῦ υἱοῦ τοῦ ἀνθρώπου.

10 39 *(62. S. 51)*: ὁ εὑρὼν τὴν ψυχὴν αὑτοῦ ἀπολέσει αὐτήν, καὶ ὁ ἀπολέσας τὴν ψυχὴν αὑτοῦ ἕνεκεν ἐμοῦ εὑρήσει αὐτήν.

²² Εἶπεν δὲ πρὸς τοὺς μαθητάς· ἐλεύσονται ἡμέραι ὅτε ἐπιθυμήσετε μίαν τῶν ἡμερῶν τοῦ υἱοῦ τοῦ ἀνθρώπου ἰδεῖν καὶ οὐκ ὄψεσθε. ²³ καὶ ἐροῦσιν ὑμῖν· ἰδοὺ ἐκεῖ, ἰδοὺ ὧδε· μὴ ἀπέλθητε μηδὲ διώξητε. ²⁴ ὥσπερ γὰρ ἡ ἀστραπὴ ἀστράπτουσα ἐκ τῆς ὑπὸ τὸν οὐρανὸν εἰς τὴν ὑπ' οὐρανὸν λάμπει, οὕτως ἔσται ὁ υἱὸς τοῦ ἀνθρώπου ἐν τῇ ἡμέρᾳ αὐτοῦ. ²⁵ πρῶτον δὲ δεῖ αὐτὸν πολλὰ παθεῖν καὶ ἀποδοκιμασθῆναι ἀπὸ τῆς γενεᾶς ταύτης. ²⁶ καὶ καθὼς ἐγένετο ἐν ταῖς ἡμέραις Νῶε, οὕτως ἔσται καὶ ἐν ταῖς ἡμέραις τοῦ υἱοῦ τοῦ ἀνθρώπου· ²⁷ ἤσθιον, ἔπινον, ἐγάμουν, ἐγαμίζοντο, ἄχρι ἧς ἡμέρας *εἰσῆλθεν Νῶε εἰς τὴν κιβωτόν*, καὶ ἦλθεν ὁ κατακλυσμὸς καὶ ἀπώλεσεν πάντας. ²⁸ ὁμοίως καθὼς ἐγένετο ἐν ταῖς ἡμέραις Λώτ· ἤσθιον, ἔπινον, ἠγόραζον, ἐπώλουν, ἐφύτευον, ᾠκοδόμουν· ²⁹ ᾗ δὲ ἡμέρᾳ ἐξῆλθεν Λὼτ ἀπὸ Σοδόμων, *ἔβρεξεν πῦρ καὶ θεῖον ἀπ' οὐρανοῦ* καὶ ἀπώλεσεν πάντας. ³⁰ κατὰ τὰ αὐτὰ ἔσται ᾗ ἡμέρᾳ ὁ υἱὸς τοῦ ἀνθρώπου ἀποκαλύπτεται. ³¹ ἐν ἐκείνῃ τῇ ἡμέρᾳ ὃς ἔσται ἐπὶ τοῦ δώματος καὶ τὰ σκεύη αὐτοῦ ἐν τῇ οἰκίᾳ, μὴ καταβάτω ἆραι αὐτά, καὶ ὁ ἐν ἀγρῷ ὁμοίως μὴ *ἐπιστρεψάτω εἰς τὰ ὀπίσω.** ³² μνημονεύετε τῆς γυναικὸς Λώτ. ³³ ὃς ἐὰν ζητήσῃ τὴν ψυχὴν αὐτοῦ περιποιήσασθαι, ἀπολέσει αὐτήν, καὶ ὃς ἂν ἀπολέσει, ζῳογονήσει αὐτήν.** ³⁴ λέγω ὑμῖν, ταύτῃ τῇ νυκτὶ ἔσονται

---

* Matth 24 17 18 (216. S. 173 f.): ¹⁷ Ὁ ἐπὶ τοῦ δώματος μὴ καταβάτω ἆραι　τὰ ἐκ τῆς οἰκίας αὐτοῦ, ¹⁸ καὶ ὁ ἐν τῷ ἀγρῷ μὴ ἐπιστρεψάτω ὀπίσω ἆραι τὸ ἱμάτιον αὐτοῦ.

Mark 13 15 16 (216. S. 173 f.): ¹⁵ Ὁ ἐπὶ τοῦ δώματος μὴ καταβάτω μηδὲ εἰσελθάτω τι ἆραι ἐκ τῆς οἰκίας αὐτοῦ, ¹⁶ καὶ ὁ εἰς τὸν ἀγρὸν μὴ ἐπιστρεψάτω εἰς τὰ ὀπίσω ἆραι τὸ ἱμάτιον αὐτοῦ.

** Matth 16 25 (123. S. 98): Ὃς γὰρ ἐὰν θέλῃ τὴν ψυχὴν αὐτοῦ σῶσαι, ἀπολέσει αὐτήν· ὃς δ' ἂν ἀπολέσῃ τὴν ψυχὴν αὐτοῦ ἕνεκεν ἐμοῦ, εὑρήσει αὐτήν.

Mark 8 35 (123. S. 98): Ὃς γὰρ ἐὰν θέλῃ τὴν ψυχὴν αὐτοῦ σῶσαι, ἀπολέσει αὐτήν· ὃς δ' ἂν ἀπολέσει τὴν ψυχὴν αὐτοῦ ἕνεκεν ἐμοῦ καὶ τοῦ εὐαγγελίου, σώσει αὐτήν.

Luk 9 24 (123. S. 98): Ὃς γὰρ ἐὰν θέλῃ τὴν ψυχὴν αὐτοῦ σῶσαι, ἀπολέσει αὐτήν· ὃς δ' ἂν ἀπολέσῃ τὴν ψυχὴν αὐτοῦ ἕνεκεν ἐμοῦ, οὗτος σώσει αὐτήν.

Lc 17 27 (= Mt 24 38): Gen 7 7.　　28: vgl. Gen 18 20 ff.　　29: Gen 19 24.　　31 f.: Gen 19 26.

Luk 17,24 ἐν τῇ ἡμέρᾳ αὐτοῦ S A W Θ λ φ 𝔎 vg sy ᶜˢ ᵖᵉ bo　＞ B D it sa　　**29** καὶ θεῖον ＞ sy ᶜ it

Zu Lc 17 32 33: Διὰ τοῦτο λέγει ὁ Σωτήρ· σώζου σὺ καὶ ἡ ψυχή σου. Excerpta e Theodoto 2, 2 ap. Clem. Al. (III 106 7-8 Stählin).

24 ⁴⁰ τότε ἔσονται δύο ἐν τῷ ἀγρῷ, εἷς
παραλαμβάνεται καὶ εἷς ἀφίεται· ⁴¹ δύο ἀλή-
ϑουσαι ἐν τῷ μύλῳ, μία παραλαμβάνεται καὶ
μία ἀφίεται·

24 ²⁸ ὅπου ἐὰν ᾖ τὸ πτῶμα, ἐκεῖ συναχϑή-
σονται οἱ ἀετοί.

δύο ἐπὶ κλίνης μιᾶς, ὁ εἷς παραλημφϑήσεται
καὶ ὁ ἕτερος ἀφεϑήσεται· ³⁵ ἔσονται δύο ἀλή-
ϑουσαι ἐπὶ τὸ αὐτό, ἡ μία παραλημφϑήσεται
ἡ δὲ ἑτέρα ἀφεϑήσεται. [³⁶] ³⁷ καὶ ἀποκριϑέν-
τες λέγουσιν αὐτῷ· ποῦ, κύριε; ὁ δὲ εἶπεν
αὐτοῖς· ὅπου τὸ σῶμα, ἐκεῖ καὶ οἱ ἀετοὶ ἐπι-
συναχϑήσονται.

185. Das Gleichnis vom gottlosen Richter. Luk 18 1–8
185. The Parable of the Unjust Judge.

¹ Ἔλεγεν δὲ παραβολὴν αὐτοῖς πρὸς τὸ δεῖν πάντοτε προσεύχεσϑαι αὐτοὺς καὶ
μὴ ἐγκακεῖν, ² λέγων· κριτής τις ἦν ἔν τινι πόλει τὸν ϑεὸν μὴ φοβούμενος καὶ ἄνϑρωπον
μὴ ἐντρεπόμενος. ³ χήρα δὲ ἦν ἐν τῇ πόλει ἐκείνῃ, καὶ ἤρχετο πρὸς αὐτὸν λέγουσα· ἐκ-
δίκησόν με ἀπὸ τοῦ ἀντιδίκου μου. ⁴ καὶ οὐκ ἤϑελεν ἐπὶ χρόνον· μετὰ ταῦτα δὲ εἶπεν ἐν
ἑαυτῷ· εἰ καὶ τὸν ϑεὸν οὐ φοβοῦμαι οὐδὲ ἄνϑρωπον ἐντρέπομαι, ⁵ διά γε τὸ παρέχειν μοι
κόπον τὴν χήραν ταύτην ἐκδικήσω αὐτήν, ἵνα μὴ εἰς τέλος ἐρχομένη ὑπωπιάζῃ με. ⁶ Εἶπεν
δὲ ὁ κύριος· ἀκούσατε τί ὁ κριτὴς τῆς ἀδικίας λέγει· ⁷ ὁ δὲ ϑεὸς οὐ μὴ ποιήσῃ τὴν ἐκδί-
κησιν τῶν ἐκλεκτῶν αὐτοῦ τῶν βοώντων αὐτῷ ἡμέρας καὶ νυκτός, καὶ μακροϑυμεῖ ἐπ’
αὐτοῖς; ⁸ λέγω ὑμῖν ὅτι ποιήσει τὴν ἐκδίκησιν αὐτῶν ἐν τάχει. πλὴν ὁ υἱὸς τοῦ ἀνϑρώπου
ἐλϑὼν ἆρα εὑρήσει τὴν πίστιν ἐπὶ τῆς γῆς;

186. Das Gleichnis vom Pharisäer und Zöllner. Luk 18 9–14
186. The Parable of the Pharisee and the Publican.

⁹ Εἶπεν δὲ καὶ πρός τινας τοὺς πεποιϑότας ἐφ’ ἑαυτοῖς ὅτι εἰσὶν δίκαιοι καὶ ἐξου-
ϑενοῦντας τοὺς λοιποὺς τὴν παραβολὴν ταύτην· ¹⁰ ἄνϑρωποι δύο ἀνέβησαν εἰς τὸ
ἱερὸν προσεύξασϑαι, ὁ εἷς Φαρισαῖος καὶ ὁ ἕτερος τελώνης. ¹¹ ὁ Φαρισαῖος σταϑεὶς ταῦτα
πρὸς ἑαυτὸν προσηύχετο· ὁ ϑεός, εὐχαριστῶ σοι ὅτι οὐκ εἰμὶ ὥσπερ οἱ λοιποὶ τῶν ἀν-
ϑρώπων, ἅρπαγες, ἄδικοι, μοιχοί, ἢ καὶ ὡς οὗτος ὁ τελώνης· ¹² νηστεύω δὶς τοῦ σαβ-
βάτου, ἀποδεκατεύω πάντα ὅσα κτῶμαι. ¹³ ὁ δὲ τελώνης μακρόϑεν ἑστὼς οὐκ ἤϑελεν
οὐδὲ τοὺς ὀφϑαλμοὺς ἐπᾶραι εἰς τὸν οὐρανόν, ἀλλ’ ἔτυπτεν τὸ στῆϑος αὐτοῦ λέγων·
ὁ ϑεός, ἱλάσϑητί μοι τῷ ἁμαρτωλῷ. ¹⁴ λέγω ὑμῖν, κατέβη οὗτος δεδικαιωμένος εἰς τὸν
οἶκον αὐτοῦ παρ’ ἐκεῖνον· ὅτι πᾶς ὁ ὑψῶν ἑαυτὸν ταπεινωϑήσεται, ὁ δὲ ταπεινῶν ἑαυτὸν
ὑψωϑήσεται.* *(188. 18 15–17. S. 145)*

* Vgl. Matth 18 4 (129. S. 107); 23 12 (210. S. 167) und Luk 14 11 (169. S. 133).

Luk 17, 35 fehlt S   **36** > S A B W Θ λ 𝔐 sa bo, lautet: δύο ἔσονται (> it vg) ἐν τῷ (ἔσ. ἐν
τῷ > D) ἀγρῷ, εἷς παραληφϑήσεται καὶ ὁ ἕτερος (ἡ δὲ ἑτέρα φ) ἀφεϑήσεται D φ it vg sy^{cs pe}
18, 11 ταῦτα πρὸς ἑαυτὸν B Θ λ vg bo   ταῦτα S sa   πρὸς ἑαυτὸν ταῦτα A W φ 𝔐   καϑ’ ἑαυτὸν
ταῦτα D   sic it   πρὸς ἑαυτὸν καὶ ταῦτα sy^c   πρὸς ἑαυτὸν sy^{s pe}   **14** εἰς τὸν οἶκον αὐτοῦ > D
| παρ’ ἐκεῖνον S B λ vg sa bo   ἢ γὰρ ἐκεῖνος A φ   ἢ ἐκεῖνος W Θ 𝔐   μᾶλλον παρ’ ἐκεῖνον sy^{cs}
μᾶλλον παρ’ ἐκεῖνον τὸν Φαρισαῖον D it sy^{pe}

III. Die judäische Periode.

III. The Judæan Period.

Matth 19—27 = Mark 10—15 = Luk 18 15—23

1. Der Zug nach Jerusalem.

1. The Journey to Jerusalem.

Matth 19—20 = Mark 10 = Luk 18 15—19 27

187. Ehe und Ehescheidung.

187. Marriage and Divorce.

Matth 19 1–12 *(136. 18 23–35. S. 111)*	Mark 10 1–12 *(132. 9 49–50. S. 109)*
[1] Καὶ ἐγένετο ὅτε ἐτέλεσεν ὁ Ἰησοῦς τοὺς λόγους τούτους, μετῆρεν ἀπὸ τῆς Γαλιλαίας καὶ ἦλθεν εἰς τὰ ὅρια τῆς Ἰουδαίας πέραν τοῦ Ἰορδάνου. [2] καὶ ἠκολούθησαν αὐτῷ ὄχλοι πολλοί, καὶ ἐθεράπευσεν αὐτοὺς ἐκεῖ.	[1] Καὶ ἐκεῖθεν ἀναστὰς ἔρχεται εἰς τὰ ὅρια τῆς Ἰουδαίας καὶ πέραν τοῦ Ἰορδάνου, καὶ συμπορεύονται πάλιν ὄχλοι πρὸς αὐτόν, καὶ ὡς εἰώθει πάλιν ἐδίδασκεν αὐτούς.
[3] καὶ προσῆλθον αὐτῷ Φαρισαῖοι πειράζοντες αὐτὸν καὶ λέγοντες· εἰ ἔξεστιν ἀπολῦσαι τὴν γυναῖκα αὐτοῦ κατὰ πᾶσαν αἰτίαν;	[2] καὶ προσελθόντες Φαρισαῖοι ἐπηρώτων αὐτὸν εἰ ἔξεστιν ἀνδρὶ γυναῖκα ἀπολῦσαι, πειράζοντες αὐτόν. [3] ὁ δὲ ἀποκριθεὶς εἶπεν αὐτοῖς· τί ὑμῖν ἐνετείλατο Μωϋσῆς; [4] οἱ δὲ εἶπαν· ἐπέτρεψεν Μωϋσῆς βιβλίον ἀποστασίου γράψαι καὶ ἀπολῦσαι. [5] ὁ δὲ Ἰησοῦς εἶπεν αὐτοῖς· πρὸς τὴν σκληροκαρδίαν ὑμῶν ἔγραψεν ὑμῖν τὴν ἐντολὴν ταύτην.
cj. v. 7 8	
[4] ὁ δὲ ἀποκριθεὶς εἶπεν· οὐκ ἀνέγνωτε ὅτι ὁ κτίσας ἀπ' ἀρχῆς ἄρσεν καὶ θῆλυ ἐποίησεν αὐτούς; [5] καὶ εἶπεν· ἕνεκα τούτου καταλείψει ἄνθρωπος τὸν πατέρα καὶ τὴν μητέρα καὶ κολληθήσεται τῇ γυναικὶ αὐτοῦ, καὶ ἔσονται οἱ δύο εἰς σάρκα μίαν. [6] ὥστε οὐκέτι	[6] ἀπὸ δὲ ἀρχῆς κτίσεως ἄρσεν καὶ θῆλυ ἐποίησεν αὐτούς· [7] ἕνεκεν τούτου καταλείψει ἄνθρωπος τὸν πατέρα αὐτοῦ καὶ τὴν μητέρα, [8] καὶ ἔσονται οἱ δύο εἰς σάρκα μίαν· ὥστε οὐκέτι

Mt 19 4 = Mc 10 6: Gen 1 27.   Mt 19 5 = Mc 10 7 8: Gen 2 24.

Matth 19, 4 κτίσας Β Θ λ sa   ποιήσας S C D W φ ℜ it vg sy^{cs} pe   > bo
Mark 10, 1 συμπορεύονται πάλιν ὄχλοι (+ πολλοί sy^{pe}) S A B C ℜ vg sy^{pe} bo   συνέρχεται πάλιν
(> it) ὁ ὄχλος D Θ it sy^s sa   συμπορεύεται ὄχλος W φ   συμπορεύεται πάλιν ὄχλος πολύς λ   **2** καὶ
προσελθόντες (+ οἱ S C φ ℜ) Φαρισαῖοι S A B C φ ℜ sy^{pe} bo   οἱ δὲ Φαρισαῖοι προσελθόντες W Θ sa (?)
καὶ προσελθόντες ἐπηρώτησαν αὐτὸν οἱ Φαρισαῖοι λ   καὶ D it sy^s   **4** γράψαι] δοῦναι γράψαι D
γράψαι καὶ δοῦναι sy^s   δοῦναι it sa vgl. Mt 19 7   **6** αὐτοὺς S B C sa bo   αὐτοὺς ὁ θεὸς A Θ λ φ
ℜ vg sy^s pe   ὁ θεὸς D W it   **7** μητέρα Β   μητέρα αὐτοῦ S sy^s   μητέρα αὐτοῦ (> A C W Θ λ φ ℜ
vg) καὶ προσκολληθήσεται πρὸς τὴν γυναῖκα (τῇ γυναικὶ A C λ) αὐτοῦ A C D W Θ λ φ ℜ it vg sy^{pe} sa bo

Zu Mt 19 4 = Mc 10 6: I. Cor 7 10: Τοῖς δὲ γεγαμηκόσιν παραγγέλλω οὐκ ἐγὼ ἀλλὰ ὁ κύριος,
γυναῖκα ἀπὸ ἀνδρὸς μὴ χωρισθῆναι — ἐὰν δὲ καὶ χωρισθῇ, μενέτω ἄγαμος ἢ τῷ ἀνδρὶ καταλλαγήτω —
καὶ ἄνδρα γυναῖκα μὴ ἀφιέναι.

εἰσὶν δύο ἀλλὰ σὰρξ μία. ὃ οὖν ὁ θεὸς συν-
έζευξεν, ἄνθρωπος μὴ χωριζέτω. ⁷ λέγουσιν
αὐτῷ· τί οὖν Μωϋσῆς ἐνετείλατο δοῦναι βι-
βλίον ἀποστασίου καὶ ἀπολῦσαι; ⁸ λέγει αὐ-
τοῖς· ὅτι Μωϋσῆς πρὸς τὴν σκληροκαρδίαν
ὑμῶν ἐπέτρεψεν ὑμῖν ἀπολῦσαι τὰς γυναῖκας
ὑμῶν· ἀπ' ἀρχῆς δὲ οὐ γέγονεν οὕτως.
          ⁹ λέγω δὲ ὑμῖν ὅτι
ὃς ἂν ἀπολύσῃ τὴν γυναῖκα αὐτοῦ μὴ ἐπὶ
πορνείᾳ καὶ γαμήσῃ ἄλλην, μοιχᾶται.*

¹⁰ λέγουσιν αὐτῷ οἱ μαθηταί· εἰ οὕτως ἐστὶν
ἡ αἰτία τοῦ ἀνθρώπου μετὰ τῆς γυναικός, οὐ
συμφέρει γαμῆσαι. ¹¹ ὁ δὲ εἶπεν αὐτοῖς· οὐ
πάντες χωροῦσιν τὸν λόγον τοῦτον, ἀλλ' οἷς
δέδοται. ¹² εἰσὶν γὰρ εὐνοῦχοι οἵτινες ἐκ κοι-
λίας μητρὸς ἐγεννήθησαν οὕτως, καὶ εἰσὶν εὐ-
νοῦχοι οἵτινες εὐνουχίσθησαν ὑπὸ τῶν ἀνθρώ-
πων, καὶ εἰσὶν εὐνοῦχοι οἵτινες εὐνούχισαν
ἑαυτοὺς διὰ τὴν βασιλείαν τῶν οὐρανῶν. ὁ
δυνάμενος χωρεῖν χωρείτω.

εἰσὶν δύο ἀλλὰ μία σάρξ. ⁹ ὃ οὖν ὁ θεὸς συν-
έζευξεν, ἄνθρωπος μὴ χωριζέτω.

cf. v. 3–5

¹⁰ καὶ εἰς τὴν οἰκίαν πάλιν οἱ μαθηταὶ περὶ
τούτου ἐπηρώτων αὐτόν. ¹¹ καὶ λέγει αὐτοῖς·
ὃς ἂν ἀπολύσῃ τὴν γυναῖκα αὐτοῦ
    καὶ γαμήσῃ ἄλλην, μοιχᾶται ἐπ' αὐ-
τήν· ¹² καὶ ἐὰν αὐτὴ ἀπολύσασα τὸν ἄνδρα
αὐτῆς γαμήσῃ ἄλλον, μοιχᾶται.*

---

* Matth 5 32 (24. S. 27): Ἐγὼ δὲ λέγω ὑμῖν
ὅτι πᾶς ὁ ἀπολύων τὴν γυναῖκα αὐτοῦ παρεκτὸς
λόγου πορνείας, ποιεῖ αὐτὴν μοιχευθῆναι, καὶ ὃς ἐὰν
ἀπολελυμένην γαμήσῃ, μοιχᾶται.

Luk 16 18 (176. S. 138): Πᾶς ὁ ἀπολύων τὴν
γυναῖκα αὐτοῦ καὶ γαμῶν ἑτέραν μοιχεύει, καὶ ὁ
ἀπολελυμένην ἀπὸ ἀνδρὸς γαμῶν μοιχεύει.

Mt 19 7 = Mc 10 4: Dtn 24 1.

Matth 19, 9 (+ εἰ 𝔎 vg) μὴ ἐπὶ πορνείᾳ καὶ (> W) γαμήσῃ ἄλλην, μοιχᾶται S W Θ 𝔎 vg sy ˢ ᵖᵉ
μὴ ἐπὶ πορνείᾳ καὶ γαμήσῃ ἄλλην ποιεῖ αὐτὴν μοιχευθῆναι C   παρεκτὸς λόγου πορνείας ποιεῖ αὐτὴν
μοιχευθῆναι B λ bo vgl. Mt 5 32   παρεκτὸς λόγου πορνείας καὶ γαμήσῃ ἄλλην μοιχᾶται (+ ἐπ' αὐτήν
sy ᶜ) D φ it sy ᶜ sa | μοιχᾶται S D it sy ᶜˢ   μοιχευθῆναι (μοιχᾶται W Θ φ 𝔎 vg sy ᵖᵉ) καὶ ὁ
ἀπολελυμένην γαμῶν (γαμήσας B 𝔎) μοιχᾶται B C W Θ λ φ 𝔎 vg sy ᵖᵉ bo vgl. Mt 5 32 Lc 16 18

Mark 10, 12 vor 11 W λ sy ˢ | v. 12 wie oben S B C sa bo   καὶ ἐὰν γυνὴ ἀπολύσῃ τὸν ἄνδρα
αὐτῆς καὶ γαμηθῇ ἄλλῳ μοιχᾶται A 𝔎 vg sy ˢ ᵖᵉ   καὶ ἐὰν γυνὴ (γ. ἑ. ~ Θ φ) ἐξέλθῃ ἀπὸ τοῦ (> Θ φ)
ἀνδρὸς καὶ ἄλλον γαμήσῃ (γ. ἁ. ~ Θ φ) μοιχᾶται (+ ἐπ' αὐτόν it) D Θ φ it   ἐὰν ἀπολύσῃ γυνὴ τὸν
ἄνδρα αὐτῆς καὶ γαμήσῃ ἄλλον μοιχᾶται W λ

Zu Mt 19 12: **Evang. Aeg.:** a) τῇ Σαλώμῃ ὁ κύριος πυνθανομένῃ, μέχρι πότε θάνατος ἰσχύσει;
... μέχρις ἄν, εἶπεν, ὑμεῖς αἱ γυναῖκες τίκτητε. Clem. Al., Strom. III 6 45, 3 (II 217 6–7 8–9 Stählin).
... ἡ Σαλώμη φησί· μέχρι τίνος οἱ ἄνθρωποι ἀποθανοῦνται; ... ἀποκρίνεται ὁ κύριος· μέχρις ἂν
τίκτωσιν αἱ γυναῖκες. ib. III 9 64, 1 (II 225 16 19–20) s. auch zu Mt 5 17: ἦλθον καταλῦσαι τὰ ἔργα
τῆς θηλείας. Clem. Al., Strom. III 9 63, 2 (II 225 4–5). b) ... φαμένης γὰρ αὐτῆς· καλῶς οὖν ἐποίησα μὴ
τεκοῦσα; ... ἀμείβεται λέγων ὁ κύριος· πᾶσαν φάγε βοτάνην, τὴν δὲ πικρίαν ἔχουσαν μὴ φάγῃς. ib. III 9 66, 2
(II 226 14 15–16). c) πυνθανομένης τῆς Σαλώμης πότε γνωσθήσεται τὰ περὶ ὧν ἤρετο, ἔφη ὁ κύριος· ὅταν
τὸ τῆς αἰσχύνης ἔνδυμα πατήσητε καὶ ὅταν γένηται τὰ δύο ἓν καὶ τὸ ἄρρεν μετὰ τῆς θηλείας οὔτε ἄρρεν
οὔτε θῆλυ. ib. III 13 92, 2 (II 238 23–26) (cf. II. Clem. 12 2 5).

188. Segnung der Kinder.

188. "Suffer little Children."

Matth 19 13–15	Mark 10 13–16	Luk 18 15–17 *(186. 18 9–14. S. 142)*
¹³ Τότε προσηνέχθησαν αὐτῷ παιδία, ἵνα τὰς χεῖρας ἐπιθῇ αὐτοῖς καὶ προσεύξηται· οἱ δὲ μαθηταὶ ἐπετίμησαν αὐτοῖς. ¹⁴ ὁ δὲ Ἰησοῦς εἶπεν· ἄφετε τὰ παιδία καὶ μὴ κωλύετε αὐτὰ ἐλθεῖν πρός με· τῶν γὰρ τοιούτων ἐστὶν ἡ βασιλεία τῶν οὐρανῶν. 18 3 *(129. S. 107)*: ἀμὴν λέγω ὑμῖν, ἐὰν μὴ στραφῆτε καὶ γένησθε ὡς τὰ παιδία, οὐ μὴ εἰσέλθητε εἰς τὴν βασιλείαν τῶν οὐρανῶν. 19 15 καὶ ἐπιθεὶς τὰς χεῖρας αὐτοῖς ἐπορεύθη ἐκεῖθεν.	¹³ Καὶ προσέφερον αὐτῷ παιδία, ἵνα αὐτῶν ἅψηται· οἱ δὲ μαθηταὶ ἐπετίμησαν αὐτοῖς· ¹⁴ ἰδὼν δὲ ὁ Ἰησοῦς ἠγανάκτησεν καὶ εἶπεν αὐτοῖς· ἄφετε τὰ παιδία ἔρχεσθαι πρός με, μὴ κωλύετε αὐτά· τῶν γὰρ τοιούτων ἐστὶν ἡ βασιλεία τοῦ θεοῦ. ¹⁵ ἀμὴν λέγω ὑμῖν, ὃς ἂν μὴ δέξηται τὴν βασιλείαν τοῦ θεοῦ ὡς παιδίον, οὐ μὴ εἰσέλθῃ εἰς αὐτήν. ⎯⎯ Joh 3 3 5 ⎯⎯ ¹⁶καὶ ἐναγκαλισάμενος αὐτὰ κατευλόγει τιθεὶς τὰς χεῖρας ἐπ' αὐτά.	¹⁵ Προσέφερον δὲ αὐτῷ καὶ τὰ βρέφη, ἵνα αὐτῶν ἅπτηται· ἰδόντες δὲ οἱ μαθηταὶ ἐπετίμων αὐτοῖς. ¹⁶ ὁ δὲ Ἰησοῦς προσεκαλέσατο αὐτὰ λέγων· ἄφετε τὰ παιδία ἔρχεσθαι πρός με καὶ μὴ κωλύετε αὐτά· τῶν γὰρ τοιούτων ἐστὶν ἡ βασιλεία τοῦ θεοῦ. ¹⁷ ἀμὴν λέγω ὑμῖν, ὃς ἂν μὴ δέξηται τὴν βασιλείαν τοῦ θεοῦ ὡς παιδίον, οὐ μὴ εἰσέλθῃ εἰς αὐτήν.

189. Von der Gefahr des Reichtums.

189. The Rich Young Man.

Matth 19 16–30	Mark 10 17–31	Luk 18 18–30
¹⁶ Καὶ ἰδοὺ εἷς προσελθὼν αὐτῷ εἶπεν· διδάσκαλε, τί ἀγαθὸν ποιήσω ἵνα σχῶ ζωὴν αἰώνιον; ¹⁷ ὁ δὲ εἶπεν αὐτῷ· τί με ἐρωτᾷς περὶ τοῦ ἀγαθοῦ;	¹⁷ Καὶ ἐκπορευομένου αὐτοῦ εἰς ὁδὸν προσδραμὼν εἷς καὶ γονυπετήσας αὐτὸν ἐπηρώτα αὐτόν· διδάσκαλε ἀγαθέ, τί ποιήσω ἵνα ζωὴν αἰώνιον κληρονομήσω; ¹⁸ ὁ δὲ Ἰησοῦς εἶπεν αὐτῷ· τί με λέγεις ἀγαθόν;	¹⁸ Καὶ ἐπηρώτησέν τις αὐτὸν ἄρχων λέγων· διδάσκαλε ἀγαθέ, τί ποιήσας ζωὴν αἰώνιον κληρονομήσω; ¹⁹ εἶπεν δὲ αὐτῷ ὁ Ἰησοῦς· τί με λέγεις ἀγαθόν;

Matth 19, 17 τί με ἐρωτᾷς περὶ τοῦ (> D) ἀγαθοῦ; εἷς ἐστιν ὁ (> D λ) ἀγαθός (+ θεός it vg sy ᶜ bo) S B D Θ λ it vg syᶜˢ bo   τί με λέγεις ἀγαθόν; οὐδεὶς ἀγαθὸς εἰ μὴ εἷς ὁ θεός C W φ ℜ syᵖᵉ sa Justin Iren
Mark 10, 16 ἐναγκαλισάμενος] προσκαλεσάμενος D it syˢ

Zu Mt 19 16–24 par.: **Hebr. Evang.**: Dixit ad eum alter divitum: magister, quid bonum faciens vivam? dixit ei: homo, legem et prophetas fac. respondit ad eum: feci. dixit ei: vade, vende omnia quae possides et divide pauperibus et veni, sequere me. coepit autem dives scalpere caput suum et non placuit ei. et dixit ad eum dominus: quomodo dicis, feci legem et prophetas? quoniam scriptum est in lege: diliges proximum tuum sicut te ipsum, et ecce multi fratres tui filii Abrahae amicti sunt stercore, morientes prae fame, et domus tua plena est multis bonis et non egreditur omnino aliquid ex ea ad eos. et conversus dixit Simoni discipulo suo sedenti apud se: Simon, fili Ionae, facilius est camelum intrare per foramen acus, quam divitem in regnum coelorum. Orig., Comm. in Matth XV 14 (Text nach Texte u. Unters. 47 2 S. 91).

Zu Mc 10 18 und Lc 18 19: **Naassenerevang.**: Τί με λέγεις ἀγαθόν; εἷς ἐστιν ἀγαθός, ὁ πατήρ μου ὁ ἐν τοῖς οὐρανοῖς, ὃς ἀνατέλλει τὸν ἥλιον αὐτοῦ ἐπὶ δικαίους καὶ ἀδίκους καὶ βρέχει ἐπὶ ὁσίους καὶ ἁμαρτωλούς (vgl. Mt 5 45): Hippolyt Philos. V 7 26 (84 20 Wendland).

εἷς ἐστιν ὁ ἀγαθός. εἰ δὲ θέλεις εἰς τὴν ζωὴν εἰσελθεῖν, τήρει τὰς ἐντολάς. [18] λέγει αὐτῷ· ποίας; ὁ δὲ Ἰησοῦς ἔφη· τὸ οὐ φονεύσεις, οὐ μοιχεύσεις, οὐ κλέψεις, οὐ ψευδομαρτυρήσεις, [19] τίμα τὸν πατέρα καὶ τὴν μητέρα, καὶ ἀγαπήσεις τὸν πλησίον σου ὡς σεαυτόν. [20] λέγει αὐτῷ ὁ νεανίσκος· ταῦτα πάντα ἐφύλαξα· τί ἔτι ὑστερῶ; [21] ἔφη αὐτῷ ὁ Ἰησοῦς· εἰ θέλεις τέλειος εἶναι, ὕπαγε πώλησόν σου τὰ ὑπάρχοντα καὶ δὸς πτωχοῖς, καὶ ἕξεις θησαυρὸν ἐν οὐρανοῖς, καὶ δεῦρο ἀκολούθει μοι. [22] ἀκούσας δὲ ὁ νεανίσκος τὸν λόγον τοῦτον ἀπῆλθεν λυπούμενος· ἦν γὰρ ἔχων κτήματα πολλά.

[23] ὁ δὲ Ἰησοῦς εἶπεν τοῖς μαθηταῖς αὐτοῦ· ἀμὴν λέγω ὑμῖν ὅτι πλούσιος δυσκόλως εἰσελεύσεται εἰς τὴν βασιλείαν τῶν οὐρανῶν.

[24] πάλιν δὲ λέγω ὑμῖν,

εὐκοπώτερόν ἐστιν κάμηβον διὰ τρήματος ῥαφίδος εἰσελθεῖν ἢ πλούσιον εἰς τὴν βασιλείαν τοῦ θεοῦ. [25] ἀκού-

---

οὐδεὶς ἀγαθὸς εἰ μὴ εἷς ὁ θεός.

[19] τὰς ἐντολὰς οἶδας· μὴ φονεύσῃς, μὴ μοιχεύσῃς, μὴ κλέψῃς, μὴ ψευδομαρτυρήσῃς, μὴ ἀποστερήσῃς, τίμα τὸν πατέρα σου καὶ τὴν μητέρα.

[20] ὁ δὲ ἔφη αὐτῷ· διδάσκαλε, ταῦτα πάντα ἐφυλαξάμην ἐκ νεότητός μου. [21] ὁ δὲ Ἰησοῦς ἐμβλέψας αὐτῷ ἠγάπησεν αὐτὸν καὶ εἶπεν αὐτῷ· ἕν σε ὑστερεῖ· ὕπαγε, ὅσα ἔχεις πώλησον καὶ δὸς τοῖς πτωχοῖς, καὶ ἕξεις θησαυρὸν ἐν οὐρανῷ, καὶ δεῦρο ἀκολούθει μοι. [22] ὁ δὲ στυγνάσας ἐπὶ τῷ λόγῳ ἀπῆλθεν λυπούμενος, ἦν γὰρ ἔχων κτήματα πολλά.

[23] καὶ περιβλεψάμενος ὁ Ἰησοῦς λέγει τοῖς μαθηταῖς αὐτοῦ· πῶς δυσκόλως οἱ τὰ χρήματα ἔχοντες εἰς τὴν βασιλείαν τοῦ θεοῦ εἰσελεύσονται. [24] οἱ δὲ μαθηταὶ ἐθαμβοῦντο ἐπὶ τοῖς λόγοις αὐτοῦ. ὁ δὲ Ἰησοῦς πάλιν ἀποκριθεὶς λέγει αὐτοῖς· τέκνα, πῶς δύσκολόν ἐστιν εἰς τὴν βασιλείαν τοῦ θεοῦ εἰσελθεῖν· [25] εὐκοπώτερόν ἐστιν κάμηλον διὰ τῆς τρυμαλιᾶς τῆς ῥαφίδος διελθεῖν ἢ πλούσιον εἰς τὴν βασιλείαν τοῦ θεοῦ εἰσελθεῖν. [26] οἱ

οὐδεὶς ἀγαθὸς εἰ μὴ εἷς θεός.

[20] τὰς ἐντολὰς οἶδας· μὴ μοιχεύσῃς, μὴ φονεύσῃς, μὴ κλέψῃς, μὴ ψευδομαρτυρήσῃς, τίμα τὸν πατέρα σου καὶ τὴν μητέρα.

[21] ὁ δὲ εἶπεν· ταῦτα πάντα ἐφύλαξα ἐκ νεότητος. [22] ἀκούσας δὲ ὁ Ἰησοῦς εἶπεν αὐτῷ· ἔτι ἕν σοι λείπει· πάντα ὅσα ἔχεις πώλησον καὶ διάδος πτωχοῖς, καὶ ἕξεις θησαυρὸν ἐν οὐρανοῖς, καὶ δεῦρο ἀκολούθει μοι. [23] ὁ δὲ ἀκούσας ταῦτα περίλυπος ἐγενήθη, ἦν γὰρ πλούσιος σφόδρα.

[24] ἰδὼν δὲ αὐτὸν ὁ Ἰησοῦς εἶπεν· πῶς δυσκόλως οἱ τὰ χρήματα ἔχοντες εἰς τὴν βασιλείαν τοῦ θεοῦ εἰσπορεύονται·

[25] εὐκοπώτερον γάρ ἐστιν κάμηλον διὰ τρήματος βελόνης εἰσελθεῖν ἢ πλούσιον εἰς τὴν βασιλείαν τοῦ θεοῦ εἰσελθεῖν.

Mt 19 18 19 a = Mc 10 19: Ex 20 12–16. Dtn 5 16 20 24 14 (Cod. A).   Mt 19 19 b: Lev 19 18.

Matth 19, 24 τρήματος S B   τρυπήματος D W λ φ 𝔐   τρυμαλιᾶς C Θ | τοῦ θεοῦ S B C D W Θ φ 𝔐 sy pe sa bo   τῶν οὐρανῶν λ it vg sy cs Clem. Orig

Mark 10, 19 μὴ φονεύσῃς μὴ μοιχεύσῃς B C sy s sa bo   μὴ μοιχεύσῃς μὴ φονεύσῃς A W Θ φ 𝔐 it vg μὴ φονεύσῃς S   μὴ μοιχεύσῃς λ   μὴ μοιχεύσῃς μὴ πορνεύσῃς D   μὴ μοιχεύσῃς μὴ κλέψῃς μὴ φονεύῃς sy pe   **21** δεῦρο ἀκολούθει μοι S B C D Θ it vg bo   δεῦρο ἀκολούθει μοι ἄρας τὸν σταυρόν A 𝔐 ἄρας τὸν σταυρόν σου (> λ) δεῦρο ἀκ. μ. W λ φ sy s pe sa vgl. Mc 8 34   **24** δύσκολόν ἐστιν S B W sa δύσκολόν ἐστιν τοὺς πεποιθότας ἐπὶ (+ τοῖς D Θ λ φ) χρήμασιν A C D Θ λ φ 𝔐 it vg sy s pe bo   **25** vor 24 D it   **25** εὐκοπώτερόν ἐστιν] τάχιον D | διελθεῖν B C λ φ it vg bo   εἰσελθεῖν S A W Θ 𝔐 sy s pe sa   διελεύσεται D (auch πλούσιος D) | εἰσελθεῖν > D Θ it sy s

σαντες δὲ οἱ μαθηταὶ ἐξεπλήσσοντο
σφόδρα λέγοντες·   τίς ἄρα
δύναται σωθῆναι; ²⁶ ἐμβλέψας δὲ
ὁ Ἰησοῦς εἶπεν αὐτοῖς· παρὰ ἀν-
θρώποις τοῦτο ἀδύνατόν ἐστιν,
παρὰ δὲ θεῷ πάντα   δυνατά.

²⁷ τότε ἀποκριθεὶς ὁ Πέτρος εἶ-
πεν αὐτῷ· ἰδοὺ ἡμεῖς ἀφήκαμεν
πάντα καὶ ἠκολουθήσαμέν σοι· τί
ἄρα ἔσται ἡμῖν; ²⁸ ὁ δὲ Ἰησοῦς
εἶπεν αὐτοῖς· ἀμὴν λέγω ὑμῖν ὅτι
ὑμεῖς οἱ ἀκολουθήσαντές μοι, ἐν
τῇ παλιγγενεσίᾳ, ὅταν καθίσῃ ὁ
υἱὸς τοῦ ἀνθρώπου ἐπὶ θρόνου
δόξης αὐτοῦ, καθήσεσθε καὶ αὐτοὶ
ἐπὶ δώδεκα θρόνους κρίνοντες τὰς
δώδεκα φυλὰς τοῦ Ἰσραήλ.

²⁹ καὶ πᾶς ὅστις ἀφῆκεν οἰκίας
ἢ ἀδελφοὺς ἢ ἀδελφὰς ἢ πατέρα ἢ
μητέρα ἢ τέκνα ἢ ἀγροὺς ἕνεκεν
τοῦ ἐμοῦ ὀνόματος πολλαπλασίονα
λήμψεται,

                                    καὶ
ζωὴν αἰώνιον κληρονομήσει.
³⁰ πολλοὶ δὲ ἔσονται πρῶτοι ἔσχα-
τοι καὶ ἔσχατοι πρῶτοι.
        (s. u. 20 16)

δὲ περισσῶς ἐξεπλήσσοντο
λέγοντες πρὸς ἑαυτούς· καὶ τίς
δύναται σωθῆναι; ²⁷ ἐμβλέψας αὐ-
τοῖς ὁ Ἰησοῦς λέγει· παρὰ ἀν-
θρώποις ἀδύνατον, ἀλλ' οὐ
παρὰ θεῷ· πάντα γὰρ δυνατὰ
παρὰ τῷ θεῷ.

²⁸ ἤρξατο λέγειν ὁ Πέτρος αὐ-
τῷ· ἰδοὺ ἡμεῖς ἀφήκαμεν
πάντα καὶ ἠκολουθήκαμέν σοι.
        ²⁹ ἔφη ὁ Ἰησοῦς
        ἀμὴν λέγω ὑμῖν,

οὐδείς ἐστιν ὃς ἀφῆκεν οἰκίαν
ἢ ἀδελφοὺς ἢ ἀδελφὰς ἢ μητέρα ἢ
πατέρα ἢ τέκνα ἢ ἀγροὺς ἕνεκεν
ἐμοῦ καὶ ἕνεκεν τοῦ εὐαγγελίου,
³⁰ ἐὰν μὴ λάβῃ ἑκατονταπλασίονα
νῦν ἐν τῷ καιρῷ τούτῳ οἰκίας καὶ
ἀδελφοὺς καὶ ἀδελφὰς καὶ μητέρας
καὶ τέκνα καὶ ἀγροὺς μετὰ διωγ-
μῶν, καὶ ἐν τῷ αἰῶνι τῷ ἐρχομένῳ
ζωὴν αἰώνιον.
³¹ πολλοὶ δὲ ἔσονται πρῶτοι ἔσχα-
τοι καὶ οἱ ἔσχατοι πρῶτοι.

                                    ²⁶ εἶπαν
δὲ οἱ ἀκούσαντες·   καὶ τίς
δύναται σωθῆναι;
²⁷ ὁ δὲ εἶπεν· τὰ ἀδύνατα παρὰ ἀν-
θρώποις

                            δυνατὰ
παρὰ τῷ θεῷ ἐστιν.
        ²⁸ εἶπεν δὲ ὁ Πέτρος·
        ἰδοὺ ἡμεῖς ἀφέντες τὰ
ἴδια   ἠκολουθήσαμέν σοι.
                    ²⁹ ὁ δὲ
εἶπεν αὐτοῖς· ἀμὴν λέγω ὑμῖν ὅτι
    22 28–30 (237. S. 187 f.): ²⁸ ὑμεῖς
δέ ἐστε οἱ διαμεμενηκότες μετ' ἐμοῦ
ἐν τοῖς πειρασμοῖς μου· ²⁹ κἀγὼ
διατίθεμαι ὑμῖν καθὼς διέθετό μοι
ὁ πατήρ μου βασιλείαν, ³⁰ ἵνα
ἔσθητε καὶ πίνητε ἐπὶ τῆς τραπέζης
μου ἐν τῇ βασιλείᾳ μου, καὶ καθή-
σεσθε ἐπὶ θρόνων τὰς δώδεκα φυ-
λὰς κρίνοντες τοῦ Ἰσραήλ.

18 29 b οὐδείς ἐστιν ὃς ἀφῆκεν οἰκίαν
ἢ γυναῖκα ἢ ἀδελφοὺς ἢ γονεῖς ἢ
τέκνα εἵνεκεν τῆς βασιλείας τοῦ
θεοῦ,
³⁰ ὃς οὐχὶ μὴ λάβῃ πολλαπλασίονα
ἐν τῷ καιρῷ τούτῳ

        καὶ ἐν τῷ αἰῶνι τῷ ἐρχομένῳ
ζωὴν αἰώνιον.
13 30 (165. S. 131): καὶ ἰδοὺ
εἰσὶν ἔσχατοι οἳ ἔσονται πρῶτοι,
καὶ εἰσὶν πρῶτοι οἳ ἔσονται ἔσχα-
τοι.

Mark 10, 26 ἑαυτούς A D W Θ λ φ ℜ it vg sy⁸ ᵖᵉ   αὐτόν S B C sa bo   **30** οἰκίας — διωγμῶν
> S | οἰκίας — καὶ ἐν τῷ] ὃς δὲ ἀφῆκεν οἰκίαν καὶ ἀδελφὰς καὶ ἀδελφοὺς καὶ μητέρα (so auch: A C W
Θ λ sy⁸) κ. τ. κ. ά. μετὰ διωγμοῦ (so auch sy⁸ ᵖᵉ, -ῶν it), ἐν τῷ D it | αἰώνιον + λήμψεται D it sy⁸

Zu Mt 19 30 u. par.: Barnabas 6 13: Λέγει ὁ κύριος· ἰδού, ποιῶ τὰ ἔσχατα ὡς τὰ πρῶτα.

190. Das Gleichnis von den Arbeitern im Weinberg. Matth 20 1–16

190. The Parable of the Labourers in the Vineyard.

¹ Ὁμοία γάρ ἐστιν ἡ βασιλεία τῶν οὐρανῶν ἀνθρώπῳ οἰκοδεσπότῃ, ὅστις ἐξῆλθεν ἅμα πρωῒ μισθώσασθαι ἐργάτας εἰς τὸν ἀμπελῶνα αὐτοῦ. ² συμφωνήσας δὲ μετὰ τῶν ἐργατῶν ἐκ δηναρίου τὴν ἡμέραν ἀπέστειλεν αὐτοὺς εἰς τὸν ἀμπελῶνα αὐτοῦ. ³ καὶ ἐξελθὼν περὶ τρίτην ὥραν εἶδεν ἄλλους ἑστῶτας ἐν τῇ ἀγορᾷ ἀργούς, ⁴ καὶ ἐκείνοις εἶπεν· ὑπάγετε καὶ ὑμεῖς εἰς τὸν ἀμπελῶνα, καὶ ὃ ἐὰν ᾖ δίκαιον δώσω ὑμῖν. ⁵ οἱ δὲ ἀπῆλ- θον. πάλιν ἐξελθὼν περὶ ἕκτην καὶ ἐνάτην ὥραν ἐποίησεν ὡσαύτως. ⁶ περὶ δὲ τὴν ἐνδεκάτην ἐξελθὼν εὗρεν ἄλλους ἑστῶτας, καὶ λέγει αὐτοῖς· τί ὧδε ἑστήκατε ὅλην τὴν ἡμέραν ἀργοί; ⁷ λέγουσιν αὐτῷ· ὅτι οὐδεὶς ἡμᾶς ἐμισθώσατο. λέγει αὐτοῖς· ὑπάγετε καὶ ὑμεῖς εἰς τὸν ἀμπελῶνα. ⁸ ὀψίας δὲ γενομένης λέγει ὁ κύριος τοῦ ἀμπελῶνος τῷ ἐπιτρόπῳ αὐτοῦ· κάλεσον τοὺς ἐργάτας καὶ ἀπόδος τὸν μισθόν, ἀρξάμενος ἀπὸ τῶν ἐσχάτων ἕως τῶν πρώτων. ⁹ ἐλθόντες δὲ οἱ περὶ τὴν ἐνδεκάτην ὥραν ἔλαβον ἀνὰ δηνάριον. ¹⁰ καὶ ἐλθόντες οἱ πρῶτοι ἐνόμισαν ὅτι πλεῖον λήμψονται· καὶ ἔλαβον τὸ ἀνὰ δηνάριον καὶ αὐτοί. ¹¹ λαβόντες δὲ ἐγόγγυζον κατὰ τοῦ οἰκοδεσπότου ¹² λέγοντες· οὗτοι οἱ ἔσχατοι μίαν ὥραν ἐποίησαν, καὶ ἴσους αὐτοὺς ἡμῖν ἐποίησας τοῖς βαστάσασι τὸ βάρος τῆς ἡμέρας καὶ τὸν καύσωνα. ¹³ ὁ δὲ ἀποκριθεὶς ἑνὶ αὐτῶν εἶπεν· ἑταῖρε, οὐκ ἀδικῶ σε· οὐχὶ δηναρίου συνεφώνησάς μοι; ¹⁴ ἆρον τὸ σὸν καὶ ὕπαγε· θέλω δὲ τούτῳ τῷ ἐσχάτῳ δοῦναι ὡς καὶ σοί· ¹⁵ οὐκ ἔξεστίν μοι ὃ θέλω ποιῆσαι ἐν τοῖς ἐμοῖς; ἢ ὁ ὀφθαλμός σου πονηρός ἐστιν ὅτι ἐγὼ ἀγαθός εἰμι; ¹⁶ οὕτως ἔσονται οἱ ἔσχατοι πρῶτοι καὶ οἱ πρῶτοι ἔσχατοι. *(s. o. 19 30)*

191. Dritte Leidensverkündigung.

191. The Third Prediction of the Passion.

Matth 20 17–19	Mark 10 32–34	Luk 18 31–34
¹⁷ Μέλλων δὲ ἀναβαίνειν Ἰησοῦς εἰς Ἱεροσόλυμα	³² Ἦσαν δὲ ἐν τῇ ὁδῷ ἀναβαί- νοντες εἰς Ἱεροσόλυμα, καὶ ἦν προ- άγων αὐτοὺς ὁ Ἰησοῦς, καὶ ἐθαμ- βοῦντο, οἱ δὲ ἀκολουθοῦντες ἐφο- βοῦντο. καὶ παραλαβὼν πάλιν	
παρέλαβεν τοὺς δώδεκα κατ᾽ ἰδίαν, καὶ ἐν τῇ ὁδῷ εἶπεν αὐτοῖς·	τοὺς δώδεκα ἤρξατο αὐτοῖς λέγειν τὰ μέλλοντα αὐτῷ συμβαίνειν,	³¹ Παραλαβὼν δὲ τοὺς δώδεκα εἶπεν πρὸς αὐτούς·
¹⁸ ἰδοὺ ἀναβαίνομεν εἰς Ἱερο- σόλυμα, καὶ ὁ υἱὸς τοῦ ἀνθρώπου παραδοθήσεται τοῖς ἀρχιερεῦσιν καὶ γραμματεῦσιν, καὶ κατα- κρινοῦσιν αὐτὸν εἰς θάνατον, ¹⁹ καὶ παραδώσουσιν αὐτὸν τοῖς ἔθνεσιν	³³ ὅτι ἰδοὺ ἀναβαίνομεν εἰς Ἱερο- σόλυμα, καὶ ὁ υἱὸς τοῦ ἀνθρώπου παραδοθήσεται τοῖς ἀρχιερεῦσιν καὶ τοῖς γραμματεῦσιν, καὶ κατα- κρινοῦσιν αὐτὸν θανάτῳ καὶ παραδώσουσιν αὐτὸν τοῖς ἔθνεσιν	ἰδοὺ ἀναβαίνομεν εἰς Ἱερου- σαλήμ, καὶ τελεσθήσεται πάντα τὰ γεγραμμένα διὰ τῶν προφητῶν τῷ υἱῷ τοῦ ἀνθρώπου· ³² παραδοθήσεται γὰρ τοῖς ἔθνεσιν

Matth 20, 16 ἔσχατοι ² S B sa bo   ἔσχατοι. πολλοὶ γάρ εἰσι κλητοί, ὀλίγοι δὲ ἐκλεκτοί vgl. Mt 22 14 C D W Θ λ φ 𝔐 it vg sy꜀ˢ ᵖᵉ   **17** μέλλων δὲ ἀναβαίνειν Ἰησοῦς B (ὁ Ἰ. ἀ. ∼ λ) λ sy ᵖᵉ sa bo Orig καὶ ἀναβαίνων ὁ Ἰησοῦς S C D W Θ φ 𝔐 it vg sy꜀ˢ

εἰς τὸ ἐμπαῖξαι	³⁴ καὶ ἐμπαίξουσιν αὐτῷ καὶ	καὶ ἐμπαιχθήσεται καὶ ὑβρισθή-
καὶ	ἐμπτύσουσιν αὐτῷ καὶ μαστιγώ-	σεται καὶ ἐμπτυσθήσεται, ³³ καὶ
μαστιγῶσαι καὶ σταυρῶσαι, καὶ	σουσιν αὐτὸν καὶ ἀποκτενοῦσιν,	μαστιγώσαντες ἀποκτενοῦσιν αὐ-
τῇ τρίτῃ ἡμέρᾳ ἐγερθή-	καὶ μετὰ τρεῖς ἡμέρας ἀναστή-	τόν, καὶ τῇ ἡμέρᾳ τῇ τρίτῃ ἀναστή-
σεται.	σεται.	σεται. ³⁴ καὶ αὐτοὶ οὐδὲν τούτων
		συνῆκαν, καὶ ἦν τὸ ῥῆμα τοῦτο
		κεκρυμμένον ἀπ᾽ αὐτῶν, καὶ οὐκ
		ἐγίνωσκον τὰ λεγόμενα.

192. Jesus und die Zebedaiden.

192. Christ and the Sons of Zebedee.

Matth 20 20–28	**Mark 10** 35–45	
²⁰ Τότε προσῆλθεν αὐτῷ ἡ μή-	³⁵ Καὶ προσπορεύονται αὐτῷ	
τηρ τῶν υἱῶν Ζεβεδαίου μετὰ τῶν	᾽Ιάκωβος καὶ ᾽Ιωάννης οἱ υἱοὶ Ζε-	
υἱῶν αὐτῆς προσκυνοῦσα καὶ αἰ-	βεδαίου λέγοντες αὐτῷ· διδάσκα-	
τοῦσά τι ἀπ᾽ αὐτοῦ.	λε, θέλομεν ἵνα ὃ ἐὰν αἰτήσωμέν	
²¹ ὁ δὲ εἶπεν αὐ-	σε ποιήσῃς ἡμῖν. ³⁶ ὁ δὲ εἶπεν αὐ-	
τῇ· τί θέλεις; λέγει αὐτῷ· εἰπὲ	τοῖς· τί θέλετέ με ποιήσω ὑμῖν;	
ἵνα καθίσωσιν οὗτοι οἱ δύο υἱοί	³⁷ οἱ δὲ εἶπαν αὐτῷ·	
μου εἷς ἐκ δεξιῶν καὶ εἷς ἐξ εὐωνύ-	δὸς ἡμῖν ἵνα	
μων σου ἐν τῇ βασιλείᾳ σου.	εἷς σου ἐκ δεξιῶν καὶ εἷς ἐξ ἀριστε-	
²² ἀποκριθεὶς δὲ ὁ ᾽Ιησοῦς εἶπεν·	ρῶν καθίσωμεν ἐν τῇ δόξῃ σου.	
οὐκ	³⁸ ὁ δὲ ᾽Ιησοῦς εἶπεν αὐτοῖς· οὐκ	
οἴδατε τί αἰτεῖσθε. δύνασθε πιεῖν	οἴδατε τί αἰτεῖσθε. δύνασθε πιεῖν	
τὸ ποτήριον ὃ ἐγὼ μέλλω πίνειν;	τὸ ποτήριον ὃ ἐγὼ πίνω, ἢ τὸ	
	βάπτισμα ὃ ἐγὼ βαπτίζομαι βα-	
λέγουσιν αὐτῷ·	πτισθῆναι; ³⁹ οἱ δὲ εἶπαν αὐτῷ·	
δυνάμεθα. ²³ λέγει αὐτοῖς· τὸ μὲν	δυνάμεθα. ὁ δὲ ᾽Ιησοῦς εἶπεν αὐ-	
ποτήριόν μου πίεσθε,	τοῖς· τὸ ποτήριον ὃ ἐγὼ πίνω	
	πίεσθε, καὶ τὸ βάπτισμα ὃ ἐγὼ	
τὸ	βαπτίζομαι βαπτισθήσεσθε· ⁴⁰ τὸ	
δὲ καθίσαι ἐκ δεξιῶν μου καὶ ἐξ	δὲ καθίσαι ἐκ δεξιῶν μου ἢ ἐξ	*Luk 12* 50 *(160. S. 128)*
εὐωνύμων οὐκ ἔστιν ἐμὸν τοῦτο	εὐωνύμων οὐκ ἔστιν ἐμὸν	
δοῦναι, ἀλλ᾽ οἷς ἡτοίμασται ὑπὸ	δοῦναι, ἀλλ᾽ οἷς ἡτοίμασται.	
τοῦ πατρός μου.		
²⁴ καὶ ἀκούσαντες οἱ δέκα ἠγα-	⁴¹ καὶ ἀκούσαντες οἱ δέκα ἤρ-	22 24–27 *(237 b. S. 187)*: ²⁴ ἐγέ-
νάκτησαν περὶ τῶν δύο ἀδελφῶν.	ξαντο ἀγανακτεῖν περὶ ᾽Ιακώβου	νετο δὲ καὶ φιλονεικία ἐν αὐτοῖς,

Mark 10, 36 τί θέλετε > D   θέλετε > it

Zu Mt 20 22: **Naassenerevang.**: . . . ἀλλὰ κἂν πίητε, φησί, τὸ ποτήριον ὃ ἐγὼ πίνω, ὅπου ἐγὼ ὑπάγω, ἐκεῖ ὑμεῖς εἰσελθεῖν οὐ δύνασθε Hippolyt, Philosoph. V 8 11 (91 8 Wendland).

²⁵ ὁ δὲ Ἰησοῦς προσκαλεσάμενος αὐτοὺς εἶπεν· οἴδατε ὅτι οἱ ἄρχοντες τῶν ἐθνῶν κατακυριεύουσιν αὐτῶν καὶ οἱ μεγάλοι κατεξουσιάζουσιν αὐτῶν. ²⁶ οὐχ οὕτως ἐστὶν ἐν ὑμῖν· ἀλλ᾿ ὃς ἐὰν θέλη ἐν ὑμῖν μέγας γενέσθαι, ἔσται ὑμῶν διάκονος, ²⁷ καὶ ὃς ἂν θέλη ἐν ὑμῖν εἶναι πρῶτος, ἔσται ὑμῶν δοῦλος·* ²⁸ ὥσπερ ὁ υἱὸς τοῦ ἀνθρώπου οὐκ ἦλθεν διακονηθῆναι, ἀλλὰ διακονῆσαι καὶ δοῦναι τὴν ψυχὴν αὐτοῦ λύτρον ἀντὶ πολλῶν.	καὶ Ἰωάννου. ⁴² καὶ προσκαλεσάμενος αὐτοὺς ὁ Ἰησοῦς λέγει αὐτοῖς· οἴδατε ὅτι οἱ δοκοῦντες ἄρχειν τῶν ἐθνῶν κατακυριεύουσιν αὐτῶν, καὶ οἱ μεγάλοι αὐτῶν κατεξουσιάζουσιν αὐτῶν. ⁴³ οὐχ οὕτως δέ ἐστιν ἐν ὑμῖν· ἀλλ᾿ ὃς ἂν θέλη μέγας γενέσθαι ἐν ὑμῖν, ἔσται ὑμῶν διάκονος, ⁴⁴ καὶ ὃς ἂν θέλη ἐν ὑμῖν εἶναι πρῶτος, ἔσται πάντων δοῦλος·* ⁴⁵ καὶ γὰρ ὁ υἱὸς τοῦ ἀνθρώπου οὐκ ἦλθεν διακονηθῆναι ἀλλὰ διακονῆσαι καὶ δοῦναι τὴν ψυχὴν αὐτοῦ λύτρον ἀντὶ πολλῶν.	τὸ τίς αὐτῶν δοκεῖ εἶναι μείζων. ²⁵ ὁ δὲ εἶπεν αὐτοῖς· οἱ βασιλεῖς τῶν ἐθνῶν κυριεύουσιν αὐτῶν, καὶ οἱ ἐξουσιάζοντες αὐτῶν εὐεργέται καλοῦνται. ²⁶ ὑμεῖς δὲ οὐχ οὕτως, ἀλλ᾿ ὁ μείζων ἐν ὑμῖν γινέσθω ὡς ὁ νεώτερος, καὶ ὁ ἡγούμενος ὡς ὁ διακονῶν.* ²⁷ τίς γὰρ μείζων, ὁ ἀνακείμενος ἢ ὁ διακονῶν; οὐχὶ ὁ ἀνακείμενος; ἐγὼ δὲ ἐν μέσῳ ὑμῶν εἰμι ὡς ὁ διακονῶν.

193. Die Heilung des Bartimäus.
193. The Healing of Bartimaeus.

Matth 20 29–34 Vgl. 56. 9 27–31. S. 44	**Mark 10** 46–52	**Luk 18** 35–43
²⁹ Καὶ ἐκπορευομένων αὐτῶν ἀπὸ Ἰεριχὼ ἠκολούθησεν αὐτῷ ὄχλος πολύς. ³⁰ καὶ ἰδοὺ δύο τυφλοὶ καθήμενοι παρὰ τὴν ὁδόν, ἀκούσαντες ὅτι Ἰησοῦς παράγει, ἔκραξαν λέγοντες· κύριε, ἐλέησον ἡμᾶς, υἱὸς Δαυίδ. ³¹ ὁ δὲ ὄχλος ἐπετίμησεν αὐτοῖς ἵνα σιωπήσωσιν· οἱ δὲ μεῖζον ἔκραξαν λέγοντες· κύριε,	⁴⁶ Καὶ ἔρχονται εἰς Ἰεριχώ. καὶ ἐκπορευομένου αὐτοῦ ἀπὸ Ἰεριχὼ καὶ τῶν μαθητῶν αὐτοῦ καὶ ὄχλου ἱκανοῦ ὁ υἱὸς Τιμαίου Βαρτιμαῖος, τυφλὸς προσαίτης, ἐκάθητο παρὰ τὴν ὁδόν. ⁴⁷ καὶ ἀκούσας ὅτι Ἰησοῦς ὁ Ναζαρηνός ἐστιν, ἤρξατο κράζειν καὶ λέγειν· υἱὲ Δαυὶδ Ἰησοῦ, ἐλέησόν με. ⁴⁸ καὶ ἐπετίμων αὐτῷ πολλοὶ ἵνα σιωπήση· ὁ δὲ πολλῷ μᾶλλον ἔκραζεν·	³⁵ Ἐγένετο δὲ ἐν τῷ ἐγγίζειν αὐτὸν εἰς Ἰεριχὼ τυφλός τις ἐκάθητο παρὰ τὴν ὁδὸν ἐπαιτῶν. ³⁶ ἀκούσας δὲ ὄχλου διαπορευομένου ἐπυνθάνετο τί εἴη τοῦτο. ³⁷ ἀπήγγειλαν δὲ αὐτῷ ὅτι Ἰησοῦς ὁ Ναζωραῖος παρέρχεται. ³⁸ καὶ ἐβόησεν λέγων· Ἰησοῦ υἱὲ Δαυίδ, ἐλέησόν με. ³⁹ καὶ οἱ προάγοντες ἐπετίμων αὐτῷ ἵνα σιγήση· αὐτὸς δὲ πολλῷ μᾶλλον ἔκραζεν·

---

* Vgl. Mark 9 35 = Luk 9 48 b (129. S. 106 f.) und Matth 23 11 (210. S. 167).

Matth 20, 28 πολλῶν + ὑμεῖς δὲ ζητεῖτε . . . ἔσται σοι τοῦτο χρήσιμον D Φ it vg^var sy^c vgl. S. 132   **30** κύριε ἐλέησον ἡμᾶς B vg sa bo   ἐλέησον ἡμᾶς κύριε 𝔓⁴⁵ C W λ 𝔎 sy^pe   ἐλέησον ἡμᾶς S D Θ φ it sy^c | υἱὸς B W φ 𝔎   υἱὲ 𝔓⁴⁵ C D λ it vg sy^c pe sa   Ἰησοῦ υἱὲ S Θ bo   **31** ἔκραξαν S B D   ἔκραζον C W λ 𝔎   ἐκραύγαζον Θ φ   ἐκραύγασαν 𝔓⁴⁵
    Mark 10, 47 Ναζαρηνός B D W Θ λ it vg sa   Ναζωραῖος S A C φ 𝔎 sy^s pe
    Luk 22, 27 lautet: μᾶλλον ἢ ὁ ἀνακείμενος, ἐγὼ γὰρ ἐν μέσῳ ὑμῶν ἦλθον οὐχ ὡς ὁ ἀνακείμενος, ἀλλ᾿ ὡς ὁ διακονῶν καὶ ὑμεῖς ηὐξήθητε ἐν τῇ διακονίᾳ μου ὡς ὁ διακονῶν D | οὐχὶ ὁ ἀνακείμενος] in gentibus quidem qui recumbit, in vobis autem non sic, sed qui ministrat it   > sy^c

ἐλέησον ἡμᾶς, υἱὸς Δαυίδ. ³² καὶ
στὰς ὁ ᾽Ιησοῦς   ἐφώνησεν
αὐτοὺς

καὶ εἶπεν· τί
θέλετε ποιήσω ὑμῖν; ³³ λέγουσιν
αὐτῷ·   κύριε, ἵνα ἀνοι-
γῶσιν οἱ ὀφθαλμοὶ ἡμῶν.
³⁴ σπλαγχνισθεὶς δὲ ὁ ᾽Ιησοῦς
ἥψατο τῶν ὀμμάτων αὐτῶν,
καὶ εὐθέως
ἀνέβλεψαν καὶ ἠκολούθησαν αὐτῷ.
(196. 21 1–9. S. 153)

─────

υἱὲ Δαυίδ, ἐλέησόν με.   ⁴⁹ καὶ
στὰς ὁ ᾽Ιησοῦς εἶπεν· φωνήσατε
αὐτόν. καὶ φωνοῦσιν τὸν τυφλὸν
λέγοντες αὐτῷ· θάρσει, ἔγειρε,
φωνεῖ σε. ⁵⁰ ὁ δὲ ἀποβαλὼν τὸ
ἱμάτιον αὐτοῦ ἀναπηδήσας ἦλθεν
πρὸς τὸν ᾽Ιησοῦν. ⁵¹ καὶ ἀποκρι-
θεὶς αὐτῷ ὁ ᾽Ιησοῦς εἶπεν· τί
σοι θέλεις ποιήσω; ὁ δὲ τυφλὸς
εἶπεν αὐτῷ· ῥαββουνί, ἵνα ἀνα-
βλέψω.
⁵² καὶ ὁ ᾽Ιησοῦς
εἶπεν αὐτῷ·   ὕπαγε, ἡ πίστις
σου σέσωκέν σε. καὶ εὐθὺς
ἀνέβλεψεν, καὶ ἠκολούθει αὐτῷ
ἐν τῇ ὁδῷ.
(196. 11 1–10. S. 153)

─────

υἱὲ Δαυίδ, ἐλέησόν με.   ⁴⁰ στα-
θεὶς δὲ ὁ ᾽Ιησοῦς   ἐκέλευσεν
αὐτὸν ἀχθῆναι πρὸς αὐτόν.

ἐγγίσαντος
δὲ αὐτοῦ ἐπηρώτησεν αὐτόν· ⁴¹ τί
σοι θέλεις ποιήσω;   ὁ δὲ
εἶπεν·   κύριε, ἵνα ἀνα-
βλέψω.
⁴² καὶ ὁ ᾽Ιησοῦς
εἶπεν αὐτῷ· ἀνάβλεψον· ἡ πίστις
σου σέσωκέν σε. ⁴³ καὶ παραχρῆμα
ἀνέβλεψεν, καὶ ἠκολούθει αὐτῷ
δοξάζων τὸν θεόν. καὶ πᾶς ὁ λαὸς
ἰδὼν ἔδωκεν αἶνον τῷ θεῷ.

---

194. Zakchäus. Luk 19 1–10

194. Zacchaeus.

¹ Καὶ εἰσελθὼν διήρχετο τὴν ᾽Ιεριχώ. ² καὶ ἰδοὺ ἀνὴρ ὀνόματι καλούμενος Ζακ-
χαῖος, καὶ αὐτὸς ἦν ἀρχιτελώνης, καὶ αὐτὸς πλούσιος· ³ καὶ ἐζήτει ἰδεῖν τὸν ᾽Ιησοῦν
τίς ἐστιν, καὶ οὐκ ἠδύνατο ἀπὸ τοῦ ὄχλου, ὅτι τῇ ἡλικίᾳ μικρὸς ἦν· ⁴ καὶ προδραμὼν
εἰς τὸ ἔμπροσθεν ἀνέβη ἐπὶ συκομορέαν, ἵνα ἴδῃ αὐτόν, ὅτι ἐκείνης ἤμελλεν διέρχεσθαι.
⁵ καὶ ὡς ἦλθεν ἐπὶ τὸν τόπον, ἀναβλέψας ὁ ᾽Ιησοῦς εἶπεν πρὸς αὐτόν· Ζακχαῖε, σπεύσας
κατάβηθι· σήμερον γὰρ ἐν τῷ οἴκῳ σου δεῖ με μεῖναι. ⁶ καὶ σπεύσας κατέβη, καὶ ὑπ-
εδέξατο αὐτὸν χαίρων. ⁷ καὶ ἰδόντες πάντες διεγόγγυζον λέγοντες ὅτι παρὰ ἁμαρτωλῷ
ἀνδρὶ εἰσῆλθεν καταλῦσαι. ⁸ σταθεὶς δὲ Ζακχαῖος εἶπεν πρὸς τὸν κύριον· ἰδοὺ τὰ ἡμίση
μου τῶν ὑπαρχόντων, κύριε, τοῖς πτωχοῖς δίδωμι, καὶ εἴ τινός τι ἐσυκοφάντησα, ἀπο-
δίδωμι τετραπλοῦν. ⁹ εἶπεν δὲ πρὸς αὐτὸν ὁ ᾽Ιησοῦς ὅτι σήμερον σωτηρία τῷ οἴκῳ
τούτῳ ἐγένετο, καθότι καὶ αὐτὸς υἱὸς ᾽Αβραάμ ἐστιν. ¹⁰ ἦλθεν γὰρ ὁ υἱὸς τοῦ ἀνθρώπου
ζητῆσαι καὶ σῶσαι τὸ ἀπολωλός.

─────────

Lc 19 10: Hes 34 16.

─────────

Luk 19, 2 καλούμενος > D it sy^cs pe | καὶ αὐτός ² B λ φ it vg   καὶ ἦν S sy^cs pe bo   καὶ
οὗτος ἦν A 𝔑   οὗτος ἦν W   καὶ αὐτὸς ἦν Θ   > D sa

195. Das Gleichnis von den Minen. Luk 19 11–27
195. The Parable of the Pounds.

25 14–30 (228. S. 179 f.): ¹⁴ Ὥσπερ γὰρ ἄνθρωπος ἀποδημῶν ἐκάλεσεν τοὺς ἰδίους δούλους καὶ παρέδωκεν αὐτοῖς τὰ ὑπάρχοντα αὐτοῦ, ¹⁵ καὶ ᾧ μὲν ἔδωκεν πέντε τάλαντα, ᾧ δὲ δύο, ᾧ δὲ ἕν, ἑκάστῳ κατὰ τὴν ἰδίαν δύναμιν, καὶ ἀπεδήμησεν. εὐθέως ¹⁶ πορευθεὶς ὁ τὰ πέντε τάλαντα λαβὼν ἠργάσατο ἐν αὐτοῖς καὶ ἐκέρδησεν ἄλλα πέντε. ¹⁷ ὡσαύτως ὁ τὰ δύο ἐκέρδησεν ἄλλα δύο. ¹⁸ ὁ δὲ τὸ ἓν λαβὼν ἀπελθὼν ὤρυξεν γῆν καὶ ἔκρυψεν τὸ ἀργύριον τοῦ κυρίου αὐτοῦ.

¹⁹ μετὰ δὲ πολὺν χρόνον ἔρχεται ὁ κύριος τῶν δούλων ἐκείνων καὶ συναίρει λόγον μετ' αὐτῶν.

²⁰ καὶ προσελθὼν ὁ τὰ πέντε τάλαντα λαβὼν προσήνεγκεν ἄλλα πέντε τάλαντα λέγων· κύριε, πέντε τάλαντά μοι παρέδωκας, ἴδε ἄλλα πέντε τάλαντα ἐκέρδησα. ²¹ ἔφη αὐτῷ ὁ κύριος αὐτοῦ· εὖ, δοῦλε ἀγαθὲ καὶ πιστέ, ἐπὶ ὀλίγα ἦς πιστός, ἐπὶ πολλῶν σε καταστήσω· εἴσελθε εἰς τὴν χαρὰν τοῦ κυρίου σου. ²² προσελθὼν καὶ ὁ τὰ δύο τάλαντα εἶπεν· κύριε, δύο τάλαντά μοι παρέδωκας· ἴδε ἄλλα δύο τάλαντα ἐκέρδησα. ²³ ἔφη αὐτῷ ὁ κύριος αὐτοῦ· εὖ, δοῦλε ἀγαθὲ καὶ πιστέ, ἐπὶ ὀλίγα ἦς πιστός, ἐπὶ πολλῶν σε καταστήσω· εἴσελθε εἰς τὴν χαρὰν τοῦ κυρίου σου. ²⁴ προσελθὼν δὲ καὶ ὁ τὸ ἓν τάλαντον εἰληφὼς εἶπεν· κύριε, ἔγνων σε ὅτι σκληρὸς εἶ ἄνθρωπος, θερίζων ὅπου οὐκ ἔσπειρας, καὶ συνάγων ὅθεν οὐ διεσκόρπισας· ²⁵ καὶ φοβηθεὶς ἀπελθὼν ἔκρυψα τὸ τάλαντόν σου ἐν τῇ γῇ· ἴδε ἔχεις τὸ σόν.

¹¹ Ἀκουόντων δὲ αὐτῶν ταῦτα προσθεὶς εἶπεν παραβολήν, διὰ τὸ ἐγγὺς εἶναι Ἱερουσαλὴμ αὐτὸν καὶ δοκεῖν αὐτοὺς ὅτι παραχρῆμα μέλλει ἡ βασιλεία τοῦ θεοῦ ἀναφαίνεσθαι· ¹² εἶπεν οὖν· ἄνθρωπός τις εὐγενὴς ἐπορεύθη εἰς χώραν μακρὰν λαβεῖν ἑαυτῷ βασιλείαν καὶ ὑποστρέψαι. ¹³ καλέσας δὲ δέκα δούλους ἑαυτοῦ ἔδωκεν αὐτοῖς δέκα μνᾶς, καὶ εἶπεν πρὸς αὐτούς· πραγματεύσασθε ἐν ᾧ ἔρχομαι.

¹⁴ οἱ δὲ πολῖται αὐτοῦ ἐμίσουν αὐτόν, καὶ ἀπέστειλαν πρεσβείαν ὀπίσω αὐτοῦ λέγοντες· οὐ θέλομεν τοῦτον βασιλεῦσαι ἐφ' ἡμᾶς. ¹⁵ καὶ ἐγένετο ἐν τῷ ἐπανελθεῖν αὐτὸν λαβόντα τὴν βασιλείαν καὶ εἶπεν φωνηθῆναι αὐτῷ τοὺς δούλους τούτους οἷς δεδώκει τὸ ἀργύριον, ἵνα γνοῖ τίς τί διεπραγματεύσατο. ¹⁶ παρεγένετο δὲ ὁ πρῶτος

λέγων·
κύριε, ἡ μνᾶ σου δέκα προσηργάσατο μνᾶς. ¹⁷ καὶ εἶπεν αὐτῷ·
εὖ γε, ἀγαθὲ δοῦλε, ὅτι ἐν ἐλαχίστῳ πιστὸς ἐγένου, ἴσθι ἐξουσίαν ἔχων ἐπάνω δέκα πόλεων.   ¹⁸ καὶ
ἦλθεν ὁ δεύτερος λέγων· ἡ μνᾶ σου, κύριε, ἐποίησεν πέντε μνᾶς.

¹⁹ εἶπεν δὲ καὶ τούτῳ· καὶ σὺ ἐπάνω γίνου πέντε πόλεων.

²⁰ καὶ ὁ ἕτερος
ἦλθεν λέγων· κύριε, ἰδοὺ ἡ μνᾶ σου, ἣν εἶχον ἀποκειμένην ἐν σουδαρίῳ· ²¹ ἐφοβούμην γάρ σε, ὅτι ἄνθρωπος αὐστηρὸς εἶ, αἴρεις ὃ οὐκ ἔθηκας, καὶ θερίζεις ὃ οὐκ ἔσπειρας.

Matth 25, 21 23 ἐπὶ ὀλίγα] ἐπεὶ ἐπ' ὀλίγα D it vg sa bo Iren
Luk 19, 15 τίς τί διεπραγματεύσατο A W Θ λ φ 𝔐 it vg syᵖᵉ   τί διεπραγματεύσαντο S B D syᶜˢ
sa bo   **18** δεύτερος] ἕτερος D itᵛᵃʳ

²⁶ ἀποκριθεὶς δὲ ὁ κύριος αὐτοῦ εἶπεν αὐτῷ·
πονηρὲ δοῦλε καὶ ὀκνηρέ, ἤδεις ὅτι θερίζω
ὅπου οὐκ ἔσπειρα, καὶ συνάγω ὅθεν οὐ διε-
σκόρπισα; ²⁷ ἔδει σε οὖν βαλεῖν τὰ ἀργύριά
μου τοῖς τραπεζίταις, καὶ ἐλθὼν ἐγὼ ἐκομι-
σάμην ἂν τὸ ἐμὸν σὺν τόκῳ.

²⁸ ἄρατε οὖν ἀπ᾽ αὐτοῦ τὸ τάλαντον καὶ
δότε τῷ ἔχοντι τὰ δέκα τάλαντα·
²⁹ τῷ γὰρ ἔχοντι
παντὶ δοθήσεται καὶ περισσευθήσεται· τοῦ δὲ
μὴ ἔχοντος, καὶ ὃ ἔχει ἀρθήσεται ἀπ᾽ αὐτοῦ.*
³⁰ καὶ τὸν ἀχρεῖον δοῦλον ἐκβάλετε εἰς τὸ
σκότος τὸ ἐξώτερον· ἐκεῖ ἔσται ὁ κλαυθμὸς
καὶ ὁ βρυγμὸς τῶν ὀδόντων.

²² λέγει αὐτῷ· ἐκ τοῦ στόματός σου κρινῶ σε,
πονηρὲ δοῦλε. ᾔδεις ὅτι ἐγὼ ἄνθρωπος αὐ-
στηρός εἰμι, αἴρων ὃ οὐκ ἔθηκα, καὶ θερίζων
ὃ οὐκ ἔσπειρα; ²³ καὶ διὰ τί οὐκ ἔδωκάς μου
τὸ ἀργύριον ἐπὶ τράπεζαν; κἀγὼ ἐλθὼν σὺν
τόκῳ ἂν αὐτὸ ἔπραξα. ²⁴ καὶ τοῖς παρεστῶσιν
εἶπεν· ἄρατε ἀπ᾽ αὐτοῦ τὴν μνᾶν καὶ
δότε τῷ τὰς δέκα μνᾶς ἔχοντι. ²⁵ καὶ εἶπαν
αὐτῷ· κύριε, ἔχει δέκα μνᾶς. ²⁶ λέγω ὑμῖν ὅτι
παντὶ τῷ ἔχοντι δοθήσεται, ἀπὸ δὲ τοῦ
μὴ ἔχοντος καὶ ὃ ἔχει ἀρθήσεται.*
²⁷ πλὴν τοὺς ἐχθρούς μου τούτους τοὺς μὴ
θελήσαντάς με βασιλεῦσαι ἐπ᾽ αὐτοὺς ἀγάγετε
ὧδε καὶ κατασφάξατε αὐτοὺς ἔμπροσθέν μου.

2. Die jerusalemischen Tage.

2. The Days in Jerusalem.

Matth 21—25 = Mark 11—13 = Luk 19 28—21.

196. Der Einzug in Jerusalem. | Joh 12 12–19 |

196. The Entry into Jerusalem.

Matth 21 1–9	**Mark 11** 1–10	**Luk 19** 28–38
(193. 20 29–34. S. 150 f.)	*(193. 10 46–53. S. 150 f.)*	²⁸ Καὶ εἰπὼν ταῦτα ἐπορεύετο

¹ Καὶ ὅτε ἤγγισαν
εἰς Ἱεροσόλυμα καὶ ἦλθον εἰς
Βηθφαγὴ εἰς τὸ ὄρος
τῶν ἐλαιῶν, τότε Ἰησοῦς ἀπέστει-
λεν δύο μαθητὰς ² λέγων
αὐτοῖς· πορεύεσθε εἰς τὴν κώμην
τὴν κατέναντι ὑμῶν, καὶ εὐθὺς
εὑρή-
σετε ὄνον δεδεμένην
καὶ πῶλον μετ᾽ αὐτῆς·
λύσαντες ἀγάγετέ μοι. ³ καὶ
ἐάν τις ὑμῖν εἴπῃ τι,

¹ Καὶ ὅτε ἐγγίζουσιν
εἰς Ἱεροσόλυμα εἰς Βηθφαγὴ καὶ
Βηθανίαν πρὸς τὸ ὄρος
τῶν ἐλαιῶν, ἀποστέλλει δύο
τῶν μαθητῶν αὐτοῦ ² καὶ λέγει
αὐτοῖς· ὑπάγετε εἰς τὴν κώμην
τὴν κατέναντι ὑμῶν, καὶ εὐθὺς
εἰσπορευόμενοι εἰς αὐτὴν εὑρή-
σετε πῶλον δεδεμένον ἐφ᾽ ὃν οὐ-
δεὶς οὔπω ἀνθρώπων ἐκάθισεν·
λύσατε αὐτὸν καὶ φέρετε. ³ καὶ
ἐάν τις ὑμῖν εἴπῃ· τί ποιεῖτε

ἔμπροσθεν ἀναβαίνων εἰς Ἱερο-
σόλυμα. ²⁹ καὶ ἐγένετο ὡς ἤγγισεν
εἰς Βηθφαγὴ καὶ
Βηθανίαν πρὸς τὸ ὄρος τὸ καλού-
μενον ἐλαιῶν, ἀπέστειλεν δύο
τῶν μαθητῶν ³⁰ λέγων
ὑπάγετε εἰς τὴν κατέναντι
κώμην, ἐν ᾗ
εἰσπορευόμενοι εὑρή-
σετε πῶλον δεδεμένον, ἐφ᾽ ὃν οὐ-
δεὶς πώποτε ἀνθρώπων ἐκάθισεν,
καὶ λύσαντες αὐτὸν ἀγάγετε. ³¹ καὶ
ἐάν τις ὑμᾶς ἐρωτᾷ· διὰ τί λύετε;

---

* Vgl. Matth 13 12 (91. S. 72) = Mark 4 25 = Luk 8 18 (94. S. 74).

Mark 11, 1 εἰς Βηθφαγὴ καὶ (+ εἰς S C Θ) Βηθανίαν S A B C W Θ λ φ 𝔎 sy⁸ ᵖᵉ sa bo   καὶ εἰς
Βηθανίαν D it vg

ἐρεῖτε ὅτι ὁ κύριος αὐτῶν χρείαν ἔχει· εὐϑὺς δὲ ἀποστελεῖ αὐτούς. ⁴ τοῦτο δὲ γέγονεν ἵνα πληρωϑῇ τὸ ῥηϑὲν διὰ τοῦ προφήτου λέγοντος· *⁵ εἴπατε τῇ ϑυγατρὶ Σιών· ἰδοὺ ὁ βασιλεύς σου ἔρχεταί σοι πρᾶϋς καὶ ἐπιβεβηκὼς ἐπὶ ὄνον καὶ ἐπὶ πῶλον υἱὸν ὑποζυγίου.*

⁶ πορευϑέντες δὲ οἱ μαϑηταὶ

καὶ ποιήσαντες

καϑὼς συνέταξεν αὐτοῖς ὁ Ἰησοῦς ⁷ ἤγαγον τὴν ὄνον καὶ τὸν πῶλον, καὶ ἐπέϑηκαν ἐπ’ αὐτῶν τὰ ἱμάτια, καὶ ἐπεκάϑισεν ἐπάνω αὐτῶν. ⁸ ὁ δὲ πλεῖστος ὄχλος ἔστρωσαν ἑαυτῶν τὰ ἱμάτια ἐν τῇ ὁδῷ, ἄλλοι δὲ ἔκοπτον κλάδους ἀπὸ τῶν δένδρων καὶ ἐστρώννυον ἐν τῇ ὁδῷ.

τοῦτο; εἴπατε· ὁ κύριος αὐτοῦ χρείαν ἔχει, καὶ εὐϑὺς αὐτὸν ἀποστέλλει πάλιν ὧδε.

⁴ καὶ ἀπῆλϑον καὶ εὗρον πῶλον δεδεμένον πρὸς ϑύραν ἔξω ἐπὶ τοῦ ἀμφόδου, καὶ λύουσιν αὐτόν. ⁵ καὶ τινες τῶν ἐκεῖ ἑστηκότων ἔλεγον αὐτοῖς· τί ποιεῖτε λύοντες τὸν πῶλον; ⁶ οἱ δὲ εἶπαν αὐτοῖς καϑὼς εἶπεν ὁ Ἰησοῦς· καὶ ἀφῆκαν αὐτούς. ⁷ καὶ φέρουσιν τὸν πῶλον πρὸς τὸν Ἰησοῦν, καὶ ἐπιβάλλουσιν αὐτῷ τὰ ἱμάτια αὐτῶν, καὶ ἐκάϑισεν ἐπ’ αὐτόν. ⁸ καὶ πολλοὶ τὰ ἱμάτια αὐτῶν ἔστρωσαν εἰς τὴν ὁδόν, ἄλλοι δὲ στιβάδας, κόψαντες ἐκ τῶν ἀγρῶν.

---

³² ἀπελϑόντες δὲ οἱ ἀπεσταλμένοι εὗρον καϑὼς εἶπεν αὐτοῖς. ³³ λυόντων δὲ αὐτῶν τὸν πῶλον εἶπαν οἱ κύριοι αὐτοῦ πρὸς αὐτούς· τί λύετε τὸν πῶλον; ³⁴ οἱ δὲ εἶπαν· ὅτι ὁ κύριος αὐτοῦ χρείαν ἔχει. ³⁵ καὶ ἤγαγον αὐτὸν πρὸς τὸν Ἰησοῦν, καὶ ἐπιρίψαντες αὐτῶν τὰ ἱμάτια ἐπὶ τὸν πῶλον ἐπεβίβασαν τὸν Ἰησοῦν. ³⁶ πορευομένου δὲ αὐτοῦ ὑπεστρώννυον τὰ ἱμάτια ἑαυτῶν ἐν τῇ ὁδῷ.

³⁷ ἐγγίζοντος δὲ αὐτοῦ ἤδη πρὸς τῇ καταβάσει τοῦ ὄρους τῶν ἐλαιῶν ἤρξαντο ἅπαν τὸ πλῆϑος τῶν μαϑητῶν χαίροντες αἰνεῖν τὸν ϑεὸν φωνῇ μεγάλῃ περὶ πασῶν ὧν εἶδον δυνάμεων, ³⁸ λέγοντες· *εὐλογημένος ὁ ἐρχόμενος ὁ βασιλεὺς ἐν ὀνόματι κυρίου·*

---

⁹ οἱ δὲ ὄχλοι οἱ προάγοντες αὐτὸν καὶ οἱ ἀκολουϑοῦντες ἔκραζον λέγοντες· *ὡσαννὰ τῷ υἱῷ Δαυίδ, εὐλογημένος ὁ ἐρχόμενος ἐν ὀνόματι κυρίου,*

ὡσαννὰ ἐν τοῖς ὑψίστοις.

---

⁹ καὶ οἱ προάγοντες καὶ οἱ ἀκολουϑοῦντες ἔκραζον· *ὡσαννά, εὐλογημένος ὁ ἐρχόμενος ἐν ὀνόματι κυρίου· ¹⁰ εὐλογημένη ἡ ἐρχομένη βασιλεία τοῦ πατρὸς ἡμῶν Δαυίδ· ὡσαννὰ ἐν τοῖς ὑψίστοις.*

ἐν οὐρανῷ εἰρήνη καὶ δόξα ἐν ὑψίστοις.

Mt 21 5: Jes 62 11　Sach 9 9.　　　Mt 21 9 = Mc 11 9 10 = Lc 19 38: Ps 117 25 26.

Matth 21, 7 ἐπ’ αὐτῶν B ℜ vg sa bo　　ἐπάνω (+ ἐπ’ S) αὐτῶν S C W λ ℜ　　ἐπ’ αὐτὸν D it　ἐπ’ αὐτῷ Θ　　αὐτῷ φ　　> syᶜ　　ἐπὶ πῶλον sy ᵖᵉ | ἐπάνω αὐτῶν S B C W φ ℜ vg syᶜ sa bo　ἐπάνω αὐτοῦ D Θ it sy ᵖᵉ　　> λ

Luk 19, 37 δυνάμεων S A B W λ ℜ vg sy ᵖᵉ sa bo　　γινομένων D　　γινομένων δυνάμεων Θ φ > it sy ᶜˢ　　**38** εὐλογημένος ὁ ἐρχόμενος (+ ὁ B) βασιλεύς (> W) ἐν ὀνόματι κυρίου A B W Θ λ φ ℜ vg sy ᶜˢ ᵖᵉ sa bo　　εὐλογημένος ὁ βασιλεὺς ἐν ὀνόματι κυρίου S　　εὐλογημένος ὁ ἐρχόμενος ἐν ὀνόματι κυρίου εὐλογημένος ὁ βασιλεὺς D it

197. Weissagung von der Zerstörung Jerusalems. Luk 19 39–44
197. Prediction of the Destruction of Jerusalem.

s. u.
v. 14–16

³⁹ Καί τινες τῶν Φαρισαίων ἀπὸ τοῦ ὄχλου εἶπαν πρὸς αὐτόν· διδάσκαλε, ἐπιτίμησον τοῖς μαθηταῖς σου. ⁴⁰ καὶ ἀποκριθεὶς εἶπεν· λέγω ὑμῖν, ἐὰν οὗτοι σιωπήσουσιν, οἱ λίθοι κράξουσιν. ⁴¹ καὶ ὡς ἤγγισεν, ἰδὼν τὴν πόλιν ἔκλαυσεν ἐπ' αὐτὴν ⁴² λέγων ὅτι εἰ ἔγνως ἐν τῇ ἡμέρᾳ ταύτῃ καὶ σὺ τὰ πρὸς εἰρήνην· νῦν δὲ ἐκρύβη ἀπὸ ὀφθαλμῶν σου. ⁴³ ὅτι ἥξουσιν ἡμέραι ἐπὶ σὲ καὶ παρεμβαλοῦσιν οἱ ἐχθροί σου χάρακά σοι καὶ περικυκλώσουσίν σε καὶ συνέξουσίν σε πάντοθεν, ⁴⁴ καὶ ἐδαφιοῦσίν σε καὶ *τὰ τέκνα σου* ἐν σοί, καὶ οὐκ ἀφήσουσιν λίθον ἐπὶ λίθον ἐν σοί, ἀνθ' ὧν οὐκ ἔγνως τὸν καιρὸν τῆς ἐπισκοπῆς σου.

198. Jesus im Tempel; (Tempelreinigung); Rückkehr nach Bethanien.
198. Christ in the Temple; (the Cleansing of it); Return to Bethany.

Matth 21 10–17	**Mark 11** 11	**Luk 19** 45–46
¹⁰ Καὶ εἰσελθόντος αὐτοῦ εἰς Ἱεροσόλυμα ἐσείσθη πᾶσα ἡ πόλις λέγουσα· τίς ἐστιν οὗτος; ¹¹ οἱ δὲ ὄχλοι ἔλεγον· οὗτός ἐστιν ὁ προφήτης Ἰησοῦς ὁ ἀπὸ Ναζαρὲθ τῆς Γαλιλαίας.	¹¹ Καὶ εἰσῆλθεν εἰς Ἱεροσόλυμα	
¹² καὶ εἰσῆλθεν Ἰησοῦς εἰς τὸ ἱερὸν καὶ ἐξέβαλεν πάντας τοὺς πωλοῦντας καὶ ἀγοράζοντας ἐν τῷ ἱερῷ, καὶ τὰς τραπέζας τῶν κολλυβιστῶν κατέστρεψεν καὶ τὰς καθέδρας τῶν πωλούντων τὰς περιστεράς. ¹³ καὶ λέγει αὐτοῖς· γέγραπται· *ὁ οἶκός μου οἶκος προσευχῆς κληθήσεται,* ὑμεῖς δὲ αὐτὸν ποιεῖτε *σπήλαιον ληστῶν.* ¹⁴ καὶ προσῆλθον αὐτῷ τυφλοὶ καὶ χωλοὶ ἐν τῷ ἱερῷ, καὶ ἐθεράπευσεν αὐτούς. ¹⁵ ἰδόντες δὲ οἱ	εἰς τὸ ἱερόν· *s. u. v. 15–19*	⁴⁵ Καὶ εἰσελθὼν εἰς τὸ ἱερὸν ἤρξατο ἐκβάλλειν τοὺς πωλοῦντας, ⁴⁶ λέγων αὐτοῖς· γέγραπται· *καὶ ἔσται ὁ οἶκός μου οἶκος προσευχῆς·* ὑμεῖς δὲ αὐτὸν ἐποιήσατε *σπήλαιον ληστῶν.*

Mt 21 13 (= Mc 11 17) = Lc 19 46: Jes 56 7 Jer 7 11.   Lc 19 44: Ps 136 9.

Matth 21, 12 ἱερὸν S B Θ sa bo   ἱερὸν τοῦ θεοῦ C D W λ φ 𝔐 it vg sy ᶜ ᵖᵉ
Luk 19, 40 σιωπήσουσιν] σιγήσουσιν D   42 ἐν τῇ ἡμέρᾳ καὶ σὺ S B   καὶ σὺ καίγε (> D Θ) ἐν τῇ ἡμέρᾳ (+ σου W φ 𝔐 it vg) ταύτῃ A D W Θ λ φ 𝔐 it vg   43 παρεμβαλοῦσιν S C Θ περιβαλοῦσιν A B W λ φ 𝔐 sa bo   βαλοῦσιν ἐπὶ σὲ D

Zu Mt 21 12 ff.: **Hebr. Evang.:** In libris evangeliorum, quibus utunter Nazareni, legitur quod: radii prodierunt ex oculis eius, quibus territi fugabantur. Scholion in einer Hs. der Aurora des Petrus von Riga vgl. Journal of theol. Studies 1906, 565 f.

ἀρχιερεῖς καὶ οἱ γραμματεῖς τὰ
θαυμάσια ἃ ἐποίησεν καὶ τοὺς παῖ-
δας τοὺς κράζοντας ἐν τῷ ἱερῷ καὶ
λέγοντας· ὡσαννὰ τῷ υἱῷ Δαυίδ,
ἠγανάκτησαν, ¹⁶ καὶ εἶπαν αὐτῷ·
ἀκούεις τί οὗτοι λέγουσιν; ὁ δὲ
Ἰησοῦς λέγει αὐτοῖς· ναί· οὐδέ-
ποτε ἀνέγνωτε ὅτι *ἐκ στόματος*
νηπίων καὶ θηλαζόντων κατηρ-
τίσω αἶνον; ¹⁷ καὶ καταλιπὼν αὐ-
τοὺς ἐξῆλθεν ἔξω τῆς πόλεως εἰς
Βηθανίαν, καὶ
ηὐλίσθη ἐκεῖ.

s. o. v. 39 40

καὶ περιβλεψά-
μενος πάντα, ὀψὲ ἤδη οὔσης τῆς
ὥρας, ἐξῆλθεν εἰς
Βηθανίαν μετὰ τῶν δώδεκα.

199. Die Verfluchung des Feigenbaums.
199. The Cursing of the Fig Tree.

Matth 21 18–19

¹⁸ Πρωῒ δὲ ἐπαναγαγὼν εἰς τὴν πόλιν ἐπεί-
νασεν. ¹⁹ καὶ ἰδὼν συκῆν μίαν
ἐπὶ τῆς ὁδοῦ ἦλθεν
ἐπ’ αὐτήν, καὶ
οὐδὲν εὗρεν ἐν αὐτῇ εἰ μὴ φύλλα μόνον,
καὶ λέγει αὐτῇ· οὐ μηκέτι
ἐκ σοῦ καρπὸς γένηται εἰς
τὸν αἰῶνα. καὶ ἐξηράνθη παραχρῆμα ἡ συκῆ.

Mark 11 12–14

¹² Καὶ τῇ ἐπαύριον ἐξελθόντων αὐτῶν ἀπὸ
Βηθανίας ἐπείνασεν. ¹³ καὶ ἰδὼν συκῆν ἀπὸ
μακρόθεν ἔχουσαν φύλλα ἦλθεν εἰ ἄρα τι
εὑρήσει ἐν αὐτῇ, καὶ ἐλθὼν ἐπ’ αὐτὴν
οὐδὲν εὗρεν εἰ μὴ φύλλα· ὁ γὰρ καιρὸς
οὐκ ἦν σύκων. ¹⁴ καὶ ἀποκριθεὶς εἶπεν αὐτῇ·
μηκέτι εἰς τὸν αἰῶνα ἐκ σοῦ μηδεὶς καρπὸν
φάγοι. καὶ ἤκουον οἱ μαθηταὶ αὐτοῦ.

200. Die Tempelreinigung. | Joh 2 13–17 |
200. The Cleansing of the Temple.

21 12–13 *(198. S. 155):*
¹² Καὶ εἰσῆλθεν Ἰησοῦς εἰς τὸ ἱερὸν
καὶ ἐξέβαλεν πάντας τοὺς πω-
λοῦντας καὶ ἀγοράζοντας ἐν
τῷ ἱερῷ, καὶ τὰς τραπέζας τῶν
κολλυβιστῶν κατέστρεψεν καὶ τὰς
καθέδρας τῶν πωλούντων τὰς
περιστεράς·

Mark 11 15–19

¹⁵ Καὶ ἔρχονται εἰς Ἱεροσό-
λυμα. καὶ εἰσελθὼν εἰς τὸ ἱερὸν
ἤρξατο ἐκβάλλειν τοὺς πω-
λοῦντας καὶ τοὺς ἀγοράζοντας ἐν
τῷ ἱερῷ, καὶ τὰς τραπέζας τῶν
κολλυβιστῶν καὶ τὰς καθέδρας
τῶν πωλούντων τὰς περιστεράς
κατέστρεψεν, ¹⁶ καὶ οὐκ ἤφιεν ἵνα

Luk 19 (45–46) 47–48

⁴⁵ Καὶ εἰσελθὼν εἰς τὸ ἱερὸν
ἤρξατο ἐκβάλλειν τοὺς πω-
λοῦντας,

Mt 21 16: Ps 8 3.

Matth 21, 19 οὐ μηκέτι B   μηκέτι S C D W Θ λ φ 𝔎   **12** ἱερόν S B Θ sa bo   ἱερὸν τοῦ
θεοῦ C D W λ φ 𝔎 it vg sy ᶜ pe

τις διενέγκῃ σκεῦος διὰ τοῦ ἱεροῦ,

¹³ καὶ λέγει αὐτοῖς·
γέγραπται·   ὁ οἶκός μου
οἶκος προσευχῆς κληθήσεται,
    ὑμεῖς δὲ αὐτὸν
ποιεῖτε σπήλαιον λῃστῶν.

¹⁷ καὶ ἐδίδασκεν καὶ ἔλεγεν αὐτοῖς·
οὐ γέγραπται ὅτι ὁ οἶκός μου
οἶκος προσευχῆς κληθήσεται πᾶ-
σιν τοῖς ἔθνεσιν; ὑμεῖς δὲ πεποι-
ήκατε αὐτὸν σπήλαιον λῃστῶν.

⁴⁶ λέγων αὐτοῖς·
γέγραπται· καὶ ἔσται ὁ οἶκός μου
οἶκος προσευχῆς·
    ὑμεῖς δὲ αὐτὸν
ἐποιήσατε σπήλαιον λῃστῶν.

¹⁸ καὶ ἤκουσαν οἱ ἀρχ-
ιερεῖς καὶ οἱ γραμματεῖς, καὶ ἐζή-
τουν πῶς αὐτὸν ἀπολέσωσιν· ἐφο-
βοῦντο γὰρ αὐτόν,
    πᾶς γὰρ
ὁ ὄχλος ἐξεπλήσσετο ἐπὶ τῇ διδαχῇ
αὐτοῦ. ¹⁹ καὶ ὅταν ὀψὲ ἐγένετο,
ἐξεπορεύοντο ἔξω τῆς πόλεως.

⁴⁷ καὶ ἦν διδάσκων τὸ καθ'
ἡμέραν ἐν τῷ ἱερῷ· οἱ δὲ ἀρχ-
ιερεῖς καὶ οἱ γραμματεῖς ἐζή-
τουν   αὐτὸν ἀπολέσαι καὶ οἱ
πρῶτοι τοῦ λαοῦ, ⁴⁸ καὶ οὐχ εὕρι-
σκον τὸ τί ποιήσωσιν· ὁ λαὸς γὰρ
ἅπας ἐξεκρέματο αὐτοῦ ἀκούων.
s. 21 37 (230. S. 181)

s. 22 33

201. Gespräch über den verdorrten Feigenbaum.
201. The Meaning of the Withered Fig Tree.

Matth 21 20—22

²⁰ Καὶ ἰδόντες οἱ μαθηταὶ ἐθαύμασαν λέ-
γοντες·
    πῶς παρα-
χρῆμα ἐξηράνθη ἡ συκῆ; ²¹ ἀποκριθεὶς δὲ ὁ
Ἰησοῦς εἶπεν αὐτοῖς· ἀμὴν λέγω ὑμῖν, ἐὰν
ἔχητε πίστιν καὶ μὴ διακριθῆτε, οὐ μόνον τὸ
τῆς συκῆς ποιήσετε, ἀλλὰ κἂν τῷ ὄρει τούτῳ
εἴπητε· ἄρθητι καὶ βλήθητι εἰς τὴν θάλασσαν,
γενήσεται.*

²² καὶ πάντα ὅσα ἂν αἰτή-
σητε ἐν τῇ προσευχῇ πιστεύοντες λήμψεσθε.
Joh 14 13 14 16 23

Mark 11 20—25 (26)

²⁰ Καὶ παραπορευόμενοι πρωῒ εἶδον τὴν
συκῆν ἐξηραμμένην ἐκ ῥιζῶν. ²¹ καὶ ἀναμνη-
σθεὶς ὁ Πέτρος λέγει αὐτῷ· ῥαββί, ἴδε ἡ συκῆ
ἣν κατηράσω ἐξήρανται. ²² καὶ ἀποκριθεὶς ὁ
Ἰησοῦς λέγει αὐτοῖς· ἔχετε πίστιν θεοῦ.
²³ ἀμὴν λέγω ὑμῖν
    ὅτι ὃς ἂν εἴπῃ τῷ ὄρει τούτῳ·
    ἄρθητι καὶ βλήθητι εἰς τὴν θάλασσαν,
καὶ μὴ διακριθῇ ἐν τῇ καρδίᾳ αὐτοῦ ἀλλὰ
πιστεύῃ ὅτι ὃ λαλεῖ γίνεται, ἔσται αὐτῷ.*
²⁴ διὰ τοῦτο λέγω ὑμῖν, πάντα ὅσα προσ-
εύχεσθε καὶ αἰτεῖσθε, πιστεύετε ὅτι ἐλάβετε,
καὶ ἔσται ὑμῖν. ²⁵ καὶ ὅταν στήκετε προσευχό-

* Matth 17 20 (126. S. 104): Ὁ δὲ λέγει αὐ-
τοῖς· διὰ τὴν ὀλιγοπιστίαν ὑμῶν· ἀμὴν γὰρ λέγω
ὑμῖν, ἐὰν ἔχητε πίστιν ὡς κόκκον σινάπεως, ἐρεῖτε
τῷ ὄρει τούτῳ· μετάβα ἔνθεν ἐκεῖ, καὶ μεταβήσεται,
καὶ οὐδὲν ἀδυνατήσει ὑμῖν.

Luk 17 6 (180. S. 139): Εἶπεν δὲ ὁ κύριος· εἰ
ἔχετε πίστιν ὡς κόκκον σινάπεως, ἐλέγετε ἂν τῇ
συκαμίνῳ ταύτῃ· ἐκριζώθητι καὶ φυτεύθητι ἐν τῇ
θαλάσσῃ· καὶ ὑπήκουσεν ἂν ὑμῖν.

Mt 21 13 = Mc 11 17 = Lc 19 46: Jes 56 7 Jer 7 11.

Mark 11, 19 ἐξεπορεύοντο A B W sy ᵖᵉ   ἐξεπορεύετο S C D Θ λ φ ℜ it vg sy ˢ sa bo   **22** ἔχετε
A B C W λ ℜ vg sy ᵖᵉ sa bo   εἰ ἔχετε S D Θ φ it sy ˢ

6 14 *(30. S. 39)*: ἐὰν γὰρ ἀφῆτε τοῖς ἀν-   μενοι, ἀφίετε εἴ τι ἔχετε κατά τινος ἵνα καὶ
θρώποις τὰ παραπτώματα αὐτῶν, ἀφήσει καὶ   ὁ πατὴρ ὑμῶν ὁ ἐν τοῖς οὐρανοῖς ἀφῇ ὑμῖν
ὑμῖν ὁ πατὴρ ὑμῶν ὁ οὐράνιος.   τὰ παραπτώματα ὑμῶν. [²⁶]

202. Die Vollmachtsfrage.

202. The Question about Authority.

Matth 21 23—27	**Mark 11** 27—33	**Luk 20** 1—8
²³ Καὶ ἐλθόντος αὐτοῦ εἰς τὸ ἱερόν, προσῆλθον αὐτῷ διδάσκοντι οἱ ἀρχιερεῖς καὶ οἱ πρεσβύτεροι τοῦ λαοῦ λέγοντες· ἐν ποίᾳ ἐξουσίᾳ ταῦτα ποιεῖς; καὶ τίς σοι ἔδωκεν τὴν ἐξουσίαν ταύτην; Joh 2 18 ²⁴ ἀποκριθεὶς δὲ ὁ Ἰησοῦς εἶπεν αὐτοῖς· ἐρωτήσω ὑμᾶς κἀγὼ λόγον ἕνα, ὃν ἐὰν εἴπητέ μοι, κἀγὼ ὑμῖν ἐρῶ ἐν ποίᾳ ἐξουσίᾳ ταῦτα ποιῶ· ²⁵ τὸ βάπτισμα τὸ Ἰωάννου πόθεν ἦν; ἐξ οὐρανοῦ ἢ ἐξ ἀνθρώπων; οἱ δὲ διελογίζοντο ἐν ἑαυτοῖς λέγοντες· ἐὰν εἴπωμεν· ἐξ οὐρανοῦ, ἐρεῖ ἡμῖν· διατί οὖν οὐκ ἐπιστεύσατε αὐτῷ; ²⁶ ἐὰν δὲ εἴπωμεν· ἐξ ἀνθρώπων, φοβούμεθα τὸν ὄχλον· πάντες γὰρ ὡς προφήτην ἔχουσιν τὸν Ἰωάννην. ²⁷ καὶ ἀποκριθέντες τῷ Ἰησοῦ εἶπαν· οὐκ οἴδαμεν. ἔφη αὐτοῖς καὶ αὐτός· οὐδὲ ἐγὼ λέγω ὑμῖν ἐν ποίᾳ ἐξουσίᾳ ταῦτα ποιῶ.	²⁷ Καὶ ἔρχονται πάλιν εἰς Ἱεροσόλυμα. καὶ ἐν τῷ ἱερῷ περιπατοῦντος αὐτοῦ ἔρχονται πρὸς αὐτὸν οἱ ἀρχιερεῖς καὶ οἱ γραμματεῖς καὶ οἱ πρεσβύτεροι, ²⁸ καὶ ἔλεγον αὐτῷ· ἐν ποίᾳ ἐξουσίᾳ ταῦτα ποιεῖς; ἢ τίς σοι ἔδωκεν τὴν ἐξουσίαν ταύτην ἵνα ταῦτα ποιῇς; ²⁹ ὁ δὲ Ἰησοῦς εἶπεν αὐτοῖς· ἐπερωτήσω ὑμᾶς ἕνα λόγον, καὶ ἀποκρίθητέ μοι, καὶ ἐρῶ ὑμῖν ἐν ποίᾳ ἐξουσίᾳ ταῦτα ποιῶ. ³⁰ τὸ βάπτισμα τὸ Ἰωάννου ἐξ οὐρανοῦ ἦν ἢ ἐξ ἀνθρώπων; ἀποκρίθητέ μοι. ³¹ καὶ διελογίζοντο πρὸς ἑαυτοὺς λέγοντες· ἐὰν εἴπωμεν· ἐξ οὐρανοῦ, ἐρεῖ· διὰ τί οὖν οὐκ ἐπιστεύσατε αὐτῷ; ³² ἀλλὰ εἴπωμεν· ἐξ ἀνθρώπων; — ἐφοβοῦντο τὸν ὄχλον· ἅπαντες γὰρ εἶχον τὸν Ἰωάννην ὄντως ὅτι προφήτης ἦν. ³³ καὶ ἀποκριθέντες τῷ Ἰησοῦ λέγουσιν· οὐκ οἴδαμεν. καὶ ὁ Ἰησοῦς λέγει αὐτοῖς· οὐδὲ ἐγὼ λέγω ὑμῖν ἐν ποίᾳ ἐξουσίᾳ ταῦτα ποιῶ.	¹ Καὶ ἐγένετο ἐν μιᾷ τῶν ἡμερῶν διδάσκοντος αὐτοῦ τὸν λαὸν ἐν τῷ ἱερῷ καὶ εὐαγγελιζομένου ἐπέστησαν οἱ ἀρχιερεῖς καὶ οἱ γραμματεῖς σὺν τοῖς πρεσβυτέροις, ² καὶ εἶπαν λέγοντες πρὸς αὐτόν· εἰπὸν ἡμῖν ἐν ποίᾳ ἐξουσίᾳ ταῦτα ποιεῖς, ἢ τίς ἐστιν ὁ δούς σοι τὴν ἐξουσίαν ταύτην; ³ ἀποκριθεὶς δὲ εἶπεν πρὸς αὐτούς· ἐρωτήσω ὑμᾶς κἀγὼ λόγον, καὶ εἴπατέ μοι· ⁴ τὸ βάπτισμα Ἰωάννου ἐξ οὐρανοῦ ἦν ἢ ἐξ ἀνθρώπων; ⁵ οἱ δὲ συνελογίσαντο πρὸς ἑαυτοὺς λέγοντες ὅτι ἐὰν εἴπωμεν· ἐξ οὐρανοῦ, ἐρεῖ· διὰ τί οὐκ ἐπιστεύσατε αὐτῷ; ⁶ ἐὰν δὲ εἴπωμεν· ἐξ ἀνθρώπων, ὁ λαὸς ἅπας καταλιθάσει ἡμᾶς· πεπεισμένος γάρ ἐστιν Ἰωάννην προφήτην εἶναι. ⁷ καὶ ἀπεκρίθησαν μὴ εἰδέναι πόθεν. ⁸ καὶ ὁ Ἰησοῦς εἶπεν αὐτοῖς· οὐδὲ ἐγὼ λέγω ὑμῖν ἐν ποίᾳ ἐξουσίᾳ ταῦτα ποιῶ.

Mark 11, 26 fehlt S B W sy⁸ sa bo   lautet (vgl. Mt 6 15): εἰ δὲ ὑμεῖς οὐκ ἀφίετε, οὐδὲ ὁ πατὴρ
ὑμῶν ὁ ἐν τοῖς οὐρανοῖς ἀφήσει (+ ὑμῖν D φ it vg sy ᵖᵉ) τὰ παραπτώματα ὑμῶν A C D Θ λ φ ℜ it vg sy ᵖᵉ
Cyp   **32** εἶχον S A B C λ ℜ vg sy ᵖᵉ sa bo   ᾔδεισαν D W Θ it | ὄντως A B C W φ ℜ sy ᵖᵉ
sa bo   ἀληθῶς D vere it vg   > S Θ λ sy⁸ ᵖᵉ

203. Das Gleichnis von den ungleichen Söhnen. Matth 21 28–32
203. The Parable of the Two Sons.

²⁸ Τί δὲ ὑμῖν δοκεῖ; ἄνϑρωπος εἶχεν τέκνα δύο· προσελϑὼν τῷ πρώτῳ εἶπεν· τέκνον, ὕπαγε σήμερον ἐργάζου ἐν τῷ ἀμπελῶνι. ²⁹ ὁ δὲ ἀποκριϑεὶς εἶπεν· οὐ ϑέλω, ὕστερον μεταμεληϑεὶς ἀπῆλϑεν. ³⁰ προσελϑὼν δὲ τῷ δευτέρῳ εἶπεν ὡσαύτως. ὁ δὲ ἀποκριϑεὶς εἶπεν· ἐγὼ κύριε, καὶ οὐκ ἀπῆλϑεν. ³¹ τίς ἐκ τῶν δύο ἐποίησεν τὸ ϑέλημα τοῦ πατρός; λέγουσιν· ὁ πρῶτος. λέγει αὐτοῖς ὁ Ἰησοῦς· ἀμὴν λέγω ὑμῖν ὅτι οἱ τελῶναι καὶ αἱ πόρναι προάγουσιν ὑμᾶς εἰς τὴν βασιλείαν τοῦ ϑεοῦ. ³² ἦλϑεν γὰρ Ἰωάννης πρὸς ὑμᾶς ἐν ὁδῷ δικαιοσύνης, καὶ οὐκ ἐπιστεύσατε αὐτῷ· οἱ δὲ τελῶναι καὶ αἱ πόρναι ἐπίστευσαν αὐτῷ· ὑμεῖς δὲ ἰδόντες οὐδὲ μετεμελήϑητε ὕστερον τοῦ πιστεῦσαι αὐτῷ.*

204. Das Gleichnis von den bösen Winzern.
204. The Parable of the Wicked Husbandmen.

Matth 21 33–46	Mark 12 1–12	Luk 20 9–19
³³ Ἄλλην παραβολὴν ἀκούσατε. ἄν-ϑρωπος ἦν οἰκοδεσπότης ὅστις ἐφύτευσεν ἀμπελῶνα καὶ φραγμὸν αὐτῷ περιέϑηκεν καὶ ὤρυξεν ἐν αὐτῷ ληνὸν καὶ ᾠκοδόμησεν πύργον καὶ ἐξέδοτο αὐτὸν γεωργοῖς, καὶ ἀπεδήμησεν.	¹ Καὶ ἤρξατο αὐτοῖς ἐν παραβολαῖς λαλεῖν· ἀμπελῶνα ἄν-ϑρωπος ἐφύτευσεν, καὶ περιέϑηκεν φραγμὸν καὶ ὤρυξεν ὑπολήνιον καὶ ᾠκοδόμησεν πύργον, καὶ ἐξέδοτο αὐτὸν γεωργοῖς, καὶ ἀπεδήμησεν.	⁹ Ἤρξατο δὲ πρὸς τὸν λαὸν λέγειν τὴν παραβολὴν ταύτην. ἄν-ϑρωπος ἐφύτευσεν ἀμπελῶνα, καὶ ἐξέδοτο αὐτὸν γεωργοῖς, καὶ ἀπεδήμησεν χρόνους ἱκανούς.
³⁴ ὅτε δὲ ἤγγισεν ὁ καιρὸς τῶν καρπῶν, ἀπέστειλεν τοὺς δούλους αὐτοῦ πρὸς τοὺς γεωργοὺς λαβεῖν τοὺς καρποὺς αὐτοῦ.	² καὶ ἀπέστειλεν πρὸς τοὺς γεωργοὺς τῷ καιρῷ δοῦλον, ἵνα παρὰ τῶν γεωργῶν λάβῃ ἀπὸ τῶν καρπῶν τοῦ ἀμπελῶνος·	¹⁰ καὶ καιρῷ ἀπέστειλεν πρὸς τοὺς γεωργοὺς δοῦλον, ἵνα ἀπὸ τοῦ καρποῦ τοῦ ἀμπελῶνος δώσουσιν αὐτῷ· οἱ δὲ γεωργοὶ ἐξαπέστειλαν αὐτὸν δείραντες κενόν.
³⁵ καὶ λαβόντες οἱ γεωργοὶ τοὺς δούλους αὐτοῦ ὃν μὲν ἔδειραν, ὃν δὲ ἀπέκτειναν, ὃν δὲ ἐλιϑοβόλησαν.	³ καὶ λαβόντες αὐτὸν ἔδειραν καὶ ἀπέστειλαν κενόν.	

* Luk 7 29–30 (82. S. 65): ²⁹ Καὶ πᾶς ὁ λαὸς ἀκούσας καὶ οἱ τελῶναι ἐδικαίωσαν τὸν ϑεόν, βαπτισϑέντες τὸ βάπτισμα Ἰωάννου· ³⁰ οἱ δὲ Φαρισαῖοι καὶ οἱ νομικοὶ τὴν βουλὴν τοῦ ϑεοῦ ἠϑέτησαν εἰς ἑαυτούς, μὴ βαπτισϑέντες ὑπ' αὐτοῦ.

Mt 21 33 = Mc 12 1 = Lc 20 9: Jes 5 2.

Matth 21, 29—31 I: 29 οὐ ϑέλω, ὕστερον (+ δὲ C D W λ vg sy c pe) μεταμεληϑεὶς ἀπῆλϑεν　　**30** ἐγὼ (ἐγώ: ὑπάγω it vg) κύριε (+ ὑπάγω D) καὶ οὐκ ἀπῆλϑεν　　**31** ὁ πρῶτος S C (D) W λ ℜ vg sy c pe II: wie I, aber **31** ὁ πρῶτος] ὁ ἔσχατος D it vg var sy s　　III: **29** ἐγὼ κύριε καὶ οὐκ ἀπῆλϑεν　　**30** οὐ ϑέλω, ὕστερον μεταμεληϑεὶς ἀπῆλϑεν　　**31** ὁ ἔσχατος B bo　　IV: **29** ὑπάγω (+ κύριε φ sa) καὶ οὐκ ἀπῆλϑεν　　**30** οὐ ϑέλω (> sa), ὕστερον (+ δὲ Θ φ) μεταμεληϑεὶς ἀπῆλϑεν　　**31** ὁ ἔσχατος Θ φ sa **32** ἰδόντες οὐδὲ μετεμελήϑητε B Θ λ φ it vg sa bo　　ἰδόντες οὐ μετεμελήϑητε S C W ℜ　　οὐδὲ ἰδόντες μετεμελήϑητε sy c pe　　ἰδόντες μετεμελήϑητε D sy s

³⁶ πάλιν ἀπέστειλεν ἄλλους δούλους πλείονας τῶν πρώτων, καὶ ἐποίησαν αὐτοῖς ὡσαύτως.

³⁷ ὕστερον δὲ ἀπέστειλεν πρὸς αὐτοὺς τὸν υἱὸν αὐτοῦ λέγων· ἐντραπήσονται τὸν υἱόν μου. ³⁸ οἱ δὲ γεωργοὶ ἰδόντες τὸν υἱὸν εἶπον ἐν ἑαυτοῖς· οὗτός ἐστιν ὁ κληρονόμος· δεῦτε ἀποκτείνωμεν αὐτὸν καὶ σχῶμεν τὴν κληρονομίαν αὐτοῦ· ³⁹ καὶ λαβόντες αὐτὸν ἐξέβαλον ἔξω τοῦ ἀμπελῶνος καὶ ἀπέκτειναν. ⁴⁰ ὅταν οὖν ἔλθῃ ὁ κύριος τοῦ ἀμπελῶνος, τί ποιήσει τοῖς γεωργοῖς ἐκείνοις; ⁴¹ λέγουσιν αὐτῷ· κακοὺς κακῶς ἀπολέσει αὐτούς, καὶ τὸν ἀμπελῶνα ἐκδώσεται ἄλλοις γεωργοῖς, οἵτινες ἀποδώσουσιν αὐτῷ τοὺς καρποὺς ἐν τοῖς καιροῖς αὐτῶν. ⁴² λέγει αὐτοῖς ὁ Ἰησοῦς· οὐδέποτε ἀνέγνωτε ἐν ταῖς γραφαῖς· *λίθον ὃν ἀπεδοκίμασαν οἱ οἰκοδομοῦντες, οὗτος ἐγενήθη εἰς κεφαλὴν γωνίας· παρὰ κυρίου ἐγένετο αὕτη, καὶ ἔστιν θαυμαστὴ ἐν ὀφθαλμοῖς ἡμῶν;* ⁴³ διὰ τοῦτο λέγω ὑμῖν ὅτι ἀρθήσεται ἀφ' ὑμῶν ἡ βασιλεία τοῦ θεοῦ καὶ δοθήσεται ἔθνει ποιοῦντι τοὺς καρποὺς αὐτῆς. [⁴⁴]

⁴ καὶ πάλιν ἀπέστειλεν πρὸς αὐτοὺς ἄλλον δοῦλον· κἀκεῖνον ἐκεφαλαίωσαν καὶ ἠτίμασαν. ⁵ καὶ ἄλλον ἀπέστειλεν· κἀκεῖνον ἀπέκτειναν, καὶ πολλοὺς ἄλλους, οὓς μὲν δέροντες, οὓς δὲ ἀποκτέννοντες. ⁶ ἔτι ἕνα εἶχεν, υἱὸν ἀγαπητόν· ἀπέστειλεν αὐτὸν ἔσχατον πρὸς αὐτοὺς λέγων ὅτι ἐντραπήσονται τὸν υἱόν μου. ⁷ ἐκεῖνοι δὲ οἱ γεωργοὶ πρὸς ἑαυτοὺς εἶπαν ὅτι οὗτός ἐστιν ὁ κληρονόμος· δεῦτε ἀποκτείνωμεν αὐτόν, καὶ ἡμῶν ἔσται ἡ κληρονομία. ⁸ καὶ λαβόντες ἀπέκτειναν αὐτόν, καὶ ἐξέβαλον αὐτὸν ἔξω τοῦ ἀμπελῶνος·

⁹ τί ποιήσει ὁ κύριος τοῦ ἀμπελῶνος; ἐλεύσεται καὶ ἀπολέσει τοὺς γεωργούς, καὶ δώσει τὸν ἀμπελῶνα ἄλλοις.

¹⁰ οὐδὲ *τὴν γραφὴν ταύτην ἀνέγνωτε· λίθον ὃν ἀπεδοκίμασαν οἱ οἰκοδομοῦντες, οὗτος ἐγενήθη εἰς κεφαλὴν γωνίας; ¹¹ παρὰ κυρίου ἐγένετο αὕτη, καὶ ἔστιν θαυμαστὴ ἐν ὀφθαλμοῖς ἡμῶν;*

¹¹ καὶ προσέθετο ἕτερον πέμψαι δοῦλον· οἱ δὲ κἀκεῖνον δείραντες καὶ ἀτιμάσαντες ἐξαπέστειλαν κενόν. ¹² καὶ προσέθετο τρίτον πέμψαι· οἱ δὲ καὶ τοῦτον τραυματίσαντες ἐξέβαλον.

¹³ εἶπεν δὲ ὁ κύριος τοῦ ἀμπελῶνος· τί ποιήσω; πέμψω τὸν υἱόν μου τὸν ἀγαπητόν· ἴσως τοῦτον ἐντραπήσονται. ¹⁴ ἰδόντες δὲ αὐτὸν οἱ γεωργοὶ διελογίζοντο πρὸς ἀλλήλους λέγοντες· οὗτός ἐστιν ὁ κληρονόμος· ἀποκτείνωμεν αὐτόν, ἵνα ἡμῶν γένηται ἡ κληρονομία. ¹⁵ καὶ ἐκβαλόντες αὐτὸν ἔξω τοῦ ἀμπελῶνος ἀπέκτειναν.

τί οὖν ποιήσει αὐτοῖς ὁ κύριος τοῦ ἀμπελῶνος; ¹⁶ ἐλεύσεται καὶ ἀπολέσει τοὺς γεωργοὺς τούτους, καὶ δώσει τὸν ἀμπελῶνα ἄλλοις. ἀκούσαντες δὲ εἶπαν· μὴ γένοιτο. ¹⁷ ὁ δὲ ἐμβλέψας αὐτοῖς εἶπεν· τί οὖν ἐστιν τὸ γεγραμμένον τοῦτο· *λίθον ὃν ἀπεδοκίμασαν οἱ οἰκοδομοῦντες, οὗτος ἐγενήθη εἰς κεφαλὴν γωνίας;*

¹⁸ πᾶς ὁ πεσὼν ἐπ' ἐκεῖνον τὸν

Mt 21 42 = Mc 12 10 11 = Lc 20 17: Ps 117 22 23.

Matth 21, 44 fehlt D it sy^s   aus Luk 20 18: καὶ ὁ πεσὼν ἐπὶ τὸν λίθον τοῦτον συνθλασθήσεται· ἐφ' ὃν δ' ἂν πέσῃ λικμήσει αὐτόν S B C W Θ λ φ 𝕽 vg sy^c pe sa bo

Mark 12, 4 fehlt sy^s | ἐκεφαλαίωσαν (-λίωσαν S B) καὶ ἠτίμησαν S B D bo   κεφαλαιώσαντες ἀπέστειλαν ἠτιμασμένον W λ sa   λιθοβολήσαντες ἐκεφαλαίωσαν καὶ ἀπέστειλαν ἠτιμωμένον A C Θ φ 𝕽 sy^pe   in capite vulneraverunt et contumeliis affecerunt it vg

⁴⁵ καὶ ἀκούσαντες οἱ ἀρχιερεῖς καὶ οἱ Φαρισαῖοι τὰς παραβολὰς αὐτοῦ ἔγνωσαν ὅτι περὶ αὐτῶν λέγει· ⁴⁶ καὶ ζητοῦντες

αὐτὸν κρατῆσαι
      ἐφοβήθησαν τοὺς ὄχλους, ἐπεὶ εἰς προφήτην αὐτὸν εἶχον.
          Vgl. 22 22 S. 163

¹² καὶ ἐζήτουν

αὐτὸν κρατῆσαι, καὶ ἐφοβήθησαν τὸν ὄχλον· ἔγνωσαν γὰρ ὅτι πρὸς αὐτοὺς τὴν παραβολὴν εἶπεν. καὶ ἀφέντες αὐτὸν ἀπῆλθον.

λίθον συνθλασθήσεται· ἐφ' ὃν δ' ἂν πέσῃ λικμήσει αὐτόν.

¹⁹ καὶ ἐζήτησαν οἱ γραμματεῖς καὶ οἱ ἀρχιερεῖς ἐπιβαλεῖν ἐπ' αὐτὸν τὰς χεῖρας ἐν αὐτῇ τῇ ὥρᾳ, καὶ ἐφοβήθησαν τὸν λαόν· ἔγνωσαν γὰρ ὅτι πρὸς αὐτοὺς εἶπεν τὴν παραβολὴν ταύτην.

205. Das Gleichnis vom Hochzeitsmahl. Matth 22 1–14
205. The Parable of the Marriage Feast.

¹ Καὶ ἀποκριθεὶς ὁ Ἰησοῦς πάλιν εἶπεν ἐν παραβολαῖς αὐτοῖς λέγων· ² ὡμοιώθη ἡ βασιλεία τῶν οὐρανῶν ἀνθρώπῳ βασιλεῖ, ὅστις ἐποίησεν γάμους τῷ υἱῷ αὐτοῦ. ³ καὶ ἀπέστειλεν τοὺς δούλους αὐτοῦ καλέσαι τοὺς κεκλημένους εἰς τοὺς γάμους, καὶ οὐκ ἤθελον ἐλθεῖν. ⁴ πάλιν ἀπέστειλεν ἄλλους δούλους λέγων· εἴπατε τοῖς κεκλημένοις· ἰδοὺ τὸ ἄριστόν μου ἡτοίμακα, οἱ ταῦροί μου καὶ τὰ σιτιστὰ τεθυμένα, καὶ πάντα ἕτοιμα· δεῦτε εἰς τοὺς γάμους. ⁵ οἱ δὲ ἀμελήσαντες ἀπῆλθον, ὃς μὲν εἰς τὸν ἴδιον ἀγρόν, ὃς δὲ ἐπὶ τὴν ἐμπορίαν αὐτοῦ· ⁶ οἱ δὲ λοιποὶ κρατήσαντες τοὺς δούλους αὐτοῦ ὕβρισαν καὶ ἀπέκτειναν. ⁷ ὁ δὲ βασιλεὺς ὠργίσθη, καὶ πέμψας τὰ στρατεύματα αὐτοῦ ἀπώλεσεν τοὺς φονεῖς ἐκείνους καὶ τὴν πόλιν αὐτῶν ἐνέπρησεν. ⁸ τότε λέγει τοῖς δούλοις αὐτοῦ· ὁ μὲν γάμος ἕτοιμός ἐστιν, οἱ δὲ κεκλημένοι οὐκ ἦσαν ἄξιοι· ⁹ πορεύεσθε οὖν ἐπὶ τὰς διεξόδους τῶν ὁδῶν, καὶ ὅσους ἐὰν εὕρητε καλέσατε εἰς τοὺς γάμους. ¹⁰ καὶ ἐξελθόντες οἱ δοῦλοι ἐκεῖνοι εἰς τὰς ὁδοὺς συνήγαγον πάντας οὓς εὗρον, πονηρούς τε καὶ ἀγαθούς· καὶ ἐπλήσθη ὁ νυμφὼν ἀνακειμένων. ¹¹ εἰσελθὼν δὲ ὁ βασιλεὺς θεάσασθαι

14 16–24 (170. S. 133 f.): ¹⁶ Ὁ δὲ εἶπεν αὐτῷ· ἄνθρωπός τις ἐποίει δεῖπνον μέγα, καὶ ἐκάλεσεν πολλούς, ¹⁷ καὶ ἀπέστειλεν τὸν δοῦλον αὐτοῦ τῇ ὥρᾳ τοῦ δείπνου εἰπεῖν τοῖς κεκλημένοις· ἔρχεσθε, ὅτι ἤδη ἕτοιμά ἐστιν. ¹⁸ καὶ ἤρξαντο ἀπὸ μιᾶς πάντες παραιτεῖσθαι. ὁ πρῶτος εἶπεν αὐτῷ· ἀγρὸν ἠγόρασα, καὶ ἔχω ἀνάγκην ἐξελθὼν ἰδεῖν αὐτόν· ἐρωτῶ σε, ἔχε με παρῃτημένον. ¹⁹ καὶ ἕτερος εἶπεν· ζεύγη βοῶν ἠγόρασα πέντε, καὶ πορεύομαι δοκιμάσαι αὐτά· ἐρωτῶ σε, ἔχε με παρῃτημένον. ²⁰ καὶ ἕτερος εἶπεν· γυναῖκα ἔγημα, καὶ διὰ τοῦτο οὐ δύναμαι ἐλθεῖν. ²¹ καὶ παραγενόμενος ὁ δοῦλος ἀπήγγειλεν τῷ κυρίῳ αὐτοῦ ταῦτα. τότε ὀργισθεὶς ὁ οἰκοδεσπότης εἶπεν τῷ δούλῳ αὐτοῦ· ἔξελθε ταχέως εἰς τὰς πλατείας καὶ ῥύμας τῆς πόλεως, καὶ τοὺς πτωχοὺς καὶ ἀναπήρους καὶ τυφλοὺς καὶ χωλοὺς εἰσάγαγε ὧδε. ²² καὶ εἶπεν ὁ δοῦλος· κύριε, γέγονεν ὃ ἐπέταξας, καὶ ἔτι τόπος ἐστίν. ²³ καὶ εἶπεν ὁ κύριος πρὸς τὸν δοῦλον· ἔξελθε εἰς τὰς ὁδοὺς καὶ φραγμοὺς καὶ ἀνάγκασον εἰσελθεῖν, ἵνα γεμισθῇ μου ὁ οἶκος· ²⁴ λέγω γὰρ ὑμῖν ὅτι οὐδεὶς τῶν ἀνδρῶν ἐκείνων τῶν κεκλημένων γεύσεταί μου τοῦ δείπνου.

Matth 22, 10 νυμφῶν S B sa   γάμος C D W Θ λ φ 𝔄 it vg bo
Luk 14, 19 ἐρωτῶ — παρῃτημένον] διὸ οὐ δύναμαι ἐλθεῖν D it   **23** ἀνάγκασον] ποίησον 𝔓⁴⁵

τοὺς ἀνακειμένους εἶδεν ἐκεῖ ἄνθρωπον οὐκ
ἐνδεδυμένον ἔνδυμα.γάμου· ¹²καὶ λέγει αὐτῷ·
ἑταῖρε, πῶς εἰσῆλθες ὧδε μὴ ἔχων ἔνδυμα γά-
μου; ὁ δὲ ἐφιμώθη. ¹³τότε ὁ βασιλεὺς εἶπεν
τοῖς διακόνοις· δήσαντες αὐτοῦ πόδας καὶ
χεῖρας ἐκβάλετε αὐτὸν εἰς τὸ σκότος τὸ ἐξώ-
τερον· ἐκεῖ ἔσται ὁ κλαυθμὸς καὶ ὁ βρυγμὸς
τῶν ὀδόντων. ¹⁴πολλοὶ γάρ εἰσιν κλητοί,
ὀλίγοι δὲ ἐκλεκτοί.

206. Die Pharisäerfrage.
206. The Question concerning Tribute to Caesar.

Matth 22 15–22	Mark 12 13–17	Luk 20 20–26

²⁰Καὶ παρατηρήσαντες ἀπέστει-
λαν ἐγκαθέτους ὑποκρινομένους
ἑαυτοὺς δικαίους εἶναι, ἵνα ἐπι-
λάβωνται αὐτοῦ λόγου, ὥστε
παραδοῦναι αὐτὸν τῇ ἀρχῇ καὶ τῇ
ἐξουσίᾳ τοῦ ἡγεμόνος. ²¹καὶ ἐπη-
ρώτησαν αὐτὸν λέγοντες· διδά-
σκαλε, οἴδαμεν ὅτι ὀρθῶς λέγεις καὶ
διδάσκεις

καὶ οὐ λαμβάνεις πρόσωπον,
ἀλλ᾽ ἐπ᾽ ἀληθείας τὴν ὁδὸν τοῦ
Θεοῦ διδάσκεις·
²²ἔξεστιν ἡμᾶς Καίσαρι φόρον δοῦ-
ναι ἢ οὔ;
²³κατανοήσας δὲ αὐτῶν τὴν
πανουργίαν εἶπεν πρὸς αὐτούς·

¹⁵Τότε πορευθέντες οἱ Φαρι-
σαῖοι συμβούλιον ἔλαβον ὅπως
αὐτὸν παγιδεύσωσιν ἐν λόγῳ.
¹⁶καὶ ἀποστέλλουσιν αὐτῷ τοὺς
μαθητὰς αὐτῶν μετὰ τῶν Ἡρῳ-
διανῶν λέγοντας· | Joh 3 2 | διδά-
σκαλε, οἴδαμεν ὅτι ἀληθὴς εἶ καὶ
τὴν ὁδὸν τοῦ Θεοῦ ἐν ἀληθείᾳ
διδάσκεις, καὶ οὐ μέλει σοι περὶ
οὐδενός, οὐ γὰρ βλέπεις εἰς πρόσ-
ωπον ἀνθρώπων· ¹⁷εἰπὸν οὖν
ἡμῖν, τί σοι δοκεῖ; ἔξεστιν δοῦναι
κῆνσον Καίσαρι ἢ οὔ;
¹⁸γνοὺς δὲ ὁ Ἰησοῦς τὴν
πονηρίαν αὐτῶν εἶπεν· τί με πει-

¹³Καὶ ἀποστέλλουσιν πρὸς αὐ-
τόν τινας τῶν Φαρισαίων καὶ τῶν
Ἡρῳδιανῶν ἵνα αὐτὸν ἀγρεύσω-
σιν λόγῳ. ¹⁴καὶ ἐλθόντες λέγου-
σιν αὐτῷ·   διδά-
σκαλε, οἴδαμεν ὅτι ἀληθὴς εἶ καὶ
οὐ μέλει σοι περὶ οὐδενός· οὐ γὰρ
βλέπεις εἰς πρόσωπον ἀνθρώπων,
ἀλλ᾽ ἐπ᾽ ἀληθείας τὴν ὁδὸν τοῦ
Θεοῦ διδάσκεις·
ἔξεστιν δοῦναι
κῆνσον Καίσαρι ἢ οὔ; δῶμεν ἢ μὴ
δῶμεν; ¹⁵ὁ δὲ εἰδὼς αὐτῶν τὴν
ὑπόκρισιν εἶπεν αὐτοῖς· τί με πει-

Matth 22,13 δήσαντες αὐτοῦ πόδας καὶ χεῖρας ἐκβάλετε (βάλετε φ) αὐτὸν (> φ) S B Θ λ φ vg
sy cs pe sa bo (aber χεῖρ. πόδ. ~ sy cs pe vg sa Sing. bo)   ἄρατε αὐτὸν ποδῶν καὶ χειρῶν καὶ βάλετε
αὐτὸν (> it) D it   δήσαντες αὐτοῦ πόδας καὶ χεῖρας ἄρατε αὐτὸν καὶ ἐκβάλετε C W ℜ   **16** λέγοντας
S B   λέγοντες C D W Θ λ φ ℜ
Mark 12,14 ἐλθόντες λέγουσιν αὐτῷ S A B C ℜ vg sa bo   ἐπηρώτων αὐτὸν οἱ Φαρισαῖοι D
ἐλθόντες (> sy s) ἤρξαντο ἐρωτᾶν (ἤρξ. ἐρ.] ἐπηρώτων Θ it sy pe ἤρ. λέγειν sy s) αὐτὸν ἐν δόλῳ (ἐ. δ.
> sy pe) λέγοντες (> W sy s pe) W Θ λ φ it sy s pe | κῆνσον] ἐπικεφάλαιον D Θ sy s pe | ἢ οὔ; δῶμεν
> vg sy s | δῶμεν ἢ μὴ δῶμεν > D it
Luk 20,20 παρατηρήσαντες S A B C λ φ ℜ vg sa bo   ἀποχωρήσαντες D Θ it   ὑποχωρήσαντες W
μετὰ ταῦτα sy cs   > sy pe

Zu Mt 22 15 ff. u. par.: Pap. Lond. Egerton nr. 2: Παραγενόμενοι πρὸς αὐτὸν ἐξ[ετασ]τικῶς ἐπει-
ραζον αὐτόν, λέγοντες· διδάσκαλε Ἰησοῦ, οἴδαμεν ὅτι ἀπὸ Θεοῦ ἐλήλυθας· ἃ γὰρ ποιεῖς μαρτυρεῖ ὑπὲρ
τοὺς προφήτας πάντας. λέγε οὖν ἡμῖν· ἐξὸν τοῖς βασιλεῦσιν [ἀποδοῦ]ναι τὰ ἀνήκοντα τῇ ἀρχῇ; ἀπ[ο-
δῶμεν αὐ]τοῖς ἢ μή   ὁ δὲ Ἰησοῦς εἰδὼς τὴν διάνοιαν αὐτῶν ἐμβριμησάμενος εἶπεν αὐτοῖς· τί με καλεῖτε
τῷ στόματι ὑμῶν διδάσκαλον, μὴ ἀκούοντες ὃ λέγω; καλῶς Ἡσαΐας περὶ ὑμῶν ἐπροφήτευσεν εἰπών·
ὁ λαὸς οὗτος τοῖς χείλεσιν αὐτῶν τιμῶσίν με, ἡ δὲ καρδία αὐτῶν πόρρω ἀπέχει ἀπ᾽ ἐμοῦ. μάτην με
σέβονται, ἐντάλματα . . . (vgl. Mt 15 7 8 Mc 7 6 7; *115. S. 90*).

ράζετε, ὑποκριταί; ¹⁹ ἐπιδείξατέ | ράζετε; | φερετέ | ²⁴ δείξατέ
μοι τὸ νόμισμά τοῦ κήνσου. οἱ δὲ | μοι δηνάριον ἵνα ἴδω. ¹⁶ οἱ δὲ | μοι δηνάριον·
προσήνεγκαν αὐτῷ δηνάριον. | ἤνεγκαν.
²⁰ καὶ λέγει αὐτοῖς· τίνος ἡ εἰκὼν | καὶ λέγει αὐτοῖς· τίνος ἡ εἰκὼν | τίνος ἔχει
αὕτη καὶ ἡ ἐπιγραφή; ²¹ λέγουσιν· | αὕτη καὶ ἡ ἐπιγραφή; οἱ δὲ εἶπαν | εἰκόνα καὶ ἐπιγραφήν; οἱ δὲ εἶπαν·
Καίσαρος. τότε λέγει | αὐτῷ· Καίσαρος· ¹⁷ ὁ δὲ Ἰησοῦς | Καίσαρος. ²⁵ ὁ δὲ εἶπεν
αὐτοῖς· ἀπόδοτε οὖν τὰ | εἶπεν αὐτοῖς· τὰ Καίσαρος | πρὸς αὐτούς· τοίνυν ἀπόδοτε τὰ
Καίσαρος Καίσαρι καὶ τὰ τοῦ Θεοῦ | ἀπόδοτε Καίσαρι καὶ τὰ τοῦ Θεοῦ | Καίσαρος Καίσαρι καὶ τὰ τοῦ Θεοῦ
τῷ Θεῷ. | τῷ Θεῷ. | τῷ Θεῷ. ²⁶ καὶ οὐκ ἴσχυσαν ἐπι-
　 | 　 | λαβέσθαι αὐτοῦ ῥήματος ἐναντίον
²² καὶ ἀκούσαντες ἐθαύμα- | καὶ ἐξεθαύμαζον ἐπ' | τοῦ λαοῦ, καὶ θαυμάσαντες ἐπὶ
σαν, καὶ ἀφέντες αὐτὸν ἀπῆλθαν. | αὐτῷ. *Vgl. 12 12 S. 161.* | τῇ ἀποκρίσει αὐτοῦ ἐσίγησαν.

207. Die Sadduzäerfrage.
207. The Question concerning the Resurrection.

Matth 22 23–33

²³ Ἐν ἐκείνῃ τῇ ἡμέρᾳ προσῆλ-
θον αὐτῷ Σαδδουκαῖοι, λέγοντες
μὴ εἶναι ἀνάστασιν, καὶ ἐπηρώ-
τησαν αὐτὸν ²⁴ λέγοντες· διδά-
σκαλε, Μωϋσῆς εἶπεν·
ἐάν τις *ἀποθάνῃ*
μὴ ἔχων τέκνα, *ἐπιγαμβρεύσει*
ὁ ἀδελφὸς αὐτοῦ τὴν γυναῖκα
αὐτοῦ καὶ ἀναστήσει σπέρμα
τῷ ἀδελφῷ αὐτοῦ. ²⁵ ἦσαν
δὲ παρ' ἡμῖν ἑπτὰ ἀδελφοί· καὶ
ὁ πρῶτος γήμας ἐτελεύτησεν, καὶ
μὴ ἔχων σπέρμα ἀφῆκεν τὴν γυναῖ-
κα αὐτοῦ τῷ ἀδελφῷ αὐτοῦ·
²⁶ ὁμοίως καὶ ὁ δεύτερος

καὶ ὁ τρίτος,
ἕως τῶν ἑπτά.
²⁷ ὕστε-
ρον δὲ πάντων ἀπέθανεν ἡ
γυνή. ²⁸ ἐν τῇ ἀναστάσει οὖν
τίνος τῶν ἑπτὰ ἔσται

Mark 12 18–27

¹⁸ Καὶ ἔρχονται Σαδδουκαῖοι
πρὸς αὐτόν, οἵτινες λέγουσιν
ἀνάστασιν μὴ εἶναι, καὶ ἐπηρώ-
των αὐτὸν λέγοντες· ¹⁹ διδά-
σκαλε, Μωϋσῆς ἔγραψεν ἡμῖν ὅτι
ἐάν τινος ἀδελφὸς ἀποθάνῃ καὶ
καταλίπῃ γυναῖκα καὶ μὴ ἀφῇ τέ-
κνον, ἵνα λάβῃ ὁ ἀδελφὸς αὐτοῦ τὴν
γυναῖκα καὶ ἐξαναστήσῃ σπέρμα
τῷ ἀδελφῷ αὐτοῦ. ²⁰ ἑπτὰ
ἀδελφοὶ ἦσαν· καὶ
ὁ πρῶτος ἔλαβεν γυναῖκα, καὶ
ἀποθνήσκων οὐκ ἀφῆκεν σπέρμα·

²¹ καὶ ὁ δεύτερος ἔλαβεν αὐτήν,
καὶ ἀπέθανεν μὴ καταλιπὼν σπέρ-
μα· καὶ ὁ τρίτος
ὡσαύτως· ²² καὶ οἱ ἑπτὰ οὐκ
ἀφῆκαν σπέρμα.
ἔσχατον πάντων καὶ ἡ γυνὴ ἀπέ-
θανεν. ²³ ἐν τῇ ἀναστάσει, ὅταν
ἀναστῶσιν, τίνος αὐτῶν ἔσται

Luk 20 27–40

²⁷ Προσελθόντες δέ τινες τῶν
Σαδδουκαίων, οἱ ἀντιλέγοντες
ἀνάστασιν μὴ εἶναι, ἐπηρώ-
τησαν αὐτὸν ²⁸ λέγοντες· διδά-
σκαλε, Μωϋσῆς ἔγραψεν ἡμῖν,
ἐάν τινος ἀδελφὸς ἀποθάνῃ ἔχων
γυναῖκα, καὶ οὗτος ἄτεκνος ᾖ,
ἵνα λάβῃ ὁ ἀδελφὸς αὐτοῦ τὴν
γυναῖκα καὶ ἐξαναστήσῃ σπέρμα
τῷ ἀδελφῷ αὐτοῦ. ²⁹ ἑπτὰ
οὖν ἀδελφοὶ ἦσαν· καὶ
ὁ πρῶτος λαβὼν γυναῖκα ἀπέ-
θανεν ἄτεκνος·

³⁰ καὶ ὁ δεύτερος

³¹ καὶ ὁ τρίτος ἔλαβεν αὐτήν,
ὡσαύτως δὲ καὶ οἱ ἑπτὰ οὐ κατέ-
λιπον τέκνα καὶ ἀπέθανον. ³² ὕστε-
ρον καὶ ἡ γυνὴ ἀπέ-
θανεν. ³³ ἡ γυνὴ οὖν ἐν τῇ
ἀναστάσει τίνος αὐτῶν γίνεται

Mt 22 24 = Mc 12 19 = Lc 20 28: Dtn 25 5 6 (Gen 38 8).

Mark 12, 23 ὅταν ἀναστῶσιν Λ Θ λ φ 𝕾 it vg sy^s 　 > S B C D W sy^pe sa bo

γυνή; πάντες γὰρ ἔσχον αὐτήν. ²⁹ ἀποκριθεὶς δὲ ὁ Ἰησοῦς εἶπεν αὐτοῖς· πλανᾶσθε μὴ εἰδότες τὰς γραφὰς μηδὲ τὴν δύναμιν τοῦ θεοῦ. ³⁰ ἐν γὰρ τῇ ἀναστάσει οὔτε γαμοῦσιν οὔτε γαμίζονται, ἀλλ᾽ ὡς ἄγγελοι ἐν τῷ οὐρανῷ εἰσιν. ³¹ περὶ δὲ τῆς ἀναστάσεως τῶν νεκρῶν οὐκ ἀνέγνωτε τὸ ῥηθὲν ὑμῖν

ὑπὸ τοῦ θεοῦ λέγοντος· ³² ἐγώ εἰμι ὁ θεὸς Ἀβραὰμ καὶ ὁ θεὸς Ἰσαὰκ καὶ ὁ θεὸς Ἰακώβ; οὐκ ἔστιν ὁ θεὸς νεκρῶν ἀλλὰ ζώντων. ³³ καὶ ἀκούσαντες οἱ ὄχλοι ἐξεπλήσσοντο ἐπὶ τῇ διδαχῇ αὐτοῦ.

s. v. 46

γυνή; οἱ γὰρ ἑπτὰ ἔσχον αὐτὴν γυναῖκα. ²⁴ ἔφη αὐτοῖς ὁ Ἰησοῦς· οὐ διὰ τοῦτο πλανᾶσθε μὴ εἰδότες τὰς γραφὰς μηδὲ τὴν δύναμιν τοῦ θεοῦ; ²⁵ ὅταν γὰρ ἐκ νεκρῶν ἀναστῶσιν, οὔτε γαμοῦσιν οὔτε γαμίζονται, ἀλλ᾽ εἰσὶν ὡς ἄγγελοι ἐν τοῖς οὐρανοῖς. ²⁶ περὶ δὲ τῶν νεκρῶν ὅτι ἐγείρονται, οὐκ ἀνέγνωτε ἐν τῇ βίβλῳ Μωϋσέως ἐπὶ τοῦ βάτου πῶς εἶπεν αὐτῷ ὁ θεὸς λέγων· ἐγὼ ὁ θεὸς Ἀβραὰμ καὶ θεὸς Ἰσαὰκ καὶ ὁ θεὸς Ἰακώβ; ²⁷ οὐκ ἔστιν θεὸς νεκρῶν ἀλλὰ ζώντων. πολὺ πλανᾶσθε.

s. 11 18 b
s. 12 32
s. 12 34

γυνή; οἱ γὰρ ἑπτὰ ἔσχον αὐτὴν γυναῖκα. ³⁴ καὶ εἶπεν αὐτοῖς ὁ Ἰησοῦς· οἱ υἱοὶ τοῦ αἰῶνος τούτου γαμοῦσιν καὶ γαμίσκονται, ³⁵ οἱ δὲ καταξιωθέντες τοῦ αἰῶνος ἐκείνου τυχεῖν καὶ τῆς ἀναστάσεως τῆς ἐκ νεκρῶν οὔτε γαμοῦσιν οὔτε γαμίζονται· ³⁶ οὐδὲ γὰρ ἀποθανεῖν ἔτι δύνανται, ἰσάγγελοι γάρ εἰσιν, καὶ υἱοί εἰσιν θεοῦ τῆς ἀναστάσεως υἱοὶ ὄντες. ³⁷ ὅτι δὲ ἐγείρονται οἱ νεκροί, καὶ Μωϋσῆς ἐμήνυσεν ἐπὶ τῆς βάτου, ὡς λέγει κύριον τὸν θεὸν Ἀβραὰμ καὶ θεὸν Ἰσαὰκ καὶ θεὸν Ἰακώβ· ³⁸ θεὸς δὲ οὐκ ἔστιν νεκρῶν ἀλλὰ ζώντων· πάντες γὰρ αὐτῷ ζῶσιν. ³⁹ ἀποκριθέντες δέ τινες τῶν γραμματέων εἶπαν· διδάσκαλε, καλῶς εἶπας. ⁴⁰ οὐκέτι γὰρ ἐτόλμων ἐπερωτᾶν αὐτὸν οὐδέν.

---

208. Die Frage nach dem großen Gebot.
208. The Great Commandment.

Matth 22 34–40

³⁴ Οἱ δὲ Φαρισαῖοι ἀκούσαντες ὅτι ἐφίμωσεν τοὺς Σαδδουκαίους, συνήχθησαν ἐπὶ τὸ αὐτό, ³⁵ καὶ ἐπηρώτησεν εἷς ἐξ αὐτῶν νομικὸς πειράζων αὐτόν· ³⁶ διδάσκαλε, ποία ἐντολὴ μεγάλη ἐν τῷ νόμῳ; ³⁷ ὁ δὲ ἔφη αὐτῷ·

ἀγαπήσεις κύριον τὸν θεόν

Mark 12 28–34

²⁸ Καὶ προσελθὼν εἷς τῶν γραμματέων, ἀκούσας αὐτῶν συζητούντων, εἰδὼς ὅτι καλῶς ἀπεκρίθη αὐτοῖς, ἐπηρώτησεν αὐτόν·

ποία ἐστὶν ἐντολὴ πρώτη πάντων; ²⁹ ἀπεκρίθη ὁ Ἰησοῦς ὅτι πρώτη ἐστίν· ἄκουε, Ἰσραήλ, κύριος ὁ θεὸς ἡμῶν κύριος εἷς ἐστιν, ³⁰ καὶ ἀγαπήσεις κύριον τὸν θεόν

10 25–28 *(143. S. 115 f.)*: ²⁵ Καὶ ἰδοὺ νομικός τις ἀνέστη ἐκπειράζων αὐτὸν λέγων· διδάσκαλε, τί ποιήσας ζωὴν αἰώνιον κληρονομήσω; ²⁶ ὁ δὲ εἶπεν πρὸς αὐτόν· ἐν τῷ νόμῳ τί γέγραπται; πῶς ἀναγινώσκεις; ²⁷ ὁ δὲ ἀποκριθεὶς εἶπεν· ἀγαπήσεις κύριον τὸν θεόν

Mt 22 32 = Mc 12 26 = Lc 20 37: Ex 3 6.   Mt 22 37 = Mc 12 30 (= Lc 10 27): Dtn 6 5. Mc 12 29: Dtn 6 4.

Matth 22, 34 ἐπὶ τὸ αὐτό] ἐπ᾽ αὐτόν D it sy ᶜˢ   **35** νομικός > λ syˢ Orig

Luk 20, 34 τούτου S A B W Θ λ φ ℜ vg sy ᵖᵉ sa bo   τούτου γεννῶνται καὶ γεννῶσιν D it   τούτου γεννῶσιν καὶ γεννῶνται syᶜˢ Iren | γαμοῦσιν καὶ γαμίσκονται > it

σου ἐν ὅλη τῇ καρδίᾳ σου καὶ | σου ἐξ ὅλης τῆς καρδίας σου καὶ | σου ἐν ὅλη τῇ καρδίᾳ σου καὶ
ἐν ὅλη τῇ ψυχῇ σου καὶ ἐν ὅλη | ἐξ ὅλης τῆς ψυχῆς σου καὶ ἐξ ὅλης | ἐν ὅλη τῇ ψυχῇ σου καὶ ἐν ὅλη
τῇ διανοίᾳ σου. | τῆς διανοίας σου καὶ ἐξ ὅλης τῆς | τῇ ἰσχύϊ σου καὶ ἐν ὅλη τῇ διανοίᾳ
| ἰσχύος σου. | σου,

³⁸ αὕτη ἐστὶν ἡ μεγάλη καὶ πρώτη
ἐντολή. ³⁹ δευτέρα ὁμοία αὐτῇ· | ³¹ δευτέρα αὕτη·
ἀγαπήσεις τὸν πλησίον σου ὡς | ἀγαπήσεις τὸν πλησίον σου ὡς | καὶ τὸν πλησίον σου ὡς
σεαυτόν. ⁴⁰ ἐν ταύταις ταῖς δυσὶν | σεαυτόν. μείζων τούτων ἄλλη | σεαυτόν. ²⁸ εἶπεν δὲ αὐτῷ· ὀρθῶς
ἐντολαῖς ὅλος ὁ νόμος κρέμαται καὶ | ἐντολὴ οὐκ ἔστιν. | ἀπεκρίθης· τοῦτο ποίει καὶ ζήσῃ.
οἱ προφῆται.

³² καὶ εἶπεν αὐτῷ ὁ γραμματεύς·
καλῶς, διδάσκαλε, ἐπ' ἀληθείας | s. v. 39
εἶπες ὅτι εἷς ἐστιν καὶ οὐκ ἔστιν
ἄλλος πλὴν αὐτοῦ· ³³ καὶ τὸ ἀγα-
πᾶν αὐτὸν ἐξ ὅλης τῆς καρδίας
καὶ ἐξ ὅλης τῆς συνέσεως καὶ ἐξ
ὅλης τῆς ἰσχύος, καὶ τὸ ἀγαπᾶν
τὸν πλησίον ὡς ἑαυτὸν περισσό-
τερόν ἐστιν πάντων τῶν ὁλοκαυ-
τωμάτων καὶ θυσιῶν. ³⁴ καὶ ὁ
'Ιησοῦς, ἰδὼν αὐτὸν ὅτι νουνεχῶς
ἀπεκρίθη, εἶπεν αὐτῷ· οὐ μακρὰν
s. v. 46 | εἶ ἀπὸ τῆς βασιλείας τοῦ θεοῦ. | s. v. 40
καὶ οὐδεὶς οὐκέτι ἐτόλμα αὐτὸν
ἐπερωτῆσαι.

209. Der Davidssohn.
209. About David's Son.

| Matth 22 41—46 | Mark 12 35—37 a | Luk 20 41—44 |

⁴¹ Συνηγμένων δὲ τῶν Φαρι- | ³⁵ Καὶ ἀποκριθεὶς ὁ 'Ιησοῦς ἔλε- | ⁴¹ Εἶπεν δὲ πρὸς αὐτούς·
σαίων ἐπηρώτησεν αὐτοὺς ὁ 'Ιη- | γεν διδάσκων ἐν τῷ ἱερῷ· πῶς | πῶς
σοῦς ⁴² λέγων· τί ὑμῖν δοκεῖ περὶ | λέγουσιν οἱ γραμματεῖς ὅτι ὁ | λέγουσιν
τοῦ Χριστοῦ; τίνος υἱός ἐστιν; | Χριστὸς υἱὸς Δαυίδ ἐστιν; | τὸν Χριστὸν εἶναι Δαυὶδ υἱόν;
λέγουσιν αὐτῷ· τοῦ Δαυίδ. ⁴³ λέ- | |
γει αὐτοῖς· πῶς οὖν Δαυὶδ ἐν | ³⁶ αὐτὸς   Δαυὶδ εἶπεν ἐν τῷ | ⁴² αὐτὸς γὰρ Δαυὶδ λέγει ἐν
πνεύματι καλεῖ αὐτὸν κύριον λέ- | πνεύματι τῷ ἁγίῳ· | βίβλῳ ψαλμῶν·

Mt 22 39 = Mc 12 31 (= Lc 10 27 b): Lev 19 18.   Mc 12 33: vgl. I. Reg 15 22.

Mark 12, 32 εἷς ἐστιν S A B λ syᵖᵉ   εἷς ἐστιν ὁ (> 𝔎) θεὸς D Θ φ 𝔎 it vg syˢ sa bo   εἷς θεός
ἐστιν W
Luk 10, 27 ἐν ὅλη τῇ καρδίᾳ usw. immer ἐν D λ it sa   ἐξ ὅλης τῆς καρδίας usw. immer ἐξ A C W
Θ φ 𝔎 vg syᶜˢ ᵖᵉ (ἐν — διανοίᾳ bo) bo   ἐξ ὅλης τ. κ. und dann ἐν S B | καὶ ἐν — διανοίᾳ σου
> D it Marcion

γων· ⁴⁴ εἶπεν κύριος τῷ κυρίῳ
μου· κάθου ἐκ δεξιῶν μου ἕως ἂν
θῶ τοὺς ἐχθρούς σου ὑποκάτω
τῶν ποδῶν σου; ⁴⁵ εἰ οὖν Δαυὶδ
καλεῖ αὐτὸν κύριον,   πῶς υἱὸς
αὐτοῦ ἐστιν; ⁴⁶ καὶ οὐδεὶς ἐδύνατο
ἀποκριθῆναι αὐτῷ λόγον, οὐδὲ
ἐτόλμησέν τις ἀπ᾽ ἐκείνης τῆς ἡμέ-
ρας ἐπερωτῆσαι αὐτὸν οὐκέτι.

εἶπεν κύριος τῷ κυρίῳ
μου· κάθου ἐκ δεξιῶν μου ἕως ἂν
θῶ τοὺς ἐχθρούς σου ὑποκάτω
τῶν ποδῶν σου. ³⁷ αὐτὸς Δαυὶδ
λέγει αὐτὸν κύριον, καὶ πόθεν
αὐτοῦ ἐστιν υἱός;

s. v. 34

..εν κύριος τῷ κυρίῳ
μου· κάθου ἐκ δεξιῶν μου ⁴³ ἕως ἂν
θῶ τοὺς ἐχθρούς σου ὑποπόδιον
τῶν ποδῶν σου.   ⁴⁴ Δαυὶδ οὖν
αὐτὸν κύριον καλεῖ, καὶ πῶς
αὐτοῦ υἱός ἐστιν;

s. v. 40

210. Rede gegen den Pharisäismus.

210. Woes against the Pharisees.

Matth 23 1—36

¹ Τότε ὁ Ἰησοῦς ἐλάλησεν τοῖς
ὄχλοις καὶ τοῖς μαθηταῖς αὐτοῦ
² λέγων· ἐπὶ τῆς Μωϋσέως καθέ-
δρας ἐκάθισαν οἱ γραμματεῖς καὶ
οἱ Φαρισαῖοι. ³ πάντα οὖν ὅσα
ἐὰν εἴπωσιν ὑμῖν ποιήσατε καὶ
τηρεῖτε, κατὰ δὲ τὰ ἔργα αὐτῶν
μὴ ποιεῖτε· λέγουσιν γὰρ καὶ οὐ
ποιοῦσιν. ⁴ δεσμεύουσιν δὲ φορτία
βαρέα καὶ ἐπιτιθέασιν ἐπὶ τοὺς
ὤμους τῶν ἀνθρώπων, αὐτοὶ δὲ
τῷ δακτύλῳ αὐτῶν οὐ θέλουσιν
κινῆσαι αὐτά. ⁵ πάντα δὲ τὰ ἔργα
αὐτῶν ποιοῦσιν πρὸς τὸ θεαθῆναι
τοῖς ἀνθρώποις· πλατύνουσιν γὰρ
τὰ φυλακτήρια αὐτῶν καὶ μεγα-
λύνουσιν τὰ κράσπεδα,

⁶ φιλοῦσιν δὲ τὴν πρωτοκλισίαν ἐν
τοῖς δείπνοις καὶ τὰς πρωτοκαθε-

Mark 12 37 b—40

³⁷ᵇ Καὶ ὁ πολὺς ὄχλος ἤκουεν
αὐτοῦ ἡδέως. ³⁸ καὶ ἐν τῇ διδαχῇ
αὐτοῦ ἔλεγεν·

βλέπετε ἀπὸ τῶν γραμματέων
τῶν θελόντων ἐν στολαῖς περι-
πατεῖν καὶ ἀσπασμοὺς ἐν
ταῖς ἀγοραῖς ³⁹ καὶ πρωτοκαθε-

Luk 20 45—47

⁴⁵ Ἀκούοντος δὲ παντὸς τοῦ
λαοῦ εἶπεν τοῖς μαθηταῖς·

11 46 (154. S. 122): ὁ δὲ εἶπεν·
καὶ ὑμῖν τοῖς νομικοῖς οὐαί, ὅτι
φορτίζετε τοὺς ἀνθρώπους φορτία
δυσβάστακτα, καὶ αὐτοὶ ἑνὶ τῶν
δακτύλων ὑμῶν οὐ προσψαύετε
τοῖς φορτίοις.

20 46 προσ-
έχετε ἀπὸ τῶν γραμματέων
τῶν θελόντων περιπατεῖν ἐν στο-
λαῖς καὶ φιλούντων ἀσπασμοὺς ἐν
ταῖς ἀγοραῖς καὶ πρωτοκαθε-

Mt 22 44 = Mc 12 36 = Lc 20 42 43: Ps 109 1.   Mt 23 5: vgl. Num 15 38 39.

Matth 23, 4 βαρέα λ it sy ᶜˢ ᵖᵉ bo   μεγάλα βαρέα S   βαρέα καὶ δυσβάστακτα B W Θ φ 𝔎
vg sa   βαρέα καὶ ἀδυσβάστακτα D
Mark 12, 36 ὑποκάτω B D W syˢ sa bo   ὑποπόδιον S A Θ λ φ 𝔎 it vg sy ᵖᵉ   38 καὶ ἐν τῇ
διδαχῇ αὐτοῦ ἔλεγεν (+ αὐτοῖς syᵖᵉ) S B syᵖᵉ bo   καὶ ἔλεγεν αὐτοῖς (> W λ) ἐν τῇ διδαχῇ αὐτοῦ A W
λ φ 𝔎 vg sa   ὁ δὲ διδάσκων (+ ἅμα D) ἔλεγεν αὐτοῖς D Θ it   καὶ ἔλεγεν διδάσκων syˢ | στολαῖς]
στοαῖς syˢ
Luk 20, 46 στολαῖς] στοαῖς sy ᶜˢ

δρίας ἐν ταῖς συναγωγαῖς [7] καὶ τοὺς ἀσπασμοὺς ἐν ταῖς ἀγοραῖς* καὶ καλεῖσθαι ὑπὸ τῶν ἀνθρώπων ῥαββί. [8] ὑμεῖς δὲ μὴ κληθῆτε ῥαββί· εἷς γάρ ἐστιν ὑμῶν ὁ διδάσκαλος, πάντες δὲ ὑμεῖς ἀδελφοί ἐστε. [9] καὶ πατέρα μὴ καλέσητε ὑμῶν ἐπὶ τῆς γῆς· εἷς γάρ ἐστιν ὑμῶν ὁ πατὴρ ὁ οὐράνιος. [10] μηδὲ κληθῆτε καθηγηταί, ὅτι καθηγητὴς ὑμῶν ἐστιν εἷς ὁ Χριστός. [11] ὁ δὲ μείζων ὑμῶν ἔσται ὑμῶν διάκονος.** [12] ὅστις δὲ ὑψώσει ἑαυτὸν ταπεινωθήσεται, καὶ ὅστις ταπεινώσει ἑαυτὸν ὑψωθήσεται.

[13] Οὐαὶ δὲ ὑμῖν, γραμματεῖς καὶ Φαρισαῖοι ὑποκριταί, ὅτι κλείετε τὴν βασιλείαν τῶν οὐρανῶν ἔμπροσθεν τῶν ἀνθρώπων· ὑμεῖς γὰρ οὐκ εἰσέρχεσθε, οὐδὲ τοὺς εἰσερχομένους ἀφίετε εἰσελθεῖν. [[14]]

[15] Οὐαὶ ὑμῖν, γραμματεῖς καὶ Φαρισαῖοι ὑποκριταί, ὅτι περιάγετε τὴν θάλασσαν καὶ τὴν ξηρὰν ποιῆσαι ἕνα προσήλυτον, καὶ ὅταν γένηται, ποιεῖτε αὐτὸν υἱὸν γεέννης διπλότερον ὑμῶν.

[16] Οὐαὶ ὑμῖν, ὁδηγοὶ τυφλοὶ οἱ λέγοντες· ὃς ἂν ὀμόσῃ ἐν τῷ ναῷ, οὐδέν ἐστιν· ὃς δ' ἂν ὀμόσῃ ἐν τῷ χρυσῷ τοῦ ναοῦ, ὀφείλει. [17] μωροὶ

δρίας ἐν ταῖς συναγωγαῖς καὶ πρωτοκλισίας ἐν τοῖς δείπνοις·*

Matth 11 = Mark 9 35 (129. S. 106)

[40] οἱ κατέσθοντες τὰς οἰκίας τῶν χηρῶν καὶ προφάσει μακρὰ προσευχόμενοι, οὗτοι λήμψονται περισσότερον κρίμα.

δρίας ἐν ταῖς συναγωγαῖς καὶ πρωτοκλισίας ἐν τοῖς δείπνοις,*

Matth 11 = Luk 9 48 b (129. S. 107)
Matth 12 = 18 4 (129. S. 107)
= Luk 14 11 (169. S. 133)
und 18 14 (186. S. 142)

11 52 *(154. S. 122)*: οὐαὶ ὑμῖν τοῖς νομικοῖς, ὅτι ἤρατε τὴν κλεῖδα τῆς γνώσεως· αὐτοὶ οὐκ εἰσήλθατε καὶ τοὺς εἰσερχομένους ἐκωλύσατε.

20 47 οἱ κατεσθίουσιν τὰς οἰκίας τῶν χηρῶν καὶ προφάσει μακρὰ προσεύχονται· οὗτοι λήμψονται περισσότερον κρίμα.

(212. Mark 12 41-44 = Luk 21 1-4. S. 170)

---

* Luk 11 43 (154. S. 121): Οὐαὶ ὑμῖν τοῖς Φαρισαίοις, ὅτι ἀγαπᾶτε τὴν πρωτοκαθεδρίαν ἐν ταῖς συναγωγαῖς καὶ τοὺς ἀσπασμοὺς ἐν ταῖς ἀγοραῖς.

** Vgl. auch Matth 20 26 27 = Mark 10 43 44 (192. S. 150) = Luk 22 26 (237 b. S. 187).

Matth 23: v. 14 des textus rec. vor 13: Οὐαὶ (+ δὲ W φ) ὑμῖν, γραμματεῖς καὶ Φαρισαῖοι ὑποκριταί, ὅτι κατεσθίετε τὰς οἰκίας τῶν χηρῶν καὶ (> it vg sy c pe) προφάσει (> vg) μακρὰ προσευχόμενοι· διὰ τοῦτο λήψεσθε περισσότερον κρίμα (= Mc 12 40 Lc 20 47) W ℵ sy pe jedoch nach v. 13: φ it vg sy c Hilarius   fehlt überhaupt: S B D Θ λ vg var sy s sa bo Orig

καὶ τυφλοί, τίς γὰρ μείζων ἐστίν,
ὁ χρυσὸς ἢ ὁ ναὸς ὁ ἁγιάσας τὸν
χρυσόν; ¹⁸ καὶ· ὃς ἂν ὁμόσῃ ἐν τῷ
θυσιαστηρίῳ, οὐδέν ἐστιν· ὃς δ᾽
ἂν ὁμόσῃ ἐν τῷ δώρῳ τῷ ἐπάνω
αὐτοῦ, ὀφείλει. ¹⁹ τυφλοί, τί γὰρ
μεῖζον, τὸ δῶρον ἢ τὸ θυσιαστή-
ριον τὸ ἁγιάζον τὸ δῶρον; ²⁰ ὁ
οὖν ὁμόσας ἐν τῷ θυσιαστηρίῳ
ὀμνύει ἐν αὐτῷ καὶ ἐν πᾶσι τοῖς
ἐπάνω αὐτοῦ· ²¹ καὶ ὁ ὁμόσας ἐν
τῷ ναῷ ὀμνύει ἐν αὐτῷ καὶ ἐν τῷ
κατοικοῦντι αὐτόν· ²² καὶ ὁ ὁμό-
σας ἐν τῷ οὐρανῷ ὀμνύει ἐν τῷ
θρόνῳ τοῦ θεοῦ καὶ ἐν τῷ καθη-
μένῳ ἐπάνω αὐτοῦ.

²³ Οὐαὶ ὑμῖν, γραμματεῖς καὶ
Φαρισαῖοι ὑποκριταί, ὅτι ἀπο-
δεκατοῦτε τὸ ἡδύοσμον καὶ τὸ
ἄνηθον καὶ τὸ κύμινον, καὶ ἀφή-
κατε τὰ βαρύτερα τοῦ νόμου, τὴν
κρίσιν καὶ τὸ ἔλεος καὶ τὴν πίστιν·
ταῦτα δὲ ἔδει ποιῆσαι κἀκεῖνα μὴ
ἀφεῖναι. ²⁴ ὁδηγοὶ τυφλοί, οἱ διϋλί-
ζοντες τὸν κώνωπα, τὴν δὲ κάμη-
λον καταπίνοντες.

²⁵ Οὐαὶ ὑμῖν, γραμματεῖς καὶ
Φαρισαῖοι ὑποκριταί, ὅτι καθαρί-
ζετε τὸ ἔξωθεν τοῦ ποτηρίου καὶ
τῆς παροψίδος, ἔσωθεν δὲ γέμου-
σιν ἐξ ἁρπαγῆς καὶ ἀκρασίας.
²⁶ Φαρισαῖε τυφλέ, καθάρισον πρῶ-
τον τὸ ἐντὸς τοῦ ποτηρίου ἵνα
γένηται καὶ τὸ ἐκτὸς αὐτοῦ καθα-
ρόν.

²⁷ Οὐαὶ ὑμῖν, γραμματεῖς καὶ
Φαρισαῖοι ὑποκριταί, ὅτι παρο-

---

11 39–42 44 47–51 *(154. S. 121 f.)*:
⁴² Ἀλλὰ οὐαὶ ὑμῖν τοῖς
Φαρισαίοις,   ὅτι ἀπο-
δεκατοῦτε τὸ ἡδύοσμον καὶ τὸ
πήγανον καὶ πᾶν λάχανον,
          καὶ παρέρχεσθε τὴν
κρίσιν καὶ τὴν ἀγάπην τοῦ θεοῦ·
ταῦτα δὲ ἔδει ποιῆσαι κἀκεῖνα μὴ
παρεῖναι.

³⁹ νῦν ὑμεῖς οἱ Φαρισαῖοι τὸ
ἔξωθεν τοῦ ποτηρίου καὶ τοῦ πί-
νακος καθαρίζετε, τὸ δὲ ἔσωθεν
ὑμῶν γέμει ἁρπαγῆς καὶ πονηρίας.
⁴⁰ ἄφρονες, οὐχ ὁ ποιήσας τὸ ἔξω-
θεν καὶ τὸ ἔσωθεν ἐποίησεν; ⁴¹ πλὴν
τὰ ἐνόντα δότε ἐλεημοσύνην, καὶ
ἰδοὺ πάντα καθαρὰ ὑμῖν ἐστιν.

⁴⁴ Οὐαὶ ὑμῖν,
          ὅτι ἐστὲ ὡς τὰ μνημεῖα

Matth 23, 19 τυφλοί S D Θ λ it vg sy ᶜˢ   μωροὶ καὶ τυφλοί B C W φ 𝔐 sy ᵖᵉ sa bo   **25** ἀκρασίας
S B D Θ λ φ 𝔐 it   ἀδικίας C syᵖᵉ   ἀκρασίας ἀδικίας W   ἀκαθαρσίας vg syˢ sa bo   **26** ποτηρίου
D Θ λ it syˢ   ποτηρίου καὶ τῆς παροψίδος (πίνακος sa) S B C W φ 𝔐 vg sy ᵖᵉ sa bo
Luk 11, 42 πήγανον] ἄνηθον 𝔓 ⁴⁵   ἄνηθον καὶ τὸ πήγανον φ | ταῦτα — παρεῖναι > D

Zu Mt 23 27: **Naassenerevang.**: Τάφοι ἐστὲ κεκονιαμένοι, γέμοντες, φησίν, ἔσωθεν ὀστέων νεκρῶν,
ὅτι οὐκ ἔστιν ἐν ὑμῖν ἄνθρωπος ὁ ζῶν Hippolyt, Philosoph. V 8 23; 93 14 f. Wendland.

μοιάζετε τάφοις κεκονιαμένοις,
οἵτινες ἔξωθεν μὲν φαίνονται
ὡραῖοι, ἔσωθεν δὲ γέμουσιν ὀστέ-
ων νεκρῶν καὶ πάσης ἀκαθαρσίας.
²⁸ οὕτως καὶ ὑμεῖς ἔξωθεν μὲν
φαίνεσθε τοῖς ἀνθρώποις δίκαιοι,
ἔσωθεν δέ ἐστε μεστοὶ ὑποκρίσεως
καὶ ἀνομίας.

²⁹ Οὐαὶ ὑμῖν, γραμματεῖς καὶ
Φαρισαῖοι ὑποκριταί, ὅτι οἰκοδο-
μεῖτε τοὺς τάφους τῶν προφητῶν
καὶ κοσμεῖτε τὰ μνημεῖα τῶν δι-
καίων, ³⁰ καὶ λέγετε· εἰ ἤμεθα ἐν
ταῖς ἡμέραις τῶν πατέρων ἡμῶν,
οὐκ ἂν ἤμεθα αὐτῶν κοινωνοὶ ἐν
τῷ αἵματι τῶν προφητῶν. ³¹ ὥστε
μαρτυρεῖτε ἑαυτοῖς ὅτι υἱοί ἐστε
τῶν φονευσάντων τοὺς προφήτας.

³² Καὶ ὑμεῖς πληρώσατε τὸ μέ-
τρον τῶν πατέρων ὑμῶν. ³³ ὄφεις,
γεννήματα ἐχιδνῶν, πῶς φύγητε
ἀπὸ τῆς κρίσεως τῆς γεέννης;
³⁴ διὰ τοῦτο ἰδοὺ ἐγὼ ἀποστέλλω
πρὸς ὑμᾶς προφήτας καὶ σοφοὺς
καὶ γραμματεῖς· ἐξ αὐτῶν ἀπο-
κτενεῖτε καὶ σταυρώσετε, καὶ ἐξ
αὐτῶν μαστιγώσετε ἐν ταῖς συνα-
γωγαῖς ὑμῶν καὶ διώξετε ἀπὸ
πόλεως εἰς πόλιν· ³⁵ ὅπως ἔλθῃ
ἐφ' ὑμᾶς πᾶν αἷμα δίκαιον ἐκχυν-
νόμενον ἐπὶ τῆς γῆς ἀπὸ τοῦ
αἵματος Ἄβελ τοῦ δικαίου ἕως
τοῦ αἵματος Ζαχαρίου υἱοῦ Βαρα-
χίου, ὃν ἐφονεύσατε μεταξὺ τοῦ

τὰ ἄδηλα, καὶ οἱ ἄνθρωποι οἱ
περιπατοῦντες ἐπάνω οὐκ οἴδασιν.

⁴⁷ Οὐαὶ ὑμῖν,
                           ὅτι οἰκοδο-
μεῖτε τὰ μνημεῖα τῶν προφητῶν,
οἱ δὲ πατέρες ὑμῶν ἀπέκτειναν
αὐτούς. ⁴⁸ ἄρα μάρτυρές ἐστε καὶ
συνευδοκεῖτε τοῖς ἔργοις τῶν πα-
τέρων ὑμῶν, ὅτι αὐτοὶ μὲν ἀπέ-
κτειναν αὐτούς, ὑμεῖς δὲ οἰκοδο-
μεῖτε.

Zu Matth 33 vgl. Matth 3 7 b
= Luk 3 7 b (2. S. 10 f.)

⁴⁹ διὰ τοῦτο καὶ ἡ σοφία τοῦ θεοῦ
εἶπεν· ἀποστελῶ εἰς αὐτοὺς προ-
φήτας καὶ ἀποστόλους, καὶ ἐξ
αὐτῶν ἀποκτενοῦσιν

καὶ διώξουσιν, ⁵⁰ ἵνα ἐκζητηθῇ
τὸ αἷμα πάντων τῶν προφητῶν
τὸ ἐκκεχυμένον ἀπὸ καταβολῆς
κόσμου ἀπὸ τῆς γενεᾶς ταύτης,
⁵¹ ἀπὸ αἵματος Ἄβελ ἕως αἵματος
Ζαχαρίου τοῦ ἀπολομένου μεταξὺ

Mt 23 35 = Lc 11 50 51: vgl. Gen 4 8.   II. Chr 24 20 21.   Zach 1 1.

Matth 23, 32 πληρώσατε S C W Θ λ φ ⅷ it vg sy ᵖᵉ bo   ἐπληρώσατε D   πληρώσετε B sy⁸ sa
35 υἱοῦ Βαραχίου > S Euseb
Luk 11, 48 καὶ συνευδοκεῖτε] μὴ συνευδοκεῖν D ähnlich it   **49** καὶ ἡ σοφία τοῦ θεοῦ εἶπεν > D it

---

Zu Mt 23 35: **Hebr. Evang.**: In evangelio quo utuntur Nazareni, pro filio Barachiae, *filium
Jojadae* reperimus scriptum. Hieronymus, Comm. in Matth c. 23 35 (VII ¹ 190 D—191 A Vallarsi).
Ζαχαρίαν δὲ τὸν Ἰωδαὲ (Ἰωδανὲ) λέγει· διώνυμος γὰρ ἦν. Petrus v. Laodicea ed. Heinrici V 267.

ναοῦ καὶ τοῦ θυσιαστηρίου. ³⁶ ἀμὴν λέγω ὑμῖν, ἥξει ταῦτα πάντα ἐπὶ τὴν γενεὰν ταύτην.

τοῦ θυσιαστηρίου καὶ τοῦ οἴκου· ναί λέγω ὑμῖν, ἐκζητηθήσεται ἀπὸ τῆς γενεᾶς ταύτης.

211. Weissagung über Jerusalem. Matth 23 37–39
211. The Lament over Jerusalem.

³⁷ Ἱερουσαλὴμ Ἱερουσαλήμ, ἡ ἀποκτείνουσα τοὺς προφήτας καὶ λιθοβολοῦσα τοὺς ἀπεσταλμένους πρὸς αὐτήν, ποσάκις ἠθέλησα ἐπισυναγαγεῖν τὰ τέκνα σου, ὃν τρόπον ὄρνις ἐπισυνάγει τὰ νοσσία αὐτῆς ὑπὸ τὰς πτέρυγας, καὶ οὐκ ἠθελήσατε. ³⁸ ἰδοὺ ἀφίεται ὑμῖν ὁ οἶκος ὑμῶν. ³⁹ λέγω γὰρ ὑμῖν, οὐ μή με ἴδητε ἀπ' ἄρτι ἕως ἂν εἴπητε· εὐλογημένος ὁ ἐρχόμενος ἐν ὀνόματι κυρίου.

13 34–35 *(167. S. 132):*

³⁴ Ἱερουσαλὴμ Ἱερουσαλήμ, ἡ ἀποκτείνουσα τοὺς προφήτας καὶ λιθοβολοῦσα τοὺς ἀπεσταλμένους πρὸς αὐτήν, ποσάκις ἠθέλησα ἐπισυνάξαι τὰ τέκνα σου ὃν τρόπον ὄρνις τὴν ἑαυτῆς νοσσιὰν ὑπὸ τὰς πτέρυγας, καὶ οὐκ ἠθελήσατε. ³⁵ ἰδοὺ ἀφίεται ὑμῖν ὁ οἶκος ὑμῶν. λέγω δὲ ὑμῖν, οὐ μὴ ἴδητέ με ἕως ἥξει ὅτε εἴπητε· εὐλογημένος ὁ ἐρχόμενος ἐν ὀνόματι κυρίου.

212. Die Scherflein der Witwe.
212. The Widow's Mites.

Mark 12 41–44
(210. 12 38–40. S. 167)

⁴¹ Καὶ καθίσας κατέναντι τοῦ γαζοφυλακείου ἐθεώρει πῶς ὁ ὄχλος βάλλει χαλκὸν εἰς τὸ γαζοφυλακεῖον· καὶ πολλοὶ πλούσιοι ἔβαλον πολλά· ⁴² καὶ ἐλθοῦσα μία χήρα πτωχὴ ἔβαλεν λεπτὰ δύο, ὅ ἐστιν κοδράντης. ⁴³ καὶ προσκαλεσάμενος τοὺς μαθητὰς αὐτοῦ εἶπεν αὐτοῖς· ἀμὴν λέγω ὑμῖν ὅτι ἡ χήρα αὕτη ἡ πτωχὴ πλεῖον πάντων ἔβαλεν τῶν βαλλόντων εἰς τὸ γαζοφυλακεῖον. ⁴⁴ πάντες γὰρ ἐκ τοῦ περισσεύοντος αὐτοῖς ἔβαλον, αὕτη δὲ ἐκ τῆς ὑστερήσεως αὐτῆς πάντα ὅσα εἶχεν ἔβαλεν, ὅλον τὸν βίον αὐτῆς.

Luk 21 1–4
(210. 20 45–47. S. 167)

¹ Ἀναβλέψας δὲ εἶδεν τοὺς βάλλοντας εἰς τὸ γαζοφυλακεῖον τὰ δῶρα αὐτῶν πλουσίους.

² εἶδεν δέ τινα χήραν πενιχρὰν βάλλουσαν ἐκεῖ λεπτὰ δύο,

³ καὶ εἶπεν· ἀληθῶς λέγω ὑμῖν ὅτι ἡ χήρα αὕτη ἡ πτωχὴ πλεῖον πάντων ἔβαλεν·

⁴ πάντες γὰρ οὗτοι ἐκ τοῦ περισσεύοντος αὐτοῖς ἔβαλον εἰς τὰ δῶρα, αὕτη δὲ ἐκ τοῦ ὑστερήματος αὐτῆς πάντα τὸν βίον ὃν εἶχεν ἔβαλεν.

Mt 23 39 = Lc 13 35: Ps 117 26.

Matth 23, 37 πρὸς αὐτήν S B C W Θ λ φ 𝔐 sy ᵖᵉ sa bo   πρὸς σέ D it vg sy ˢ   **38** ὑμῶν B sy ˢ sa   ὑμῶν ἔρημος S C D W Θ λ φ 𝔐 it vg sy ᵖᵉ vgl. Jer 22 5

Luk 13, 35 ὑμῶν 𝔓 ⁴⁵ S A B W λ sy ˢ sa bo   ὑμῶν ἔρημος D Θ φ 𝔐 it vg sy ᶜ ᵖᵉ │ ἕως (+ ἂν A W λ φ 𝔐) ἥξει (ἥξῃ λ φ 𝔐) ὅτε εἴπητε Α D W λ φ 𝔐 it vg sy ˢ   ἕως ἥξει ἡ ἡμέρα ὅτε εἴπητε sy ᶜ it ᵛᵃʳ   ἕως (+ ἂν 𝔓 ⁴⁵ S Θ) εἴπητε 𝔓 ⁴⁵ S B Θ sy ᵖᵉ sa bo   **21, 4** δῶρα S B λ sy ᶜˢ sa bo   δῶρα τοῦ θεοῦ A D W Θ 𝔐 it vg sy ᵖᵉ

213. Weissagung der Zerstörung des Tempels.

213. Prediction of the Destruction of the Temple.

Matth 24 1–3	Mark 13 1–4	Luk 21 5–7
¹ Καὶ ἐξελθὼν ὁ Ἰησοῦς ἀπὸ τοῦ ἱεροῦ ἐπορεύετο, καὶ προσ-ῆλθον οἱ μαθηταὶ αὐτοῦ ἐπιδεῖξαι αὐτῷ τὰς οἰκοδομὰς τοῦ ἱεροῦ. ² ὁ δὲ ἀποκριθεὶς εἶπεν αὐτοῖς· οὐ βλέπετε ταῦτα πάντα; ἀμὴν λέγω ὑμῖν, οὐ μὴ ἀφεθῇ ὧδε λίθος ἐπὶ λίθον, ὃς οὐ καταλυθήσεται. ³ καθημένου δὲ αὐτοῦ ἐπὶ τοῦ ὄρους τῶν ἐλαιῶν προσ-ῆλθον αὐτῷ οἱ μαθηταὶ κατ' ἰδίαν λέγοντες· εἰπὲ ἡμῖν, πότε ταῦτα ἔσται, καὶ τί τὸ σημεῖον τῆς σῆς παρουσίας καὶ συντελείας τοῦ αἰῶνος;	¹ Καὶ ἐκπορευομένου αὐτοῦ ἐκ τοῦ ἱεροῦ λέγει αὐτῷ εἷς τῶν μαθητῶν αὐτοῦ· διδάσκαλε, ἴδε ποταποὶ λίθοι καὶ ποταπαὶ οἰκο-δομαί. ² καὶ ὁ Ἰησοῦς εἶπεν αὐτῷ· βλέπεις ταύτας τὰς μεγάλας οἰκο-δομάς; οὐ μὴ ἀφεθῇ λίθος ἐπὶ λίθον ὃς οὐ μὴ καταλυθῇ. ³ καὶ καθημένου αὐτοῦ εἰς τὸ ὄρος τῶν ἐλαιῶν κατέναντι τοῦ ἱεροῦ, ἐπηρώτα αὐτὸν κατ' ἰδίαν Πέτρος καὶ Ἰάκωβος καὶ Ἰωάννης καὶ Ἀνδρέας· ⁴ εἰπὸν ἡμῖν, πότε ταῦτα ἔσται, καὶ τί τὸ σημεῖον ὅταν μέλλη ταῦτα συντελεῖσθαι πάντα;	⁵ Καί τινων λεγόντων περὶ τοῦ ἱεροῦ, ὅτι λίθοις καλοῖς καὶ ἀνα-θήμασιν κεκόσμηται, εἶπεν· ⁶ ταῦτα ἃ θεωρεῖτε, ἐλεύσονται ἡμέραι ἐν αἷς οὐκ ἀφεθήσεται λίθος ἐπὶ λίθῳ ὃς οὐ καταλυθήσεται. ⁷ ἐπηρώτησαν δὲ αὐτὸν λέγοντες· διδάσκαλε, πότε οὖν ταῦτα ἔσται, καὶ τί τὸ σημεῖον ὅταν μέλλη ταῦτα γίνεσθαι;

Die synoptische Apokalypse.

The Synoptic Apocalypse.

Matth 24 4–36 = Mark 13 5–37 = Luk 21 8–36

214. Ia. Die Vorzeichen der Parusie.

214. Ia. The Signs of the Parousia.

Matth 24 4–8	Mark 13 5–8	Luk 21 8–11
⁴ Καὶ ἀποκριθεὶς ὁ Ἰησοῦς εἶπεν αὐτοῖς· βλέπετε μή τις ὑμᾶς πλα-νήσῃ. ⁵ πολλοὶ γὰρ ἐλεύσονται ἐπὶ τῷ ὀνόματί μου λέγοντες· ἐγώ εἰμι ὁ Χριστός, καὶ πολλοὺς πλα-νήσουσιν.* ⁶ μελλήσετε δὲ ἀκού-ειν πολέμους καὶ ἀκοὰς πολέμων· ὁρᾶτε, μὴ θροεῖσθε· δεῖ γὰρ γενέ-	⁵ Ὁ δὲ Ἰησοῦς ἤρξατο λέγειν αὐτοῖς· βλέπετε μή τις ὑμᾶς πλα-νήσῃ. ⁶ πολλοὶ ἐλεύσονται ἐπὶ τῷ ὀνόματί μου λέγοντες ὅτι ἐγώ εἰμι, καὶ πολλοὺς πλα-νήσουσιν.* ⁷ ὅταν δὲ ἀκού-σητε πολέμους καὶ ἀκοὰς πολέμων, μὴ θροεῖσθε· δεῖ γενέ-	⁸ Ὁ δὲ εἶπεν· βλέπετε μὴ πλα-νηθῆτε· πολλοὶ γὰρ ἐλεύσονται ἐπὶ τῷ ὀνόματί μου λέγοντες· ἐγώ εἰμι, καὶ· ὁ καιρὸς ἤγγικεν· μὴ πορευθῆ-τε ὀπίσω αὐτῶν.* ⁹ ὅταν δὲ ἀκού-σητε πολέμους καὶ ἀκαταστασίας, μὴ πτοηθῆτε· δεῖ γὰρ ταῦτα γενέ-

---

* Vgl. 217. Matth 24 23–26 = Mark 13 21 22 (S. 174) = Luk 17 23 (184. S. 141).

Mt 24 6 = Mc 13 7 = Lc 21 9: Dan 2 28.

Matth 24, 2 οὔ¹ S B C W Θ λ φ 𝔐 syᵖᵉ   > D it vg syˢ sa bo
Mark 13, 2 καταλυθῇ **+** καὶ διὰ τριῶν ἡμερῶν ἄλλος ἀναστήσεται ἄνευ χειρῶν D W it Cyp
7 θροεῖσθε] θορυβεῖσθε D
Luk 21, 6 λίθος ἐπὶ λίθῳ A Θ 𝔐 vg syᵖᵉ   λίθος ἐπὶ λίθῳ ἐν
τοίχῳ ὧδε D it   ὧδε λίθος ἐπὶ λίθον λ syᶜˢ   λίθος ἐπὶ λίθον (+ ὧδε φ) N φ

σθαι,   ἀλλ᾽ οὔπω ἐστὶν τὸ | σθαι,   ἀλλ᾽ οὔπω   τὸ | σθαι πρῶτον, ἀλλ᾽ οὐκ εὐθέως τὸ
τέλος.   ⁷ ἐγερ- | τέλος.   ⁸ ἐγερ- | τέλος. ¹⁰ τότε ἔλεγεν αὐτοῖς· ἐγερ-
θήσεται γὰρ ἔθνος ἐπ᾽ ἔθνος καὶ | θήσεται γὰρ ἔθνος ἐπ᾽ ἔθνος καὶ | θήσεται ἔθνος ἐπ᾽ ἔθνος καὶ
βασιλεία ἐπὶ βασιλείαν, καὶ ἔσον- | βασιλεία ἐπὶ βασιλείαν.   ἔσον- | βασιλεία ἐπὶ βασιλείαν, ¹¹ σεισμοί
ται λιμοὶ καὶ σεισμοὶ κατὰ τό- | ται σεισμοὶ κατὰ τόπους, ἔσονται | τε μεγάλοι καὶ κατὰ τόπους λοιμοὶ
πους. | λιμοί· | καὶ λιμοὶ ἔσονται, φόβητρά τε καὶ
⁸ πάντα δὲ ταῦτα ἀρχὴ ὠδίνων. | ἀρχὴ ὠδίνων ταῦτα. | ἀπ᾽ οὐρανοῦ σημεῖα μεγάλα ἔσται.

215. I b. Mahnworte für die Anfänge der Not.
215. I b. The Beginnings of the Troubles.

Matth 24 9-14	**Mark 13 9-13**	**Luk 21 12-19**

⁹ Τότε παραδώσουσιν ὑμᾶς εἰς θλῖψιν

10 17-21 (59. S. 49): ¹⁷ Προσ-
έχετε δὲ ἀπὸ τῶν ἀνθρώπων·
παραδώσουσιν γὰρ ὑμᾶς εἰς συνέ-
δρια, καὶ ἐν ταῖς συναγωγαῖς αὐ-
τῶν μαστιγώσουσιν ὑμᾶς· ¹⁸ καὶ
ἐπὶ ἡγεμόνας δὲ καὶ βασιλεῖς ἀ-
χθήσεσθε ἕνεκεν ἐμοῦ, εἰς μαρτύριον
αὐτοῖς καὶ τοῖς ἔθνεσιν. ⟨Joh 14 26⟩
¹⁹ ὅταν δὲ παραδῶσιν ὑμᾶς, μὴ
μεριμνήσητε, πῶς ἢ τί λαλήσητε·
δοθήσεται γὰρ ὑμῖν ἐν ἐκείνῃ τῇ
ὥρᾳ τί λαλήσητε· ²⁰ οὐ γὰρ ὑμεῖς
ἐστε οἱ λαλοῦντες, ἀλλὰ τὸ πνεῦμα
τοῦ πατρὸς ὑμῶν τὸ λαλοῦν ἐν
ὑμῖν.*   ²¹ παρα-
δώσει δὲ ἀδελφὸς ἀδελφὸν εἰς θά-
νατον καὶ πατὴρ τέκνον, καὶ ἐπα-
ναστήσονται τέκνα ἐπὶ γονεῖς καὶ

⁹ Βλέπετε δὲ ὑμεῖς ἑαυτούς·
παραδώσουσιν ὑμᾶς εἰς
συνέδρια καὶ εἰς συναγωγὰς δαρή-
σεσθε καὶ ἐπὶ ἡγεμόνων καὶ βασι-
λέων σταθήσεσθε ἕνεκεν ἐμοῦ, εἰς
μαρτύριον αὐτοῖς. ¹⁰ καὶ εἰς πάντα
τὰ ἔθνη πρῶτον δεῖ κηρυχθῆναι
τὸ εὐαγγέλιον. (= Matth 24 14)

¹¹ καὶ ὅταν ἄγωσιν ὑμᾶς παραδι-
δόντες, μὴ προμεριμνᾶτε τί λαλή-
σητε, ἀλλ᾽ ὃ ἐὰν δοθῇ ὑμῖν ἐν
ἐκείνῃ τῇ ὥρᾳ, τοῦτο λαλεῖτε· οὐ
γάρ ἐστε ὑμεῖς οἱ λαλοῦντες ἀλλὰ
τὸ πνεῦμα τὸ ἅγιον.* ¹² καὶ παρα-
δώσει ἀδελφὸς ἀδελφὸν εἰς θά-
νατον καὶ πατὴρ τέκνον, καὶ ἐπα-
ναστήσονται τέκνα ἐπὶ γονεῖς καὶ

¹² Πρὸ δὲ τούτων πάντων ἐπι-
βαλοῦσιν ἐφ᾽ ὑμᾶς τὰς χεῖρας αὐ-
τῶν καὶ διώξουσιν, παραδιδόντες
εἰς τὰς συναγωγὰς καὶ φυλακάς,
ἀπαγομένους ἐπὶ βασιλεῖς καὶ ἡγε-
μόνας ἕνεκεν τοῦ ὀνόματός μου·
¹³ ἀποβήσεται ὑμῖν εἰς μαρτύριον.

¹⁴ θέτε οὖν ἐν ταῖς καρδίαις
ὑμῶν μὴ προμελετᾶν ἀπολογη-
θῆναι· ¹⁵ ἐγὼ γὰρ δώσω ὑμῖν στό-
μα καὶ σοφίαν, ᾗ οὐ δυνήσονται
ἀντιστῆναι ἢ ἀντειπεῖν ἅπαντες
οἱ ἀντικείμενοι ὑμῖν.* ¹⁶ παρα-
δοθήσεσθε δὲ καὶ ὑπὸ γονέων καὶ
ἀδελφῶν καὶ συγγενῶν καὶ φίλων,
καὶ

---

* Luk 12 11 12 (155. S. 124): ¹¹ Ὅταν δὲ εἰσφέρωσιν ὑμᾶς ἐπὶ τὰς συναγωγὰς καὶ τὰς ἀρχὰς καὶ
τὰς ἐξουσίας, μὴ μεριμνήσετε πῶς ἢ τί ἀπολογήσησθε ἢ τί εἴπητε· ¹² τὸ γὰρ ἅγιον πνεῦμα διδάξει ὑμᾶς ἐν
αὐτῇ τῇ ὥρᾳ ἃ δεῖ εἰπεῖν.

Mt 24 7 = Mc 13 8 = Lc 21 10: vgl. Jes 19 2. II. Chron 15 6.   Mc 13 12 = Mt 10 21: vgl. Mi 7 6.

Matth 24, 7 λιμοὶ S B D it syˢ sa   λιμοὶ καὶ λοιμοὶ C Θ λ φ 𝔎 syᵖᵉ bo   λοιμοὶ καὶ λιμοὶ W vg
10, 17 δὲ > D it   **18** ἀχθήσεσθε] σταθήσεσθε D it syˢ Iren

Luk 21, 10 τότε ἔλεγεν αὐτοῖς· ἐγερθήσεται] ἐγερθήσεται γὰρ D it syᶜˢ ᵖᵉ   **15** ἀντιστῆναι ἢ
(οὐδὲ bo) ἀντειπεῖν S B φ vg sa bo   ἀντειπεῖν οὐδὲ (ἢ A) ἀντιστῆναι A W Θ λ 𝔎   ἀντιστῆναι D it
syᶜˢ ᵖᵉ Cyp

Θανατώσουσιν αὐτούς.

καὶ ἀπο-
κτενοῦσιν ὑμᾶς, καὶ ἔσεσθε μισού-
μενοι ὑπὸ πάντων τῶν ἐθνῶν διὰ
τὸ ὄνομά μου.* | Joh 15 21 16 2 |
10 καὶ τότε σκανδαλισθήσονται
πολλοὶ καὶ ἀλλήλους παραδώ-
σουσιν καὶ μισήσουσιν ἀλλήλους·
11 καὶ πολλοὶ ψευδοπροφῆται ἐγερ-
θήσονται καὶ πλανήσουσιν πολ-
λούς· 12 καὶ διὰ τὸ πληθυνθῆναι
τὴν ἀνομίαν ψυγήσεται ἡ ἀγάπη
τῶν πολλῶν. 13 ὁ δὲ ὑπομείνας εἰς
τέλος, οὗτος σωθήσεται.*** 14 καὶ
κηρυχθήσεται τοῦτο τὸ εὐαγγέ-
λιον τῆς βασιλείας ἐν ὅλῃ τῇ οἰκου-
μένῃ εἰς μαρτύριον πᾶσιν τοῖς
ἔθνεσιν, καὶ τότε ἥξει τὸ τέλος.

Θανατώσουσιν αὐτούς·

13 καὶ ἔσεσθε μισού-
μενοι ὑπὸ πάντων   διὰ
τὸ ὄνομά μου·*

ὁ δὲ ὑπομείνας εἰς
τέλος, οὗτος σωθήσεται.***
cf. v. 10

Θανατώσουσιν ἐξ ὑμῶν,

17 καὶ ἔσεσθε μισού-
μενοι ὑπὸ πάντων   διὰ
τὸ ὄνομά μου.*
18 καὶ θρὶξ ἐκ τῆς κεφαλῆς ὑμῶν
οὐ μὴ ἀπόληται·**

19 ἐν τῇ ὑπομονῇ ὑμῶν
κτήσεσθε τὰς ψυχὰς ὑμῶν.***

216. II a. Die Bedrängnis in Judäa.
216. II a. The Abomination of Desolation.

Matth 24 15–22

15 Ὅταν οὖν ἴδητε τὸ βδέλυγμα
τῆς ἐρημώσεως τὸ ῥηθὲν διὰ Δα-
νιὴλ τοῦ προφήτου ἑστὸς ἐν τόπῳ
ἁγίῳ, ὁ ἀναγινώσκων νοείτω,
16 τότε οἱ ἐν τῇ Ἰουδαίᾳ φευγέ-
τωσαν εἰς τὰ ὄρη, 17 ὁ ἐπὶ τοῦ
δώματος μὴ καταβάτω
ἆραι τὰ ἐκ τῆς οἰκίας αὐ-

Mark 13 14–20

14 Ὅταν δὲ ἴδητε τὸ βδέλυγμα
τῆς ἐρημώσεως
ἑστηκότα ὅπου οὐ
δεῖ, ὁ ἀναγινώσκων νοείτω,
τότε οἱ ἐν τῇ Ἰουδαίᾳ φευγέ-
τωσαν εἰς τὰ ὄρη, 15 ὁ ἐπὶ τοῦ
δώματος μὴ καταβάτω μηδὲ εἰσελ-
θάτω τι ἆραι ἐκ τῆς οἰκίας αὐτοῦ,

Luk 21 20–24

20 Ὅταν δὲ ἴδητε κυκλουμένην
ὑπὸ στρατοπέδων Ἱερουσαλήμ,
τότε γνῶτε ὅτι ἤγγικεν ἡ ἐρήμω-
σις αὐτῆς. 21 τότε οἱ ἐν τῇ Ἰουδαίᾳ φευγέ-
τωσαν εἰς τὰ ὄρη, καὶ οἱ ἐν μέσῳ
αὐτῆς ἐκχωρείτωσαν, καὶ οἱ ἐν ταῖς
χώραις μὴ εἰσερχέσθωσαν εἰς αὐ-

---

* Matth 10 22 a (59. S. 49): Καὶ ἔσεσθε μισούμενοι ὑπὸ πάντων διὰ τὸ ὄνομά μου.
** Matth 10 30 (60. S. 50): Ὑμῶν δὲ καὶ αἱ   Luk 12 7 (155. S. 124): Ἀλλὰ καὶ αἱ τρί-
τρίχες τῆς κεφαλῆς πᾶσαι ἠριθμημέναι εἰσίν.   χες τῆς κεφαλῆς ὑμῶν πᾶσαι ἠρίθμηνται.
*** Matth 10 22 b (59. S. 49): Ὁ δὲ ὑπομείνας εἰς τέλος, οὗτος σωθήσεται.

Mt 24 15 = Mc 13 14: Dan 9 27 12 11 (LXX Θ).   Mt 24 16 = Mc 13 14 b: vgl. Ez 7 16.

Matth 24, 9 πάντων τῶν ἐθνῶν B W Θ φ ℜ it vg sy pe sa bo   πάντων ἐθνῶν D   τῶν ἐθνῶν S
πάντων C λ sy s
Luk 21, 18 fehlt sy c Marcion

τοῦ, ¹⁸ καὶ ὁ ἐν τῷ ἀργῷ μὴ ἐπι-
στρεψάτω   ὀπίσω ἆραι τὸ
ἱμάτιον αὐτοῦ.* ¹⁹ οὐαὶ δὲ ταῖς
ἐν γαστρὶ ἐχούσαις καὶ ταῖς 9ηλα-
ζούσαις ἐν ἐκείναις ταῖς ἡμέραις.
²⁰ προσεύχεσ9ε δὲ ἵνα μὴ γένηται
ἡ φυγὴ ὑμῶν χειμῶνος μηδὲ σαβ-
βάτῳ. ²¹ ἔσται γὰρ τότε
θλῖψις μεγάλη, οἷα οὐ γέγονεν
ἀπ' ἀρχῆς κόσμου
     ἕως τοῦ νῦν οὐδ'
οὐ μὴ γένηται. ²² καὶ εἰ μὴ ἐκολο-
βώθησαν αἱ ἡμέραι ἐκεῖναι, οὐκ ἂν
ἐσώθη πᾶσα σάρξ· διὰ δὲ τοὺς
ἐκλεκτοὺς   κολοβω-
9ήσονται αἱ ἡμέραι ἐκεῖναι.

¹⁶ καὶ ὁ εἰς τὸν ἀγρὸν μὴ ἐπι-
στρεψάτω εἰς τὰ ὀπίσω ἆραι τὸ
ἱμάτιον αὐτοῦ.* ¹⁷ οὐαὶ δὲ ταῖς
ἐν γαστρὶ ἐχούσαις καὶ ταῖς 9ηλα-
ζούσαις ἐν ἐκείναις ταῖς ἡμέραις.
¹⁸ προσεύχεσ9ε δὲ ἵνα μὴ γένηται
χειμῶνος·
¹⁹ ἔσονται γὰρ αἱ ἡμέραι
ἐκεῖναι *θλῖψις, οἷα οὐ γέγονεν*
τοιαύτη ἀπ' ἀρχῆς κτίσεως ἣν
ἔκτισεν ὁ 9εὸς ἕως τοῦ νῦν καὶ
οὐ μὴ γένηται. ²⁰ καὶ εἰ μὴ ἐκολό-
βωσεν κύριος τὰς ἡμέρας, οὐκ ἂν
ἐσώθη πᾶσα σάρξ· ἀλλὰ διὰ τοὺς
ἐκλεκτοὺς οὓς ἐξελέξατο ἐκολόβω-
σεν τὰς ἡμέρας.

τήν,* ²² ὅτι *ἡμέραι ἐκδικήσεως* αὐ-
ταὶ εἰσιν τοῦ πλησθῆναι πάντα
τὰ γεγραμμένα. ²³ οὐαὶ   ταῖς
ἐν γαστρὶ ἐχούσαις καὶ ταῖς 9ηλα-
ζούσαις ἐν ἐκείναις ταῖς ἡμέραις·

ἔσται γὰρ ἀνάγκη με-
γάλη ἐπὶ τῆς γῆς καὶ ὀργὴ τῷ
λαῷ τούτῳ, ²⁴ καὶ πεσοῦνται στό-
ματι μαχαίρης καὶ αἰχμαλωτισθή-
σονται εἰς τὰ ἔθνη πάντα, καὶ
Ἱερουσαλὴμ ἔσται πατουμένη ὑπὸ
ἐθνῶν, ἄχρι οὗ πληρωθῶσιν και-
ροὶ ἐθνῶν.

217. II b. Mahnworte für den Höhepunkt der Not.
217. II b. The Culmination of the Troubles.

Matth 24 23—25   **Mark 13** 21—23

²³ Τότε ἐάν τις ὑμῖν εἴπῃ· Ἰδοὺ ὧδε ὁ Χρι-
στὸς ἢ ὧδε, μὴ πιστεύσητε· ²⁴ ἐγερθήσονται
γὰρ ψευδόχριστοι καὶ *ψευδοπροφῆται* καὶ δώ-
σουσιν σημεῖα μεγάλα *καὶ τέρατα,* ὥστε πλανῆ-
σαι, εἰ δυνατόν, καὶ τοὺς ἐκλεκτούς.
²⁵ ἰδοὺ προείρηκα ὑμῖν.

²¹ Καὶ τότε ἐάν τις ὑμῖν εἴπῃ· Ἴδε ὧδε ὁ χρι-
στός, ἴδε ἐκεῖ, μὴ πιστεύετε· ²² ἐγερθήσονται
δὲ ψευδόχριστοι καὶ *ψευδοπροφῆται* καὶ ποι-
ήσουσιν σημεῖα   *καὶ τέρατα* πρὸς τὸ ἀπο-
πλανᾶν, εἰ δυνατόν, τοὺς ἐκλεκτούς. ²³ ὑμεῖς
δὲ βλέπετε· προείρηκα ὑμῖν πάντα.

17 21
S. 140

218. II c. Der Tag des Menschensohns. Matth 24 26—28
[218. II c. The Day of the Son of Man.

²⁶ Ἐὰν οὖν εἴπωσιν ὑμῖν· Ἰδοὺ ἐν τῇ ἐρήμῳ
ἐστίν, μὴ ἐξέλθητε· ἰδοὺ ἐν τοῖς ταμείοις, μὴ
πιστεύσητε· ²⁷ ὥσπερ γὰρ ἡ ἀστραπὴ ἐξέρ-
χεται ἀπὸ ἀνατολῶν καὶ φαίνεται ἕως δυσμῶν,

17 23—24 37 *(184. S. 141 f.):* ²³ Καὶ ἐροῦσιν
ὑμῖν· Ἰδοὺ ἐκεῖ, ἰδοὺ ὧδε· μὴ ἀπέλθητε μηδὲ
διώξητε. ²⁴ ὥσπερ γὰρ ἡ ἀστραπὴ ἀστρά-
πτουσα ἐκ τῆς ὑπὸ τὸν οὐρανὸν εἰς τὴν ὑπ'

---

    * Luk 17 31 (184. S. 141): Ἐν ἐκείνῃ τῇ ἡμέρᾳ ὃς ἔσται ἐπὶ τοῦ δώματος καὶ τὰ σκεύη αὐτοῦ ἐν τῇ
οἰκίᾳ, μὴ καταβάτω ἆραι αὐτά, καὶ ὁ ἐν ἀγρῷ ὁμοίως μὴ *ἐπιστρεψάτω εἰς τὰ ὀπίσω.*

    Mt 24 21 = Mc 13 19: Dan 12 1.   Mt 24 24 = Mc 13 22: Dtn 13 2.   Lc 21 22: Dtn 32 35.
Lc 21 24: Sach 12 3.

Mark 13, 22 ψευδόχριστοι καὶ > D
Luk 21, 24 καιροὶ ἐθνῶν S A C W Θ λ φ ℜ it vg sy^cs pe sa   (+ καιροὶ bo) καὶ ἔσονται καιροὶ ἐθνῶν
B bo   > D

οὕτως ἔσται ἡ παρουσία τοῦ υἱοῦ τοῦ ἀν-
θρώπου· ²⁸ὅπου ἐὰν ᾖ τὸ πτῶμα, ἐκεῖ συνα-
χθήσονται οἱ ἀετοί.

οὐρανὸν λάμπει, οὕτως ἔσται ὁ υἱὸς τοῦ ἀν-
θρώπου ἐν τῇ ἡμέρᾳ αὐτοῦ. ³⁷ὅπου τὸ σῶμα,
ἐκεῖ καὶ οἱ ἀετοὶ ἐπισυναχθήσονται.

219. III a. Die Parusie des Menschensohns.

219. III a. The Parousia of the Son of Man.

Matth 24 29–31	**Mark 13** 24–27	**Luk 21** 25–28
²⁹ Εὐθέως δὲ μετὰ τὴν θλῖψιν τῶν ἡμερῶν ἐκείνων ὁ ἥλιος σκοτισθήσεται, καὶ ἡ σελήνη οὐ δώσει τὸ φέγγος αὐτῆς, ²⁵ καὶ οἱ ἀστέρες πεσοῦνται ἀπὸ τοῦ οὐρανοῦ,	²⁴ Ἀλλὰ ἐν ἐκείναις ταῖς ἡμέραις μετὰ τὴν θλῖψιν ἐκείνην ὁ ἥλιος σκοτισθήσεται, καὶ ἡ σελήνη οὐ δώσει τὸ φέγγος αὐτῆς, ²⁵καὶ οἱ ἀστέρες ἔσονται ἐκ τοῦ οὐρανοῦ πίπτοντες,	²⁵ Καὶ ἔσονται σημεῖα ἐν ἡλίῳ καὶ σελήνῃ καὶ ἄστροις, καὶ ἐπὶ τῆς γῆς συνοχὴ ἐθνῶν ἐν ἀπορίᾳ ἤχους θαλάσσης καὶ σάλου, ²⁶ἀπο- ψυχόντων ἀνθρώπων ἀπὸ φόβου καὶ προσδοκίας τῶν ἐπερχομένων
καὶ αἱ δυνάμεις τῶν οὐρανῶν σαλευθήσονται.	καὶ αἱ δυνάμεις αἱ ἐν τοῖς οὐρανοῖς σαλευθήσονται.	τῇ οἰκουμένῃ· αἱ γὰρ δυνάμεις τῶν οὐρανῶν σαλευθήσονται.
³⁰ καὶ τότε φανήσεται τὸ σημεῖον τοῦ υἱοῦ τοῦ ἀνθρώπου ἐν οὐ- ρανῷ, καὶ τότε κόψονται πᾶσαι αἱ φυλαὶ τῆς γῆς καὶ ὄψονται τὸν υἱὸν τοῦ ἀνθρώπου ἐρχόμενον ἐπὶ τῶν νεφελῶν τοῦ οὐρανοῦ μετὰ δυνά- μεως καὶ δόξης πολλῆς. ³¹ καὶ ἀποστελεῖ τοὺς ἀγγέλους αὐτοῦ μετὰ σάλπιγγος μεγάλης, καὶ ἐπι- συνάξουσιν τοὺς ἐκλεκτοὺς αὐτοῦ ἐκ τῶν τεσσάρων ἀνέμων ἀπ' ἄκρων οὐρανῶν ἕως τῶν ἄκρων αὐτῶν.	²⁶ καὶ τότε ὄψονται τὸν υἱὸν τοῦ ἀνθρώπου ἐρχόμενον ἐν νεφέλαις μετὰ δυνά- μεως πολλῆς καὶ δόξης. ²⁷ καὶ τότε ἀποστελεῖ τοὺς ἀγγέλους καὶ ἐπι- συνάξει τοὺς ἐκλεκτοὺς αὐτοῦ ἐκ τῶν τεσσάρων ἀνέμων ἀπ' ἄκρου γῆς ἕως ἄκρου οὐρανοῦ.	²⁷ καὶ τότε ὄψονται τὸν υἱὸν τοῦ ἀνθρώπου ἐρχόμενον ἐν νεφέλῃ μετὰ δυνά- μεως καὶ δόξης πολλῆς. ²⁸ ἀρχομένων δὲ τούτων γίνε- σθαι ἀνακύψατε καὶ ἐπάρατε τὰς κεφαλὰς ὑμῶν, διότι ἐγγίζει ἡ ἀπολύτρωσις ὑμῶν.

Mt 24 29 = Mc 13 24. 25 = Lc 21 26 : Jes 13 10 34 4.   Mt 24 30 : vgl. Sach 12 12–14 und Apc 1 7.
Mt 24 30 = Mc 13 26 = Lc 21 27 : Dan 7 13 14.   Mt 24 31 = Mc 13 27 : Jes 27 13 Sach 2 10.
Mc 13 25 : Ps 64 8.

Matth 24, 31 μεγάλης S W Θ λ sy^s pe bo   φωνῆς μεγάλης B φ 𝔐 sa   καὶ φωνῆς μεγάλης D it vg
Luk 17, 24 ἐν τῇ ἡμέρᾳ αὐτοῦ S A W Θ λ φ 𝔐 vg sy^cs pe bo   > B D it sa   **21, 25** ἤχους S A B C
Θ λ φ it vg sy^cs sa bo   ἠχούσης D 𝔐   ᾖ ὡς ἠχούσης W

Zu Mt 24 30 f. u. par.: I. Thess. 4 15 16 : Τοῦτο γὰρ ὑμῖν λέγομεν ἐν λόγῳ κυρίου, ὅτι ἡμεῖς οἱ
ζῶντες οἱ περιλειπόμενοι εἰς τὴν παρουσίαν τοῦ κυρίου οὐ μὴ φθάσωμεν τοὺς κοιμηθέντας· ὅτι αὐτὸς ὁ κύριος
ἐν κελεύσματι, ἐν φωνῇ ἀρχαγγέλου καὶ ἐν σάλπιγγι θεοῦ, καταβήσεται ἀπ' οὐρανοῦ ...

220. III b. Das Gleichnis vom Feigenbaum.

220. III b. The Parable of the Fig Tree.

Matth 24 32–33	Mark 13 28–29	Luk 21 29–31
³² Ἀπὸ δὲ τῆς συκῆς μάθετε τὴν παραβολήν· ὅταν ἤδη ὁ κλάδος αὐτῆς γένηται ἁπαλὸς καὶ τὰ φύλλα ἐκφύῃ, γινώσκετε ὅτι ἐγγὺς τὸ θέρος· ³³ οὕτως καὶ ὑμεῖς, ὅταν ἴδητε πάντα ταῦτα, γινώσκετε ὅτι ἐγγύς ἐστιν ἐπὶ θύραις.	²⁸ Ἀπὸ δὲ τῆς συκῆς μάθετε τὴν παραβολήν. ὅταν ἤδη ὁ κλάδος αὐτῆς ἁπαλὸς γένηται καὶ ἐκφύῃ τὰ φύλλα, γινώσκετε ὅτι ἐγγὺς τὸ θέρος ἐστίν· ²⁹ οὕτως καὶ ὑμεῖς, ὅταν ἴδητε ταῦτα γινόμενα, γινώσκετε ὅτι ἐγγύς ἐστιν ἐπὶ θύραις.	²⁹ Καὶ εἶπεν παραβολὴν αὐτοῖς· ἴδετε τὴν συκῆν καὶ πάντα τὰ δένδρα· ³⁰ ὅταν προβάλωσιν ἤδη, βλέποντες ἀφ' ἑαυτῶν γινώσκετε ὅτι ἤδη ἐγγὺς τὸ θέρος ἐστίν· ³¹ οὕτως καὶ ὑμεῖς, ὅταν ἴδητε ταῦτα γινόμενα, γινώσκετε ὅτι ἐγγύς ἐστιν ἡ βασιλεία τοῦ θεοῦ.

221. III c. Das „Wann" der Parusie.

221. III c. The Time of the Parousia.

Matth 24 34–36	Mark 13 30–32	Luk 21 32–33
³⁴ Ἀμὴν λέγω ὑμῖν ὅτι οὐ μὴ παρέλθῃ ἡ γενεὰ αὕτη ἕως ἂν πάντα ταῦτα γένηται.* ³⁵ ὁ οὐρανὸς καὶ ἡ γῆ παρελεύσεται, οἱ δὲ λόγοι μου οὐ μὴ παρέλθωσιν.** ³⁶ περὶ δὲ τῆς ἡμέρας ἐκείνης καὶ ὥρας οὐδεὶς οἶδεν, οὐδὲ οἱ ἄγγελοι τῶν οὐρανῶν οὐδὲ ὁ υἱός, εἰ μὴ ὁ πατὴρ μόνος.	³⁰ Ἀμὴν λέγω ὑμῖν ὅτι οὐ μὴ παρέλθῃ ἡ γενεὰ αὕτη μέχρις οὗ ταῦτα πάντα γένηται.* ³¹ ὁ οὐρανὸς καὶ ἡ γῆ παρελεύσονται, οἱ δὲ λόγοι μου οὐ παρελεύσονται.** ³² περὶ δὲ τῆς ἡμέρας ἐκείνης ἢ τῆς ὥρας οὐδεὶς οἶδεν, οὐδὲ οἱ ἄγγελοι ἐν οὐρανῷ οὐδὲ ὁ υἱός, εἰ μὴ ὁ πατήρ.	³² Ἀμὴν λέγω ὑμῖν ὅτι οὐ μὴ παρέλθῃ ἡ γενεὰ αὕτη ἕως ἂν πάντα γένηται.* ³³ ὁ οὐρανὸς καὶ ἡ γῆ παρελεύσονται, οἱ δὲ λόγοι μου οὐ μὴ παρελεύσονται.**

222. Schluß der Rede nach Markus. Mark 13 33–37

222. Mark's Ending to the Discourse.

25 14 15b (228. S. 179): ¹⁴ Ὥσπερ γὰρ ἄνθρωπος ἀποδημῶν ἐκάλεσεν τοὺς ἰδίους δούλους καὶ παρέδωκεν αὐτοῖς τὰ ὑπάρχοντα αὐτοῦ, ¹⁵ᵇ ἑκάστῳ κατὰ τὴν ἰδίαν δύναμιν, καὶ ἀπεδήμησεν.	³³ Βλέπετε, ἀγρυπνεῖτε· οὐκ οἴδατε γὰρ πότε ὁ καιρός ἐστιν. ³⁴ ὡς ἄνθρωπος ἀπόδημος ἀφεὶς τὴν οἰκίαν αὐτοῦ καὶ δοὺς τοῖς δούλοις αὐτοῦ τὴν ἐξουσίαν, ἑκάστῳ τὸ ἔργον αὐτοῦ, καὶ τῷ θυ-	19 12–13 (195. S. 152): ¹² Εἶπεν οὖν· ἄνθρωπός τις εὐγενὴς ἐπορεύθη εἰς χώραν μακρὰν λαβεῖν ἑαυτῷ βασιλείαν καὶ ὑποστρέψαι. ¹³ καλέσας δὲ δέκα δούλους ἑαυτοῦ ἔδωκεν αὐτοῖς δέκα μνᾶς.

---

* Vgl. 123. Matth 16 28 = Mark 9 1 = Luk 9 27 (S. 99).
** Vgl. Matth 5 17 (21. S. 25) = Luk 16 17 (176. S. 137).

Matth 24, 36 οὐδὲ ὁ υἱός S B D Θ φ it Iren Orig　> W λ א vg syˢ ᵖᵉ sa bo Basilius Didymus
　Luk 21, 30 ἤδη (> sa), βλέποντες ἀφ' ἑαυτῶν (ἀπ' αὐτῶν W φ bo　αὐτοὺς sa　αὐτῶν ἀφ' ἑ. S) S A B C W Θ λ φ א syᵖ² sa b)　τὸν καρπὸν αὐτῶν D　ἤδη ἀπ' αὐτῶν τὸν καρπὸν it vg　καὶ δίδωσιν τοὺς καρποὺς αὐτῶν syᶜˢ

24 42 (225. S. 178): γρηγορεῖτε οὖν, ὅτι οὐκ οἴδατε ποίᾳ ἡμέρᾳ ὁ κύριος ὑμῶν ἔρχεται.

25 13 (227. S. 179): γρηγορεῖτε οὖν, ὅτι οὐκ οἴδατε τὴν ἡμέραν οὐδὲ τὴν ὥραν.

ρωρῷ ἐνετείλατο ἵνα γρηγορῇ. 35 γρηγορεῖτε οὖν· οὐκ οἴδατε γὰρ πότε ὁ κύριος τῆς οἰκίας ἔρχεται, ἢ ὀψὲ ἢ μεσονύκτιον ἢ ἀλεκτοροφωνίας ἢ πρωΐ· 36 μὴ ἐλθὼν ἐξαίφνης εὕρῃ ὑμᾶς καθεύδοντας. 37 ὃ δὲ ὑμῖν λέγω, πᾶσιν λέγω, γρηγορεῖτε. (231. 14 1–2. S. 182)

12 40 (158. S. 126 f.): καὶ ὑμεῖς γίνεσθε ἕτοιμοι, ὅτι ᾗ ὥρᾳ οὐ δοκεῖτε ὁ υἱὸς τοῦ ἀνθρώπου ἔρχεται.

12 38 (158. S. 126): κἂν ἐν τῇ δευτέρᾳ κἂν ἐν τῇ τρίτῃ φυλακῇ ἔλθῃ καὶ εὕρῃ οὕτως, μακάριοί εἰσιν ἐκεῖνοι.

223. Schluß der Rede nach Luk. Luk 21 34–36
223. The Lucan Ending to the Discourse.

34 Προσέχετε δὲ ἑαυτοῖς μήποτε βαρηθῶσιν ὑμῶν αἱ καρδίαι ἐν κραιπάλῃ καὶ μέθῃ καὶ μερίμναις βιωτικαῖς, καὶ ἐπιστῇ ἐφ' ὑμᾶς αἰφνίδιος ἡ ἡμέρα ἐκείνη 35 ὡς παγίς· ἐπεισελεύσεται γὰρ ἐπὶ πάντας τοὺς καθημένους ἐπὶ πρόσωπον πάσης τῆς γῆς. 36 ἀγρυπνεῖτε δὲ ἐν παντὶ καιρῷ δεόμενοι ἵνα κατισχύσητε ἐκφυγεῖν ταῦτα πάντα τὰ μέλλοντα γίνεσθαι, καὶ σταθῆναι ἔμπροσθεν τοῦ υἱοῦ τοῦ ἀνθρώπου. (230. 21 37–38. S. 181)

224. Wiederkunftsgleichnisse. Matth 24 37–41
224. The Need of Watchfulness.

37 Ὥσπερ γὰρ αἱ ἡμέραι τοῦ Νῶε, οὕτως ἔσται ἡ παρουσία τοῦ υἱοῦ τοῦ ἀνθρώπου. 38 ὡς γὰρ ἦσαν ἐν ταῖς ἡμέραις ἐκείναις ταῖς πρὸ τοῦ κατακλυσμοῦ τρώγοντες καὶ πίνοντες, γαμοῦντες καὶ γαμίζοντες, ἄχρι ἧς ἡμέρας εἰσῆλθεν Νῶε εἰς τὴν κιβωτόν, 39 καὶ οὐκ ἔγνωσαν ἕως ἦλθεν ὁ κατακλυσμὸς καὶ ἦρεν ἅπαντας, οὕτως ἔσται καὶ ἡ παρουσία τοῦ υἱοῦ τοῦ ἀνθρώπου.

17 26–27 34–35 (184. S. 141 f.): 26 Καὶ καθὼς ἐγένετο ἐν ταῖς ἡμέραις Νῶε, οὕτως ἔσται καὶ ἐν ταῖς ἡμέραις τοῦ υἱοῦ τοῦ ἀνθρώπου· 27 ἤσθιον, ἔπινον, ἐγάμουν, ἐγαμίζοντο,   ἄχρι ἧς ἡμέρας εἰσῆλθεν Νῶε εἰς τὴν κιβωτόν, καὶ ἦλθεν ὁ κατακλυσμὸς καὶ ἀπώλεσεν πάντας.

34 λέγω ὑμῖν, ταύτῃ τῇ νυκτὶ ἔσονται δύο ἐπὶ κλίνης μιᾶς, ὁ εἷς παραλημφθήσεται καὶ ὁ ἕτερος ἀφεθήσεται·

35 ἔσονται δύο ἀλήθουσαι ἐπὶ τὸ αὐτό, ἡ μία παραλημφθήσεται ἡ δὲ ἑτέρα ἀφεθήσεται.

40 τότε ἔσονται δύο ἐν τῷ ἀγρῷ, εἷς παραλαμβάνεται καὶ εἷς ἀφίεται· 41 δύο ἀλήθουσαι ἐν τῷ μύλῳ, μία παραλαμβάνεται καὶ μία ἀφίεται.

Mt 24 38 = Lc 17 26 27: Gen 7 7.   Lc 21 35: Jes 24 17.

Luk 12, 40 fehlt λ   **38** vgl. S. 126   **21, 36** κατισχύσητε S B λ sa bo   κατισχύσατε W
καταξιωθῆτε A C D Θ φ ℜ it vg sy cs pe   **17, 35** fehlt S

225. Das Gleichnis vom wachenden Hausherrn. Matth 24 42—44

225. The Watchful Householder.

¹² Γρηγορεῖτε οὖν, ὅτι οὐκ οἴδατε ποίᾳ ἡμέρᾳ ὁ κύριος ὑμῶν ἔρχεται.* ⁴³ ἐκεῖνο δὲ γινώσκετε, ὅτι εἰ ᾔδει ὁ οἰκοδεσπότης ποίᾳ φυλακῇ ὁ κλέπτης ἔρχεται, ἐγρηγόρησεν ἂν καὶ οὐκ ἂν εἴασεν διορυχϑῆναι τὴν οἰκίαν αὐτοῦ. ⁴⁴ διὰ τοῦτο καὶ ὑμεῖς γίνεσϑε ἕτοιμοι, ὅτι ᾗ οὐ δοκεῖτε ὥρᾳ ὁ υἱὸς τοῦ ἀνϑρώπου ἔρχεται.

12 39—40 *(158. S. 126 f.)*: ³⁹ Τοῦτο δὲ γινώσκετε, ὅτι εἰ ᾔδει ὁ οἰκοδεσπότης ποίᾳ ὥρᾳ ὁ κλέπτης ἔρχεται,

 οὐκ ἂν ἀφῆκεν διορυχϑῆναι τὸν οἶκον αὐτοῦ. ⁴⁰ καὶ ὑμεῖς γίνεσϑε ἕτοιμοι, ὅτι ᾗ ὥρᾳ οὐ δοκεῖτε ὁ υἱὸς τοῦ ἀνϑρώπου ἔρχεται.

226. Der treue und kluge Knecht und sein Widerspiel. Matth 24 45—51

226. The Faithful and Wise Servant.

¹⁵ Τίς ἄρα ἐστὶν ὁ πιστὸς δοῦλος καὶ φρόνιμος ὃν κατέστησεν ὁ κύριος ἐπὶ τῆς οἰκετείας αὐτοῦ τοῦ δοῦναι αὐτοῖς τὴν τροφὴν ἐν καιρῷ; ⁴⁶ μακάριος ὁ δοῦλος ἐκεῖνος ὃν ἐλϑὼν ὁ κύριος αὐτοῦ εὑρήσει οὕτως ποιοῦντα· ⁴⁷ ἀμὴν λέγω ὑμῖν ὅτι ἐπὶ πᾶσιν τοῖς ὑπάρχουσιν αὐτοῦ καταστήσει αὐτόν. ⁴⁸ ἐὰν δὲ εἴπῃ ὁ κακὸς δοῦλος ἐκεῖνος ἐν τῇ καρδίᾳ αὐτοῦ· χρονίζει μου ὁ κύριος, ⁴⁹ καὶ ἄρξηται τύπτειν τοὺς συνδούλους αὐτοῦ, ἐσϑίῃ δὲ καὶ πίνῃ μετὰ τῶν μεϑυόντων, ⁵⁰ ἥξει ὁ κύριος τοῦ δούλου ἐκείνου ἐν ἡμέρᾳ ᾗ οὐ προσδοκᾷ καὶ ἐν ὥρᾳ ᾗ οὐ γινώσκει, ⁵¹ καὶ διχοτομήσει αὐτὸν καὶ τὸ μέρος αὐτοῦ μετὰ τῶν ὑποκριτῶν ϑήσει· ἐκεῖ ἔσται ὁ κλαυϑμὸς καὶ ὁ βρυγμὸς τῶν ὀδόντων.

12 42—46 *(158. S. 127)*:

⁴² Τίς ἄρα ἐστὶν ὁ πιστὸς οἰκονόμος ὁ φρόνιμος, ὃν καταστήσει ὁ κύριος ἐπὶ τῆς ϑεραπείας αὐτοῦ τοῦ διδόναι ἐν καιρῷ τὸ σιτομέτριον; ⁴³ μακάριος ὁ δοῦλος ἐκεῖνος, ὃν ἐλϑὼν ὁ κύριος αὐτοῦ εὑρήσει ποιοῦντα οὕτως. ⁴⁴ ἀληϑῶς λέγω ὑμῖν ὅτι ἐπὶ πᾶσιν τοῖς ὑπάρχουσιν αὐτοῦ καταστήσει αὐτόν. ⁴⁵ ἐὰν δὲ εἴπῃ ὁ δοῦλος ἐκεῖνος ἐν τῇ καρδίᾳ αὐτοῦ· χρονίζει ὁ κύριός μου ἔρχεσϑαι, καὶ ἄρξηται τύπτειν τοὺς παῖδας καὶ τὰς παιδίσκας, ἐσϑίειν τε καὶ πίνειν καὶ μεϑύσκεσϑαι, ⁴⁶ ἥξει ὁ κύριος τοῦ δούλου ἐκείνου ἐν ἡμέρᾳ ᾗ οὐ προσδοκᾷ καὶ ἐν ὥρᾳ ᾗ οὐ γινώσκει, καὶ διχοτομήσει αὐτόν, καὶ τὸ μέρος αὐτοῦ μετὰ τῶν ἀπίστων ϑήσει.

* Vgl. Mark 13 33 35 (222. S. 176 f.).

Matth 24, 48 δοῦλος ἐκεῖνος B C D W λ φ ℵ it vg sy ᵖᵉ bo δοῦλος S Θ sy ˢ sa Iren

Luk 12, 39 ἔρχεται S D sy ᶜˢ sa ἔρχεται ἐγρηγόρησεν ἂν καὶ A B W Θ λ φ ℵ it vg sy ᵖᵉ bo
40 fehlt λ **42** ὁ φρόνιμος B W ὁ φρόνιμος ὁ ἀγαϑὸς D sy ᶜ καὶ (> sa) φρόνιμος S A λ φ ℵ it vg sy ᵖᵉ sa bo καὶ ὁ φρόνιμος Θ > sy ˢ

Zu Mt 24 42 43: I. Thess 5 2: Αὐτοὶ γὰρ ἀκριβῶς οἴδατε ὅτι ἡμέρα κυρίου ὡς κλέπτης ἐν νυκτὶ οὕτως ἔρχεται. Apoc 16 15: ἰδοὺ ἔρχομαι ὡς κλέπτης· μακάριος ὁ γρηγορῶν καὶ τηρῶν τὰ ἱμάτια αὐτοῦ, ἵνα μὴ γυμνὸς περιπατῇ καὶ βλέπωσιν τὴν ἀσχημοσύνην αὐτοῦ. Epiphanius Ancoratus 21 2 (I 30 8 Holl): λέγει γὰρ (sc. ὁ υἱός)· ὡς κλέπτης ἐν νυκτὶ ἔρχεται ἡ ἡμέρα ἐκείνη. Vgl. Didymus, de Trinitate III 22.

227. Das Gleichnis von den 10 Jungfrauen. * Matth 25 1-13

227. The Parable of the Ten Virgins.*

¹ Τότε ὁμοιωθήσεται ἡ βασιλεία τῶν οὐρανῶν δέκα παρθένοις, αἵτινες λαβοῦσαι τὰς λαμπάδας ἑαυτῶν ἐξῆλθον εἰς ὑπάντησιν τοῦ νυμφίου. ² πέντε δὲ ἐξ αὐτῶν ἦσαν μωραὶ καὶ πέντε φρόνιμοι. ³ αἱ γὰρ μωραὶ λαβοῦσαι τὰς λαμπάδας οὐκ ἔλαβον μεθ' ἑαυτῶν ἔλαιον· ⁴ αἱ δὲ φρόνιμοι ἔλαβον ἔλαιον ἐν τοῖς ἀγγείοις μετὰ τῶν λαμπάδων ἑαυτῶν. ⁵ χρονίζοντος δὲ τοῦ νυμφίου ἐνύσταξαν πᾶσαι καὶ ἐκάθευδον. ⁶ μέσης δὲ νυκτὸς κραυγὴ γέγονεν· ἰδοὺ ὁ νυμφίος, ἐξέρχεσθε εἰς ἀπάντησιν. ⁷ τότε ἠγέρθησαν πᾶσαι αἱ παρθένοι ἐκεῖναι καὶ ἐκόσμησαν τὰς λαμπάδας ἑαυτῶν. ⁸ αἱ δὲ μωραὶ ταῖς φρονίμοις εἶπαν· δότε ἡμῖν ἐκ τοῦ ἐλαίου ὑμῶν, ὅτι αἱ λαμπάδες ἡμῶν σβέννυνται. ⁹ ἀπεκρίθησαν δὲ αἱ φρόνιμοι λέγουσαι· μήποτε οὐ μὴ ἀρκέσῃ ἡμῖν καὶ ὑμῖν· πορεύεσθε μᾶλλον πρὸς τοὺς πωλοῦντας καὶ ἀγοράσατε ἑαυταῖς. ¹⁰ ἀπερχομένων δὲ αὐτῶν ἀγοράσαι ἦλθεν ὁ νυμφίος, καὶ αἱ ἕτοιμοι εἰσῆλθον μετ' αὐτοῦ εἰς τοὺς γάμους, καὶ ἐκλείσθη ἡ θύρα. ¹¹ ὕστερον δὲ ἔρχονται καὶ αἱ λοιπαὶ παρθένοι λέγουσαι· κύριε κύριε, ἄνοιξον ἡμῖν. ¹² ὁ δὲ ἀποκριθεὶς εἶπεν· ἀμὴν λέγω ὑμῖν, οὐκ οἶδα ὑμᾶς.** ¹³ γρηγορεῖτε οὖν, ὅτι οὐκ οἴδατε τὴν ἡμέραν οὐδὲ τὴν ὥραν.

> 13
> 35-37
> S. 177

228. Das Gleichnis von den Talenten. Matth 25 14-30

228. The Parable of the Talents.

¹⁴ Ὥσπερ γὰρ ἄνθρωπος ἀποδημῶν ἐκάλεσεν τοὺς ἰδίους δούλους καὶ παρέδωκεν αὐτοῖς τὰ ὑπάρχοντα αὐτοῦ, ¹⁵ καὶ ᾧ μὲν ἔδωκεν πέντε τάλαντα, ᾧ δὲ δύο, ᾧ δὲ ἕν, ἑκάστῳ κατὰ τὴν ἰδίαν δύναμιν, καὶ ἀπεδήμησεν. εὐθέως ¹⁶ πορευθεὶς ὁ τὰ πέντε τάλαντα λαβὼν ἠργάσατο ἐν αὐτοῖς καὶ ἐκέρδησεν ἄλλα πέντε· ¹⁷ ὡσαύτως ὁ τὰ δύο ἐκέρδησεν ἄλλα δύο. ¹⁸ ὁ δὲ τὸ ἓν λαβὼν ἀπελθὼν ὤρυξεν γῆν καὶ ἔκρυψεν τὸ ἀργύριον τοῦ κυρίου αὐτοῦ.

¹⁹ μετὰ δὲ πολὺν χρόνον ἔρχεται ὁ κύριος τῶν δούλων ἐκείνων καὶ συναίρει λόγον μετ'

> vgl. Mark
> 13 34
> 222. S. 176

19 12-27 *(195. S. 152 f.):* ¹² Εἶπεν οὖν· ἄνθρωπός τις εὐγενὴς ἐπορεύθη εἰς χώραν μακρὰν λαβεῖν ἑαυτῷ βασιλείαν καὶ ὑποστρέψαι. ¹³ καλέσας δὲ δέκα δούλους ἑαυτοῦ ἔδωκεν αὐτοῖς δέκα μνᾶς, καὶ εἶπεν πρὸς αὐτούς· πραγματεύσασθε ἐν ᾧ ἔρχομαι.   ¹⁴ οἱ δὲ πολῖται αὐτοῦ ἐμίσουν αὐτόν, καὶ ἀπέστειλαν πρεσβείαν ὀπίσω αὐτοῦ λέγοντες· οὐ θέλομεν τοῦτον βασιλεῦσαι ἐφ' ἡμᾶς.

¹⁵ καὶ ἐγένετο ἐν τῷ ἐπανελθεῖν αὐτὸν λαβόντα τὴν βασιλείαν καὶ εἶπεν φωνηθῆναι αὐ-

---

* Luk 12 35-36 (158. S. 126): ³⁵ Ἔστωσαν ὑμῶν αἱ ὀσφύες περιεζωσμέναι καὶ οἱ λύχνοι καιόμενοι· ³⁶ καὶ ὑμεῖς ὅμοιοι ἀνθρώποις προσδεχομένοις τὸν κύριον ἑαυτῶν, πότε ἀναλύσῃ ἐκ τῶν γάμων, ἵνα ἐλθόντος καὶ κρούσαντος εὐθέως ἀνοίξωσιν αὐτῷ.

** Luk 13 25 (165. S. 130): Ἀφ' οὗ ἂν ἐγερθῇ ὁ οἰκοδεσπότης καὶ ἀποκλείσῃ τὴν θύραν, καὶ ἄρξησθε ἔξω ἑστάναι καὶ κρούειν τὴν θύραν λέγοντες· κύριε, ἄνοιξον ἡμῖν, καὶ ἀποκριθεὶς ἐρεῖ ὑμῖν· οὐκ οἶδα ὑμᾶς πόθεν ἐστέ.

Matth 25, 1 τοῦ νυμφίου S B C W φ 𝔐 sa bo   τοῦ νυμφίου καὶ τῆς νύμφης D Θ λ it vg sy^s pe
9 μήποτε οὐ μὴ B C D W λ   μήποτε οὐκ S A φ 𝔐 vg sy^s pe   οὐ μήποτε οὐκ Θ it

Zu Mt 25 14-30 par.: Γίνεσθε δὲ δόκιμοι τραπεζῖται, τὰ μὲν ἀποδοκιμάζοντες, τὸ δὲ καλὸν κατέχοντες. Bei Clem. Al., Strom. I 28 (177 2; II 109 13-14 Stählin) und sonst sehr oft vgl. Resch ² Nr. 87.

αὐτῶν.

²⁰ καὶ προσελθὼν ὁ τὰ πέντε τάλαντα λα-
βὼν προσήνεγκεν ἄλλα πέντε τάλαντα λέγων·
κύριε, πέντε τάλαντά μοι παρέδωκας· ἴδε ἄλλα
πέντε τάλαντα ἐκέρδησα. ²¹ ἔφη αὐτῷ ὁ κύριος
αὐτοῦ· εὖ, δοῦλε ἀγαθὲ καὶ πιστέ, ἐπὶ ὀλίγα
ἦς πιστός, ἐπὶ πολλῶν σε καταστήσω· εἴσελθε
εἰς τὴν χαρὰν τοῦ κυρίου σου. ²² προσελθὼν
καὶ ὁ τὰ δύο τάλαντα εἶπεν· κύριε, δύο τά-
λαντά μοι παρέδωκας, ἴδε ἄλλα δύο τάλαντα
ἐκέρδησα. ²³ ἔφη αὐτῷ ὁ κύριος αὐτοῦ· εὖ,
δοῦλε ἀγαθὲ καὶ πιστέ, ἐπὶ ὀλίγα ἦς πιστός,
ἐπὶ πολλῶν σε καταστήσω· εἴσελθε εἰς τὴν
χαρὰν τοῦ κυρίου σου. ²⁴ προσελθὼν δὲ καὶ ὁ
τὸ ἓν τάλαντον εἰληφὼς εἶπεν· κύριε, ἔγνων
σε ὅτι σκληρὸς εἶ ἄνθρωπος, θερίζων ὅπου
οὐκ ἔσπειρας, καὶ συνάγων ὅθεν οὐ διεσκόρ-
πισας· ²⁵ καὶ φοβηθεὶς ἀπελθὼν ἔκρυψα τὸ
τάλαντόν σου ἐν τῇ γῇ· ἴδε ἔχεις τὸ σόν.
²⁶ ἀποκριθεὶς δὲ ὁ κύριος αὐτοῦ εἶπεν αὐτῷ·
πονηρὲ δοῦλε καὶ ὀκνηρέ, ἤδεις ὅτι θερίζω
ὅπου οὐκ ἔσπειρα, καὶ συνάγω ὅθεν οὐ διε-
σκόρπισα; ²⁷ ἔδει σε οὖν βαλεῖν τὰ ἀργύριά
μου τοῖς τραπεζίταις, καὶ ἐλθὼν ἐγὼ ἐκομι-
σάμην ἂν τὸ ἐμὸν σὺν τόκῳ. ²⁸ ἄρατε οὖν
ἀπ᾽ αὐτοῦ τὸ τάλαντον καὶ δότε τῷ ἔχοντι
τὰ δέκα τάλαντα· ²⁹ τῷ γὰρ ἔχοντι παντὶ
δοθήσεται καὶ περισσευθήσεται·

                    τοῦ δὲ μὴ
ἔχοντος καὶ ὃ ἔχει ἀρθήσεται ἀπ᾽ αὐτοῦ.*
³⁰ καὶ τὸν ἀχρεῖον δοῦλον ἐκβάλετε εἰς τὸ
σκότος τὸ ἐξώτερον· ἐκεῖ ἔσται ὁ κλαυθμὸς καὶ
ὁ βρυγμὸς τῶν ὀδόντων.

τῷ τοὺς δούλους τούτους οἷς δεδώκει τὸ
ἀργύριον, ἵνα γνοῖ τίς τί διεπραγματεύσατο.
¹⁶ παρεγένετο δὲ ὁ πρῶτος   λέγων·
κύριε, ἡ μνᾶ σου δέκα προσηργάσατο μνᾶς.
          ¹⁷ καὶ εἶπεν αὐτῷ·
εὖ γε, ἀγαθὲ δοῦλε, ὅτι ἐν ἐλαχίστῳ πιστὸς
ἐγένου, ἴσθι ἐξουσίαν ἔχων ἐπάνω δέκα πό-
λεων.
¹⁸ καὶ ἦλθεν ὁ δεύτερος λέγων· ἡ μνᾶ σου,
κύριε, ἐποίησεν πέντε μνᾶς.
          ¹⁹ εἶπεν δὲ καὶ τούτῳ· καὶ σὺ ἐπάνω
γίνου πέντε πόλεων.

          ²⁰ καὶ ὁ ἕτερος ἦλθεν
λέγων· κύριε, ἰδοὺ ἡ μνᾶ σου, ἣν εἶχον ἀπο-
κειμένην ἐν σουδαρίῳ· ²¹ ἐφοβούμην γάρ σε,
ὅτι ἄνθρωπος αὐστηρὸς εἶ, αἴρεις ὃ οὐκ ἔθηκας,
καὶ θερίζεις ὃ οὐκ ἔσπειρας.

²² λέγει αὐτῷ· ἐκ τοῦ στόματός σου κρινῶ σε,
πονηρὲ δοῦλε. ἤδεις ὅτι ἐγὼ ἄνθρωπος αὐστη-
ρός εἰμι, αἴρων ὃ οὐκ ἔθηκα, καὶ θερίζων ὃ
οὐκ ἔσπειρα; ²³ καὶ διὰ τί οὐκ ἔδωκάς μου τὸ
ἀργύριον ἐπὶ τράπεζαν; κἀγὼ ἐλθὼν σὺν
τόκῳ ἂν αὐτὸ ἔπραξα. ²⁴ καὶ τοῖς παρεστῶσιν
εἶπεν· ἄρατε ἀπ᾽ αὐτοῦ τὴν μνᾶν καὶ δότε
τῷ τὰς δέκα μνᾶς ἔχοντι. ²⁵ καὶ εἶπαν αὐτῷ·
κύριε, ἔχει δέκα μνᾶς. ²⁶ λέγω ὑμῖν ὅτι παντὶ
τῷ ἔχοντι δοθήσεται,   ἀπὸ δὲ τοῦ μὴ
ἔχοντος καὶ ὃ ἔχει ἀρθήσεται.* ²⁷ πλὴν τοὺς
ἐχθρούς μου τούτους τοὺς μὴ θελήσαντάς με
βασιλεῦσαι ἐπ᾽ αὐτοὺς ἀγάγετε ὧδε καὶ κατα-
σφάξατε αὐτοὺς ἔμπροσθέν μου.

----

* Vgl. Mt 13 12 (91. S. 72) = Mc 4 25 = Lc 8 18 (94. S. 74).

Matth 25, 21 23 ἐπὶ ὀλίγα] ἐπεὶ ἐπ᾽ ὀλίγα D it vg sa bo Iren
     Luk 19, 15 τίς τί διεπραγματεύσατο A W Θ λ φ 𝔎 it vg sy ᵖᵉ   τί διεπραγματεύσαντο S B D
sy ᶜˢ sa bo   **18** δεύτερος] ἕτερος D it ᵛᵃʳ

Zu Mt 25 22 ff. **Hebr. Evang.:** Ἐπεὶ δὲ τὸ εἰς ἡμᾶς ἧκον Ἑβραϊκοῖς χαρακτῆρσιν εὐαγγέλιον τὴν
ἀπειλὴν οὐ κατὰ τοῦ ἀποκρύψαντος ἐπῆγεν, ἀλλὰ κατὰ τοῦ ἀσώτως ἐζηκότος· τρεῖς γὰρ δούλους περιεῖχε,
τὸν μὲν κατα φαγόντα τὴν ὕπαρξιν τοῦ δεσπότου μετὰ πορνῶν καὶ αὐλητρίδων, τὸν δὲ πολλαπλασιάσαντα
τὴν ἐργασίαν, τὸν δὲ κατακρύψαντα τὸ τάλαντον· εἶτα τὸν μὲν ἀποδεχθῆναι, τὸν δὲ μεμφθῆναι μόνον,
τὸν δὲ συγκλεισθῆναι δεσμωτηρίῳ Bei Euseb, Theophanie? (Mai, nova patr. bibl. IV 1 [1847] 155).

229. Das Gleichnis vom Weltgericht. Matth 25 31–46

229. The Last Judgement.

³¹ Ὅταν δὲ ἔλθῃ ὁ υἱὸς τοῦ ἀνθρώπου ἐν τῇ δόξῃ αὐτοῦ καὶ πάντες οἱ ἄγγελοι μετ᾽ αὐτοῦ, τότε καθίσει ἐπὶ θρόνου δόξης αὐτοῦ· ³² καὶ συναχθήσονται ἔμπροσθεν αὐτοῦ πάντα τὰ ἔθνη, καὶ ἀφορίσει αὐτοὺς ἀπ᾽ ἀλλήλων, ὥσπερ ὁ ποιμὴν ἀφορίζει τὰ πρόβατα ἀπὸ τῶν ἐρίφων, ³³ καὶ στήσει τὰ μὲν πρόβατα ἐκ δεξιῶν αὐτοῦ, τὰ δὲ ἐρίφια ἐξ εὐωνύμων. ³⁴ τότε ἐρεῖ ὁ βασιλεὺς τοῖς ἐκ δεξιῶν αὐτοῦ· δεῦτε οἱ εὐλογημένοι τοῦ πατρός μου, κληρονομήσατε τὴν ἡτοιμασμένην ὑμῖν βασιλείαν ἀπὸ καταβολῆς κόσμου. ³⁵ ἐπείνασα γὰρ καὶ ἐδώκατέ μοι φαγεῖν, ἐδίψησα καὶ ἐποτίσατέ με, ξένος ἤμην καὶ συνηγάγετέ με, ³⁶ γυμνὸς καὶ περιεβάλετέ με, ἠσθένησα καὶ ἐπεσκέψασθέ με, ἐν φυλακῇ ἤμην καὶ ἤλθατέ πρός με. ³⁷ τότε ἀποκριθήσονται αὐτῷ οἱ δίκαιοι λέγοντες· κύριε, πότε σε εἴδομεν πεινῶντα καὶ ἐθρέψαμεν, ἢ διψῶντα καὶ ἐποτίσαμεν; ³⁸ πότε δέ σε εἴδομεν ξένον καὶ συνηγάγομεν, ἢ γυμνὸν καὶ περιεβάλομεν; ³⁹ πότε δέ σε εἴδομεν ἀσθενοῦντα ἢ ἐν φυλακῇ καὶ ἤλθομεν πρός σέ; ⁴⁰ καὶ ἀποκριθεὶς ὁ βασιλεὺς ἐρεῖ αὐτοῖς· ἀμὴν λέγω ὑμῖν, ἐφ᾽ ὅσον ἐποιήσατε ἑνὶ τούτων τῶν ἀδελφῶν μου τῶν ἐλαχίστων, ἐμοὶ ἐποιήσατε. ⁴¹ τότε ἐρεῖ καὶ τοῖς ἐξ εὐωνύμων· πορεύεσθε ἀπ᾽ ἐμοῦ κατηραμένοι εἰς τὸ πῦρ τὸ αἰώνιον τὸ ἡτοιμασμένον τῷ διαβόλῳ καὶ τοῖς ἀγγέλοις αὐτοῦ. ⁴² ἐπείνασα γὰρ καὶ οὐκ ἐδώκατέ μοι φαγεῖν, ἐδίψησα καὶ οὐκ ἐποτίσατέ με, ⁴³ ξένος ἤμην καὶ οὐ συνηγάγετέ με, γυμνὸς καὶ οὐ περιεβάλετέ με, ἀσθενὴς καὶ ἐν φυλακῇ καὶ οὐκ ἐπεσκέψασθέ με. ⁴⁴ τότε ἀποκριθήσονται καὶ αὐτοὶ λέγοντες· κύριε, πότε σε εἴδομεν πεινῶντα ἢ διψῶντα ἢ ξένον ἢ γυμνὸν ἢ ἀσθενῆ ἢ ἐν φυλακῇ καὶ οὐ διηκονήσαμέν σοι; ⁴⁵ τότε ἀποκριθήσεται αὐτοῖς λέγων· ἀμὴν λέγω ὑμῖν, ἐφ᾽ ὅσον οὐκ ἐποιήσατε ἑνὶ τούτων τῶν ἐλαχίστων, οὐδὲ ἐμοὶ ἐποιήσατε. ⁴⁶ καὶ ἀπελεύσονται οὗτοι εἰς κόλασιν αἰώνιον, οἱ δὲ δίκαιοι εἰς ζωὴν αἰώνιον. ⎜Joh 5 29⎜

230. Summarische Bemerkung über die Tätigkeit Jesu in Jerusalem.

230. A Summary of the Days spent in Jerusalem.

Luk 21 37–38 *(34–36. 223. S. 177)*

21 17 (198. S. 156) | s. 11 19 (200. S. 157)

³⁷ Ἦν δὲ τὰς ἡμέρας ἐν τῷ ἱερῷ διδάσκων, τὰς δὲ νύκτας ἐξερχόμενος ηὐλίζετο εἰς τὸ ὄρος τὸ καλούμενον ἐλαιῶν. ³⁸ καὶ πᾶς ὁ λαὸς ὤρθριζεν πρὸς αὐτὸν ἐν τῷ ἱερῷ ἀκούειν αὐτοῦ.

Matth 25, 41 οἱ κατηραμένοι A D W Θ λ φ 𝔐 sa bo   κατηραμένοι S B

Zu Mt 25 31: Origenes Comm. in Matth t. XIII 2 (Lommatzsch 3 214): Καὶ Ἰησοῦς γοῦν φησίν· διὰ τοὺς ἀσθενοῦντας ἠσθένουν καὶ διὰ τοὺς πεινῶντας ἐπείνων καὶ διὰ τοὺς διψῶντας ἐδίψων.
Zu Mt 25 40: Εἶδες γάρ, φησί, τὸν ἀδελφόν σου, εἶδες τὸν θεόν σου. Clem. Al., Strom. I 19 94, 5 (II 60 25–26); II 15 70, 5 (II 150 22–23). Vidisti, inquit, fratrem, vidisti dominum tuum. Tert. de orat. c. 26 (CSEL 20, 198 8).

3. Die Leidensgeschichte.

3. The Passion Narrative.

Matth 26 27 = Mark 14 15 = Luk 22 23

231. Der Todesanschlag.   Joh 11 47–53

231. The Conspiracy of the Jews.

Matth 26 1–5	Mark 14 1–2 *(222. 13 33–37. S. 176 f.)*	Luk 22 1–2
¹ Καὶ ἐγένετο ὅτε ἐτέλεσεν ὁ Ἰησοῦς πάντας τοὺς λόγους τούτους, εἶπεν τοῖς μαθηταῖς αὐτοῦ· ² οἴδατε ὅτι μετὰ δύο ἡμέρας τὸ πάσχα γίνεται, καὶ ὁ υἱὸς τοῦ ἀνθρώπου παραδίδοται εἰς τὸ σταυρωθῆναι.	¹ Ἦν δὲ τὸ πάσχα καὶ τὰ ἄζυμα μετὰ δύο ἡμέρας.	¹ Ἤγγιζεν δὲ ἡ ἑορτὴ τῶν ἀζύμων ἡ λεγομένη πάσχα.
³ τότε συνήχθησαν οἱ ἀρχιερεῖς καὶ οἱ πρεσβύτεροι τοῦ λαοῦ εἰς τὴν αὐλὴν τοῦ ἀρχιερέως τοῦ λεγομένου Καϊάφᾶ, ⁴ καὶ συνεβουλεύσαντο ἵνα τὸν Ἰησοῦν δόλῳ κρατήσωσιν καὶ ἀποκτείνωσιν· ⁵ ἔλεγον δέ· μὴ ἐν τῇ ἑορτῇ, ἵνα μὴ θόρυβος γένηται ἐν τῷ λαῷ.	καὶ ἐζήτουν οἱ ἀρχιερεῖς καὶ οἱ γραμματεῖς πῶς αὐτὸν ἐν δόλῳ κρατήσαντες ἀποκτείνωσιν. ² ἔλεγον γάρ· μὴ ἐν τῇ ἑορτῇ, μήποτε ἔσται θόρυβος τοῦ λαοῦ.	² καὶ ἐζήτουν οἱ ἀρχιερεῖς καὶ οἱ γραμματεῖς τὸ πῶς ἀνέλωσιν αὐτόν· ἐφοβοῦντο γὰρ τὸν λαόν.

232. Die Salbung in Bethanien.   Joh 12 1–8

232. The Anointing at Bethany.

Matth 26 6–13	Mark 14 3–9	
⁶ Τοῦ δὲ Ἰησοῦ γενομένου ἐν Βηθανίᾳ ἐν οἰκίᾳ Σίμωνος τοῦ λεπροῦ, ⁷ προσῆλθεν αὐτῷ γυνὴ ἔχουσα ἀλάβαστρον μύρου βαρυτίμου καὶ κατέχεεν ἐπὶ τῆς κεφαλῆς αὐτοῦ ἀνακειμένου. ⁸ ἰδόντες δὲ οἱ μαθηταὶ ἠγανάκτησαν λέγοντες· εἰς τί ἡ ἀπώλεια αὕτη; ⁹ ἐδύνατο γὰρ τοῦτο πραθῆναι πολλοῦ καὶ δοθῆ-	³ Καὶ ὄντος αὐτοῦ ἐν Βηθανίᾳ ἐν τῇ οἰκίᾳ Σίμωνος τοῦ λεπροῦ, κατακειμένου αὐτοῦ ἦλθεν γυνὴ ἔχουσα ἀλάβαστρον μύρου νάρδου πιστικῆς πολυτελοῦς συντρίψασα τὴν ἀλάβαστρον κατέχεεν αὐτοῦ τῆς κεφαλῆς. ⁴ ἦσαν δέ τινες ἀγανακτοῦντες πρὸς ἑαυτούς· εἰς τί ἡ ἀπώλεια αὕτη τοῦ μύρου γέγονεν; ⁵ ἠδύνατο γὰρ τοῦτο τὸ μύρον πραθῆναι ἐπάνω δηναρίων τριακοσίων καὶ δοθῆ-	*vgl. 7 36–50 83. S. 65 f.*

Matth 26, 7 βαρυτίμου B W λ φ 𝔖   πολυτίμου S A D Θ
Mark 14, 2 μὴ ἐν τῇ ἑορτῇ, μήποτε S A B C W λ φ 𝔖 vg sy⁵ ᵖᵉ sa bo   μήποτε ἐν τῇ ἑορτῇ D
μὴ ἐν τῇ ἑορτῇ καὶ (> it) Θ it   **4** ἦσαν δέ τινες ἀγανακτοῦντες πρὸς ἑαυτοὺς S B C   ἦσαν δέ τινες
(+ τῶν μαθητῶν W φ sy ᵖᵉ) ἀγανακτοῦντες πρὸς ἑαυτοὺς καὶ λέγοντες A W (κ. λεγ. π. ἑ. ~ λ) λ φ 𝔖 vg
sy⁵ ᵖᵉ sa bo   οἱ δὲ μαθηταὶ αὐτοῦ διεπονοῦντο καὶ ἔλεγον D Θ it (dicentes it) | τοῦ μύρου > W λ sy⁵

ναι πτωχοῖς.

¹⁰ γνοὺς δὲ ὁ Ἰησοῦς εἶπεν αὐτοῖς· τί κό-
πους παρέχετε τῇ γυναικί; ἔργον γὰρ καλὸν
ἠργάσατο εἰς ἐμέ· ¹¹ πάντοτε γὰρ τοὺς πτω-
χοὺς ἔχετε μεϑ' ἑαυτῶν,

       ἐμὲ δὲ οὐ πάντοτε
ἔχετε·   ¹² βαλοῦσα γὰρ
αὕτη τὸ μύρον τοῦτο ἐπὶ τοῦ σώματός μου
πρὸς τὸ ἐνταφιάσαι με ἐποίησεν. ¹³ ἀμὴν λέγω
ὑμῖν, ὅπου ἐὰν κηρυχϑῇ τὸ εὐαγγέλιον τοῦτο
ἐν ὅλῳ τῷ κόσμῳ, λαληϑήσεται καὶ ὃ ἐποίησεν
αὕτη εἰς μνημόσυνον αὐτῆς.

ναι τοῖς πτωχοῖς· καὶ ἐνεβριμῶντο αὐτῇ.

⁶ ὁ δὲ Ἰησοῦς εἶπεν· ἄφετε αὐτήν· τί αὐτῇ κό-
πους παρέχετε; καλὸν ἔργον
ἠργάσατο ἐν ἐμοί. ⁷ πάντοτε γὰρ τοὺς πτω-
χοὺς ἔχετε μεϑ' ἑαυτῶν, καὶ ὅταν ϑέλητε
δύνασϑε αὐτοῖς εὖ ποιῆσαι, ἐμὲ δὲ οὐ πάντοτε
ἔχετε. ⁸ ὃ ἔσχεν ἐποίησεν· προέλαβεν μυρίσαι
τὸ σῶμά μου εἰς τὸν ἐνταφιασμόν.

       ⁹ ἀμὴν δὲ λέγω
ὑμῖν, ὅπου ἐὰν κηρυχϑῇ τὸ εὐαγγέλιον
εἰς ὅλον τὸν κόσμον,   καὶ ὃ ἐποίησεν
αὕτη λαληϑήσεται εἰς μνημόσυνον αὐτῆς.

233. Der Verrat des Judas.

233. The Betrayal by Judas.

Matth 26 14–16	Mark 14 10–11	Luk 22 3–6
¹⁴ Τότε πορευϑεὶς εἰς τῶν δώ-δεκα, ὁ λεγόμενος Ἰούδας Ἰσκαρι-ώτης,	¹⁰ Καὶ Ἰούδας Ἰσκαρι-ώϑ, ὁ εἷς τῶν δώδεκα, ἀπῆλϑεν	³ Εἰσῆλϑεν δὲ σατανᾶς εἰς Ἰού-δαν τὸν καλούμενον Ἰσκαρι-ώτην, ὄντα ἐκ τοῦ ἀριϑμοῦ τῶν δώδεκα· ⁴ καὶ ἀπελϑὼν συνελά-
πρὸς τοὺς ἀρχιερεῖς ¹⁵ εἶπεν· τί ϑέλετέ μοι δοῦναι, κἀγὼ ὑμῖν παρα-δώσω αὐτόν; οἱ δὲ ἔστησαν αὐτῷ τριάκοντα ἀρ-γύρια. ¹⁶ καὶ ἀπὸ τότε ἐζήτει εὐκαιρίαν ἵνα αὐ-τὸν παραδῷ.	πρὸς τοὺς ἀρχιερεῖς ἵνα αὐτὸν παρα-δοῖ αὐτοῖς. ¹¹ οἱ δὲ ἀκούσαντες ἐχά-ρησαν καὶ ἐπηγγείλαντο αὐτῷ ἀρ-γύριον δοῦναι. καὶ ἐζήτει πῶς αὐτὸν εὐκαί-ρως παραδοῖ.	λησεν τοῖς ἀρχιερεῦσιν καὶ στρατη-γοῖς τὸ πῶς αὐτοῖς παρα-δῷ αὐτόν. ⁵ καὶ ἐχά-ρησαν, καὶ συνέϑεντο αὐτῷ ἀρ-γύριον δοῦναι. ⁶ καὶ ἐξωμολόγη-σεν, καὶ ἐζήτει εὐκαιρίαν τοῦ παραδοῦναι αὐτὸν ἄτερ ὄχλου αὐ-τοῖς.

Mt 26 15: Sach 11 12.

Matth 26, 15 ἀργύρια] στατῆρας D it Orig Eus   στατῆρας ἀργυρίου λ

Luk 22, 4 ἀρχιερεῦσιν καὶ (+ τοῖς W φ 𝕽) στρατηγοῖς S A B W λ φ 𝕽 vg sa bo ἀρχιερεῦσιν καὶ
τοῖς γραμματεῦσιν καὶ τοῖς στρατηγοῖς τοῦ ἱεροῦ C syᵖᵉ   ἀρχιερεῦσιν καὶ στρατηγοῖς τοῦ ἱεροῦ Θ
ἀρχιερεῦσιν D   ἀρχιερεῦσιν καὶ τοῖς γραμματεῦσιν it syᶜˢ   **6** καὶ ἐξωμολόγησεν ⊃ S C it syˢ Euseb

234. Zurüstung zum Passamahl.

234. Preparation for the Passover.

Matth 26 17–19	**Mark 14** 12–16	**Luk 22** 7–13
^{17} Τῇ δὲ πρώτῃ τῶν ἀзύ-μων προσῆλ-θον οἱ μαθηταὶ τῷ Ἰησοῦ λέγον-τες·	^{12} Καὶ τῇ πρώτῃ ἡμέρᾳ τῶν ἀзύ-μων, ὅτε τὸ πάσχα ἔθυον, λέγου-σιν αὐτῷ οἱ μαθηταὶ αὐτοῦ·	^{7} Ἦλθεν δὲ ἡ ἡμέρα τῶν ἀзύ-μων, ᾗ ἔδει θύεσθαι τὸ πάσχα· ^{8} καὶ ἀπέστειλεν Πέτρον καὶ Ἰω-άννην εἰπών· πορευθέντες ἑτοι-μάσατε ἡμῖν τὸ πάσχα, ἵνα φάγω-μεν. ^{9} οἱ δὲ εἶπαν αὐτῷ· ποῦ θέλεις
ποῦ θέλεις ἑτοιμάσωμέν σοι φα-γεῖν τὸ πάσχα; ^{18} ὁ δὲ εἶπεν· ὑπάγετε εἰς τὴν πόλιν πρὸς τὸν δεῖνα	ποῦ θέλεις ἀπελθόντες ἑτοιμάσωμεν ἵνα φά-γῃς τὸ πάσχα; ^{13} καὶ ἀποστέλλει δύο τῶν μαθητῶν αὐτοῦ καὶ λέγει αὐτοῖς· ὑπάγετε εἰς τὴν πόλιν, καὶ ἀπαντήσει ὑμῖν ἄν-θρωπος κεράμιον ὕδατος βαστά-зων· ἀκολουθήσατε αὐτῷ, ^{14} καὶ	ἑτοιμάσωμεν; ^{10} ὁ δὲ εἶπεν αὐτοῖς· ἰδοὺ εἰσελθόντων ὑμῶν εἰς τὴν πόλιν συναντήσει ὑμῖν ἄν-θρωπος κεράμιον ὕδατος βαστά-зων· ἀκολουθήσατε αὐτῷ εἰς τὴν οἰκίαν εἰς ἣν εἰσπορεύεται· ^{11} καὶ
καὶ εἴπατε αὐτῷ· ὁ διδάσκαλος λέγει· ὁ καιρός μου ἐγγύς ἐστιν, πρὸς σὲ ποιῶ τὸ πάσχα μετὰ τῶν μαθητῶν μου.	ὅπου ἐὰν εἰσέλθῃ εἴπατε τῷ οἰκοδεσπότῃ ὅτι ὁ διδάσκαλος λέγει· ποῦ ἐστιν τὸ κατάλυμά μου, ὅπου τὸ πάσχα μετὰ τῶν μαθητῶν μου φάγω; ^{15} καὶ αὐτὸς ὑμῖν δείξει ἀνάγαιον μέγα ἐστρωμένον ἑτοι-μον· καὶ ἐκεῖ ἑτοιμάσατε ἡμῖν. ^{16} καὶ	ἐρεῖτε τῷ οἰκοδεσπότῃ τῆς οἰκίας· λέγει σοι ὁ διδάσκαλος· ποῦ ἐστιν τὸ κατάλυμα ὅπου τὸ πάσχα μετὰ τῶν μαθητῶν μου φάγω; ^{12} κἀκεῖνος ὑμῖν δείξει ἀνάγαιον μέγα ἐστρωμένον· ἐκεῖ ἑτοιμάσατε.
^{19} καὶ ἐποίησαν οἱ μαθηταὶ ὡς συνέταξεν αὐτοῖς ὁ Ἰησοῦς, καὶ ἡτοίμασαν τὸ πάσχα.	ἐξῆλθον οἱ μαθηταὶ καὶ ἦλθον εἰς τὴν πόλιν καὶ εὗρον καθὼς εἶπεν αὐτοῖς, καὶ ἡτοίμασαν τὸ πάσχα.	^{13} ἀπελθόντες δὲ εὗρον καθὼς εἴρηκει αὐτοῖς, καὶ ἡτοίμασαν τὸ πάσχα.

Die letzte Mahlzeit.

The Last Supper.

Matth 26 20–29 = **Mark 14** 17–25 = **Luk 22** 14–38

† 235. Bezeichnung des Verräters.

† 235. The Traitor.

Matth 26 20–25	**Mark 14** 17–21	**Luk 22** 14 (21–23)
^{20} Ὀψίας δὲ γενομένης ἀνέκειτο μετὰ τῶν δώδεκα μαθητῶν.	^{17} Καὶ ὀψίας γενομένης ἔρχεται μετὰ τῶν δώδεκα.	^{14} Καὶ ὅτε ἐγένετο ἡ ὥρα, ἀνέ-πεσεν, καὶ οἱ ἀπόστολοι σὺν αὐτῷ.

Matth 26, 20 μαθητῶν S A W Θ it vg sy^{pe} sa bo > 𝔓 ^{37} 𝔓 ^{45} (?) B D λ φ ℜ sy^s
Luk 22, 14 ἀπόστολοι S B D it sy^c sa   δώδεκα L   δώδεκα ἀπόστολοι A C W Θ λ φ ℜ vg sy^{pe} bo   μαθηταὶ sy^s

Zu Mt 26 17 (Lc 22 15): **Ebion. Evang.**: Ἐποίησαν τοὺς μαθητὰς μὲν λέγοντας· ποῦ θέλεις ἑτοι-μάσωμέν σοι τὸ πάσχα φαγεῖν, καὶ αὐτὸν δῆθεν λέγοντα· μὴ ἐπιθυμίᾳ ἐπεθύμησα κρέας τοῦτο τὸ πάσχα φαγεῖν μεθ᾽ ὑμῶν. (nachher: τοῦτο τὸ π. κρέας). Epiph., adv. Haer. 30 22, 4 (I 363 3–6).

²¹ καὶ
ἐσθιόντων αὐτῶν   εἶπεν· ἀμὴν
λέγω ὑμῖν ὅτι εἷς ἐξ ὑμῶν παρα-
δώσει με.
²² καὶ λυπούμενοι σφόδρα ἤρξαντο
λέγειν αὐτῷ εἷς ἕκαστος· μήτι
ἐγώ εἰμι, κύριε; ²³ ὁ δὲ ἀποκριθεὶς
εἶπεν· ὁ ἐμβάψας μετ᾽ ἐμοῦ τὴν
χεῖρα ἐν τῷ τρυβλίῳ, οὗτός με
παραδώσει. ²⁴ ὁ μὲν υἱὸς τοῦ ἀν-
θρώπου ὑπάγει καθὼς γέγραπται
περὶ αὐτοῦ, οὐαὶ δὲ τῷ ἀνθρώπῳ
ἐκείνῳ δι᾽ οὗ ὁ υἱὸς τοῦ ἀνθρώπου
παραδίδοται· καλὸν ἦν αὐτῷ εἰ
οὐκ ἐγεννήθη ὁ ἄνθρωπος ἐκεῖνος.
²⁵ ἀποκριθεὶς δὲ Ἰούδας ὁ παρα-
διδοὺς αὐτὸν εἶπεν· μήτι ἐγώ εἰμι,
ῥαββί; λέγει αὐτῷ· σὺ εἶπας.

¹⁸ καὶ ἀνακειμένων αὐτῶν καὶ
ἐσθιόντων ὁ Ἰησοῦς εἶπεν· ἀμὴν
λέγω ὑμῖν ὅτι εἷς ἐξ ὑμῶν παρα-
δώσει με, ὁ ἐσθίων μετ᾽ ἐμοῦ.
¹⁹ ἤρξαντο λυπεῖσθαι καὶ
λέγειν αὐτῷ εἷς κατὰ εἷς· μήτι
ἐγώ, ²⁰ ὁ δὲ εἶπεν αὐτοῖς· εἷς τῶν
δώδεκα, ὁ ἐμβαπτόμενος μετ᾽ ἐμοῦ
εἰς τὸ ἓν τρύβλιον.
²¹ ὅτι ὁ μὲν υἱὸς τοῦ ἀν-
θρώπου ὑπάγει καθὼς γέγραπται
περὶ αὐτοῦ· οὐαὶ δὲ τῷ ἀνθρώπῳ
ἐκείνῳ δι᾽ οὗ ὁ υἱὸς τοῦ ἀνθρώπου
παραδίδοται· καλὸν   αὐτῷ εἰ
οὐκ ἐγεννήθη ὁ ἄνθρωπος ἐκεῖνος.

22 21–23 (s. u. S. 187): ²¹ πλὴν
ἰδοὺ ἡ χεὶρ τοῦ παραδιδόντος με
μετ᾽ ἐμοῦ ἐπὶ τῆς τραπέζης.

²² ὅτι ὁ υἱὸς μὲν τοῦ ἀν-
θρώπου κατὰ τὸ ὡρισμένον πο-
ρεύεται, πλὴν οὐαὶ τῷ ἀνθρώπῳ
ἐκείνῳ δι᾽ οὗ
παραδίδοται.

²³ καὶ αὐτοὶ ἤρξαντο συζητεῖν
πρὸς ἑαυτοὺς τὸ τίς ἄρα εἴη ἐξ
αὐτῶν ὁ τοῦτο μέλλων πράσσειν.

† 236. Die Stiftung des Herrnmahls. | Joh 13 21–30 |

† 236. The Institution of the Lord's Supper.

Matth 26 26–29   **Mark 14** 22–25   **Luk 22** 15–20

¹⁵ Καὶ εἶπεν πρὸς αὐτούς· ἐπι-
θυμίᾳ ἐπεθύμησα τοῦτο τὸ πάσχα
φαγεῖν μεθ᾽ ὑμῶν πρὸ τοῦ με πα-
θεῖν· ¹⁶ λέγω γὰρ ὑμῖν ὅτι οὐκέτι
οὐ μὴ φάγω αὐτὸ ἕως ὅτου πλη-
ρωθῇ ἐν τῇ βασιλείᾳ τοῦ θεοῦ.

Mc 14 18: vgl. Ps 41 10.

Matth 26, 21 εἶπεν] λέγει S   **22** αὐτῷ S A B W λ 𝔐 syᵖᵉ sa   > 𝔓³⁷ D Θ φ it vg syˢ bo |
εἷς ἕκαστος S B C it vg sa   εἷς ἕκαστος αὐτῶν D Θ φ syˢ ᵖᵉ bo   ἕκαστος αὐτῶν 𝔓³⁷ 𝔓⁴⁵ A W λ 𝔐
23 ὁ ἐμβάψας μετ᾽ ἐμοῦ τὴν χεῖρα ἐν τῷ τρυβλίῳ S A B it vg   ὁ ἐμβάψας τὴν χεῖρα μετ᾽ ἐμοῦ ἐν τῷ
τρυβλίῳ 𝔓³⁷ 𝔓⁴⁵ Θ syˢ ᵖᵉ   ὁ ἐνβαπτόμενος τὴν χεῖρα μετ᾽ ἐμοῦ εἰς τὸ τρυβάλιον D   ὁ ἐμβάψας μετ᾽
ἐμοῦ ἐν τῷ τρυβλίῳ τὴν χεῖρα C W λ φ 𝔐   **25** αὐτῷ + ὁ Ἰησοῦς 𝔓⁴⁵ S φ it syᵖᵉ

Mark 14, 18 ὁ ἐσθίων] τῶν ἐσθιόντων B sa bo   **19** ἤρξαντο (+ δὲ sa) S B sa bo   καὶ ἤρξαντο
C   οἱ δὲ ἤρξαντο A D W Θ λ φ 𝔐 it vg syˢ ᵖᵉ | μήτι ἐγώ S B C W vg syˢ ᵖᵉ sa bo   μήτι ἐγώ εἰμι
ῥαββεὶ (> φ) καὶ ἄλλος μήτι ἐγώ A φ   μήτι ἐγώ; καὶ ἄλλος, μήτι ἐγώ D Θ λ 𝔐 it   **20** ὁ δὲ εἶπεν
S B C syˢ ᵖᵉ   ὁ δὲ λέγει D it vg   ὁ δὲ ἀποκριθεὶς λέγει A W λ φ 𝔐 | εἷς S B C W Θ   εἷς ἐκ A D λ φ 𝔐 it vg syˢ ᵖᵉ | ἐμοῦ + τὴν χεῖρα A it vg syˢ sa bo | ἓν τρύβλιον
B C? Θ   τρύβλιον S A W λ φ 𝔐 it vg syˢ ᵖᵉ sa bo   τρυβάλιον D   **21** ὅτι S B sa bo   καὶ it
vg syˢ ᵖᵉ   > A C D W Θ φ 𝔐 | ὑπάγει] παραδίδοται D   παραδίδοται ὑπάγει W | ὁ υἱὸς τοῦ
ἀνθρώπου ² > D | καλὸν B W it sa bo   καλὸν ἦν S A C D Θ λ φ 𝔐 vg syˢ ᵖᵉ

Luk 22, 15 τοῦτο > syᶜˢ | με > W   **16** οὐκέτι D W φ 𝔐 syᶜˢ ᵖᵉ   > S A B C Θ λ sa bo   ἐξ αὐτοῦ A W Θ 𝔐
ἐχ hoc it vg | οὐ μὴ φάγω] μὴ φάγομαι D | αὐτὸ S B C? λ it vg syᶜˢ ᵖᵉ sa bo
ἀπ᾽ αὐτοῦ D φ | πληρωθῇ] καινὸν βρωθῇ D

s. u. v. 29	s. u. v. 25	
		¹⁷ καὶ δεξάμενος ποτήριον εὐχαριστήσας εἶπεν· λάβετε τοῦτο καὶ διαμερίσατε εἰς ἑαυτούς· ¹⁸ λέγω γὰρ ὑμῖν, οὐ μὴ πίω ἀπὸ τοῦ νῦν ἀπὸ τοῦ γενήματος τῆς ἀμπέλου ἕως οὗ ἡ βασιλεία τοῦ θεοῦ ἔλθῃ.

²⁶ Ἐσθιόντων δὲ αὐτῶν λαβὼν ὁ Ἰησοῦς ἄρτον καὶ εὐλογήσας ἔκλασεν καὶ δοὺς τοῖς μαθηταῖς εἶπεν· λάβετε φάγετε· τοῦτό ἐστιν τὸ σῶμά μου.

²² Καὶ ἐσθιόντων αὐτῶν λαβὼν ἄρτον εὐλογήσας ἔκλασεν καὶ ἔδωκεν αὐτοῖς καὶ εἶπεν· λάβετε· τοῦτό ἐστιν τὸ σῶμά μου.

¹⁹ καὶ λαβὼν ἄρτον εὐχαριστήσας ἔκλασεν καὶ ἔδωκεν αὐτοῖς λέγων· τοῦτό ἐστιν τὸ σῶμά μου [τὸ ὑπὲρ ὑμῶν διδόμενον· τοῦτο ποιεῖτε εἰς τὴν ἐμὴν ἀνάμνησιν.

²⁷ καὶ λαβὼν ποτήριον καὶ εὐχαριστήσας ἔδωκεν αὐτοῖς λέγων· πίετε ἐξ αὐτοῦ πάντες· ²⁸ τοῦτο γάρ ἐστιν τὸ αἷμά μου τῆς διαθήκης τὸ περὶ πολλῶν ἐκχυννόμενον εἰς ἄφεσιν ἁμαρτιῶν.*

²³ καὶ λαβὼν ποτήριον εὐχαριστήσας ἔδωκεν αὐτοῖς, καὶ ἔπιον ἐξ αὐτοῦ πάντες. ²⁴ καὶ εἶπεν αὐτοῖς· τοῦτό ἐστιν τὸ αἷμά μου τῆς διαθήκης τὸ ἐκχυννόμενον ὑπὲρ πολλῶν.*

²⁰ καὶ τὸ ποτήριον ὡσαύτως μετὰ τὸ δειπνῆσαι, λέγων· τοῦτο τὸ ποτήριον ἡ καινὴ διαθήκη ἐν τῷ αἵματί μου, τὸ ὑπὲρ ὑμῶν ἐκχυννόμενον.]*

* I. Kor 11 23–25: ²³ Ἐγὼ γὰρ παρέλαβον ἀπὸ τοῦ κυρίου, ὃ καὶ παρέδωκα ὑμῖν, ὅτι ὁ κύριος Ἰησοῦς ἐν τῇ νυκτὶ ᾗ παρεδίδετο ἔλαβεν ἄρτον ²⁴ καὶ εὐχαριστήσας ἔκλασεν καὶ εἶπεν· τοῦτό μού ἐστιν τὸ σῶμα τὸ ὑπὲρ ὑμῶν· τοῦτο ποιεῖτε εἰς τὴν ἐμὴν ἀνάμνησιν. ²⁵ ὡσαύτως καὶ τὸ ποτήριον μετὰ τὸ δειπνῆσαι, λέγων· τοῦτο τὸ ποτήριον ἡ καινὴ διαθήκη ἐστὶν ἐν τῷ ἐμῷ αἵματι· τοῦτο ποιεῖτε, ὁσάκις ἐὰν πίνητε, εἰς τὴν ἐμὴν ἀνάμνησιν.

Mt 26 28 = Mc 14 24 = Lc 22 20: vgl. Ex 24 8   Jer 38 31   Sach 9 11.

Matth 26, 26 ὁ Ἰησοῦς λαβών ~ D | ἄρτον 𝔓³⁷ S B C D Θ ℜ sa bo   τὸν ἄρτον A W φ ℜ | καί ¹ > W | εὐλογήσας 𝔓⁴⁵ S B C D Θ ℜ it vg syˢ ᵖᵉ sa bo   εὐχαριστήσας A W λ φ Justin | δοὺς τοῖς μαθηταῖς εἶπεν B D Θ λ φ   ἐδίδου τοῖς μαθηταῖς καί (> S) εἶπεν S A C W ℜ it vg syˢ ᵖᵉ | **27** ποτήριον S B W Θ λ sa bo   τὸ ποτήριον 𝔓³⁷ A C D φ ℜ | καί ² 𝔓³⁷ S A B D W Θ φ ℜ syˢ ᵖᵉ bo > C λ it vg sa | **28** μου 𝔓³⁷ S B D Θ sa bo   μου τὸ A C W λ φ ℜ | διαθήκης 𝔓³⁷ S B Θ καινῆς διαθήκης A C D W λ φ ℜ it vg syˢ ᵖᵉ sa bo

Mark 14, 22 λαβών B D W it sa   λαβὼν ὁ Ἰησοῦς S A C Θ λ φ ℜ vg syᵖᵉ bo > syˢ | λάβετε] λάβετε φάγετε φ ℜ | **24** αὐτοῖς > B | τῆς διαθήκης τὸ ἐκχυννόμενον ὑπὲρ πολλῶν S B C sa   τὸ τῆς καινῆς διαθήκης τὸ περὶ πολλῶν ἐκχυννόμενον A λ ℜ it vg syˢ ᵖᵉ   τὸ τῆς διαθήκης τὸ ὑπὲρ πολλῶν ἐκχυννόμενον D   τὸ τῆς (+ καινῆς φ) διαθήκης τὸ ὑπὲρ πολλῶν ἐκχυννόμενον εἰς ἄφεσιν ἁμαρτιῶν W φ bo   τῆς διαθήκης τὸ ὑπὲρ πολλῶν ἐκχυννόμενον Θ

Luk 22, 17 18 nach v. 19 syᶜˢ   > syᵖᵉ   vor 17: 19a stellen it (cod. b e)   **17** καί + μετὰ τὸ δειπνῆσαι syˢ (vgl. v. 20)   τὸ ποτήριον S B C λ φ ℜ sa bo   ποτήριον A D W Θ | τοῦτο > S | καί ² > D syᶜˢ bo | εἰς ἑαυτούς B C λ φ sa bo   ἑαυτοῖς D W Θ ℜ   ἀλλήλοις S   inter vos it vg syᶜˢ | ἑαυτούς + τοῦτο τὸ αἷμά μου, ἡ καινὴ διαθήκη syˢ (vgl. v. 20)   **18** γάρ > syᶜ | ὑμῖν B C D λ   ὑμῖν ὅτι S A Θ φ ℜ it vg sa bo | ἀπὸ τοῦ νῦν S B (vor οὐ μή: D) D λ syᶜˢ sa bo > A C (aber νῦν vor γενήματος W) W Θ φ ℜ it vg | τῆς ἀμπέλου > syˢ | οὐ S B λ   ὅτου A D W Θ φ ℜ syᶜ ?   **19** λέγων + λάβετε A | [τὸ ὑπὲρ — **20** ἐκχυννόμενον] (vgl. I. Kor) S A B C W Θ λ φ ℜ vg syᵖ sa bo   fehlt D it, nur v. 20 fehlt syᶜˢ (zu syˢ vgl. v. 17) | εἰς > B **20** > syᶜˢ it (codd. b e)

Zu Mt 26 27–28 u. par.: Justin Apol. I 66 3: Οἱ γὰρ ἀπόστολοι ἐν τοῖς γενομένοις ὑπ' αὐτῶν ἀπομνημονεύμασιν ἃ καλεῖται εὐαγγέλια, οὕτως παρέδωκαν ἐντετάλθαι αὐτοῖς· τὸν Ἰησοῦν λαβόντα ἄρτον εὐχαριστήσαντα εἰπεῖν· Τοῦτο ποιεῖτε εἰς τὴν ἀνάμνησίν μου, τοῦτό ἐστιν τὸ σῶμά μου. καὶ τὸ ποτήριον ὁμοίως λαβόντα καὶ εὐχαριστήσαντα εἰπεῖν· Τοῦτό ἐστιν τὸ αἷμά μου.

²⁹ λέγω δὲ ὑμῖν, οὐ μὴ πίω ἀπ' | ²⁵ ἀμὴν λέγω ὑμῖν ὅτι οὐκέτι οὐ
ἄρτι ἐκ τούτου τοῦ γενήματος τῆς | μὴ πίω ἐκ τοῦ γενήματος τῆς
ἀμπέλου ἕως τῆς ἡμέρας ἐκείνης | ἀμπέλου ἕως τῆς ἡμέρας ἐκείνης   *s. o. v. 18*
ὅταν αὐτὸ πίνω μεθ' ὑμῶν καινὸν | ὅταν αὐτὸ πίνω   καινὸν
ἐν τῇ βασιλείᾳ τοῦ πατρός μου. | ἐν τῇ βασιλείᾳ τοῦ θεοῦ.

237. Abschiedsworte. Luk 22 21-38
a) Vorhersagung des Verrats. Luk 22 21-23
237. Last Words. a) The Betrayal Prophesied.

s. o.	s. o.
v. 21-25	v. 18-21
235.	S. 185

²¹ Πλὴν ἰδοὺ ἡ χεὶρ τοῦ παραδιδόντος με μετ' ἐμοῦ ἐπὶ τῆς τραπέζης. ²² ὅτι ὁ υἱὸς μὲν τοῦ ἀνθρώπου κατὰ τὸ ὡρισμένον πορεύεται, πλὴν οὐαὶ τῷ ἀνθρώπῳ ἐκείνῳ δι' οὗ παραδίδοται. ²³ καὶ αὐτοὶ ἤρξαντο συζητεῖν πρὸς ἑαυτοὺς τὸ τίς ἄρα εἴη ἐξ αὐτῶν ὁ τοῦτο μέλλων πράσσειν.

b) Die Rangordnung im Reiche Gottes. Luk 22 24-30
b) Greatness in the Kingdom of God.

20 25-28 (192. S. 150): ²⁵ Ὁ δὲ Ἰησοῦς προσκαλεσάμενος αὐτοὺς εἶπεν· οἴδατε ὅτι οἱ ἄρχοντες τῶν ἐθνῶν κατακυριεύουσιν αὐτῶν καὶ οἱ μεγάλοι κατεξουσιάζουσιν αὐτῶν. ²⁶ οὐχ οὕτως ἐστὶν ἐν ὑμῖν· ἀλλ' ὃς ἐὰν θέλῃ ἐν ὑμῖν μέγας γενέσθαι, ἔσται ὑμῶν διάκονος, ²⁷ καὶ ὃς ἂν θέλῃ ἐν ὑμῖν εἶναι πρῶτος, ἔσται ὑμῶν δοῦλος· ²⁸ ὥσπερ ὁ υἱὸς τοῦ ἀνθρώπου οὐκ ἦλθεν διακονηθῆναι, ἀλλὰ διακονῆσαι καὶ δοῦναι τὴν ψυχὴν αὐτοῦ λύτρον ἀντὶ πολλῶν.

19 28 (189. S. 147): ὁ δὲ Ἰησοῦς εἶπεν αὐτοῖς· ἀμὴν λέγω ὑμῖν ὅτι ὑμεῖς οἱ ἀκολουθήσαντές μοι,

10 42-45 (192. S. 150): ⁴² Καὶ προσκαλεσάμενος αὐτοὺς ὁ Ἰησοῦς λέγει αὐτοῖς· οἴδατε ὅτι οἱ δοκοῦντες ἄρχειν τῶν ἐθνῶν κατακυριεύουσιν αὐτῶν καὶ οἱ μεγάλοι αὐτῶν κατεξουσιάζουσιν αὐτῶν. ⁴³ οὐχ οὕτως δέ ἐστιν ἐν ὑμῖν· ἀλλ' ὃς ἂν θέλῃ μέγας γενέσθαι ἐν ὑμῖν, ἔσται ὑμῶν διάκονος, ⁴⁴ καὶ ὃς ἂν θέλῃ ἐν ὑμῖν εἶναι πρῶτος, ἔσται πάντων δοῦλος· ⁴⁵ καὶ γὰρ ὁ υἱὸς τοῦ ἀνθρώπου οὐκ ἦλθεν διακονηθῆναι ἀλλὰ διακονῆσαι καὶ δοῦναι τὴν ψυχὴν αὐτοῦ λύτρον ἀντὶ πολλῶν.

²⁴ Ἐγένετο δὲ καὶ φιλονεικία ἐν αὐτοῖς, τὸ τίς αὐτῶν δοκεῖ εἶναι μείζων. ²⁵ ὁ δὲ εἶπεν αὐτοῖς· οἱ βασιλεῖς τῶν ἐθνῶν κυριεύουσιν αὐτῶν, καὶ οἱ ἐξουσιάζοντες αὐτῶν εὐεργέται καλοῦνται. ²⁶ ὑμεῖς δὲ οὐχ οὕτως, ἀλλ' ὁ μείζων ἐν ὑμῖν γινέσθω ὡς ὁ νεώτερος, καὶ ὁ ἡγούμενος ὡς ὁ διακονῶν. Vgl. 9 48 b = Mark 9 35 (129. S. 106 f.) ²⁷ τίς γὰρ μείζων, ὁ ἀνακείμενος ἢ ὁ διακονῶν; οὐχὶ ὁ ἀνακείμενος; ἐγὼ δὲ ἐν μέσῳ ὑμῶν εἰμι ὡς ὁ διακονῶν. Joh 13 4 5 12-14 ²⁸ ὑμεῖς δέ ἐστε οἱ διαμεμενηκότες μετ' ἐμοῦ ἐν τοῖς πειρασμοῖς μου· ²⁹ κἀγὼ διατίθεμαι ὑμῖν καθὼς διέθετό μοι ὁ πατήρ μου βασι-

---

Matth 26, 29 οὐ μὴ S B D Θ λ φ it vg   ὅτι οὐ μὴ A C W 𝔐 syˢ pe sa bo | πίνω 𝔓 ⁴⁵ S A B C W λ φ 𝔐   πίω 𝔓 ⁴⁵ D Θ | μεθ' ὑμῶν καινὸν 𝔓 ⁴⁵ S A B D W Θ φ 𝔐 it vg syˢ pe   καινὸν μεθ' ὑμῶν C λ   **20, 28** vgl. S. 150.

Mark 14, 25 οὐκέτι A B Θ λ φ 𝔐 it vg syˢ pe   ἀπ' ἄρτι sa   > S C D W bo | πίω] προσθῶ πεῖν D   προσθῶμεν πιεῖν Θ

Luk 22, 27 lautet: μᾶλλον ἢ ὁ ἀνακείμενος, ἐγὼ γὰρ ἐν μέσῳ ὑμῶν ἦλθον οὐχ ὡς ὁ ἀνακείμενος, ἀλλ' ὡς ὁ διακονῶν καὶ ὑμεῖς ηὐξήθητε ἐν τῇ διακονίᾳ μου ὡς ὁ διακονῶν D | οὐχὶ ὁ ἀνακείμενος] in gentibus quidem qui recumbit, in vobis autem non sic, sed qui ministrat it   > syᶜ

ἐν τῇ παλιγγενεσίᾳ, ὅταν καθίσῃ
ὁ υἱὸς τοῦ ἀνθρώπου ἐπὶ θρόνου
δόξης αὐτοῦ, καθήσεσθε καὶ αὐτοὶ
ἐπὶ δώδεκα θρόνους κρίνοντες τὰς
δώδεκα φυλὰς τοῦ Ἰσραήλ.

λείαν, ³⁰ ἵνα ἔσθητε καὶ πίνητε ἐπὶ
τῆς τραπέζης μου ἐν τῇ βασιλείᾳ
μου, καὶ καθήσεσθε ἐπὶ θρόνων
τὰς δώδεκα φυλὰς κρίνοντες τοῦ
Ἰσραήλ.

c) Vorhersagung der Verleugnung des Petrus. Luk 22 31–34 | Joh 13 36–38 |

c) Peter's Denial Prophesied.

s.	s.
v. 30–35	v. 26–31
238.	S. 188 f.

³¹ Σίμων Σίμων, ἰδοὺ ὁ σατανᾶς ἐξῃτήσατο ὑμᾶς τοῦ σινιάσαι ὡς τὸν σῖτον· ³² ἐγὼ δὲ ἐδεήθην περὶ σοῦ ἵνα μὴ ἐκλίπῃ ἡ πίστις σου· καὶ σύ ποτε ἐπιστρέψας στήρισον τοὺς ἀδελφούς σου. ³³ ὁ δὲ εἶπεν αὐτῷ· κύριε, μετὰ σοῦ ἕτοιμός εἰμι καὶ εἰς φυλακὴν καὶ εἰς θάνατον πορεύεσθαι. ³⁴ ὁ δὲ εἶπεν· λέγω σοι, Πέτρε, οὐ φωνήσει σήμερον ἀλέκτωρ ἕως τρίς με ἀπαρνήσῃ μὴ εἰδέναι.

d) Rückblick und Ausblick. Luk 22 35–38

d) The Two Swords.

³⁵ Καὶ εἶπεν αὐτοῖς· ὅτε ἀπέστειλα ὑμᾶς ἄτερ βαλλαντίου καὶ πήρας καὶ ὑποδημάτων, μή τινος ὑστερήσατε; οἱ δὲ εἶπαν· οὐθενός. ³⁶ εἶπεν δὲ αὐτοῖς· ἀλλὰ νῦν ὁ ἔχων βαλλάντιον ἀράτω, ὁμοίως καὶ πήραν, καὶ ὁ μὴ ἔχων πωλησάτω τὸ ἱμάτιον αὐτοῦ καὶ ἀγορασάτω μάχαιραν. ³⁷ λέγω γὰρ ὑμῖν ὅτι τοῦτο τὸ γεγραμμένον δεῖ τελεσθῆναι ἐν ἐμοί, τό· *καὶ μετὰ ἀνόμων ἐλογίσθη·* καὶ γὰρ τὸ περὶ ἐμοῦ τέλος ἔχει. ³⁸ οἱ δὲ εἶπαν· κύριε, ἰδοὺ μάχαιραι ὧδε δύο. ὁ δὲ εἶπεν αὐτοῖς· ἱκανόν ἐστιν.

238. Auf dem Wege nach Gethsemane; Vorhersagung der Verleugnung des Petrus.

238. The Way to Gethsemane; Peter's Denial Prophesied.

Matth 26 30–35	Mark 14 26–31	Luk 22 39
³⁰ Καὶ ὑμνήσαντες ἐξῆλθον εἰς τὸ ὄρος τῶν ἐλαιῶν.	²⁶ Καὶ ὑμνήσαντες ἐξῆλθον εἰς τὸ ὄρος τῶν ἐλαιῶν.	³⁹ Καὶ ἐξελθὼν ἐπορεύθη κατὰ τὸ ἔθος εἰς τὸ ὄρος τῶν ἐλαιῶν· ἠκολούθησαν δὲ αὐτῷ καὶ οἱ μαθηταί.

Joh 18 1

³¹ τότε λέγει αὐτοῖς ὁ Ἰησοῦς· πάντες ὑμεῖς σκανδαλισθήσεσθε ἐν ἐμοὶ ἐν τῇ νυκτὶ ταύτῃ.

²⁷ καὶ λέγει αὐτοῖς ὁ Ἰησοῦς ὅτι πάντες σκανδαλισθήσεσθε, | Joh 16 32 | ὅτι

Mt 26 31 = Mc 14 27: Sach 13 7.   Lc 22 37: Jes 53 12.

Luk 22, 31 Σίμων ¹ B sy⁸ sa bo   εἶπεν δὲ ὁ κύριος Σίμων (Σίμωνι sy c pe) S A D W.Θ λ φ 𝔖 it vg sy c pe

Zu Mc 14 27–30 u. par. Fragm. Fajjumense: [ἐν δὲ τῷ ἐ]ξάγειν ὡς ε[ἶ]πε[ν] ὅτι ἅ[παντες ἐν ταύτῃ] τῇ νυκτὶ σκανδαλισ[θήσεσθε κατὰ] τὸ γραφέν· πατάξω τὸν [ποιμένα καὶ τὰ] πρόβατα διασκορπισθήσ[εται]. εἰπόντος τοῦ Πέτ' καὶ εἰ πάντες ο[ὐκ ἐγώ. λέγει Ἰς πρὶ]ν ἀλέκτρυῶν δὶς κοκ[κύσει, τρὶς σὺ σήμερόν με ἀ]π[αρνήσῃ. Patrol. orient IV 2 95 ff. Nr. 14.

γέγραπται γάρ· πατάξω τὸν ποι-
μένα, καὶ διασκορπισθήσονται τὰ
πρόβατα τῆς ποίμνης. ³²μετὰ δὲ
τὸ ἐγερθῆναί με προάξω ὑμᾶς εἰς
τὴν Γαλιλαίαν.

γέγραπται·   πατάξω τὸν ποι-
μένα, καὶ τὰ πρόβατα διασκορπι-
σθήσονται.   ²⁸ἀλλὰ μετὰ
τὸ ἐγερθῆναί με προάξω ὑμᾶς εἰς
τὴν Γαλιλαίαν.

22 31—34 (s. o. S. 188): ³¹Σίμων
Σίμων, ἰδοὺ ὁ σατανᾶς ἐξῃτήσατο
ὑμᾶς τοῦ σινιάσαι ὡς τὸν σῖτον·
³²ἐγὼ δὲ ἐδεήθην περὶ σοῦ ἵνα μὴ
ἐκλίπῃ ἡ πίστις σου· καὶ σύ ποτε
ἐπιστρέψας στήρισον τοὺς ἀδελ-
φούς σου. ³³ὁ δὲ εἶπεν αὐτῷ·
κύριε, μετὰ σοῦ ἕτοιμός εἰμι καὶ εἰς
φυλακὴν καὶ εἰς θάνατον πορεύ-
εσθαι.

³³ἀποκριθεὶς δὲ ὁ Πέτρος εἶπεν
αὐτῷ· εἰ πάντες σκανδαλισθή-
σονται ἐν σοί, ἐγὼ οὐδέποτε σκαν-
δαλισθήσομαι.

| Joh 13 36—38 |

²⁹ὁ δὲ Πέτρος ἔφη
αὐτῷ· εἰ καὶ πάντες σκανδαλισθή-
σονται, ἀλλ᾽ οὐκ ἐγώ.

³⁴ὁ δὲ εἶπεν·
λέγω σοι, Πέτρε, οὐ φωνήσει σή-
μερον ἀλέκτωρ ἕως τρίς με ἀπαρ-
νήσῃ μὴ εἰδέναι.

³⁴ἔφη αὐτῷ ὁ Ἰησοῦς· ἀμὴν
λέγω σοι ὅτι ἐν ταύτῃ
τῇ νυκτὶ πρὶν ἀλέκτορα φω-
νῆσαι τρὶς ἀπαρνήσῃ με. ³⁵λέ-
γει αὐτῷ ὁ Πέτρος· κἂν δέῃ με
σὺν σοὶ ἀποθανεῖν, οὐ μή σε ἀπαρ-
νήσομαι. ὁμοίως καὶ πάντες οἱ
μαθηταὶ εἶπαν.

³⁰καὶ λέγει αὐτῷ ὁ Ἰησοῦς· ἀμὴν
λέγω σοι ὅτι σὺ σήμερον ταύτῃ
τῇ νυκτὶ πρὶν ἢ δὶς ἀλέκτορα φω-
νῆσαι τρίς με ἀπαρνήσῃ. ³¹ὁ δὲ ἐκ-
περισσῶς ἐλάλει· ἐὰν δέῃ με
συναποθανεῖν σοι, οὐ μή σε ἀπαρ-
νήσομαι. ὡσαύτως δὲ καὶ πάντες
ἔλεγον.

239. Jesus in Gethsemane.

239. Christ in Gethsemane.

| **Matth 26** 36—46 | **Mark 14** 32—42 | **Luk 22** 40—46 |

³⁶Τότε ἔρχεται μετ᾽ αὐτῶν ὁ
Ἰησοῦς εἰς χωρίον λεγόμενον Γεθ-
σημανί, καὶ λέγει τοῖς μαθηταῖς·
καθίσατε αὐτοῦ ἕως οὗ ἀπελθὼν
ἐκεῖ προσεύξωμαι. ³⁷καὶ παραλα-
βὼν τὸν Πέτρον καὶ τοὺς δύο
υἱοὺς Ζεβεδαίου
ἤρξατο λυπεῖσθαι καὶ ἀδημο-
νεῖν. ³⁸τότε λέγει αὐτοῖς· περί-
λυπός ἐστιν ἡ ψυχή μου ἕως θανά-

³²Καὶ ἔρχονται | Joh 18 1 |
εἰς χωρίον οὗ τὸ ὄνομα Γεθ-
σημανί, καὶ λέγει τοῖς μαθηταῖς
αὐτοῦ· καθίσατε ὧδε ἕως
προσεύξωμαι. ³³καὶ παραλαμ-
βάνει τὸν Πέτρον καὶ τὸν Ἰάκωβον
καὶ τὸν Ἰωάννην μετ᾽ αὐτοῦ, καὶ
ἤρξατο ἐκθαμβεῖσθαι καὶ ἀδημο-
νεῖν, ³⁴καὶ λέγει αὐτοῖς· περί-
λυπός ἐστιν ἡ ψυχή μου ἕως θανά-

⁴⁰Γενόμενος δὲ ἐπὶ τοῦ τόπου
εἶπεν αὐτοῖς· προσεύχεσθε μὴ εἰσ-
ελθεῖν εἰς πειρασμόν.

Mt 26 38 = Mc 14 34: Ps 41 6.

Mark 14, 30 ἦ A B C λ ℵ   > S D W Θ φ | δὶς > S C D W it
Luk 22, 31 vgl. S. 188.

του· μείνατε ὧδε καὶ γρηγορεῖτε
μετ' ἐμοῦ.   ³⁹ καὶ προελθὼν μι-
κρὸν ἔπεσεν ἐπὶ πρόσωπον αὐτοῦ
προσευχόμενος [Joh 18 11]
καὶ
λέγων·   πάτερ μου, εἰ δυ-
νατόν ἐστιν, παρελθάτω ἀπ' ἐμοῦ
τὸ ποτήριον τοῦτο· πλὴν οὐχ ὡς
ἐγὼ θέλω ἀλλ' ὡς σύ.

⁴⁰ καὶ ἔρχεται
πρὸς τοὺς μαθητὰς καὶ εὑρίσκει
αὐτοὺς καθεύδοντας,
καὶ λέγει τῷ Πέτρῳ· οὕτως
οὐκ ἰσχύσατε μίαν ὥραν
γρηγορῆσαι μετ' ἐμοῦ; ⁴¹ γρηγο-
ρεῖτε καὶ προσεύχεσθε, ἵνα μὴ εἰσ-
έλθητε εἰς πειρασμόν· τὸ μὲν πνεῦ-
μα πρόθυμον, ἡ δὲ σὰρξ ἀσθενής.
⁴² πάλιν ἐκ δευτέρου ἀπελθὼν
προσηύξατο λέγων· πάτερ μου,
εἰ οὐ δύναται τοῦτο παρελθεῖν ἐὰν
μὴ αὐτὸ πίω, γενηθήτω τὸ θέ-
λημά σου. ⁴³ καὶ ἐλθὼν πάλιν εὗ-
ρεν αὐτοὺς καθεύδοντας, ἦσαν γὰρ
αὐτῶν οἱ ὀφθαλμοὶ βεβαρημένοι.

⁴⁴ καὶ ἀφεὶς αὐτοὺς πάλιν ἀπελ-
θὼν προσηύξατο ἐκ τρίτου, τὸν

του· μείνατε ὧδε καὶ γρηγορεῖτε.
[Joh 12 27]   ³⁵ καὶ προελθὼν μι-
κρὸν ἔπιπτεν ἐπὶ τῆς γῆς, καὶ
προσηύχετο ἵνα εἰ δυνατόν ἐστιν
παρέλθη ἀπ' αὐτοῦ ἡ ὥρα, ³⁶ καὶ
ἔλεγεν· ἀββᾶ ὁ πατήρ, πάντα δυ-
νατά σοι· παρένεγκε τὸ ποτή-
ριον τοῦτο ἀπ' ἐμοῦ· ἀλλ' οὐ τί
ἐγὼ θέλω ἀλλὰ τί σύ.

³⁷ καὶ ἔρχεται
καὶ εὑρίσκει
αὐτοὺς καθεύδοντας,
καὶ λέγει τῷ Πέτρῳ· Σίμων, κα-
θεύδεις; οὐκ ἴσχυσας μίαν ὥραν
γρηγορῆσαι;   ³⁸ γρηγο-
ρεῖτε καὶ προσεύχεσθε, ἵνα μὴ
ἔλθητε εἰς πειρασμόν· τὸ μὲν πνεῦ-
μα πρόθυμον, ἡ δὲ σὰρξ ἀσθενής.
³⁹ καὶ πάλιν   ἀπελθὼν
προσηύξατο τὸν αὐτὸν λόγον εἰ-
πών.

⁴⁰ καὶ πάλιν ἐλθὼν εὗ-
ρεν αὐτοὺς καθεύδοντας, ἦσαν γὰρ
αὐτῶν οἱ ὀφθαλμοὶ καταβαρυνό-
μενοι, καὶ οὐκ ᾔδεισαν τί ἀποκρι-
θῶσιν αὐτῷ.

---

⁴¹ καὶ αὐτὸς ἀπεσπά-
σθη ἀπ' αὐτῶν ὡσεὶ λίθου βολήν,
καὶ θεὶς τὰ γόνατα προσηύχετο
⁴² λέγων·   πάτερ, εἰ βού-
λει παρένεγκε   τοῦτο
τὸ ποτήριον ἀπ' ἐμοῦ· πλὴν μὴ τὸ
θέλημά μου ἀλλὰ τὸ σὸν γινέσθω.
⁴³ ὤφθη δὲ αὐτῷ ἄγγελος ἀπ'
οὐρανοῦ ἐνισχύων αὐτόν. ⁴⁴ καὶ
γενόμενος ἐν ἀγωνίᾳ ἐκτενέστερον
προσηύχετο· καὶ ἐγένετο ὁ ἱδρὼς
αὐτοῦ ὡσεὶ θρόμβοι αἵματος κατα-
βαίνοντες ἐπὶ τὴν γῆν. ⁴⁵ καὶ ἀνα-
στὰς ἀπὸ τῆς προσευχῆς, ἐλθὼν
πρὸς τοὺς μαθητὰς εὗρεν κοιμω-
μένους αὐτοὺς ἀπὸ τῆς λύπης,
⁴⁶ καὶ εἶπεν αὐτοῖς·   τί κα-
θεύδετε;

ἀναστάντες
προσεύχεσθε, ἵνα μὴ εἰσ-
έλθητε εἰς πειρασμόν.

Matth 26, 39 μου > λ Orig | ὡς σύ + Le 22 43 44 φ   **42** τοῦτο S A B C W λ it sa   τοῦτο
τὸ ποτήριον Θ φ ℵ vg sy^s pe bo   τὸ ποτήριον τοῦτο D
Mark 14, 39 τὸν αὐτὸν λόγον εἰπών > D it   **40** πάλιν (> D it, nach αὐτοὺς sy^s) ἐλθὼν εὗρεν
αὐτοὺς S B D it sy^s sa bo   ὑποστρέψας εὗρεν αὐτοὺς πάλιν A C W λ φ ℵ   ὑποστρέψας (+ ἐλθὼν
sy^pe) πάλιν εὗρεν αὐτοὺς Θ vg sy^pe
Luk 22, 41 ἀπεσπάσθη] ἀπεστάθη D   ἀπέσθη Θ   ἀπέστη G   ἀπεσπάσθη Θ corr.
42 εἰ βούλει — ἀπ' ἐμοῦ nach γινέσθω D (πλὴν > D)   **43 44** bei S D Θ λ ℵ it vg sy^c pe Justin Iren
Hippolyt > A B W φ (nach Mt 26 39) sy^s sa bo   Codd. bei Epiph Hilarius Hieronymus Marcion
Clem Orig

αὐτὸν λόγον εἰπὼν πάλιν. ⁴⁵ τότε | ⁴¹ καὶ
ἔρχεται πρὸς τοὺς μαθητὰς καὶ | ἔρχεται τὸ τρίτον   καὶ
λέγει αὐτοῖς· καθεύδετε λοιπὸν | λέγει αὐτοῖς· καθεύδετε τὸ λοιπὸν
καὶ ἀναπαύεσθε· ἰδοὺ ἤγγικεν ἡ | καὶ ἀναπαύεσθε· ἀπέχει· ἦλθεν ἡ
ὥρα καὶ ὁ υἱὸς τοῦ ἀνθρώπου | ὥρα, ἰδοὺ παραδίδοται ὁ υἱὸς τοῦ
παραδίδοται εἰς χεῖρας | ἀνθρώπου εἰς τὰς χεῖρας τῶν
ἁμαρτωλῶν. ⁴⁶ ἐγείρεσθε, ἄγω- | ἁμαρτωλῶν. ⁴² ἐγείρεσθε, ἄγω-
μεν· ἰδοὺ ἤγγικεν ὁ παραδιδούς | μεν· ἰδοὺ ὁ παραδιδούς με ἤγγι-
με. ⟦Joh 14 31⟧ | κεν.

240. Die Gefangennahme Jesu. ⟦Joh 18 2–11⟧

240. Christ taken Captive.

Matth 26 47–56	**Mark 14** 43–52	**Luk 22** 47–53
⁴⁷ Καὶ ἔτι αὐτοῦ λαλοῦν-τος, ἰδοὺ Ἰούδας	⁴³ Καὶ εὐθὺς ἔτι αὐτοῦ λαλοῦν-τος παραγίνεται Ἰούδας	⁴⁷ Ἔτι αὐτοῦ λαλοῦνς τος ἰδοὺ ὄχλος, καὶ ὁ λεγόμενος
εἷς τῶν δώδεκα ἦλθεν, καὶ μετ’ αὐτοῦ ὄχλος πολὺς μετὰ μα-χαιρῶν καὶ ξύλων ἀπὸ τῶν ἀρχ-ιερέων καὶ πρεσβυ-τέρων τοῦ λαοῦ. ⁴⁸ ὁ δὲ παρα-διδοὺς αὐτὸν ἔδωκεν αὐτοῖς ση-μεῖον λέγων· ὃν ἂν φιλήσω αὐτός ἐστιν· κρατήσατε αὐτόν.	εἷς τῶν δώδεκα, καὶ μετ’ αὐτοῦ ὄχλος μετὰ μα-χαιρῶν καὶ ξύλων παρὰ τῶν ἀρχ-ιερέων καὶ τῶν γρα;μματέων κα! τῶν πρεσβυτέρων. ⁴⁴ δεδώκει δὲ ὁ παραδιδοὺς αὐτὸν σύσσημον αὐ-τοῖς λέγων· ὃν ἂν φιλήσω αὐτός ἐστιν· κρατήσατε αὐτὸν καὶ ἀπά-γετε ἀσφαλῶς. ⁴⁵ καὶ ἐλθὼν εὐθὺς	Ἰούδας εἷς τῶν δώδεκα προήρχετο αὐτούς,
⁴⁹ καὶ εὐθέως προσελθὼν τῷ Ἰησοῦ εἶπεν· χαῖρε, ῥαββί, καὶ κατεφίλησεν αὐτόν. ⁵⁰ ὁ δὲ Ἰησοῦς εἶπεν αὐτῷ· ἑταῖρε, ἐφ’ ὃ πάρει. τότε προσελθόντες ἐπέβαλον τὰς χεῖρας ἐπὶ τὸν Ἰη-σοῦν καὶ ἐκράτησαν αὐτόν.	προσελθὼν αὐτῷ λέγει· ῥαββί, καὶ κατεφίλησεν αὐτόν· ⁴⁶ οἱ δὲ ἐπέβαλαν τὰς χεῖρας αὐτῷ καὶ ἐκράτησαν αὐτόν.	καὶ ἤγγισεν τῷ Ἰησοῦ φιλῆσαι αὐτόν. ⁴⁸ Ἰησοῦς δὲ εἶπεν αὐτῷ· Ἰούδα, φιλήματι τὸν υἱὸν τοῦ ἀνθρώπου παραδίδως; ⁴⁹ ἰδόντες δὲ οἱ περὶ αὐτὸν τὸ ἐσόμενον εἶπαν· κύριε, εἰ πατά-ξομεν ἐν μαχαίρῃ; ⁵⁰ καὶ ἐπάταξεν
⁵¹ καὶ ἰδοὺ εἷς τῶν μετὰ Ἰησοῦ ἐκτείνας τὴν χεῖρα ἀπέσπασεν τὴν μάχαιραν αὐτοῦ, καὶ πατάξας τὸν δοῦλον τοῦ ἀρχιερέως ἀφεῖλεν αὐτοῦ τὸ ὠτίον.	⁴⁷ εἷς δέ τις τῶν παρεστηκότων σπασάμενος τὴν μάχαιραν ἔπαισεν τὸν δοῦλον τοῦ ἀρχιερέως καὶ ἀφεῖλεν αὐτcῦ τὸ ὠτάριον.	εἷς τις ἐξ αὐτῶν τοῦ ἀρχιερέως τὸν δοῦλον καὶ ἀφεῖ-λεν τὸ οὖς αὐτοῦ τὸ δεξιόν. ⁵¹ ἀπο-

Mark 14, 43 Ἰούδας S B C W λ 𝔐 sy⁵ sa bo   Ἰούδας ὁ (> D φ) Ἰσκαριώτης A D Θ φ it vg sy^ᵖ
45 ἐλθὼν εὐθὺς (εὐθέως A W 𝔐 φ) προσελθὼν A B C W φ 𝔐 vg sa bo   ἐλθὼν εὐθὺς καὶ προσελθὼν ℵ
προσελθὼν D Θ it   εὐθέως προσελθὼν λ sy^ᵖᵉ   **47** εἷς δέ τις B C· Θ φ 𝔐 vg   καὶ εἷς τις W λ
εἷς δὲ S A sy^ᵖᵉ sa bo   καὶ εἷς it sy⁵   καὶ τις D

⁵² τότε λέγει αὐτῷ ὁ 'Ιησοῦς· ἀπό-
στρεψον τὴν μάχαιράν σου εἰς τὸν
τόπον αὐτῆς· πάντες γὰρ οἱ λα-
βόντες μάχαιραν ἐν μαχαίρῃ ἀπο-
λοῦνται. ⁵³ ἢ δοκεῖς ὅτι οὐ δύνα-
μαι παρακαλέσαι τὸν πατέρα μου,
καὶ παραστήσει μοι ἄρτι πλείω
δώδεκα λεγιῶνας ἀγγέλων; ⁵⁴ πῶς
οὖν πληρωθῶσιν αἱ γραφαὶ ὅτι
οὕτως δεῖ γενέσθαι; ⁵⁵ ἐν ἐκείνῃ
τῇ ὥρᾳ εἶπεν ὁ 'Ιησοῦς τοῖς ὄχλοις·

                           ⁴⁸ καὶ ἀπο-
κριθεὶς ὁ 'Ιησοῦς εἶπεν αὐτοῖς·

κριθεὶς δὲ ὁ 'Ιησοῦς εἶπεν· ἐᾶτε
ἕως τούτου· καὶ ἀψάμενος τοῦ
ὠτίου ἰάσατο αὐτόν.

                                     ⁵² εἶπεν δὲ
'Ιησοῦς πρὸς τοὺς παραγενομένους
ἐπ' αὐτὸν ἀρχιερεῖς καὶ στρατη-
γοὺς τοῦ ἱεροῦ καὶ πρεσβυτέρους·

ὡς ἐπὶ λῃστὴν ἐξήλθατε μετὰ μα-
χαιρῶν καὶ ξύλων συλλαβεῖν με;
καθ' ἡμέραν   ἐν τῷ ἱερῷ ἐκαθ-
εζόμην διδάσκων, καὶ οὐκ ἐκρα-
τήσατέ με. | Joh 18 20 |

ὡς ἐπὶ λῃστὴν ἐξήλθατε μετὰ μα-
χαιρῶν καὶ ξύλων συλλαβεῖν με·
⁴⁹ καθ' ἡμέραν ἤμην πρὸς ὑμᾶς ἐν
τῷ ἱερῷ διδάσκων, καὶ οὐκ ἐκρα-
τήσατέ με·

ὡς ἐπὶ λῃστὴν ἐξήλθατε μετὰ μα-
χαιρῶν καὶ ξύλων;
⁵³ καθ' ἡμέραν ὄντος μου μεθ' ὑμῶν
ἐν τῷ ἱερῷ οὐκ ἐξετείνατε τὰς χεῖ-
ρας ἐπ' ἐμέ· ἀλλ' αὕτη ἐστὶν ὑμῶν
ἡ ὥρα καὶ ἡ ἐξουσία τοῦ σκότους.

⁵⁶ τοῦτο δὲ ὅλον γέγονεν ἵνα πλη-
ρωθῶσιν αἱ γραφαὶ τῶν προφη-
τῶν. Τότε οἱ μαθηταὶ πάντες
ἀφέντες αὐτὸν ἔφυγον.

ἀλλ' ἵνα πλη-
ρωθῶσιν αἱ γραφαί.
⁵⁰ καὶ
ἀφέντες αὐτὸν ἔφυγον πάντες.
⁵¹ καὶ νεανίσκος τις συνηκολούθει
αὐτῷ περιβεβλημένος σινδόνα ἐπὶ
γυμνοῦ, καὶ κρατοῦσιν αὐτόν· ⁵² ὁ
δὲ καταλιπὼν τὴν σινδόνα γυμνὸς
ἔφυγεν.

241. Jesus vor dem Hohen Rat. Die Verleugnung des Petrus.
241. Christ before the Sanhedrin. Peter's Denial.

Matth 26 57–75   **Mark 14** 53–72   **Luk 22** 54–71

| Joh 18 12–14 | ⁵⁷ Οἱ δὲ κρατήσαντες
τὸν 'Ιησοῦν ἀπήγαγον πρὸς Κα-
ϊάφαν τὸν ἀρχιερέα, ὅπου οἱ γραμ-
ματεῖς καὶ οἱ πρεσβύτεροι συνή-

⁵³ Καὶ ἀπήγαγον
τὸν 'Ιησοῦν πρὸς τὸν ἀρχιερέα, καὶ
συνέρχονται πάντες οἱ ἀρχιερεῖς
καὶ οἱ πρεσβύτεροι καὶ οἱ γραμμα-

⁵⁴ Συλλαβόντες
δὲ αὐτὸν ἤγαγον καὶ εἰσήγαγον
εἰς τὴν οἰκίαν τοῦ ἀρχιερέως·

Mark 14, 53 συνέρχονται S D Θ φ it vg Orig   συνπορεύονται W   συνέρχονται αὐτῷ (αὐτοῦ λ)
A B λ ℜ syˢ ᵖᵉ sa   συνέρχονται πρὸς αὐτὸν C   > bo | πρὸς — γραμματεῖς] πρὸς τοὺς ἀρχιερεῖς καὶ
τοὺς πρεσβ. καὶ τοὺς γραμ. bo
    Luk 22, 51 καὶ ἀψάμενος — αὐτόν] καὶ ἐκτείνας τὴν χεῖρα ἥψατο αὐτοῦ καὶ ἀπεκατεστάθη τὸ οὖς
αὐτοῦ D it   **54** καὶ εἰσήγαγον S A B φ ℜ sa bo   καὶ συνήγαγον W   > D Θ λ it vg syᶜˢ
ἤγαγον καὶ εἰσήγαγον > sy ᵖᵉ

χθησαν. ⁵⁸ ὁ δὲ Πέτρος ἠκολούθει αὐτῷ ἀπὸ μακρόθεν ἕως τῆς αὐλῆς τοῦ ἀρχιερέως, καὶ εἰσελθὼν ἔσω ἐκάθητο μετὰ τῶν ὑπηρετῶν ἰδεῖν τὸ τέλος. | Joh 18 15 16 |

s. v. 69–75 S. 195 f.

τεῖς. ⁵⁴ καὶ ὁ Πέτρος ἀπὸ μακρόθεν ἠκολούθησεν αὐτῷ ἕως ἔσω εἰς τὴν αὐλὴν τοῦ ἀρχιερέως, καὶ ἦν συγκαθήμενος μετὰ τῶν ὑπηρετῶν καὶ θερμαινόμενος πρὸς τὸ φῶς.

s. v. 66–72 S. 195 f.

ὁ δὲ Πέτρος ἠκολούθει μακρόθεν. ⁵⁵ περιαψάντων δὲ πῦρ ἐν μέσῳ τῆς αὐλῆς καὶ συγκαθισάντων ἐκάθητο ὁ Πέτρος μέσος αὐτῶν. ⁵⁶ ἰδοῦσα δὲ αὐτὸν παιδίσκη τις καθήμενον πρὸς τὸ φῶς καὶ ἀτενίσασα αὐτῷ εἶπεν· καὶ οὗτος σὺν αὐτῷ ἦν. ⁵⁷ ὁ δὲ ἠρνήσατο λέγων· οὐκ οἶδα αὐτόν, γύναι. ⁵⁸ καὶ μετὰ βραχὺ ἕτερος ἰδὼν αὐτὸν ἔφη· καὶ σὺ ἐξ αὐτῶν εἶ. ὁ δὲ Πέτρος ἔφη· ἄνθρωπε, οὐκ εἰμί. ⁵⁹ καὶ διαστάσης ὡσεὶ ὥρας μιᾶς ἄλλος τις διϊσχυρίζετο λέγων· ἐπ' ἀληθείας καὶ οὗτος μετ' αὐτοῦ ἦν, καὶ γὰρ Γαλιλαῖός ἐστιν. ⁶⁰ εἶπεν δὲ ὁ Πέτρος· ἄνθρωπε, οὐκ οἶδα ὃ λέγεις. καὶ παραχρῆμα ἔτι λαλοῦντος αὐτοῦ ἐφώνησεν ἀλέκτωρ. ⁶¹ καὶ στραφεὶς ὁ κύριος ἐνέβλεψεν τῷ Πέτρῳ, καὶ ὑπεμνήσθη ὁ Πέτρος τοῦ λόγου τοῦ κυρίου, ὡς εἶπεν αὐτῷ ὅτι πρὶν ἀλέκτορα φωνῆσαι σήμερον ἀπαρνήσῃ με τρίς. ⁶² καὶ ἐξελθὼν ἔξω ἔκλαυσεν πικρῶς. ⁶³ καὶ οἱ ἄνδρες οἱ συνέχοντες αὐτὸν ἐνέπαιζον αὐτῷ δέροντες, ⁶⁴ καὶ περικαλύψαντες αὐτὸν ἐπηρώτων λέγοντες· προφήτευσον, τίς ἐστιν ὁ παίσας σε; ⁶⁵ καὶ ἕτερα πολλὰ βλασφημοῦντες ἔλεγον εἰς αὐτόν. ⁶⁶ καὶ ὡς ἐγένετο ἡμέρα, συνήχθη τὸ πρεσβυτέριον τοῦ λαοῦ, ἀρχιερεῖς τε καὶ γραμματεῖς, καὶ ἀπήγαγον αὐτὸν εἰς τὸ συνέδριον αὐτῶν.

s. v. 67 f.   *s. v. 65*

s. 27 f.   *s. 15 f.*

| Joh 18 19–24 | ⁵⁹ οἱ δὲ ἀρχιερεῖς καὶ τὸ συνέδριον ὅλον ἐζήτουν ψευδομαρτυρίαν κατὰ τοῦ Ἰησοῦ ὅπως αὐτὸν θανατώσωσιν,

⁵⁵ οἱ δὲ ἀρχιερεῖς καὶ ὅλον τὸ συνέδριον ἐζήτουν κατὰ τοῦ Ἰησοῦ μαρτυρίαν εἰς τὸ θανατῶσαι αὐτόν, καὶ οὐχ ηὕρι-

Luk 22, 62 fehlt it   **63** δέροντες ≻ D it

⁶⁰ καὶ οὐχ εὗρον πολλῶν προσελθόντων ψευδομαρτύρων.

ὕστερον δὲ προσελθόντες δύο ⁶¹ εἶπαν· οὗτος ἔφη· δύναμαι καταλῦσαι τὸν ναὸν τοῦ θεοῦ καὶ διὰ τριῶν ἡμερῶν οἰκοδομῆσαι. | Joh 2 19 |

⁶² καὶ ἀναστὰς ὁ ἀρχιερεὺς εἶπεν αὐτῷ· οὐδὲν ἀποκρίνη, τί οὗτοί σου καταμαρτυροῦσιν; ⁶³ ὁ δὲ Ἰησοῦς ἐσιώπα.

καὶ ὁ ἀρχιερεὺς εἶπεν αὐτῷ· ἐξορκίζω σε κατὰ τοῦ θεοῦ τοῦ ζῶντος ἵνα ἡμῖν εἴπῃς εἰ σὺ εἶ ὁ χριστὸς ὁ υἱὸς τοῦ θεοῦ.

⁶⁴ λέγει αὐτῷ ὁ Ἰησοῦς· σὺ εἶπας· πλὴν λέγω ὑμῖν, ἀπ' ἄρτι ὄψεσθε *τὸν υἱὸν τοῦ ἀνθρώπου καθήμενον ἐκ δεξιῶν τῆς δυνάμεως καὶ ἐρχόμενον ἐπὶ τῶν νεφελῶν τοῦ οὐρανοῦ.*

⁶⁵ τότε ὁ ἀρχιερεὺς διέρρηξεν τὰ ἱμάτια αὐτοῦ λέγων· ἐβλασφήμησεν· τί ἔτι χρείαν ἔχομεν μαρτύρων; ἴδε νῦν ἠκούσατε τὴν βλασφημίαν· ⁶⁶ τί ὑμῖν δοκεῖ; οἱ δὲ

σκον· ⁵⁶ πολλοὶ γὰρ ἐψευδομαρτύρουν κατ' αὐτοῦ, καὶ ἴσαι αἱ μαρτυρίαι οὐκ ἦσαν. ⁵⁷ καί τινες ἀναστάντες ἐψευδομαρτύρουν κατ' αὐτοῦ λέγοντες ⁵⁸ ὅτι ἡμεῖς ἠκούσαμεν αὐτοῦ λέγοντος ὅτι ἐγὼ καταλύσω τὸν ναὸν τοῦτον τὸν χειροποίητον καὶ· διὰ τριῶν ἡμερῶν ἄλλον ἀχειροποίητον οἰκοδομήσω. ⁵⁹ καὶ οὐδὲ οὕτως ἴση ἦν ἡ μαρτυρία αὐτῶν. ⁶⁰ καὶ ἀναστὰς ὁ ἀρχιερεὺς εἰς μέσον ἐπηρώτησεν τὸν Ἰησοῦν λέγων· οὐκ ἀποκρίνη οὐδὲν τί οὗτοί σου καταμαρτυροῦσιν; ⁶¹ ὁ δὲ ἐσιώπα καὶ οὐκ ἀπεκρίνατο οὐδέν. πάλιν ὁ ἀρχιερεὺς ἐπηρώτα αὐτὸν καὶ λέγει αὐτῷ· σὺ εἶ ὁ χριστὸς ὁ υἱὸς τοῦ εὐλογητοῦ;

⁶² ὁ δὲ Ἰησοῦς εἶπεν· ἐγώ εἰμι, καὶ ὄψεσθε *τὸν υἱὸν τοῦ ἀνθρώπου ἐκ δεξιῶν καθήμενον τῆς δυνάμεως καὶ ἐρχόμενον μετὰ τῶν νεφελῶν τοῦ οὐρανοῦ.*

⁶³ ὁ δὲ ἀρχιερεὺς διαρρήξας τοὺς χιτῶνας αὐτοῦ λέγει· τί ἔτι χρείαν ἔχομεν μαρτύρων; ⁶⁴ ἠκούσατε τῆς βλασφημίας· τί ὑμῖν φαίνεται; οἱ δὲ

---

⁶⁷ λέγοντες·

εἰ σὺ εἶ ὁ χριστός, εἰπὸν ἡμῖν. εἶπεν δὲ αὐτοῖς· ἐὰν ὑμῖν εἴπω, οὐ μὴ πιστεύσητε· ⁶⁸ ἐὰν δὲ ἐρωτήσω, οὐ μὴ ἀποκριθῆτε.

⁶⁹ ἀπὸ τοῦ νῦν δὲ ἔσται ὁ υἱὸς τοῦ ἀνθρώπου καθήμενος ἐκ δεξιῶν τῆς δυνάμεως τοῦ θεοῦ.

⁷⁰ εἶπαν δὲ πάντες· σὺ οὖν εἶ ὁ υἱὸς τοῦ θεοῦ; ὁ δὲ πρὸς αὐτοὺς ἔφη· ὑμεῖς λέγετε ὅτι ἐγώ εἰμι. ⁷¹ οἱ δὲ εἶπαν·

τί ἔτι ἔχομεν μαρτυρίας χρείαν; αὐτοὶ γὰρ ἠκούσαμεν ἀπὸ τοῦ στόματος αὐτοῦ.

Mt 26 64 (24 30) = Mc 14 62 (13 26) = Lc 22 69 (21 27): Ps 109 1 Dn 7 13.   Mt 26 65 f. = Mc 14 64: vgl. Lev 24 16.

Matth 26, 63 καὶ B Θ λ φ vg bo (S fehlt)   καὶ ἀποκριθεὶς A C W φ ᵛᵃʳ 𝕽 it sy ˢ ᵖᵉ   ἀποκριθεὶς οὖν D ⟩ sa

Mark 14, 58 ἀχειροποίητον οἰκοδομήσω] ἀναστήσω ἀχειροποίητον D it

ἀποκριθέντες εἶπαν· ἔνοχος θανά-
του ἐστίν.

⁶⁷ τότε ἐνέπτυσαν εἰς τὸ πρός-
ωπον αὐτοῦ

καὶ ἐκολάφισαν αὐτόν,
οἱ δὲ ἐρράπισαν   ⁶⁸ λέγοντες·
προφήτευσον ἡμῖν, χριστέ, τίς ἐστιν
ὁ παίσας σε;

⁶⁹ ὁ δὲ Πέτρος ἐκάθητο ἔξω ἐν
τῇ αὐλῇ· καὶ προσῆλθεν αὐτῷ μία
παιδίσκη

Joh 18 17 25—27

λέγουσα· καὶ σὺ ἦσθα
μετὰ Ἰησοῦ τοῦ Γαλιλαίου. ⁷⁰ ὁ δὲ
ἠρνήσατο ἔμπροσθεν πάντων λέ-
γων· οὐκ οἶδα τί
λέγεις. ⁷¹ ἐξελθόντα δὲ εἰς τὸν
πυλῶνα   εἶ-
δεν αὐτὸν ἄλλη   καὶ λέγει
τοῖς ἐκεῖ·   οὗτος ἦν
μετὰ Ἰησοῦ τοῦ Ναζωραίου. ⁷² καὶ
πάλιν ἠρνήσατο μετὰ ὅρκου ὅτι
οὐκ οἶδα τὸν ἄνθρωπον. ⁷³ μετὰ
μικρὸν δὲ προσελθόντες οἱ ἑστῶτες
εἶπον τῷ Πέτρῳ· ἀληθῶς καὶ σὺ
ἐξ αὐτῶν εἶ, καὶ γὰρ ἡ λαλιά σου
δῆλόν σε ποιεῖ.

⁷⁴ τότε ἤρξατο καταθεματίζειν καὶ
ὀμνύειν ὅτι οὐκ οἶδα τὸν ἄνθρω-
πον·   καὶ εὐθὺς
ἀλέκτωρ ἐφώνησεν.

⁷⁵ καὶ ἐμνήσθη ὁ Πέτρος
τοῦ ῥήματος Ἰησοῦ εἰρηκότος

πάντες κατέκριναν αὐτὸν ἔνοχον
εἶναι θανάτου.

⁶⁵ καὶ ἤρξαντό τινες ἐμπτύειν
αὐτῷ καὶ περικαλύπτειν αὐτοῦ τὸ
πρόσωπον καὶ κολαφίζειν αὐτὸν
καὶ λέγειν αὐτῷ·
προφήτευσον,   καὶ
οἱ ὑπηρέται ῥαπίσμασιν αὐτὸν
ἔλαβον.

⁶⁶ καὶ ὄντος τοῦ Πέτρου κάτω ἐν
τῇ αὐλῇ ἔρχεται μία τῶν
παιδισκῶν τοῦ ἀρχιερέως, ⁶⁷ καὶ
ἰδοῦσα τὸν Πέτρον θερμαινόμενον
ἐμβλέψασα αὐτῷ λέγει· καὶ σὺ
μετὰ τοῦ Ναζαρηνοῦ ἦσθα τοῦ
Ἰησοῦ. ⁶⁸ ὁ δὲ ἠρνήσατο λέγων·
οὔτε οἶδα οὔτε ἐπίσταμαι σὺ τί
λέγεις. καὶ ἐξῆλθεν ἔξω εἰς τὸ
προαύλιον· ⁶⁹ καὶ ἡ παιδίσκη ἰδοῦ-
σα αὐτὸν ἤρξατο πάλιν λέγειν
τοῖς παρεστῶσιν ὅτι οὗτος ἐξ
αὐτῶν ἐστιν.   ⁷⁰ ὁ δὲ
πάλιν ἠρνεῖτο.

καὶ μετὰ
μικρὸν   πάλιν οἱ παρεστῶτες
ἔλεγον τῷ Πέτρῳ· ἀληθῶς
ἐξ αὐτῶν εἶ· καὶ γὰρ Γαλιλαῖος εἶ.

⁷¹ ὁ δὲ ἤρξατο ἀναθεματίζειν καὶ
ὀμνύναι ὅτι οὐκ οἶδα τὸν ἄνθρω-
πον τοῦτον ὃν λέγετε. ⁷² καὶ εὐθὺς
ἐκ δευτέρου ἀλέκτωρ ἐφώνησεν.

καὶ ἀνεμνήσθη ὁ Πέτρος
τὸ ῥῆμα ὡς εἶπεν αὐτῷ ὁ Ἰησοῦς

---

⁶³ (s. o. S. 193): καὶ οἱ ἄνδρες
οἱ συνέχοντες αὐτὸν ἐνέπαιζον αὐ-
τῷ δέροντες, ⁶⁴ καὶ περικαλύψαν-
τες αὐτὸν ἐπηρώτων λέγοντες·
προφήτευσον,   τίς ἐστιν
ὁ παίσας σε; ⁶⁵ καὶ ἕτερα πολλὰ
βλασφημοῦντες ἔλεγον εἰς αὐτόν.

⁵⁶ (s. o. S. 193): ἰδοῦσα δὲ
αὐτὸν παιδίσκη τις καθήμενον
πρὸς τὸ φῶς καὶ ἀτενίσασα αὐτῷ
εἶπεν·   καὶ οὗτος σὺν
αὐτῷ ἦν.

⁵⁷ ὁ δὲ ἠρνήσατο λέ-
γων· οὐκ οἶδα αὐτόν, γύναι.
⁵⁸ καὶ

μετὰ βραχὺ ἕτερος
ἰδὼν αὐτὸν ἔφη· καὶ σὺ ἐξ αὐτῶν
εἶ.

ὁ δὲ
Πέτρος ἔφη· ἄνθρωπε, οὐκ εἰμί.

⁵⁹ καὶ διαστάσης ὡσεὶ
ὥρας μιᾶς ἄλλος τις διϊσχυρίζετο
λέγων· ἐπ᾽ ἀληθείας καὶ οὗτος μετ᾽
αὐτοῦ ἦν, καὶ γὰρ Γαλιλαῖός ἐστιν.
⁶⁰ εἶπεν δὲ ὁ Πέ-
τρος· ἄνθρωπε, οὐκ οἶδα ὃ λέγεις.
καὶ παραχρῆμα ἔτι λαλοῦντος αὐ-
τοῦ ἐφώνησεν ἀλέκτωρ. ⁶¹ καὶ
στραφεὶς ὁ κύριος ἐνέβλεψεν τῷ
Πέτρῳ, καὶ ὑπεμνήσθη ὁ Πέτρος
τοῦ λόγου τοῦ κυρίου, ὡς εἶπεν

Matth 26, 73 δῆλόν σε ποιεῖ] ὁμοιάζει D it sy ˢ

Mark 14, 68 προαύλιον S B W syˢ sa bo   προαύλιον καὶ ἀλέκτωρ ἐφώνησεν A C D Θ λ φ 𝔐 it vg
syᵖᵉ   **70** καὶ γὰρ Γαλιλαῖος εἶ > W | εἶ ² S B C D λ it vg syˢ sa bo   εἶ καὶ ἡ λαλιά σου
ὁμοιάζει A Θ φ 𝔐 syᵖᵉ

Zu Mt 26 74: **Hebr. Evang.:** Τὸ Ἰουδαϊκόν· καὶ ἠρνήσατο καὶ ὤμοσεν καὶ κατηράσατο. 4ᵉ 273 566
899 1424.

ὅτι πρὶν ἀλέκτορα φωνῆσαι τρὶς
ἀπαρνήσῃ με·   καὶ
ἐξελθὼν ἔξω ἔκλαυσεν πικρῶς.

ὅτι πρὶν ἀλέκτορα δὶς φωνῆσαι τρίς
με ἀπαρνήσῃ·
ἐπιβαλὼν ἔκλαιεν.

αὐτῷ ὅτι πρὶν ἀλέκτορα φωνῆσαι
καὶ σήμερον ἀπαρνήσῃ με τρίς. ⁶²καὶ
ἐξελθὼν ἔξω ἔκλαυσεν πικρῶς.

242. Übergabe des Verurteilten an Pilatus. | Joh 18 28-32 |
242. Christ delivered to Pilate.

Matth 27 1-2	Mark 15 1	Luk 23 1*
¹ Πρωΐας δὲ γενομένης συμβού-λιον ἔλαβον πάντες οἱ ἀρχιερεῖς καὶ οἱ πρεσβύτεροι τοῦ λαοῦ κατὰ τοῦ Ἰησοῦ ὥστε θανατῶσαι αὐ-τόν· ² καὶ δήσαντες αὐτὸν ἀπήγα-γον καὶ παρέδωκαν Πι-λάτῳ τῷ ἡγεμόνι.	¹ Καὶ εὐθὺς πρωΐ συμβού-λιον ἑτοιμάσαντες οἱ ἀρχιερεῖς μετὰ τῶν πρεσβυτέρων καὶ γραμ-ματέων καὶ ὅλον τὸ συνέδριον, δήσαντες τὸν Ἰησοῦν ἀπήνεγ-καν καὶ παρέδωκαν Πι-λάτῳ.	22 66 (s. o. S. 193): Καὶ ὡς ἐγένετο ἡμέρα, συνήχθη τὸ πρε-σβυτέριον τοῦ λαοῦ, ἀρχιερεῖς τε καὶ γραμματεῖς, καὶ ἀπήγαγον αὐ-τὸν εἰς τὸ συνέδριον αὐτῶν. 23 1 καὶ ἀναστὰν ἅπαν τὸ πλῆθος αὐτῶν ἤγαγον αὐτὸν ἐπὶ τὸν Πι-λᾶτον.

243. Das Ende des Judas. Matth 27 3-10
243. The Death of Judas.

³ Τότε ἰδὼν Ἰούδας ὁ παραδοὺς αὐτὸν ὅτι κατεκρίθη, μεταμεληθεὶς ἔστρεψεν τὰ τριάκοντα ἀργύρια τοῖς ἀρχιερεῦσιν καὶ πρεσβυτέροις ⁴ λέγων· ἥμαρτον παραδοὺς αἷμα ἀθῷον. οἱ δὲ εἶπαν· τί πρὸς ἡμᾶς; σὺ ὄψῃ. ⁵ καὶ ῥίψας τὰ ἀργύρια εἰς τὸν ναὸν ἀνεχώρησεν, καὶ ἀπελθὼν ἀπήγξατο. ⁶ οἱ δὲ ἀρχιερεῖς λαβόντες τὰ ἀργύρια εἶπαν· οὐκ ἔξεστιν βαλεῖν αὐτὰ εἰς τὸν κορβανᾶν, ἐπεὶ τιμὴ αἷματός ἐστιν. ⁷ συμβούλιον δὲ λαβόντες ἠγόρασαν ἐξ αὐτῶν τὸν ἀγρὸν τοῦ κεραμέως εἰς ταφὴν τοῖς ξένοις. ⁸ διὸ ἐκλήθη ὁ ἀγρὸς ἐκεῖνος ἀγρὸς αἵματος ἕως τῆς σήμερον. ⁹ τότε ἐπληρώθη τὸ ῥηθὲν διὰ Ἰερεμίου τοῦ προφήτου λέγοντος· καὶ ἔλαβον τὰ τριάκοντα ἀργύρια, τὴν τιμὴν τοῦ τετιμημένου ὃν ἐτιμήσαντο ἀπὸ υἱῶν Ἰσραήλ, ¹⁰ καὶ ἔδωκαν αὐτὰ εἰς τὸν ἀγρὸν τοῦ κεραμέως, καθὰ συνέταξέν μοι κύριος.

Mt 27 9 10: Sach 11 12 13   Jer 39 6-15 18 2 3.

Matth 27, 1 ἔλαβον] ἐποίησαν D   4 ἀθῷον] δίκαιον Θ it vg sa bo Orig   τοῦ δικαίου sy ˢ
9 Ἰερεμίας > Φ 33 it sy ˢ ᵖᵉ vgl. Klostermann zur Stelle
Mark 14, 72 ὅτι πρὶν — ἀπαρνήσῃ > D | ἐπιβαλὼν ἔκλαιεν A B W λ φ 𝔐 bo   ἐπιβαλὼν ἔκλαυσεν
S C   ἤρξατο κλαίειν D Θ it vg sy ˢ ᵖᵉ sa

Zu Mt 27 9: **Hebr. Evang.:** Legi nuper in quodam hebraico volumine, quod Nazarenae sectae mihi Hebraeus obtulit Jeremiae apocryphum, in quo haec (= Mt 27 9 ᵇ 10) ad verbum scripta reperi Hieronymus in Mt 27 9 (VII ¹ 228 A Vallarsi).

244. Die Verhandlung vor Pilatus.

244. The Trial before Pilate.

Matth 27 11–14	Mark 15 2–5	Luk 23 2–5
		² Ἤρξαντο δὲ κατηγορεῖν αὐτοῦ λέγοντες· τοῦτον εὕραμεν διαστρέφοντα τὸ ἔθνος ἡμῶν καὶ κωλύοντα φόρους Καίσαρι διδόναι, καὶ λέγοντα ἑαυτὸν χριστὸν βασιλέα
¹¹ Ὁ δὲ Ἰησοῦς ἐστάθη ἔμπροσθεν τοῦ ἡγεμόνος· καὶ ἐπηρώτησεν αὐτὸν ὁ ἡγεμὼν λέγων· σὺ εἶ ὁ βασιλεὺς τῶν Ἰουδαίων; ὁ δὲ Ἰησοῦς ἔφη· σὺ λέγεις. ¹² καὶ ἐν τῷ κατηγορεῖσθαι αὐτὸν ὑπὸ τῶν ἀρχιερέων καὶ πρεσβυτέρων οὐδὲν ἀπεκρίνατο. ¹³ τότε λέγει αὐτῷ ὁ Πιλᾶτος· οὐκ ἀκούεις πόσα σου καταμαρτυροῦσιν; ¹⁴ καὶ οὐκ ἀπεκρίθη αὐτῷ πρὸς οὐδὲ ἓν ῥῆμα, ὥστε θαυμάζειν τὸν ἡγεμόνα λίαν.	² Καὶ ἐπηρώτησεν αὐτὸν ὁ Πιλᾶτος· σὺ εἶ ὁ βασιλεὺς τῶν Ἰουδαίων; ὁ δὲ ἀποκριθεὶς αὐτῷ λέγει· σὺ λέγεις. ³ καὶ κατηγόρουν αὐτοῦ οἱ ἀρχιερεῖς πολλά. | Joh 18 33–37 | ⁴ ὁ δὲ Πιλᾶτος πάλιν ἐπηρώτα αὐτόν· οὐκ ἀποκρίνῃ οὐδέν; ἴδε πόσα σου κατηγοροῦσιν. ⁵ ὁ δὲ Ἰησοῦς οὐκέτι οὐδὲν ἀπεκρίθη, ὥστε θαυμάζειν τὸν Πιλᾶτον.	εἶναι. ³ ὁ δὲ Πιλᾶτος ἠρώτησεν αὐτὸν λέγων· σὺ εἶ ὁ βασιλεὺς τῶν Ἰουδαίων; ὁ δὲ ἀποκριθεὶς αὐτῷ ἔφη· σὺ λέγεις.
| Joh 19 9 10 |		⁴ ὁ δὲ Πιλᾶτος εἶπεν πρὸς τοὺς ἀρχιερεῖς καὶ τοὺς ὄχλους· οὐδὲν εὑρίσκω αἴτιον ἐν τῷ ἀνθρώπῳ τούτῳ. ⁵ οἱ δὲ ἐπίσχυον λέγοντες ὅτι ἀνασείει τὸν λαόν, διδάσκων καθ᾽ ὅλης τῆς Ἰουδαίας, καὶ ἀρξάμενος ἀπὸ τῆς Γαλιλαίας ἕως ὧδε. | Joh 19 6 |

245. Jesus vor Herodes. Luk 23 6–16

245. Christ before Herod.

⁶ Πιλᾶτος δὲ ἀκούσας ἐπηρώτησεν εἰ ὁ ἄνθρωπος Γαλιλαῖός ἐστιν, ⁷ καὶ ἐπιγνοὺς ὅτι ἐκ τῆς ἐξουσίας Ἡρῴδου ἐστίν, ἀνέπεμψεν αὐτὸν πρὸς Ἡρῴδην, ὄντα καὶ αὐτὸν ἐν Ἱεροσολύμοις ἐν ταύταις ταῖς ἡμέραις. ⁸ ὁ δὲ Ἡρῴδης ἰδὼν τὸν Ἰησοῦν ἐχάρη λίαν. ἦν γὰρ ἐξ ἱκανῶν χρόνων θέλων ἰδεῖν αὐτὸν διὰ τὸ ἀκούειν περὶ αὐτοῦ, καὶ ἤλπιζέν τι σημεῖον ἰδεῖν ὑπ᾽ αὐτοῦ γινόμενον. ⁹ ἐπηρώτα δὲ αὐτὸν ἐν λόγοις ἱκανοῖς· αὐτὸς δὲ οὐδὲν

Matth 27, 14 πρὸς οὐδὲ ἕν] ἓν D ullum it sa   > sy ⁸
Luk 23, 2 ἔθνος ἡμῶν + καὶ καταλύοντα τὸν νόμον ἡμῶν καὶ τοὺς προφήτας it Marcion | διδόναι
+ καὶ ἀποστρέφοντα τὰς γυναῖκας καὶ τὰ τέκνα Marcion vgl.·v. 5   5 ὧδε + et filios nostros et uxores
avertit a nobis, non enim baptizatur sicut nos (+ nec se mundat e) it (c e)

v. 12　*v. 3*

ἀπεκρίνατο αὐτῷ. ¹⁰ εἰστήκεισαν δὲ οἱ ἀρχιερεῖς καὶ οἱ γραμματεῖς εὐτόνως κατηγοροῦντες αὐτοῦ. ¹¹ ἐξουθενήσας δὲ αὐτὸν ὁ Ἡρῴδης σὺν τοῖς στρατεύμασιν αὐτοῦ καὶ ἐμπαίξας, περιβαλὼν ἐσθῆτα λαμπρὰν ἀνέπεμψεν αὐτὸν τῷ Πιλάτῳ. ¹² ἐγένοντο δὲ φίλοι ὅ τε Ἡρῴδης καὶ ὁ Πιλᾶτος ἐν αὐτῇ τῇ ἡμέρᾳ μετ' ἀλλήλων· προϋπῆρχον γὰρ ἐν ἔχθρᾳ ὄντες πρὸς αὐτούς.

¹³ Πιλᾶτος δὲ συγκαλεσάμενος τοὺς ἀρχιερεῖς καὶ τοὺς ἄρχοντας καὶ τὸν λαὸν ¹⁴ εἶπεν πρὸς αὐτούς· προσηνέγκατέ μοι τὸν ἄνθρωπον τοῦτον ὡς ἀποστρέφοντα τὸν λαόν, καὶ ἰδοὺ ἐγὼ ἐνώπιον ὑμῶν ἀνακρίνας οὐθὲν εὗρον ἐν τῷ ἀνθρώπῳ τούτῳ αἴτιον ὧν κατηγορεῖτε κατ' αὐτοῦ. ¹⁵ ἀλλ' οὐδὲ Ἡρῴδης· ἀνέπεμψεν γὰρ αὐτὸν πρὸς ἡμᾶς· καὶ ἰδοὺ οὐδὲν ἄξιον θανάτου ἐστὶν πεπραγμένον αὐτῷ· ¹⁶ παιδεύσας οὖν αὐτὸν ἀπολύσω.

246. Die Verurteilung. | Joh 18 38–40 19 4–16 |

246. The Sentence of Death.

Matth 27 15–26	Mark 15 6–15	Luk 23 17–25
¹⁵ Κατὰ δὲ ἑορτὴν εἰώθει ὁ ἡγεμὼν ἀπολύειν ἕνα τῷ ὄχλῳ δέσμιον ὃν ἤθελον. ¹⁶ εἶχον δὲ τότε δέσμιον ἐπίσημον λεγόμενον Βαραββᾶν.	⁶ Κατὰ δὲ ἑορτὴν ἀπέλυεν αὐτοῖς ἕνα δέσμιον ὃν παρῃτοῦντο. ⁷ ἦν δὲ ὁ λεγόμενος Βαραββᾶς μετὰ τῶν στασιαστῶν δεδεμένος, οἵτινες ἐν τῇ στάσει φόνον πεποιήκεισαν. ⁸ καὶ ἀναβὰς ὁ ὄχλος ἤρ-	[¹⁷]
¹⁷ συνηγμένων οὖν αὐτῶν εἶπεν αὐτοῖς ὁ Πιλᾶτος· τίνα θέλετε ἀπολύσω ὑμῖν, Βαραββᾶν ἢ Ἰησοῦν τὸν λεγόμενον χριστόν; ¹⁸ ᾔδει γὰρ ὅτι διὰ φθόνον παρέδωκαν αὐτόν. ¹⁹ καθημένου δὲ αὐτοῦ ἐπὶ τοῦ βήματος ἀπέστειλεν πρὸς αὐτὸν ἡ γυνὴ αὐτοῦ λέγουσα· μηδὲν σοὶ καὶ τῷ	ξατο αἰτεῖσθαι καθὼς ἐποίει αὐτοῖς. ⁹ ὁ δὲ Πιλᾶτος ἀπεκρίθη αὐτοῖς λέγων· θέλετε ἀπολύσω ὑμῖν τὸν βασιλέα τῶν Ἰουδαίων; ¹⁰ ἐγίνωσκεν γὰρ ὅτι διὰ φθόνον παραδεδώκεισαν αὐτὸν οἱ ἀρχιερεῖς.	*s. v. 19*

Matth 27, 16 Βαραββᾶν S A B D W φ ℵ it vg sy ᵖᵉ sa bo　Ἰησοῦν Βαραββᾶν Θ λ sy ˢ　**17** Βαραββᾶν] Ἰησοῦν (✝ τὸν λ) Βαραββᾶν Θ λ sy ˢ
Mark 15, 6 ὃν παρῃτοῦντο S A B　ὃν ᾐτοῦντο W λ　ὅνπερ ᾐτοῦντο C ℵ　ὅνπερ ἂν ᾐτοῦντο Θ ὃν ἂν ᾐτοῦντο D φ　quemcumque petissent it vg　**8** ἀναβὰς S B D it vg sa bo　ἀναβοήσας A C W Θ λ φ ℵ sy ˢ ᵖᵉ
Luk 23, 10—12 > sy ˢ　**12** lautet in D: ὄντες ἐν ἀηδίᾳ ὁ Πιλᾶτος καὶ ὁ Ἡρῴδης ἐγένοντο φίλοι ἐν αὐτῇ τῇ ἡμέρᾳ　**15** ἀνέπεμψεν γὰρ αὐτὸν πρὸς ἡμᾶς (ὑμᾶς φ) S B Θ φ sa bo　ἀνέπεμψα γὰρ ὑμᾶς (αὐτὸν sy ᶜˢ ᵖᵉ) πρὸς αὐτόν A D W λ ℵ it vg sy ᶜˢ ᵖᵉ　**17** fehlt A B sa bo　lautet: ἀνάγκην δὲ εἶχεν ἀπολύειν αὐτοῖς κατὰ ἑορτήν ἕνα S W λ φ ℵ it vg sy ᵖᵉ　ἀνάγκην δὲ εἶχεν κατὰ ἑορτὴν ἀπολύειν αὐτοῖς ἕνα (nach v. 19 D) D Θ

Zu Mt 27 16: **Hebr. Evang.:** Barrabas ... in evangelio, quod scribitur iuxta Hebraeos, Filius magistri eorum interpretatur, qui propter seditionem et homicidium fuerat condemnatus. Hieronymus in Mt 27 16 (VII ¹ 229 A Vallarsi).

δικαίῳ ἐκείνῳ· πολλὰ γὰρ ἔπαθον
σήμερον κατ' ὄναρ δι' αὐτόν. ²⁰ οἱ
δὲ ἀρχιερεῖς καὶ οἱ πρεσβύτεροι
ἔπεισαν τοὺς ὄχλους ἵνα αἰτήσων-
ται τὸν Βαραββᾶν, τὸν δὲ Ἰησοῦν
ἀπολέσωσιν.
    ²¹ ἀποκριθεὶς δὲ ὁ ἡγεμὼν
εἶπεν αὐτοῖς· τίνα θέλετε ἀπὸ τῶν
δύο ἀπολύσω ὑμῖν; οἱ δὲ εἶπαν·
τὸν Βαραββᾶν. ²² λέγει αὐτοῖς ὁ
Πιλᾶτος· τί οὖν ποιήσω Ἰησοῦν
τὸν λεγόμενον χριστόν;
        λέγουσιν πάντες·
σταυρωθήτω. Joh 19 6 7 15 ²³ ὁ δὲ
ἔφη·   τί γὰρ
κακὸν ἐποίησεν;

                 οἱ
δὲ περισσῶς ἔκραζον λέγοντες·
σταυρωθήτω.

²⁴ ἰδὼν δὲ ὁ Πιλᾶτος ὅτι οὐδὲν
ὠφελεῖ ἀλλὰ μᾶλλον θόρυβος γί-
νεται, λαβὼν ὕδωρ ἀπενίψατο τὰς
χεῖρας κατέναντι τοῦ ὄχλου λέ-
γων· ἀθῷός εἰμι ἀπὸ τοῦ αἵματος
τούτου· ὑμεῖς ὄψεσθε. ²⁵ καὶ ἀπο-
κριθεὶς πᾶς ὁ λαὸς εἶπεν· τὸ αἷμα
αὐτοῦ ἐφ' ἡμᾶς καὶ ἐπὶ τὰ τέκνα
ἡμῶν.

    ²⁶ τότε ἀπέλυσεν
αὐτοῖς τὸν Βαραββᾶν,
                  τὸν
δὲ Ἰησοῦν φραγελλώσας παρέδω-
κεν ἵνα σταυρωθῇ. Joh 19 16

---

              ¹¹ οἱ
δὲ ἀρχιερεῖς
    ἀνέσεισαν τὸν ὄχλον ἵνα μᾶλ-
λον τὸν Βαραββᾶν
ἀπολύσῃ αὐτοῖς.
    ¹² ὁ δὲ Πιλᾶτος πάλιν ἀπο-
κριθεὶς ἔλεγεν αὐτοῖς·

    τί οὖν ποιήσω
ὃν λέγετε τὸν βασιλέα τῶν Ἰου-
δαίων; ¹³ οἱ δὲ πάλιν ἔκραξαν·
σταύρωσον αὐτόν.   ¹⁴ ὁ δὲ
Πιλᾶτος ἔλεγεν αὐτοῖς· τί γὰρ
ἐποίησεν κακόν;

                οἱ
δὲ περισσῶς ἔκραξαν·
σταύρωσον αὐτόν.

¹⁵ ὁ δὲ Πιλᾶτος βουλόμενος τῷ
ὄχλῳ τὸ ἱκανὸν ποιῆσαι ἀπέλυσεν
αὐτοῖς τὸν Βαραββᾶν,
           καὶ παρέ-
δωκεν τὸν Ἰησοῦν φραγελλώ-
σας ἵνα σταυρωθῇ.

---

¹⁸ Ἀνέκραγον δὲ παμπληθεὶ λέ-
γοντες· αἶρε τοῦτον, ἀπόλυσον δὲ
ἡμῖν τὸν Βαραββᾶν· ¹⁹ ὅστις ἦν
διὰ στάσιν τινὰ γενομένην ἐν τῇ
πόλει καὶ φόνον βληθεὶς ἐν τῇ
φυλακῇ. ²⁰ πάλιν δὲ ὁ Πιλᾶτος
προσεφώνησεν αὐτοῖς, θέλων ἀπο-
λῦσαι τὸν Ἰησοῦν.

    ²¹ οἱ δὲ ἐπεφώνουν λέγοντες·
σταύρου σταύρου αὐτόν. ²² ὁ δὲ
τρίτον εἶπεν πρὸς αὐτούς· τί γὰρ
κακὸν ἐποίησεν οὗτος; οὐδὲν αἴ-
τιον θανάτου εὗρον ἐν αὐτῷ· παι-
δεύσας οὖν αὐτὸν ἀπολύσω. ²³ οἱ
δὲ ἐπέκειντο φωναῖς μεγάλαις αἰ-
τούμενοι αὐτὸν σταυρωθῆναι, καὶ
κατίσχυον αἱ φωναὶ αὐτῶν.

²⁴ καὶ Πιλᾶτος ἐπέκρινεν γενέσθαι
τὸ αἴτημα αὐτῶν· ²⁵ ἀπέλυσεν δὲ
τὸν διὰ στάσιν καὶ φόνον βεβλη-
μένον εἰς φυλακήν, ὃν ᾐτοῦντο, τὸν
δὲ Ἰησοῦν   παρέδω-
κεν τῷ θελήματι αὐτῶν.

Mt 27 24: vgl. Dtn 21 6–8.

Mark 15, 12 τί οὖν ποιήσω ὃν (> B) λέγετε S B C bo   τί οὖν ποιήσω W λ φ sa   τί οὖν θέ-
λετε ποιήσω A D Θ it vg sy ˢ   τί οὖν θέλετε ποιήσω ὃν λέγετε ℵ sy ᵖᵉ
    Luk 23, 19 + v. 17 D, + καὶ ὁ Πιλᾶτος εἰώθει ἀπολύειν αὐτοῖς ἕνα (ἕνα δέσμιον sy ˢ) κατὰ ἑορτήν
sy ᶜˢ vgl. v. 17

Zu Mt 27 26 b–31 = Mc 15 15 b–20, vgl. Lc 23 25 b: **Ev. Petri** II 5 b. Καὶ παρέδωκεν αὐτὸν τῷ λαῷ πρὸ
μιᾶς τῶν ἀζύμων, τῆς ἑορτῆς αὐτῶν. III ⁶ οἱ δὲ λαβόντες τὸν κύριον ὤθουν αὐτὸν τρέχοντες καὶ ἔλεγον·

247. Verspottung des Judenkönigs. | Joh 19 1–3 |

247. *The Mocking by the Soldiers.*

Matth 27 27–31	**Mark 15** 16–20
²⁷ Τότε οἱ στρατιῶται τοῦ ἡγεμόνος παραλαβόντες τὸν Ἰησοῦν εἰς τὸ πραιτώριον συνήγαγον ἐπ' αὐτὸν ὅλην τὴν σπεῖραν. ²⁸ καὶ ἐκδύσαντες αὐτὸν χλαμύδα κοκκίνην περιέθηκαν αὐτῷ, ²⁹ καὶ πλέξαντες στέφανον ἐξ ἀκανθῶν ἐπέθηκαν ἐπὶ τῆς κεφαλῆς αὐτοῦ καὶ κάλαμον ἐν τῇ δεξιᾷ αὐτοῦ, καὶ γονυπετήσαντες ἔμπροσθεν αὐτοῦ ἐνέπαιξαν αὐτῷ λέγοντες· χαῖρε, βασιλεῦ τῶν Ἰουδαίων, ³⁰ καὶ ἐμπτύσαντες εἰς αὐτὸν ἔλαβον τὸν κάλαμον καὶ ἔτυπτον εἰς τὴν κεφαλὴν αὐτοῦ. ³¹ καὶ ὅτε ἐνέπαιξαν αὐτῷ, ἐξέδυσαν αὐτὸν τὴν χλαμύδα καὶ ἐνέδυσαν αὐτὸν τὰ ἱμάτια αὐτοῦ, καὶ ἀπήγαγον αὐτὸν εἰς τὸ σταυρῶσαι.	¹⁶ Οἱ δὲ στρατιῶται ἀπήγαγον αὐτὸν ἔσω τῆς αὐλῆς, ὅ ἐστιν πραιτώριον, καὶ συγκαλοῦσιν ὅλην τὴν σπεῖραν. ¹⁷ καὶ ἐνδιδύσκουσιν αὐτὸν πορφύραν καὶ περιτιθέασιν αὐτῷ πλέξαντες ἀκάνθινον στέφανον· ¹⁸ καὶ ἤρξαντο ἀσπάζεσθαι αὐτόν· χαῖρε, βασιλεῦ τῶν Ἰουδαίων· ¹⁹ καὶ ἔτυπτον αὐτοῦ τὴν κεφαλὴν καλάμῳ καὶ ἐνέπτυον αὐτῷ, καὶ τιθέντες τὰ γόνατα προσεκύνουν αὐτῷ. ²⁰ καὶ ὅτε ἐνέπαιξαν αὐτῷ, ἐξέδυσαν αὐτὸν τὴν πορφύραν καὶ ἐνέδυσαν αὐτὸν τὰ ἱμάτια αὐτοῦ. καὶ ἐξάγουσιν αὐτὸν ἵνα σταυρώσωσιν αὐτόν. *s. v. 26*

248. Der Todesgang.

248. *The Road to Calvary.*

Matth 27 32	**Mark 15** 21	**Luk 23** 26–32
³² Ἐξερχόμενοι δὲ εὗρον ἄνθρωπον Κυρηναῖον, ὀνόματι Σίμωνα· τοῦτον ἠγγάρευσαν ἵνα ἄρῃ τὸν σταυρὸν αὐτοῦ.	²¹ Καὶ ἀγγαρεύουσιν παράγοντά τινα Σίμωνα Κυρηναῖον ἐρχόμενον ἀπ' ἀγροῦ, τὸν πατέρα Ἀλεξάνδρου καὶ Ῥούφου, ἵνα ἄρῃ τὸν σταυρὸν αὐτοῦ.	²⁶ Καὶ ὡς ἀπήγαγον αὐτόν, ἐπιλαβόμενοι Σίμωνά τινα Κυρηναῖον ἐρχόμενον ἀπ' ἀγροῦ ἐπέθηκαν αὐτῷ τὸν σταυρὸν φέρειν ὄπισθεν τοῦ Ἰησοῦ. ²⁷ ἠκολούθει δὲ αὐτῷ πολὺ πλῆθος τοῦ λαοῦ καὶ γυναικῶν αἳ ἐκόπτοντο καὶ ἐθρήνουν αὐτόν. ²⁸ στραφεὶς δὲ πρὸς αὐτὰς Ἰησοῦς

Matth 27, 28 ἐκδύσαντες S (?) A W Θ λ φ ℜ vg sy ᵖᵉ sa bo   ἐνδύσαντες B D it   ἐνέδυσαν sy ˢ |
αὐτὸν + ἱμάτιον πορφυροῦν καὶ D it | χλαμύδα κοκκίνην περιέθηκαν αὐτῷ] ἱμάτια κόκκινα καὶ πορφυρᾶ
sy ˢ   **32** Κυρηναῖον + εἰς ἀπάντησιν αὐτοῦ D   ἐρχόμενον εἰς ἀπάντησιν αὐτοῦ it vg ᵛᵃʳ

»σύρωμεν τὸν υἱὸν τοῦ θεοῦ ἐξουσίαν αὐτοῦ ἐσχηκότες«. ⁷ καὶ πορφύραν αὐτὸν περιέβαλον καὶ ἐκάθισαν αὐτὸν ἐπὶ καθέδραν κρίσεως λέγοντες· »δικαίως κρῖνε, βασιλεῦ τοῦ Ἰσραήλ«. ⁸ καί τις αὐτῶν ἐνεγκὼν στέφανον ἀκάνθινον ἔθηκεν ἐπὶ τῆς κεφαλῆς τοῦ κυρίου. ⁹ καὶ ἕτεροι ἑστῶτες ἐνέπτυον αὐτοῦ ταῖς ὄψεσι, καὶ ἄλλοι τὰς σιαγόνας αὐτοῦ ἐράπισαν, ἕτεροι καλάμῳ ἔνυσσον αὐτὸν καί τινες αὐτὸν ἐμάστιζον λέγοντες· »ταύτῃ τῇ τιμῇ τιμήσωμεν τὸν υἱὸν τοῦ θεοῦ«.

εἶπεν· Θυγατέρες Ἱερουσαλήμ, μὴ
κλαίετε ἐπ' ἐμέ· πλὴν ἐφ' ἑαυτὰς
κλαίετε καὶ ἐπὶ τὰ τέκνα ὑμῶν,
²⁹ ὅτι ἰδοὺ ἔρχονται ἡμέραι ἐν αἷς
ἐροῦσιν· μακάριαι αἱ στεῖραι, καὶ
αἱ κοιλίαι αἳ οὐκ ἐγέννησαν, καὶ
μαστοὶ οἳ οὐκ ἔθρεψαν. ³⁰ τότε
ἄρξονται *λέγειν τοῖς ὄρεσιν· πέ-
σατε ἐφ' ἡμᾶς, καὶ τοῖς βουνοῖς·
καλύψατε ἡμᾶς·* ³¹ ὅτι εἰ ἐν ὑγρῷ
ξύλῳ ταῦτα ποιοῦσιν, ἐν τῷ ξηρῷ
τί γένηται; ³² ἤγοντο δὲ καὶ ἕτεροι
κακοῦργοι δύο σὺν αὐτῷ ἀναιρε-
θῆναι.

s. v. 38   *s. v. 27*

† 249. Die Kreuzigung.

† 249. The Crucifixion.

Matth 27 33–44	**Mark 15** 22–32	**Luk 23** 33–43
³³ Καὶ ἐλθόντες εἰς τόπον λεγό-μενον Γολγοθᾶ, ὅ ἐστιν κρανίου τόπος λεγόμενος, ³⁴ ἔδω-καν αὐτῷ πιεῖν οἶνον μετὰ χολῆς μεμιγμένον· καὶ γευσάμενος οὐκ ἠθέλησεν πιεῖν.	²² Καὶ φέρουσιν αὐτὸν ἐπὶ τὸν Γολγοθᾶν τόπον, ὅ ἐστι μεθερ-μηνευόμενος κρανίου τόπος. ²³ καὶ ἐδίδουν αὐτῷ ἐσμυρνισμένον οἶνον· ὃς δὲ οὐκ ἔλαβεν.	³³ Καὶ ὅτε ἦλθον ἐπὶ τὸν τόπον τὸν καλούμενον Κρανίον, ┌─────────┐ │ Joh 19 17 │ └─────────┘
³⁵ σταυρώσαντες δὲ αὐτὸν *s. v. 38*	²⁴ καὶ σταυροῦσιν αὐτόν, *s. v. 27*	ἐκεῖ ἐσταύρωσαν αὐτὸν καὶ τοὺς κακούργους, ὃν μὲν ἐκ δεξιῶν ὃν δὲ ἐξ ἀριστερῶν. ³⁴ [ὁ δὲ Ἰησοῦς ἔλεγεν· πάτερ, ἄφες αὐτοῖς· οὐ

Mt 27 34 (= Mc 15 23) = Lc 23 36: vgl. Ps 68 22.   Lc 23 30: Hos 10 8.

Matth 27, 33 λεγόμενον > S   **34** πιεῖν A B W Θ λ φ 𝔊   πεῖν S D | οἶνον S B D Θ λ it
vg sy ˢ sa bo   ὄξος A W φ 𝔊 sy ᵖᵉ

Mark 15, 22 φέρουσιν] ἄγουσι D φ it vg | μεθερμηνευόμενος A B   μεθερμηνευόμενον S C D Θ
λ φ 𝔊   **23** αὐτῷ S B C sy ˢ bo   αὐτῷ πιεῖν A (πεῖν D) D Θ λ φ 𝔊 it vg sy ᵖᵉ sa | ὃς δε S B   ὁ δὲ
A C Θ φ 𝔊 sy ᵖᵉ sa bo   καὶ D it vg sy ˢ   καὶ γευσάμενος λ   **24** σταυροῦσιν αὐτόν, καὶ B sa bo
σταυρώσαντες αὐτόν S A C D Θ λ φ 𝔊

Luk 23, 33 ἦλθον S B C Θ it vg sy ᶜˢ ᵖᵉ sa bo   ἦλθαν D   ἀπῆλθον A W λ φ 𝔊 | καλού-
μενον] λεγόμενον (vgl. Mt) C | κακούργους + ὁμοῦ D vgl. ληστὰς δύο it (cod. b ²) sa | ἀριστερῶν]
εὐωνύμων (vgl. Mt Mc) C φ   **34** ὁ δὲ — ποιοῦσιν S A C λ φ 𝔊 it vg sy ᶜ ᵖᵉ Iren Orig   > B D W Θ
sy ˢ sa bo | Ἰησοῦς + ἀπεκρίνατο καὶ sy ᶜ | ἔλεγεν· πάτερ] εἶπεν A |

| Joh 19 23 24 | διεμερί- | καὶ διαμερί- | γὰρ οἴδασιν τί ποιοῦσιν.] διαμερι-

σαντο τὰ ἱμάτια αὐτοῦ βάλλον- | ζονται τὰ ἱμάτια αὐτοῦ, βάλλον- | ζόμενοι δὲ τὰ ἱμάτια αὐτοῦ ἔβα-
τες κλῆρον, ³⁶ καὶ καθήμενοι ἐτή- | τες κλῆρον ἐπ᾽ αὐτὰ τίς τί ἄρῃ. | λον κλήρους. ³⁵ καὶ εἰστήκει ὁ λαὸς
ρουν αὐτὸν ἐκεῖ. | ²⁵ ἦν δὲ ὥρα τρίτη καὶ ἐσταύρω- | θεωρῶν.
³⁷ καὶ ἐπέθηκαν ἐπάνω τῆς κεφα- | σαν αὐτόν. ²⁶ καὶ ἦν ἡ ἐπιγραφὴ
λῆς αὐτοῦ τὴν αἰτίαν αὐτοῦ γε- | τῆς αἰτίας αὐτοῦ ἐπιγε- | *s. v. 38*
γραμμένην· οὗτός ἐστιν Ἰησοῦς | γραμμένη· ‖ Joh 19 19 ‖
ὁ βασιλεὺς τῶν Ἰουδαίων. | ὁ βασιλεὺς τῶν Ἰουδαίων.
³⁸ τότε σταυροῦνται σὺν αὐτῷ | ²⁷ καὶ σὺν αὐτῷ σταυροῦσιν
δύο λῃσταί, εἷς ἐκ δεξιῶν καὶ εἷς | δύο λῃστάς, ἕνα ἐκ δεξιῶν καὶ ἕνα | *s. v. 32 33*
ἐξ εὐωνύμων. ‖ Joh 19 18 ‖ | ἐξ εὐωνύμων· αὐτοῦ. [²⁸]
³⁹ οἱ δὲ παραπορευόμενοι ἐβλασ- | ²⁹ καὶ οἱ παραπορευόμενοι ἐβλασ-
φήμουν αὐτὸν *κινοῦντες τὰς κε-* | φήμουν αὐτὸν *κινοῦντες τὰς κε-*
φαλὰς αὐτῶν ⁴⁰ καὶ λέγοντες· ὁ | *φαλὰς αὐτῶν* καὶ λέγοντες· οὐὰ ὁ
καταλύων τὸν ναὸν καὶ ἐν τρισὶν | καταλύων τὸν ναὸν καὶ οἰκοδο- | *s. v. 37*
ἡμέραις οἰκοδομῶν, σῶσον σε- | μῶν ἐν τρισὶν ἡμέραις, ³⁰ σῶσον σε-
αυτόν, εἰ υἱὸς εἶ τοῦ θεοῦ, καὶ | αυτὸν
κατάβηθι ἀπὸ τοῦ σταυροῦ. ⁴¹ ὁ- | καταβὰς ἀπὸ τοῦ σταυροῦ. ³¹ ὁ-
μοίως καὶ οἱ ἀρχιερεῖς ἐμπαίζοντες | μοίως καὶ οἱ ἀρχιερεῖς ἐμπαίζοντες | ἐξεμυκτήριζον δὲ καὶ οἱ ἄρχοντες
μετὰ τῶν γραμμα- | πρὸς ἀλλήλους μετὰ τῶν γραμμα- | λέγοντες·
τέων καὶ πρεσβυτέρων ἔλεγον· | τέων ἔλεγον·

Mt 27 35 = Mc 15 24 = Lc 23 34 b: Ps 21 19.　　　Mt 27 39 = Mc 15 29 = Lc 23 35: Ps 21 8.

Matth 27, 35 κλῆρον S A B D W sy⁵ ᵖᵉ sa bo　κλῆρον, ἵνα πληρωθῇ τὸ ῥηθὲν διὰ (ὑπὸ λ Ⴔ) τοῦ
προφήτου· διεμέρισαν (διεμερίσαντο λ φ Ⴔ) τὰ ἱμάτια μου ἑαυτοῖς καὶ ἐπὶ τὸν ἱματισμόν μου ἔβαλον κλῆρον
(= Ps 21 19: Joh 19 24) Θ λ φ Ⴔ it vg Euseb　**37** lautet sy⁵: καὶ καθήμενοι ἔγραψαν τὴν αἰτίαν,
ἐπέθηκαν ἐπάνω τῆς κεφαλῆς αὐτοῦ· Ἰησοῦς ὁ βασιλεὺς τῶν Ἰουδαίων　**38** δεξιῶν + nomine Zoatham
it (cod. c)　| ἐπωνύμων + nomine Camma it (cod. c)　**40** λέγοντες + οὐὰ (vgl. Mc) D Θ it vg ‖
εἰ τοῦ θεοῦ] θεοῦ εἰ B ‖ καὶ κατάβηθι S A D it sy⁵ ᵖᵉ　κατάβηθι B W Θ λ φ Ⴔ vg sa bo　**41** ὁμοίως
καὶ B Θ λ φ it vg sy⁵ ᵖᵉ　ὁμοίως δὲ καὶ D Ⴔ　ὁμοίως δὲ sa　ὁμοίως S A W bo ‖ τ. γραμματέων
καὶ πρεσβυτέρων (∼ S) S A B Θ λ φ vg sa bo　τ. γραμματέων καὶ Φαρισαίων D W it sy⁵　τ. γραμ-
ματέων καὶ πρεσβ. κ. Φαρ. Ⴔ sy ᵖᵉ

Mark 15, 24 τίς τί ἄρῃ > D it sy⁵　**25** τρίτη] ἕκτη Θ ‖ ἐσταύρωσαν] ἐφύλασσον D it　ἐστ.
αὐτὸν καὶ ἐφ. sa　**26** καὶ ἦν ἡ] ἦν δὲ D sa ‖ οὗτός ἐστιν ὁ βασιλεὺς D　**27** δεξιῶν + nomine
Zoatham it (cod. c)　εὐωνύμων + nomine Chammatha it (cod. c)　**28** fehlt S A B C D sy⁵ sa bo
lautet: καὶ ἐπληρώθη ἡ γραφή, ἡ λέγουσα· καὶ μετὰ ἀνόμων ἐλογίσθη (Jes 53 12 = Lc 22 37) Θ λ φ Ⴔ
it vg sy ᵖᵉ　**29** παραπορευόμενοι] παράγοντες D　> sy⁵ ‖ ἐν S B C λ φ Ⴔ　> A D Θ　**30** κατα-
βὰς S B D Θ vg sa bo　καὶ κατάβα A C φ Ⴔ it sy⁵ ᵖᵉ　καὶ κατάβηθι λ　**31** ὁμοίως S A B C Θ λ φ
vg sy⁵ ᵖᵉ bo　ὁμοίως δὲ Ⴔ sa　> D it

Luk 23, 34 διεμερίζοντο ... βαλόντες D ‖ κλήρους A Θ λ it vg sy ᶜˢ　κλῆρον S B C D W φ Ⴔ
sy ᵖᵉ sa bo　**35** καὶ¹] ἐν οἷς W ‖ θεωρῶν] ὁρῶν D ‖ ἐμυκτήριζον D ‖ δὲ καὶ A B C W Θ Ⴔ bo
δὲ S　δὲ αὐτὸν καὶ D φ sa　δὲ αὐτὸν λ　καὶ ἐξεμ. it vg sy ᶜˢ ᵖᵉ ‖ οἱ ἄρχοντες S B C
it sy ᵖᵉ sa bo　οἱ ἄρχοντες σὺν αὐτοῖς A W Θ λ φ Ⴔ vg sy ᶜˢ　> D ‖

Zu Mt 27 33 44 par.: **Ev. Petri** IV 10–14: ¹⁰ Καὶ ἤνεγκον δύο κακούργους καὶ ἐσταύρωσαν ἀνὰ
μέσον αὐτῶν τὸν κύριον, αὐτὸς δὲ ἐσιώπα ὡς μηδένα πόνον ἔχων. ¹¹ καὶ ὅτε ὤρθωσαν τὸν σταυρὸν ἐπέ-
γραψαν ὅτι »οὗτός ἐστιν ὁ βασιλεὺς τοῦ Ἰσραήλ«. ¹² καὶ τεθεικότες τὰ ἐνδύματα ἔμπροσθεν αὐτοῦ διεμερί-
σαντο καὶ λαχμὸν ἔβαλον ἐπ᾽ αὐτοῖς. ¹³ εἷς δέ τις τῶν κακούργων ἐκείνων ὠνείδισεν αὐτοὺς λέγων· »ἡμεῖς
διὰ τὰ κακὰ ἃ ἐποιήσαμεν οὕτω πεπόνθαμεν· οὗτος δὲ σωτὴρ γενόμενος τῶν ἀνθρώπων τί ἠδίκησεν ὑμᾶς;«
¹⁴ καὶ ἀγανακτήσαντες ἐπ᾽ αὐτῷ ἐκέλευσαν, ἵνα μὴ σκελοκοπηθῇ, ὅπως βασανιζόμενος ἀποθάνῃ.

⁴² ἄλλους ἔσωσεν, ἑαυτὸν οὐ δύ-
ναται σῶσαι·   βασιλεὺς Ἰσ-
ραὴλ ἐστιν, καταβάτω νῦν ἀπὸ
τοῦ σταυροῦ   καὶ πι-
στεύσομεν ἐπ᾽ αὐτόν. ⁴³ πέποιθεν
ἐπὶ τὸν θεόν, ῥυσάσθω νῦν, εἰ θέλει
αὐτόν· εἶπεν γὰρ ὅτι θεοῦ εἰμι υἱός.

s. v. 48

s. v. 40

s. v. 37

⁴⁴ τὸ δ᾽ αὐτὸ καὶ οἱ λῃσταὶ οἱ
συσταυρωθέντες σὺν αὐτῷ ὠνείδι-
ζον αὐτόν.

ἄλλους ἔσωσεν, ἑαυτὸν οὐ δύ-
ναται σῶσαι· ³² ὁ χριστὸς ὁ βασι-
λεὺς Ἰσραὴλ καταβάτω νῦν ἀπὸ
τοῦ σταυροῦ, ἵνα ἴδωμεν καὶ πι-
στεύσωμεν.

s. v. 36

s. v. 30

s. v. 26

καὶ οἱ
συνεσταυρωμένοι σὺν αὐτῷ ὠνείδι-
ζον αὐτόν.

ἄλλους ἔσωσεν, σωσάτω ἑαυ·.
εἰ οὗτός ἐστιν ὁ
χριστὸς τοῦ θεοῦ ὁ ἐκλεκτός.

³⁶ ἐνέπαιξαν δὲ αὐτῷ καὶ οἱ στρα-
τιῶται προσερχόμενοι, ὄξος προσ-
φέροντες αὐτῷ ³⁷ καὶ λέγοντες·
εἰ σὺ εἶ ὁ βασιλεὺς τῶν Ἰουδαίων,
σῶσον σεαυτόν. ³⁸ ἦν δὲ καὶ ἐπι-
γραφὴ ἐπ᾽ αὐτῷ· ὁ βασιλεὺς τῶν
Ἰουδαίων οὗτος.

³⁹ εἷς δὲ τῶν κρεμασθέντων κα-
κούργων ἐβλασφήμει αὐτόν· οὐχὶ
σὺ εἶ ὁ χριστός; σῶσον σεαυτὸν
καὶ ἡμᾶς. ⁴⁰ ἀποκριθεὶς δὲ ὁ ἕτερος
ἐπιτιμῶν αὐτῷ ἔφη· οὐδὲ φοβῇ
σὺ τὸν θεόν, ὅτι ἐν τῷ αὐτῷ κρί-
ματι εἶ; ⁴¹ καὶ ἡμεῖς μὲν δικαίως,
ἄξια γὰρ ὧν ἐπράξαμεν ἀπολαμ-
βάνομεν· οὗτος δὲ οὐδὲν ἄτοπον
ἔπραξεν. ⁴² καὶ ἔλεγεν· Ἰησοῦ,
μνήσθητί μου ὅταν ἔλθῃς εἰς τὴν
βασιλείαν σου. ⁴³ καὶ εἶπεν αὐτῷ·
ἀμήν σοι λέγω, σήμερον μετ᾽ ἐμοῦ
ἔσῃ ἐν τῷ παραδείσῳ.

Mt 27 43: Ps 21 9.

Matth 27, 42 βασιλεὺς S B D sa   εἰ βασιλεὺς A W Θ λ φ ℳ it vg sy ˢ ᵖᵉ bo | πιστεύσομεν ἐπ᾽
αὐτόν B syˢ ᵖᵉ   πιστεύσομεν αὐτῷ D λ ℵ   πιστεύσομεν αὐτῷ A it vg   πιστεύσωμεν ἐπ᾽ αὐτόν S
πιστεύσωμεν ἐπ᾽ αὐτῷ W φ   πιστεύσωμεν αὐτῷ Θ   **43** πέποιθεν] εἰ πέποιθεν D Θ λ it sa bo
Mark 15, 32 πιστεύσωμεν S A B C ℳ vg syˢ bo   πιστεύσωμεν αὐτῷ D Θ λ φ it syᵖᵉ sa | σὺν
αὐτῷ S B Θ   αὐτῷ A C λ φ ℳ   > D
Luk 23, 35 ἄλλους — ἐκλεκτός] ἄλλους ἔσωσας σεαυτὸν σῶσον, εἰ υἱὸς εἶ τοῦ θεοῦ, εἰ χριστὸς εἶ ὁ
ἐκλεκτός D | χριστὸς + ὁ υἱὸς φ sa bo   **36** ἐνέπαιξαν S B   ἐνέπαιζον A C D W Θ λ φ ℳ   **37** εἰ
σὺ εἶ S B C W ℳ vg syᵖᵉ sa bo   σὺ εἶ A Θ λ it   χαῖρε D   χαῖρε· εἰ σὺ εἶ syᶜˢ | σῶσον σεαυτόν]
περιτεθέντες αὐτῷ (αὐτῷ· τῇ κεφαλῇ αὐτοῦ syᶜˢ) καὶ (> syᶜ) ἀκάνθινον στέφανον D syᶜˢ   **38** ἐπι-
γραφὴ ἐπ᾽ αὐτῷ B syᶜˢ sa bo   ἡ ἐπιγραφὴ ἐπ᾽ αὐτῷ γεγραμμένη C (+ ἡ D) ἐπιγραφὴ ἐπιγεγραμμένη
(γεγραμμένη W Θ λ ℳ vg) ἐπ᾽ αὐτῷ γράμμασιν ἑλληνικοῖς καὶ (> D Θ it) ῥωμαϊκοῖς καὶ (> D) ἑβραϊκοῖς
A D W Θ λ ℳ it vg syᵖᵉ   ἐπιγραφὴ ἐπ᾽ αὐτῷ γράμμασιν ἑλληνικοῖς ῥωμαϊκοῖς ἑβραϊκοῖς S   ἐπιγραφὴ
ἐπ᾽ αὐτῷ γεγραμμένη γράμμασιν ἑλληνικοῖς καὶ ῥ. καὶ ἑβ. φ | ὁ βασιλεὺς — οὗτος (+ ἐστιν D) S B D
ὁ βασιλεὺς τῶν Ἰουδαίων C (vgl. Mc)   οὗτός ἐστιν (+ Ἰησοῦς λ) ὁ βασιλεὺς τ. Ἰ. A W Θ λ φ ℳ it vg
syᶜˢ ᵖᵉ sa bo   **39** lautet: εἷς δὲ τῶν κακούργων ἐβλασφήμει αὐτόν D | αὐτόν B   αὐτὸν λέγων·
S A C W Θ λ φ ℳ it vg syᶜˢ ᵖᵉ sa bo | οὐχὶ S B C it syᶜˢ sa bo   εἰ A W Θ λ ℳ vg syᵖᵉ   **40** εἶ]
ἐσμεν C W syᶜˢ sa bo   εἶ καὶ ἡμεῖς ἐσμέν D   **41** ἄτοπον] πονηρὸν D syᶜˢ   **42** lautet: καὶ στραφεὶς
πρὸς τὸν κύριον εἶπεν αὐτῷ· μνήσθητί μου ἐν τῇ ἡμέρᾳ τῆς ἐλεύσεώς σου D   εἰς τὴν βασιλείαν B
ἐν τῇ βασιλείᾳ S A C W Θ λ φ ℳ sa bo   **43** lautet: ἀποκριθεὶς δὲ ὁ Ἰησοῦς εἶπεν αὐτῷ τῷ ἐπιπλήσσοντι
(ἐπλήσοντι D)· θάρσει, σήμερον μετ᾽ ἐμοῦ ἔσῃ ἐν τῷ παραδείσῳ D   > Marcion

† 250. Der Tod Jesu.

† 250. The Death on the Cross.

Matth 27 45–56	**Mark 15** 33–41	**Luk 23** 44–49
⁴⁵ Ἀπὸ δὲ ἕκτης ὥρας σκότος ἐγένετο ἐπὶ πᾶσαν τὴν γῆν ἕως ὥρας ἐνάτης.	³³ Καὶ γενομένης ὥρας ἕκτης σκότος ἐγένετο ἐφ᾽ ὅλην τὴν γῆν ἕως ὥρας ἐνάτης.	⁴⁴ Καὶ ἦν ἤδη ὡσεὶ ὥρα ἕκτη καὶ σκότος ἐγένετο ἐφ᾽ ὅλην τὴν γῆν ἕως ὥρας ἐνάτης ⁴⁵ τοῦ ἡλίου ἐκλιπόντος· ἐσχίσθη δὲ τὸ καταπέτασμα τοῦ ναοῦ μέσον.
s. v. 51 a	s. v. 38	
⁴⁶ περὶ δὲ τὴν ἐνάτην ὥραν ἀνεβόησεν ὁ Ἰησοῦς φωνῇ μεγάλῃ λέγων· ἠλὶ ἠλὶ λεμὰ σαβαχθάνι; τοῦτ᾽ ἔστιν· θεέ μου θεέ μου, ἱνατί με ἐγκατέλιπες; ⁴⁷ τινὲς δὲ τῶν ἐκεῖ ἑστηκότων ἀκούσαντες ἔλεγον ὅτι Ἠλίαν φωνεῖ οὗτος. ⁴⁸ καὶ εὐθέως δραμὼν εἷς ἐξ αὐτῶν καὶ λαβὼν σπόγγον πλήσας τε ὄξους καὶ περιθεὶς καλάμῳ ἐπότιζεν αὐτόν. ⁴⁹ οἱ δὲ λοιποὶ εἶπαν· ἄφες ἴδωμεν εἰ ἔρχεται Ἠλίας σώσων αὐτόν.	³⁴ καὶ τῇ ἐνάτῃ ὥρᾳ ἐβόησεν ὁ Ἰησοῦς φωνῇ μεγάλῃ· ἐλωΐ ἐλωΐ λαμὰ σαβαχθάνι· ὅ ἐστιν μεθερμηνευόμενον· ὁ θεός μου ὁ θεός μου, εἰς τί ἐγκατέλιπές με; ³⁵ καί τινες τῶν παρεστηκότων ἀκούσαντες ἔλεγον· ἴδε Ἠλίαν φωνεῖ. ³⁶ δραμὼν δέ τις ⸤Joh 19 29⸥ γεμίσας σπόγγον ὄξους περιθεὶς καλάμῳ ἐπότιζεν αὐτὸν λέγων· ἄφετε ἴδωμεν εἰ ἔρχεται Ἠλίας καθελεῖν αὐτόν.	s. v. 36

Mt 27 46 = Mc 15 34: Ps 21 2.   Mt 27 48 = Mc 15 36: Ps 68 22.

Matth 27, 45 ἐπὶ πᾶσαν τὴν γῆν > S   **46** ἀνεβόησεν S A D Θ λ 𝔐 ἐβόησεν (vgl. Mc) B W φ ηλι ηλι A W φ 𝔐 it vg   ηλει ηλει D Θ λ   ελωι ελωι S bo   ελωει ελωει B sa | λεμα S B bo   ελεμα sa λιμα A φ   λαμα D Θ λ 𝔐 it vg   μα W | σαβαχθανι φ 𝔐   σαβακθανει S A W Θ λ   σαβακτανει B sa bo   ζαφθανι D it   sabacthani vg   **47** ἑστηκότων S B C W Θ   ἑστώτων A D λ φ 𝔐 | ὅτι A B C W λ φ 𝔐   > S D Θ it vg   **49** εἶπαν B φ   εἶπον D it   ἔλεγον S A C W Θ λ 𝔐 vg | σώσων A B C φ 𝔐 vg   σώζων W   σῶσαι S Θ   καὶ σώσει D λ it | αὐτόν A D Θ W λ φ 𝔐 it vg sy^s pe sa bo   αὐτόν ✛ ἄλλος δὲ λαβὼν λόγχην ἔνυξεν αὐτοῦ τὴν πλευρὰν καὶ ἐξῆλθεν ὕδωρ καὶ αἷμα (= Joh 19 34) S B C

Mark 15, 34 ἐβόησεν] ἐφώνησεν D | ὁ Ἰησοῦς > D Θ sy^s | ελωι ελωι S A B C λ φ 𝔐 vg sa bo ηλει ηλει D Θ   heli heli it | λαμα B D Θ λ 𝔐 vg   λεμα S C it bo   ἤλημα sa   λιμα A φ | σαβαχθάνι Θ φ 𝔐 bo   σαβαχθανει C λ   σαβακθανει A   σαβακτανει S sa   ζαφθανει D   ζαβαφθανει B sabacthani it vg | μου¹ S B C D 𝔐 it vg sy^s pe bo   > A Θ λ φ sa | ὁ θεός μου > B | ἐγκατέλιπες] ὠνείδισας D   **35** τῶν ✛ ἐκεῖ A sa | παρεστηκότων C λ φ 𝔐 it vg   παρεστώτων S D Θ   ἑστηκότων A B sy^s pe   **36** τις B   τις καὶ S   εἷς it   A C D Θ λ 𝔐 vg sy^s pe   εἷς it   > φ | γεμίσας] πλήσας D Θ | ἄφετε A B C 𝔐 vg sy^s pe   ἄφες S D Θ λ it

Luk 23, 44 ἤδη B C bo Orig   > S A D W Θ λ φ 𝔐 it vg sy^cs pe sa   **45** τοῦ ἡλίου ἐκλιπόντος (ἐκλείποντος B C) S B C sa bo Orig   καὶ ἐσκοτίσθη ὁ ἥλιος A W Θ λ φ 𝔐 vg sy^cs pe   ἐσκοτίσθη δὲ ὁ ἥλιος D it | ἐσχίσθη — μέσον > D vgl. v. 46

Zu Mt 27 45–51 par.: **Ev. Petri** V 15–20. ¹⁵ ⸀Ην δὲ μεσημβρία καὶ σκότος κατέσχε πᾶσαν τὴν Ἰουδαίαν καὶ ἐθορυβοῦντο καὶ ἠγωνίων μήποτε ὁ ἥλιος ἔδυ, ἐπειδὴ ἔτι ἔζη· γέγραπται ⟨γὰρ⟩ αὐτοῖς, ἥλιον μὴ δῦναι ἐπὶ πεφονευμένῳ. ¹⁶ καί τις αὐτῶν εἶπεν· »ποτίσατε αὐτὸν χολὴν μετὰ ὄξους« καὶ κεράσαντες ἐπότισαν. ¹⁷ καὶ ἐπλήρωσαν πάντα καὶ ἐτελείωσαν κατὰ τῆς κεφαλῆς αὐτῶν τὰ ἁμαρτήματα. ¹⁸ περιήρχοντο δὲ πολλοὶ μετὰ λύχνων ⟨καὶ⟩ νομίζοντες ὅτι νύξ ἐστιν ⟨ἀν⟩επαύσαντο. ¹⁹ καὶ ὁ κύριος ἀνεβόησε λέγων· »ἡ δύναμίς μου, ἡ δύναμίς ⟨μου⟩, κατέλειψάς με«. καὶ εἰπὼν ἀνελήφθη. ²⁰ καὶ αὐτοσώρας διεράγη τὸ καταπέτασμα τοῦ ναοῦ τῆς Ἰερουσαλὴμ εἰς δύο.

⁵⁰ ὁ δὲ Ἰησοῦς πάλιν κράξας φω- | ³⁷ ὁ δὲ Ἰησοῦς ἀφεὶς φω- | ⁴⁶ καὶ φωνήσας   φω-
νῇ μεγάλῃ ἀφῆκεν τὸ πνεῦμα. | νὴν μεγάλην ἐξέπνευσεν. | νῇ μεγάλῃ ὁ Ἰησοῦς εἶπεν· πάτερ,
| | εἰς χεῖράς σου *παρατίθεμαι τὸ πνεῦ-*

| Joh 19 30 | | Joh 19 31–37 | | *μά μου.* τοῦτο δὲ εἰπὼν ἐξέπνευσεν.

⁵¹ καὶ ἰδοὺ τὸ καταπέτασμα τοῦ | ³⁸ καὶ   τὸ καταπέτασμα τοῦ
ναοῦ ἐσχίσθη ἀπ᾽ ἄνωθεν ἕως κά- | ναοῦ ἐσχίσθη εἰς δύο ἀπ᾽ ἄνωθεν | s. v. 45
τω εἰς δύο, καὶ ἡ γῆ ἐσείσθη, καὶ | ἕως κάτω.
αἱ πέτραι ἐσχίσθησαν, ⁵² καὶ τὰ
μνημεῖα ἀνεῴχθησαν καὶ πολλὰ
σώματα τῶν κεκοιμημένων ἁγίων
ἠγέρθησαν· ⁵³ καὶ ἐξελθόντες ἐκ
τῶν μνημείων μετὰ τὴν ἔγερσιν
αὐτοῦ εἰσῆλθον εἰς τὴν ἁγίαν πό-
λιν καὶ ἐνεφανίσθησαν πολλοῖς.
⁵⁴ ὁ δὲ ἑκατόνταρχος καὶ οἱ μετ᾽
αὐτοῦ τηροῦντες τὸν Ἰησοῦν ἰδόν- | ³⁹ ἰδὼν δὲ ὁ κεντυρίων ὁ παρεστη- | ⁴⁷ ἰδὼν δὲ ὁ ἑκατοντάρχης τὸ γενό-
τες τὸν σεισμὸν καὶ τὰ γινόμενα | κὼς ἐξ ἐναντίας αὐτοῦ ὅτι οὕτως | μενον ἐδόξαζεν τὸν θεὸν λέγων·
ἐφοβήθησαν σφόδρα, λέγοντες· | ἐξέπνευσεν,   εἶπεν·
ἀληθῶς   θεοῦ υἱὸς | ἀληθῶς οὗτος ὁ ἄνθρωπος υἱὸς | ὄντως ὁ ἄνθρωπος οὗτος δίκαιος
ἦν οὗτος. | θεοῦ ἦν. | ἦν. ⁴⁸ καὶ πάντες οἱ συμπαρα-
| | γενόμενοι ὄχλοι ἐπὶ τὴν θεωρίαν
| | ταύτην, θεωρήσαντες τὰ γενόμενα,
| Joh 19 25 | | τύπτοντες τὰ στήθη ὑπέστρεφον.

⁵⁵ ἦσαν δὲ ἐκεῖ γυναῖκες πολλαὶ | ⁴⁰ ἦσαν δὲ καὶ γυναῖκες ἀπὸ μα- | ⁴⁹ εἱστήκεισαν δὲ πάντες οἱ γνω-

---

Lc 23 46: Ps 30 6.

Matth 27, 51 ἀπ᾽ ἄνωθεν ἕως κάτω εἰς δύο B C sa bo   εἰς δύο (+ μέρη D it vg) ἀπ᾽ (> S Θ)
ἄνωθεν ἕως κάτω S A D W Θ φ 𝕽 it vg sy ᵖᵉ   ἀπ᾽ ἄνωθεν sy ˢ   **52** καὶ τὰ σημεῖα ἀνεῴχθησαν
> S   **53** εἰσῆλθον] ἦλθον D it vg > S | καὶ ᶻ > S
Mark 15, 39 ἐξ ἐναντίας αὐτοῦ] αὐτῷ W λ sy ˢ ᵖᵉ   ἐκεῖ D Θ it | ὅτι οὕτως S B sa   ὅτι οὕτως
κράξας A C λ φ it vg sy ᵖᵉ   οὕτως αὐτὸν κράξαντα καὶ D   ὅτι κράξας W Θ sy ˢ   ὅτι bo
Luk 23, 46 ἐξέπνευσεν + καὶ τὸ καταπέτασμα τοῦ ναοῦ ἐσχίσθη (v. 45) D   **47** ἰδὼν — γενό-
μενον] καὶ ὁ ἑκατόνταρχος φωνήσας D   **48** θεωρήσαντες τὰ γενόμενα > A | ὑπέστρεφον (> sy ᶜˢ)
+ λέγοντες· οὐαὶ ἡμῖν, τί γέγονεν, οὐαὶ ἡμῖν ἀπὸ τῶν ἁμαρτιῶν ἡμῶν sy ᶜˢ, dicentes: vae nobis, quae
facta sunt hodie propter peccata nostra, adpropinquavit enim desolatio Hierusalem vg (cod. g) vgl.
Ev. Petri doctr. Addai Aphraates Ephraim

Zu Mt 27 51 = Mc 15 38 = Lc 23 45: **Hebr. Evang.:** In evangelio autem quod hebraicis
literis scriptum est, legimus, non velum templi scissum, sed *superliminare templi mirae (infinitae)
magnitudinis corruisse (fractum esse atque divisum).* Hieronymus ep. 120 8, 2 (CSCL 55 S. 490, 1); Comm.
in Matth c. 27 51 (VII ¹ 236 E—237 A Vallarsi).

Zu Lc 23 48: **Ev. Petri** VII 25: Τότε οἱ Ἰουδαῖοι καὶ οἱ πρεσβύτεροι καὶ οἱ ἱερεῖς, γνόντες οἷον
κακὸν ἑαυτοῖς ἐποίησαν ἤρξαντο κόπτεσθαι καὶ λέγειν· »οὐαὶ ταῖς ἁμαρτίαις ἡμῶν· ἤγγισεν ἡ κρίσις καὶ τὸ
τέλος Ἱερουσαλήμ.«

Zu Lc 23 48: **Hebr. Evang.:** Sicut enim in evangelio Nazaraeorum habetur; ad hanc vocem
domini multa milia Judaeorum astantium circa crucem crediderunt. Haimo von Auxerre in Is 53 2
(Migne PL 116, 994 A).

ἀπὸ μακρόθεν θεωροῦσαι, αἵτινες ἠκολούθησαν τῷ Ἰησοῦ ἀπὸ τῆς Γαλιλαίας διακονοῦσαι αὐτῷ· ⁵⁶ ἐν αἷς ἦν Μαρία ἡ Μαγδαληνή, καὶ Μαρία ἡ τοῦ Ἰακώβου καὶ Ἰωσὴφ μήτηρ, καὶ ἡ μήτηρ τῶν υἱῶν Ζεβεδαίου.

κρόθεν θεωροῦσαι, ἐν αἷς καὶ Μαρία ἡ Μαγδαληνὴ καὶ Μαρία ἡ Ἰακώβου τοῦ μικροῦ καὶ Ἰωσῆτος μήτηρ καὶ Σαλώμη, ⁴¹ αἳ ὅτε ἦν ἐν τῇ Γαλιλαίᾳ ἠκολούθουν αὐτῷ καὶ διηκόνουν αὐτῷ, καὶ ἄλλαι πολλαὶ αἱ συναναβᾶσαι αὐτῷ εἰς Ἱεροσόλυμα.

στοὶ αὐτῷ ἀπὸ μακρόθεν, καὶ γυναῖκες αἱ συνακολουθοῦσαι αὐτῷ ἀπὸ τῆς Γαλιλαίας, ὁρῶσαι ταῦτα.

Zu Matth 55 = Mark 41 vgl. Luk 8 3
(S. 66)

---

† 251. Das Begräbnis Jesu. | Joh 19 38–42 |

† 251. The Burial of Christ.

Matth 27 57–61	Mark 15 42–47	Luk 23 50–56
⁵⁷ Ὀψίας δὲ γενομένης	⁴² Καὶ ἤδη ὀψίας γενομένης, ἐπεὶ ἦν παρασκευή, ὅ ἐστιν προσάββατον, ⁴³ ἐλθὼν Ἰωσὴφ ὁ ἀπὸ	⁵⁰ Καὶ ἰδοὺ ἀνὴρ ὀνόματι Ἰωσὴφ βουλευτὴς ὑπάρχων, ἀνὴρ ἀγαθὸς καὶ δίκαιος, ⁵¹ — οὗτος
ἦλθεν ἄνθρωπος πλούσιος ἀπὸ Ἀριμαθαίας, τοὔνομα Ἰωσήφ,	Ἀριμαθαίας, εὐσχήμων βουλευτής,	οὐκ ἦν συγκατατεθειμένος τῇ βουλῇ καὶ τῇ πράξει αὐτῶν, — ἀπὸ Ἀριμαθαίας πόλεως τῶν Ἰουδαί-
ὃς καὶ αὐτὸς ἐμαθητεύθη τῷ Ἰησοῦ· ⁵⁸ οὗτος προσελθὼν τῷ Πιλάτῳ ἠτήσατο τὸ σῶμα τοῦ Ἰησοῦ.	ὃς καὶ αὐτὸς ἦν προσδεχόμενος τὴν βασιλείαν τοῦ θεοῦ, τολμήσας εἰσῆλθεν πρὸς τὸν Πιλᾶτον καὶ ἠτήσατο τὸ σῶμα τοῦ Ἰησοῦ. ⁴⁴ ὁ δὲ Πιλᾶτος ἐθαύμασεν εἰ ἤδη τέθνηκεν, καὶ προσκαλεσάμενος τὸν κεντυρίωνα ἐπηρώτησεν αὐτὸν εἰ	ων, ὃς προσεδέχετο τὴν βασιλείαν τοῦ θεοῦ, ⁵² οὗτος προσελθὼν τῷ Πιλάτῳ ἠτήσατο τὸ σῶμα τοῦ Ἰησοῦ,
τότε ὁ Πιλᾶτος ἐκέλευσεν ἀποδο-	πάλαι ἀπέθανεν· ⁴⁵ καὶ γνοὺς ἀπὸ	

Mt 27 57–60 = Mc 15 43–46 = Lc 23 50–54: vgl. Dtn 21 22 23　Ex 34 25.　　Lc 23 49: Ps 37 12.

Matth 27, 55 ἐκεῖ] κἀκεῖ S　καὶ (vgl. Mc) D | θεωροῦσαι > vg　　**56** Μαρία¹· ²] Μαριὰμ C Θ (nur Μαρία¹: λ nur M. ² sa) λ | Ἰωσὴφ S D W Θ it vg syˢ sa bɔ　Ἰωσῆ A B C λ φ ℜ syᵖᵉ **57** ἐμαθητεύθη S C D Θ λ　ἐμαθήτευσεν A B W φ ℜ

Mark 15, 40 ἐν αἷς S B　ἐν αἷς ἦν A C D W Θ λ φ ℜ it vg | Μαρία¹ S A D φ ℜ sa bo　Μαριὰμ B C W Θ λ | Μαρία² S A B D W φ ℜ sa bo　Μαριὰμ Θ λ | Ἰωσῆτος B D Θ φ bo　Ἰωσῆπος λ Ἰωσῆ S A C W ℜ syᵖᵉ sa　Joseph it vg syˢ　**41** αἳ S B it syˢ ᵖᵉ sa bo　καὶ A C W vg　αἳ καὶ D Θ λ φ ℜ　**44** πάλαι S A C λ φ ℜ syᵖᵉ　ἤδη B D W Θ it vg　> syˢ

Luk 23, 49 αὐτῷ¹ A B　αὐτοῦ S C D W Θ λ φ ℜ it vg sa bo　Ἰησοῦ syᶜˢ ᵖᵉ

Zu Mt 27 55 ff. u. par.: **Tatian**, Diatessaron in Dura Parchment 24: [Ζεβεδ]αίου καὶ Σαλώμη κ[α]ὶ αἱ γυναῖκες [τῶν συ]νακολουθησάντων α[ὐτ]ῷ ἀπὸ τῆς [Γαλιλαί]ας ὁρῶσαι τὸν σταυρωθέντα. ἦν δὲ [ἡ ἡμέρ]α παρασκευή· σάββατον ἐπέφω[σκεν. ὀ]ψίας δὲ γενομένης ἐπὶ τ[ῇ π]αρ[α]σ[κευῇ], ὅ ἐστιν προσάββατον, προσ[ῆλθεν] ἄνθρωπος βουλευτὴ[ς ὑ]πάρ[χων ἀπὸ] Ἐριμαθαία[ς] π[ό]λεως τῆς [Ἰουδαί]ας ὄνομα Ἰω[σὴφ] ἀ[γ]αθὸς δί[καιος] ὢν μαθητὴς [το]ῦ Ἰησοῦ, κα[τακεκρυμ]μένος δὲ διὰ τὸν φόβον τῶν [Ἰουδαίω]ν καὶ αὐτὸς προσεδέχετο [τὴν] β[ασιλείαν] τοῦ θεοῦ. οὗτος οὐκ [ἦν συνκατατ]ιθέμενος τῇ β[ουλῇ]. Kraeling, A greek fragment of Tatians Diatessaron from Dura. Studies and Documents III.

Zu Mt 27 57 ff. u. par.: **Ev. Petri VI** 21–24: Καὶ τότε ἀπέσπασαν τοὺς ἥλους ἀπὸ τῶν χειρῶν τοῦ κυρίου καὶ ἔθηκαν αὐτὸν ἐπὶ τῆς γῆς· καὶ ἡ γῆ πᾶσα ἐσείσθη καὶ φόβος μέγας ἐγένετο. ²² τότε ἥλιος ἔλαμψε καὶ εὑρέθη ὥρα ἐνάτη· ²³ ἐχάρησαν δὲ οἱ Ἰουδαῖοι καὶ δεδώκασι τῷ Ἰωσὴφ τὸ σῶμα αὐτοῦ, ἵνα αὐτὸ θάψῃ, ἐπειδὴ θεασάμενος ἦν ὅσα ἀγαθὰ ἐποίησεν. ²⁴ λαβὼν δὲ τὸν κύριον ἔλουσε καὶ ⟨ἐν⟩είλησε σινδόνι καὶ εἰσήγαγεν εἰς ἴδιον τάφον καλούμενον κῆπον Ἰωσήφ.

Θῆναι.

⁵⁹ καὶ λαβὼν
τὸ σῶμα ὁ Ἰωσὴφ ἐνετύλιξεν
αὐτὸ σινδόνι καθαρᾷ,　⁶⁰ καὶ
ἔθηκεν αὐτὸ ἐν τῷ καινῷ αὐτοῦ
μνημείῳ ὃ ἐλατόμησεν ἐν τῇ πέ-
τρᾳ, καὶ προσκυλίσας λίθον μέγαν
τῇ θύρᾳ τοῦ μνημείου ἀπῆλθεν.

⁶¹ ἦν δὲ ἐκεῖ Μαριὰμ ἡ Μαγδα-
ληνὴ καὶ ἡ ἄλλη Μαρία, καθήμεναι
ἀπέναντι τοῦ τάφου.

τοῦ κεντυρίωνος ἐδωρήσατο τὸ
πτῶμα τῷ Ἰωσήφ. ⁴⁶ καὶ ἀγορά-
σας σινδόνα καθελὼν αὐτὸν ἐνεί-
λησεν τῇ σινδόνι　　　καὶ
κατέθηκεν αὐτὸν ἐν
μνήματι ὃ ἦν λελατομημένον ἐκ
πέτρας, καὶ προσεκύλισεν λίθον ἐπὶ
τὴν θύραν τοῦ μνημείου.

⁴⁷ ἡ δὲ Μαρία ἡ Μαγδαληνὴ καὶ
Μαρία ἡ Ἰωσῆτος ἐθεώρουν ποῦ
τέθειται.

vgl. 16 1

⁵³ καὶ καθελὼν ἐνετύλιξεν
αὐτὸ　σινδόνι,　　　καὶ
ἔθηκεν αὐτὸν ἐν
μνήματι λαξευτῷ, οὗ οὐκ ἦν οὐ-
δεὶς οὔπω κείμενος.

⁵⁴ καὶ ἡμέρα ἦν παρασκευῆς, καὶ
σάββατον ἐπέφωσκεν.

⁵⁵ κατακολουθήσασαι δὲ αἱ γυ-
ναῖκες, αἵτινες ἦσαν συνεληλυθυῖαι
ἐκ τῆς Γαλιλαίας αὐτῷ, ἐθεάσαντο
τὸ μνημεῖον καὶ ὡς ἐτέθη τὸ σῶμα
αὐτοῦ, ⁵⁶ ὑποστρέψασαι δὲ ἡτοί-
μασαν ἀρώματα καὶ μύρα. καὶ τὸ
μὲν σάββατον ἡσύχασαν κατὰ τὴν
ἐντολήν,

252. Die Grabeswächter. Matth 27 62–66
252. The Guard at the Tomb.

⁶² Τῇ δὲ ἐπαύριον, ἥτις ἐστὶν μετὰ τὴν παρασκευήν, συνήχθησαν οἱ ἀρχιερεῖς
καὶ οἱ Φαρισαῖοι πρὸς Πιλᾶτον ⁶³ λέγοντες· κύριε, ἐμνήσθημεν ὅτι ἐκεῖνος ὁ πλάνος εἶπεν
ἔτι ζῶν· μετὰ τρεῖς ἡμέρας ἐγείρομαι. ⁶⁴ κέλευσον οὖν ἀσφαλισθῆναι τὸν τάφον ἕως τῆς
τρίτης ἡμέρας, μήποτε ἐλθόντες οἱ μαθηταὶ κλέψωσιν αὐτὸν καὶ εἴπωσιν τῷ λαῷ· ἠγέρθη
ἀπὸ τῶν νεκρῶν, καὶ ἔσται ἡ ἐσχάτη πλάνη χείρων τῆς πρώτης. ⁶⁵ ἔφη αὐτοῖς ὁ Πιλᾶτος·
ἔχετε κουστωδίαν· ὑπάγετε ἀσφαλίσασθε ὡς οἴδατε. ⁶⁶ οἱ δὲ πορευθέντες ἠσφαλίσαντο
τὸν τάφον σφραγίσαντες τὸν λίθον μετὰ τῆς κουστωδίας.

Lc 23 56: vgl. Ex 12 16　20 9 10　Dtn 5 13 14.

Matth 27, 60 αὐτὸ > S Θ　**61** Μαριὰμ S B Θ λ　Μαρία A D W φ 𝔐 sa bo　**65** κουστω-
δίαν] φύλακας D it
Mark 15, 47 Μαρία¹ — 16 1 σαββάτου > S　**47** Ἰωσῆτος B λ bo　Ἰωσῆ 𝔐 sy ᵖᵉ sa　Ἰωσῆ
μήτηρ W　Ἰωσήφ A C vg　Ἰακώβου D it syˢ　Ἰακώβου καὶ Ἰωσῆτος (+ μήτηρ φ) Θ φ
Luk 23, 53 κείμενος + θέντος αὐτοῦ ἐπέθηκε τῷ μνημείῳ λίθον ὃν μόγις εἴκοσι ἐκύλιον D sa.
+ καὶ προσεκύλησεν λίθον μέγαν ἐπὶ τὴν θύραν τοῦ μνημείου φ bo

Zu Mt 27 62–66: **Ev. Petri** VIII 28–33: ²⁸ Συναχθέντες δὲ οἱ γραμματεῖς καὶ Φαρισαῖοι καὶ πρε-
σβύτεροι πρὸς ἀλλήλους . . . ²⁹ ἦλθον πρὸς Πειλᾶτον δεόμενοι αὐτοῦ καὶ λέγοντες· ³⁰ »παράδος ἡμῖν στρατιώ-
τας, ἵνα φυλάξω(μεν) τὸ μνῆμα αὐτοῦ ἐπὶ τρεῖς ἡμέρας]. μήποτε ἐλθόντες οἱ μαθηταὶ αὐτοῦ κλέψωσιν
αὐτὸν καὶ ὑπολάβῃ ὁ λαός, ὅτι ἐκ νεκρῶν ἀνέστη, καὶ ποιήσωσιν ἡμῖν κακά«. ³¹ ὁ δὲ Πειλᾶτος παραδέδωκεν
αὐτοῖς Πετρώνιον τὸν κεντυρίωνα μετὰ στρατιωτῶν φυλάσσειν τὸν τάφον. καὶ σὺν αὐτοῖς ἦλθον πρεσβύτεροι
καὶ γραμματεῖς ἐπὶ τὸ μνῆμα. ³² καὶ κυλίσαντες λίθον μέγαν μετὰ τοῦ κεντυρίωνος καὶ τῶν στρατιωτῶν
ὁμοῦ πάντες οἱ ὄντες ἐκεῖ ἔθηκαν ἐπὶ τῇ θύρᾳ τοῦ μνήματος, ³³ καὶ ἐπέχρισαν ἑπτὰ σφραγῖδας καὶ σκηνὴν
ἐκεῖ πήξαντες ἐφύλαξαν.
Zu Mt 27 65: **Hebr. Evang.:** Τὸ Ἰουδαϊκόν· καὶ παρέδωκεν αὐτοῖς ἄνδρας ἐνόπλους, ἵνα καθέ-
ζωνται κατ' ἐναντίον τοῦ σπηλαίου καὶ τηρῶσιν αὐτὸν ἡμέρας καὶ νυκτός. 1424.

253. Das leere Grab. | Joh 20 1–10 |

253. The Resurrection.

Matth 28 1–10	**Mark 16** 1–8	**Luk 24** 1–11 [12]
¹ Ὀψὲ δὲ σαββάτων, τῇ ἐπιφωσκούσῃ εἰς μίαν σαββάτων, ἦλθεν Μαριὰμ ἡ Μαγδαληνὴ καὶ ἡ ἄλλη Μαρία θεωρῆσαι τὸν τάφον.	¹ Καὶ διαγενομένου τοῦ σαββάτου Μαρία ἡ Μαγδαληνὴ καὶ Μαρία ἡ Ἰακώβου καὶ Σαλώμη ἠγόρασαν ἀρώματα ἵνα ἐλθοῦσαι ἀλείψωσιν αὐτόν. ² καὶ λίαν πρωῒ τῇ μιᾷ τῶν σαββάτων ἔρχονται ἐπὶ τὸ μνῆμα, ἀνατείλαντος τοῦ ἡλίου.	¹ Τῇ δὲ μιᾷ τῶν σαββάτων ὄρθρου βαθέως ἐπὶ τὸ μνῆμα ἦλθον φέρουσαι ἃ ἡτοίμασαν ἀρώματα.
² καὶ ἰδοὺ σεισμὸς ἐγένετο μέγας· ἄγγελος γὰρ κυρίου καταβὰς ἐξ οὐρανοῦ καὶ προσελθὼν ἀπεκύλισεν τὸν λίθον καὶ ἐκάθητο ἐπάνω αὐτοῦ. ³ ἦν δὲ ἡ εἰδέα αὐτοῦ ὡς ἀστραπή, καὶ τὸ ἔνδυμα αὐτοῦ λευκὸν ὡς χιών. ⁴ ἀπὸ δὲ τοῦ φόβου αὐτοῦ ἐσείσθησαν οἱ τηροῦντες καὶ ἐγενήθησαν ὡς νεκροί.		
	³ καὶ ἔλεγον πρὸς ἑαυτάς· τίς ἀποκυλίσει ἡμῖν τὸν λίθον ἐκ τῆς θύρας τοῦ μνημείου; ⁴ καὶ ἀναβλέψασαι θεωροῦσιν ὅτι ἀνακεκύλισται ὁ λίθος· ἦν γὰρ μέγας σφόδρα. ⁵ καὶ	² εὗρον δὲ τὸν λίθον ἀποκεκυλισμένον ἀπὸ τοῦ μνημείου, ³ εἰσελ-

Matth 28, 1 Μαριὰμ S C Θ   Μαρία A B D W λ φ ℜ sa bo   **2** λίθον S B D it vg sy ˢ sa Orig λίθον ἀπὸ τῆς θύρας A C W φ ℜ sy ᵖᵉ   λίθον ἀπὸ τῆς θύρας τοῦ μνημείου Θ λ bo
Mark 16, 1 καὶ ¹ — Σαλώμη] καὶ πορευθεῖσαι D   **2** ἀνατείλαντος] ἀνατέλλοντος D it
4 lautet: ἦν γὰρ μέγας σφόδρα καὶ ἔρχονται καὶ εὑρίσκουσιν (θεωροῦσιν sy ˢ) ἀποκεκυλισμένον τὸν λίθον D Θ it sy ˢ, subito autem ad horam tertiam tenebrae diei factae sunt per totum orbem terrae et descenderunt de caelis angeli et surgent in claritate vivi dei simul ascenderunt cum eo et continuo lux facta est. Tunc illae acceserunt ad monimentum et vident revolutum lapidem; fuit enim magnus nimis it (cod. k).
Luk 24, 1 ἀρώματα S B C vg bo   ἀρώματα καί τινες σὺν αὐταῖς A W Θ λ φ ℜ sa   καί τινες σὺν αὐταῖς D   ἀρώματα (> sy ᶜˢ) καὶ ἦλθον (ἦσαν sy ᵖᵉ) σὺν αὐταῖς ἄλλαι γυναῖκες sy ᶜˢ ᵖᵉ   > it
2 lautet: ἐλογίζοντο δὲ ἐν ἑαυταῖς τίς ἄρα ἀποκυλίσει τὸν λίθον; ἐλθοῦσαι δὲ εὗρον τὸν λίθον ... D sa it (c d)

Zu Mt 28 1 5–8 = Mc 16 1–8 = Lc 24 1–11: **Ev. Petri** XII 50—XIII 57. ⁵⁰ Ὄρθρου δὲ τῆς κυριακῆς Μαριὰμ ἡ Μαγδαληνή, μαθήτρια τοῦ κυρίου, — ⟨ἣ⟩ φοβουμένη διὰ τοὺς Ἰουδαίους, ἐπειδὴ ἐφλέγοντο ὑπὸ τῆς ὀργῆς, οὐκ ἐποίησεν ἐπὶ τῷ μνήματι τοῦ κυρίου ἃ εἰώθεσαν ποιεῖν αἱ γυναῖκες ἐπὶ τοῖς ἀποθνήσκουσι τοῖς καὶ ἀγαπωμένοις αὐταῖς — ⁵¹ λαβοῦσα μεθ' ἑαυτῆς τὰς φίλας ἦλθεν ἐπὶ τὸ μνημεῖον ὅπου ἦν τεθείς. ⁵² καὶ ἐφοβοῦντο μὴ ἴδωσιν αὐτὰς οἱ Ἰουδαῖοι καὶ ἔλεγον »εἰ καὶ μὴ ἐν ἐκείνῃ τῇ ἡμέρᾳ ᾗ ἐσταυρώθη ἐδυνήθημεν κλαῦσαι καὶ κόψασθαι, κἂν νῦν ἐπὶ τοῦ μνήματος αὐτοῦ ποιήσωμεν ταῦτα. ⁵³ τίς δὲ ἀποκυλίσει ἡμῖν καὶ τὸν λίθον τὸν τεθέντα ἐπὶ τῆς θύρας τοῦ μνημείου, ἵνα εἰσελθοῦσαι παρακαθεσθῶμεν αὐτῷ καὶ ποιήσωμεν τὰ ὀφειλόμενα; ⁵⁴ μέγας γὰρ ἦν ὁ λίθος καὶ φοβούμεθα μή τις ἡμᾶς ἴδῃ. καὶ εἰ μὴ δυνάμεθα, κἂν ἐπὶ τῆς θύρας βάλωμεν ἃ φέρομεν εἰς μνημοσύνην αὐτοῦ, ⟨καὶ⟩ κλαύσωμεν καὶ κοψώμεθα ἕως ἔλθωμεν εἰς τὸν οἶκον ἡμῶν.« XIII ⁵⁵ καὶ ἐπελθοῦσαι εὗρον τὸν τάφον ἠνεωγμένον. καὶ προσελθοῦσαι παρέκυψαν ἐκεῖ καὶ ὁρῶσιν ἐκεῖ τινα νεανίσκον καθεζόμενον ⟨ἐν⟩ μέσῳ τοῦ τάφου, ὡραῖον καὶ περιβεβλημένον στολὴν λαμπροτάτην, ὅστις ἔφη αὐταῖς· ⁵⁶ »τί ἤλθατε; τίνα ζητεῖτε; μὴ τὸν σταυρωθέντα ἐκεῖνον; ἀνέστη καὶ ἀπῆλθεν. εἰ δὲ μὴ πιστεύετε, παρακύψατε καὶ ἴδετε τὸν τόπον ἔνθα ἔκειτο. ὅτι οὐκ ἔνεστιν· ἀνέστη γὰρ καὶ ἀπῆλθεν ἐκεῖ ὅθεν ἀπεστάλη.« ⁵⁷ τότε αἱ γυναῖκες φοβηθεῖσαι ἔφυγον.

εἰσελθοῦσαι εἰς τὸ μνημεῖον

Θοῦσαι δὲ οὐχ εὗρον τὸ σῶμα τοῦ κυρίου Ἰησοῦ. ⁴ καὶ ἐγένετο ἐν τῷ ἀπορεῖσθαι αὐτὰς περὶ τούτου καὶ ἰδοὺ ἄνδρες δύο ἐπέστησαν αὐταῖς ἐν ἐσθῆτι ἀστραπτούσῃ· ⁵ ἐμφόβων δὲ γενομένων αὐτῶν καὶ κλινουσῶν τὰ πρόσωπα εἰς τὴν γῆν,

εἶδον νεανίσκον καθήμενον ἐν τοῖς δεξιοῖς περιβεβλημένον στολὴν λευκήν, καὶ ἐξεθαμβήθησαν. ⁶ ὁ δὲ λέγει αὐταῖς· μὴ ἐκθαμβεῖσθε· Ἰησοῦν ζητεῖτε τὸν Ναζαρηνὸν τὸν ἐσταυρωμένον· ἠγέρθη, οὐκ ἔστιν ὧδε·

⁵ ἀποκριθεὶς δὲ ὁ ἄγγελος εἶπεν ταῖς γυναιξίν· μὴ φοβεῖσθε ὑμεῖς· οἶδα γὰρ ὅτι Ἰησοῦν τὸν ἐσταυρωμένον ζητεῖτε· ⁶ οὐκ ἔστιν ὧδε· ἠγέρθη γὰρ καθὼς εἶπεν· δεῦτε ἴδετε τὸν τόπον ὅπου ἔκειτο.

εἶπαν πρὸς αὐτάς· τί ζητεῖτε τὸν ζῶντα μετὰ τῶν νεκρῶν; ⁶ οὐκ ἔστιν ὧδε, ἀλλὰ ἠγέρθη·

ἴδε ὁ τόπος ὅπου ἔθηκαν αὐτόν. ⁷ ἀλλὰ ὑπάγετε εἴπατε τοῖς μαθηταῖς αὐτοῦ καὶ τῷ Πέτρῳ ὅτι

⁷ καὶ ταχὺ πορευθεῖσαι εἴπατε τοῖς μαθηταῖς αὐτοῦ ὅτι ἠγέρθη ἀπὸ τῶν νεκρῶν, καὶ ἰδοὺ προάγει ὑμᾶς εἰς τὴν Γαλιλαίαν, ἐκεῖ αὐτὸν ὄψεσθε, ἰδοὺ εἶπον ὑμῖν.

προάγει ὑμᾶς εἰς τὴν Γαλιλαίαν· ἐκεῖ αὐτὸν ὄψεσθε, καθὼς εἶπεν ὑμῖν.

μνήσθητε ὡς ἐλάλησεν ὑμῖν

ἔτι ὢν ἐν τῇ Γαλιλαίᾳ, ⁷ λέγων τὸν υἱὸν τοῦ ἀνθρώπου ὅτι δεῖ παραδοθῆναι εἰς χεῖρας ἀνθρώπων ἁμαρτωλῶν καὶ σταυρωθῆναι καὶ τῇ τρίτῃ ἡμέρᾳ ἀναστῆναι. ⁸ καὶ ἐμνήσθησαν τῶν ῥημάτων αὐτοῦ, ⁹ καὶ ὑποστρέψασαι ἀπὸ τοῦ μνημείου ἀπήγγειλαν ταῦτα πάντα τοῖς ἕνδεκα καὶ πᾶσιν τοῖς λοιποῖς. ¹⁰ ἦσαν δὲ ἡ Μαγδαληνὴ Μαρία καὶ Ἰωάννα καὶ Μαρία ἡ Ἰακώβου· καὶ αἱ λοιπαὶ σὺν αὐταῖς ἔλεγον πρὸς τοὺς ἀποστόλους ταῦτα. ¹¹ καὶ ἐφάνησαν ἐνώπιον αὐτῶν ὡσεὶ λῆρος τὰ ῥήματα ταῦτα, καὶ ἠπίστουν αὐταῖς. [¹²]

⁸ καὶ ἀπελθοῦσαι ταχὺ ἀπὸ τοῦ μνημείου μετὰ φόβου καὶ χαρᾶς μεγάλης ἔδραμον ἀπαγγεῖλαι τοῖς μαθηταῖς αὐτοῦ.

⁸ καὶ ἐξελθοῦσαι ἔφυγον ἀπὸ τοῦ μνημείου, εἶχεν γὰρ αὐτὰς τρόμος καὶ ἔκστασις καὶ οὐδενὶ οὐδὲν εἶπαν· ἐφοβοῦντο γάρ.

⁹ καὶ ἰδοὺ Ἰησοῦς ὑπήντησεν αὐταῖς λέγων· χαίρετε. αἱ δὲ προσελθοῦσαι ἐκράτησαν αὐτοῦ τοὺς πόδας καὶ προσεκύνησαν αὐτῷ. ¹⁰ τότε λέγει αὐταῖς ὁ Ἰησοῦς· μὴ

Matth 28, 6 ἔκειτο S B Θ εἴ; y ˢ ʳᵉ bo   ἔκειτο ὁ κύριος A C D W λ φ 𝔐 it vg sy ᵖᵉ   **9** καὶ ἰδοὺ S B D W Θ it vg sy ᵖᵉ sa bo   ὡς δὲ ἐπορεύοντο ἀπαγγεῖλαι τοῖς μαθηταῖς αὐτοῦ καὶ ἰδοὺ A C λ φ 𝔐
Luk 24 3 τοῦ κυρίου > sy ᶜˢ ᵖᵉ   τοῦ κυρίου Ἰησοῦ > D it Iren Euseb   **6** οὐκ ἔστιν — ἠγέρθη > D it   **7** εἰς χεῖρας ἀνθρώπων ἁμαρτωλῶν > it (a) Marcion | ἁμαρτωλῶν > D it   **12** lautet: ὁ δὲ Πέτρος ἀναστὰς ἔδραμεν ἐπὶ τὸ μνημεῖον καὶ παρακύψας βλέπει τὰ ὀθόνια κείμενα (< S B W sy ᶜˢ sa bo) μόνα (> S A sa) καὶ ἀπῆλθεν (ἀπῆλθον A) πρὸς ἑαυτόν (αὐτὸν b) θαυμάζων τὸ γεγονός (vgl. Joh 20 3–10) S A B W Θ λ φ 𝔐 vg sy ᶜˢ ᵖᵉ sa bo   > D it

φοβεῖσθε· ὑπάγετε ἀπαγγείλατε
τοῖς ἀδελφοῖς μου ἵνα ἀπέλθωσιν
εἰς τὴν Γαλιλαίαν, κἀκεῖ με ὄψον-
ται.

Die Nachgeschichten.

The Post-Resurrection Narratives.

A. Die matthäische Nachgeschichte. Matth 28 11–20

A. The Matthean Post-Resurrection Narrative.

1. Der Betrug der Hierarchen. 28 11–15

The Bribing of the Soldiers.

¹¹ Πορευομένων δὲ αὐτῶν ἰδού τινες τῆς κουστωδίας ἐλθόντες εἰς τὴν πόλιν ἀπήγγειλαν τοῖς ἀρχιερεῦσιν ἅπαντα τὰ γενόμενα. ¹² καὶ συναχθέντες μετὰ τῶν πρεσβυτέρων συμβούλιόν τε λαβόντες ἀργύρια ἱκανὰ ἔδωκαν τοῖς στρατιώταις, ¹³ λέγοντες· εἴπατε ὅτι οἱ μαθηταὶ αὐτοῦ νυκτὸς ἐλθόντες ἔκλεψαν αὐτὸν ἡμῶν κοιμωμένων. ¹⁴ καὶ ἐὰν ἀκουσθῇ τοῦτο ἐπὶ τοῦ ἡγεμόνος, ἡμεῖς πείσομεν καὶ ὑμᾶς ἀμερίμνους ποιήσομεν. ¹⁵ οἱ δὲ λαβόντες ἀργύρια ἐποίησαν ὡς ἐδιδάχθησαν. καὶ διεφημίσθη ὁ λόγος οὗτος παρὰ Ἰουδαίοις μέχρι τῆς σήμερον.

2. Die Offenbarung des Auferstandenen in Galiläa. 28 16–20

The Command to Baptize.

¹⁶ Οἱ δὲ ἕνδεκα μαθηταὶ ἐπορεύθησαν εἰς τὴν Γαλιλαίαν, εἰς τὸ ὄρος οὗ ἐτάξατο αὐτοῖς ὁ Ἰησοῦς. ¹⁷ καὶ ἰδόντες αὐτὸν προσεκύνησαν, οἱ δὲ ἐδίστασαν. ¹⁸ καὶ προσελθὼν ὁ Ἰησοῦς ἐλάλησεν αὐτοῖς λέγων· ἐδόθη μοι πᾶσα ἐξουσία ἐν οὐρανῷ καὶ ἐπὶ τῆς γῆς. ¹⁹ πορευθέντες οὖν μαθητεύσατε πάντα τὰ ἔθνη. βαπτίζοντες αὐτοὺς εἰς τὸ ὄνομα τοῦ πατρὸς καὶ τοῦ υἱοῦ καὶ τοῦ ἁγίου πνεύματος, ²⁰ διδάσκοντες αὐτοὺς τηρεῖν πάντα ὅσα ἐνετειλάμην ὑμῖν· καὶ ἰδοὺ ἐγὼ μεθ' ὑμῶν εἰμι πάσας τὰς ἡμέρας ἕως τῆς συντελείας τοῦ αἰῶνος. | Joh 14 23

Matth 28, 15 σήμερον S A W λ φ ℜ sy pe bo   σήμερον ἡμέρας B D Θ it vg sa

Zu Mt 28 11–15: **Ev. Petri** XI 45–49: ⁴⁵ Ταῦτα ἰδόντες οἱ περὶ τὸν κεντυρίωνα νυκτὸς ἔσπευσαν πρὸς Πειλᾶτον ἀφέντες τὸν τάφον ὃν ἐφύλασσον, καὶ ἐξηγήσαντο πάντα ἅπερ εἶδον ἀγωνιῶντες μεγάλως καὶ λέγοντες· ›ἀληθῶς υἱὸς ἦν θεοῦ‹. ⁴⁶ ἀποκριθεὶς ὁ Πειλᾶτος ἔφη· ›ἐγὼ καθαρεύω τοῦ αἵματος τοῦ υἱοῦ τοῦ θεοῦ, ὑμῖν δὲ τοῦτο ἔδοξεν‹. ⁴⁷ εἶτα προσελθόντες πάντες ἐδέοντο αὐτοῦ καὶ παρεκάλουν κελεῦσαι τῷ κεντυρίωνι καὶ τοῖς στρατιώταις μηδενὶ εἰπεῖν ἃ εἶδον. ⁴⁸ ›συμφέρει γάρ, φασίν, ›ἡμῖν ὀφλῆσαι μεγίστην ἁμαρτίαν ἔμπροσθεν τοῦ θεοῦ καὶ μὴ ἐμπεσεῖν εἰς χεῖρας τοῦ λαοῦ τῶν Ἰουδαίων καὶ λιθασθῆναι‹. ⁴⁹ ἐκέλευσεν οὖν ὁ Πειλᾶτος τῷ κεντυρίωνι καὶ τοῖς στρατιώταις μηδὲν εἰπεῖν.

B. Die lukanische Nachgeschichte. **Luk 24** 13—53

B. *The Lucan Post-Resurrection Narrative.*

1. Die Emmausjünger. **24** 13—35

The Road to Emmaus.

¹³ Καὶ ἰδοὺ δύο ἐξ αὐτῶν ἐν αὐτῇ τῇ ἡμέρᾳ ἦσαν πορευόμενοι εἰς κώμην ἀπέχουσαν σταδίους ἑξήκοντα ἀπὸ Ἰερουσαλήμ, ᾗ ὄνομα Ἐμμαοῦς, ¹⁴ καὶ αὐτοὶ ὡμίλουν πρὸς ἀλλήλους περὶ πάντων τῶν συμβεβηκότων τούτων. ¹⁵ καὶ ἐγένετο ἐν τῷ ὁμιλεῖν αὐτοὺς καὶ συζητεῖν, καὶ αὐτὸς Ἰησοῦς ἐγγίσας συνεπορεύετο αὐτοῖς· ¹⁶ οἱ δὲ ὀφθαλμοὶ αὐτῶν ἐκρατοῦντο τοῦ μὴ ἐπιγνῶναι αὐτόν. ¹⁷ εἶπεν δὲ πρὸς αὐτούς· τίνες οἱ λόγοι οὗτοι οὓς ἀντιβάλλετε πρὸς ἀλλήλους περιπατοῦντες; καὶ ἐστάθησαν σκυθρωποί. ¹⁸ ἀποκριθεὶς δὲ εἷς ὀνόματι Κλεοπᾶς εἶπεν πρὸς αὐτόν· σὺ μόνος παροικεῖς Ἰερουσαλὴμ καὶ οὐκ ἔγνως τὰ γενόμενα ἐν αὐτῇ ἐν ταῖς ἡμέραις ταύταις; ¹⁹ καὶ εἶπεν αὐτοῖς· ποῖα; οἱ δὲ εἶπαν αὐτῷ· τὰ περὶ Ἰησοῦ τοῦ Ναζαρηνοῦ, ὃς ἐγένετο ἀνὴρ προφήτης δυνατὸς ἐν ἔργῳ καὶ λόγῳ ἐναντίον τοῦ θεοῦ καὶ παντὸς τοῦ λαοῦ, ²⁰ ὅπως τε παρέδωκαν αὐτὸν οἱ ἀρχιερεῖς καὶ οἱ ἄρχοντες ἡμῶν εἰς κρίμα θανάτου καὶ ἐσταύρωσαν αὐτόν. ²¹ ἡμεῖς δὲ ἠλπίζομεν ὅτι αὐτός ἐστιν ὁ μέλλων λυτροῦσθαι τὸν Ἰσραήλ· ἀλλά γε καὶ σὺν πᾶσιν τούτοις τρίτην ταύτην ἡμέραν ἄγει ἀφ' οὗ ταῦτα ἐγένετο. ²² ἀλλὰ καὶ γυναῖκές τινες ἐξ ἡμῶν ἐξέστησαν ἡμᾶς, γενόμεναι ὀρθριναὶ ἐπὶ τὸ μνημεῖον, ²³ καὶ μὴ εὑροῦσαι τὸ σῶμα αὐτοῦ ἦλθον λέγουσαι καὶ ὀπτασίαν ἀγγέλων ἑωρακέναι, οἳ λέγουσιν αὐτὸν ζῆν. ²⁴ καὶ ἀπῆλθόν τινες τῶν σὺν ἡμῖν ἐπὶ τὸ μνημεῖον, καὶ εὗρον, οὕτως καθὼς καὶ αἱ γυναῖκες εἶπον, αὐτὸν δὲ οὐκ εἶδον. ²⁵ καὶ αὐτὸς εἶπεν πρὸς αὐτούς· ὦ ἀνόητοι καὶ βραδεῖς τῇ καρδίᾳ τοῦ πιστεύειν ἐπὶ πᾶσιν οἷς ἐλάλησαν οἱ προφῆται· ²⁶ οὐχὶ ταῦτα ἔδει παθεῖν τὸν χριστὸν καὶ εἰσελθεῖν εἰς τὴν δόξαν αὐτοῦ; ²⁷ καὶ ἀρξάμενος ἀπὸ Μωϋσέως καὶ ἀπὸ πάντων τῶν προφητῶν διηρμήνευσεν αὐτοῖς ἐν πάσαις ταῖς γραφαῖς τὰ περὶ ἑαυτοῦ. ²⁸ καὶ ἤγγισαν εἰς τὴν κώμην οὗ ἐπορεύοντο, καὶ αὐτὸς προσεποιήσατο πορρώτερον πορεύεσθαι. ²⁹ καὶ παρεβιάσαντο αὐτὸν λέγοντες· μεῖνον μεθ' ἡμῶν, ὅτι πρὸς ἑσπέραν ἐστὶν καὶ κέκλικεν ἤδη ἡ ἡμέρα. καὶ εἰσῆλθεν τοῦ μεῖναι σὺν αὐτοῖς. ³⁰ καὶ ἐγένετο ἐν τῷ κατακλιθῆναι αὐτὸν μετ' αὐτῶν λαβὼν τὸν ἄρτον εὐλόγησεν καὶ κλάσας ἐπεδίδου αὐτοῖς· ³¹ αὐτῶν δὲ διηνοίχθησαν οἱ ὀφθαλμοί, καὶ ἐπέγνωσαν αὐτόν· καὶ αὐτὸς ἄφαντος ἐγένετο ἀπ' αὐτῶν. ³² καὶ εἶπαν πρὸς ἀλλήλους· οὐχὶ ἡ καρδία ἡμῶν καιομένη ἦν ἐν ἡμῖν, ὡς ἐλάλει ἡμῖν ἐν τῇ ὁδῷ, ὡς διήνοιγεν ἡμῖν τὰς γραφάς; ³³ καὶ ἀναστάντες αὐτῇ τῇ ὥρᾳ ὑπέστρεψαν εἰς Ἰερουσαλήμ, καὶ εὗρον ἠθροισμένους τοὺς ἕνδεκα καὶ τοὺς σὺν αὐτοῖς, ³⁴ λέγοντας ὅτι ὄντως ἠγέρθη ὁ κύριος καὶ ὤφθη Σίμωνι. ³⁵ καὶ αὐτοὶ ἐξηγοῦντο τὰ ἐν τῇ ὁδῷ καὶ ὡς ἐγνώσθη αὐτοῖς ἐν τῇ κλάσει τοῦ ἄρτου.

Luk 24, 17 καὶ ἐστάθησαν σκυθρωποί S A B sa bo   καὶ ἐστε σκυθρωποί W Θ λ φ 𝔐 it vg sy cs pe σκυθρωποί D   **19** Ναζαρηνοῦ SB vg   Ναζωραίου A D W Θ λ φ 𝔐 it sa   **82** καιομένη] κεκα- λυμμένη D sa   βεβαρημένη sy cs pe | ἐν ἡμῖν > B D sy cs Orig

---

Vgl.: **Hebr. Evang.:** Evangelium quoque, quod appellatur secundum Hebraeos et a me nuper in graecum sermonem latinumque translatum est, quo et Origenes (Adamantius cod.) saepe utitur, post resurrectionem salvatoris refert: *Dominus autem, cum dedisset sindonem servo sacerdotis, iit ad Jacobum et apparuit ei* — iuraverat enim Jacobus se non comesurum panem ab illa hora qua biberat calicem domini, donec videret eum resurgentem a dormientibus — *rursumque post paululum adferte, aitm dominus, mensam et panem.* statimque additur: *tulit panem et benedixit et fregit et dedit Jacobo iusto et dixit ei: frater mi, comede panem tuum, quia resurrexit filius hominis a dormientibus.* Hieronymus de viris ill. 2.

2. Die Offenbarung des Auferstandenen in Jerusalem. 24 36—49   Jo · 20 19—23

The Appearance of the Risen Christ in Jerusalem.

³⁶ Ταῦτα δὲ αὐτῶν λαλούντων αὐτὸς ἔστη ἐν μέσῳ αὐτῶν. ³⁷ πτοηθέντες δὲ καὶ ἔμφοβοι γενόμενοι ἐδόκουν πνεῦμα θεωρεῖν. ³⁸ καὶ εἶπεν αὐτοῖς· τί τεταραγμένοι ἐστέ, καὶ διὰ τί διαλογισμοὶ ἀναβαίνουσιν ἐν τῇ καρδίᾳ ὑμῶν; ³⁹ ἴδετε τὰς χεῖράς μου καὶ τοὺς πόδας μου, ὅτι ἐγώ εἰμι αὐτός· ψηλαφήσατέ με καὶ ἴδετε, ὅτι πνεῦμα σάρκα καὶ ὀστέα οὐκ ἔχει καθὼς ἐμὲ θεωρεῖτε ἔχοντα. [⁴⁰] ⁴¹ ἔτι δὲ ἀπιστούντων αὐτῶν ἀπὸ τῆς χαρᾶς καὶ θαυμαζόντων, εἶπεν αὐτοῖς· ἔχετέ τι βρώσιμον ἐνθάδε; ⁴² οἱ δὲ ἐπέδωκαν αὐτῷ ἰχθύος ὀπτοῦ μέρος· ⁴³ καὶ λαβὼν ἐνώπιον αὐτῶν ἔφαγεν.

⁴⁴ εἶπεν δὲ πρὸς αὐτούς· οὗτοι οἱ λόγοι μου οὓς ἐλάλησα πρὸς ὑμᾶς ἔτι ὢν σὺν ὑμῖν, ὅτι δεῖ πληρωθῆναι πάντα τὰ γεγραμμένα ἐν τῷ νόμῳ Μωϋσέως καὶ τοῖς προφήταις καὶ ψαλμοῖς περὶ ἐμοῦ. ⁴⁵ τότε διήνοιξεν αὐτῶν τὸν νοῦν τοῦ συνιέναι τὰς γραφάς· καὶ εἶπεν αὐτοῖς ⁴⁶ ὅτι οὕτως γέγραπται παθεῖν τὸν χριστὸν καὶ ἀναστῆναι ἐκ νεκρῶν τῇ τρίτῃ ἡμέρᾳ, ⁴⁷ καὶ κηρυχθῆναι ἐπὶ τῷ ὀνόματι αὐτοῦ μετάνοιαν εἰς ἄφεσιν ἁμαρτιῶν εἰς πάντα τὰ ἔθνη, — ἀρξάμενοι ἀπὸ Ἰερουσαλήμ. ⁴⁸ ὑμεῖς μάρτυρες τούτων. ⁴⁹ καὶ ἰδοὺ ἐγὼ ἐξαποστέλλω τὴν ἐπαγγελίαν τοῦ πατρός μου ἐφ᾽ ὑμᾶς· ὑμεῖς δὲ καθίσατε ἐν τῇ πόλει ἕως οὗ ἐνδύσησθε ἐξ ὕψους δύναμιν.

3. Die Himmelfahrt. 24 50—53

The Ascension.

⁵⁰ Ἐξήγαγεν δὲ αὐτοὺς ἕως πρὸς Βηθανίαν, καὶ ἐπάρας τὰς χεῖρας αὐτοῦ εὐλόγησεν αὐτούς. ⁵¹ καὶ ἐγένετο ἐν τῷ εὐλογεῖν αὐτὸν αὐτοὺς διέστη ἀπ᾽ αὐτῶν. ⁵² καὶ αὐτοὶ ὑπέστρεψαν εἰς Ἰερουσαλὴμ μετὰ χαρᾶς μεγάλης, ⁵³ καὶ ἦσαν διὰ παντὸς ἐν τῷ ἱερῷ εὐλογοῦντες τὸν θεόν.

Lc 24 46: vgl. Ho3 6 2.

Luk 24, 36 αὐτῶν ² D it   αὐτῶν καὶ λέγει αὐτοῖς· εἰρήνη ὑμῖν (ὑμῶν A) (vgl. Joh 20 19) S A B Θ λ φ ℜ sy cs sa bo   αὐτῶν καὶ λέγει αὐτοῖς· ἐγώ εἰμι, μὴ φοβεῖσθε· (vgl. Jo΄ι 6 20) εἰρήνη ὑμῖν W (εἰρ. ὑμῖν vo ἐνώ vg ; y pe) vg sype   **37** πτοηθέντες A D Θ λ φ ℜ it vg sy cs pe   θροηθέντες B φοβηθέντες S W   **40** fehlt D it ; y cs   lautet: καὶ τοῦτο εἰπὼν ἔδειξεν (so: S B λ ἐπέδειξεν A W Θ φ ℜ) αὐτοῖς τὰς χεῖρας καὶ τοὺς πόδας (= Joh 20 20) S A B W Θ λ φ ℜ vg sy p3 sa bo   **42** μέρος S A B D W ; y s sa   μέρος καὶ ἀπὸ μελλισίου κηρίον (κηρίου λ ℜ) Θ λ φ ℜ it vg sy cs pe bo   **43** λαβὼν ἐνώπιον αὐτῶν (πάντων A) ἔφαγεν S A B D W λ ℜ y s pe sa bo   φαγὼν ἐνώπιον αὐτῶν it   φαγὼν ἐνώπιον αὐτῶν λαβὼν τὰ ἐπίλοιπα ἔδωκεν αὐτοῖς Θ vg   λαβὼν ἐνώπιον αὐτῶν ἔφαγεν καὶ τὰ ἐπίλοιπα ἔδωκεν αὐτοῖς φ   λαβὼν ἐνώπιον αὐτῶν ἔφαγεν καὶ λαβὼν τὰ ἐπίλοιπα ἔδωκεν αὐτοῖς sy c   **51** διέστη ἀπ᾽ αὐτῶν S   ἀπέστη ἀπ᾽ αὐτῶν D it vg (recessit it vg)   ἀνεφέρετο απ᾽ αὐτῶν ; y s   διέστη απ᾽ αὐτῶν καὶ ἀνεφέρετο εἰς τὸν οὐρανὸν A B C W Θ λ φ ℜ sy pe sa bo   **52** καὶ αὐτοὶ D it sy s καὶ αὐτοὶ προσκυνήσαντες αὐτὸν S A B C W Θ λ φ ℜ vg sy pe sa bo

---

Zu Lc 24 39: Ignatius ep. ad Smyrnaeos 3 2: Καὶ ὅτε πρὸς τοὺς περὶ Πέτρον ἦλθεν ἔφη αὐτοῖς· λάβετε, ψηλαφήσατέ με καὶ ἴδετε, ὅτι οὐκ εἰμὶ δαιμόνιον ἀσώματον (aus Doctrina Petri, so Origenes, oder aus Hebräerevangelium, so Hieronymus).

C. Der unechte Markusschluß.

C. The Longer Ending of Mark.

Mark 16 9–20

| Joh 20 11–18 | ⁹ Ἀναστὰς δὲ πρωὶ πρώτῃ °σαββάτου ἐφάνη πρῶτον Μαρίᾳ τῇ Μαγδαληνῇ, παρ' ἧς ἐκβεβλήκει ἑπτὰ δαιμόνια. ¹⁰ ἐκείνη πορευθεῖσα ἀπήγγειλεν τοῖς μετ' αὐτοῦ γενομένοις πενθοῦσι καὶ κλαίουσιν· ¹¹ κἀκεῖνοι ἀκούσαντες ὅτι ζῇ καὶ ἐθεάθη ὑπ' αὐτῆς ἠπίστησαν.

¹² μετὰ δὲ ταῦτα δυσὶν ἐξ αὐτῶν περιπατοῦσιν ἐφανερώθη ἐν ἑτέρᾳ μορφῇ πορευομένοις εἰς ἀγρόν· ¹³ κἀκεῖνοι ἀπελθόντες ἀπήγγειλαν τοῖς λοιποῖς· οὐδὲ ἐκείνοις ἐπίστευσαν.*

| Joh 20 19–23 | ¹⁴ ὕστερον δὲ ἀνακειμένοις αὐτοῖς τοῖς ἕνδεκα ἐφανερώθη, καὶ ὠνείδισεν τὴν ἀπιστίαν αὐτῶν καὶ σκληροκαρδίαν ὅτι τοῖς θεασαμένοις αὐτὸν ἐγηγερμένον οὐκ ἐπίστευσαν. ¹⁵ καὶ εἶπεν αὐτοῖς· πορευθέντες εἰς τὸν κόσμον ἅπαντα κηρύξατε τὸ εὐαγγέλιον πάσῃ τῇ κτίσει. ¹⁶ ὁ πιστεύσας καὶ βαπτισθεὶς σωθήσεται, ὁ δὲ ἀπιστήσας κατακριθήσεται.** ¹⁷ σημεῖα δὲ τοῖς πιστεύσασιν ταῦτα παρακολουθήσει· ἐν τῷ ὀνόματί μου δαιμόνια ἐκβαλοῦσιν, γλώσσαις λαλήσουσιν καιναῖς, ¹⁸ ὄφεις ἀροῦσιν, κἂν θανάσιμόν τι πίωσιν οὐ μὴ αὐτοὺς βλάψῃ, ἐπὶ ἀρρώστους χεῖρας ἐπιθήσουσιν καὶ καλῶς ἕξουσιν. ¹⁹ ὁ μὲν οὖν κύριος Ἰησοῦς μετὰ τὸ λαλῆσαι αὐτοῖς *ἀνελήμφθη εἰς τὸν οὐρανὸν* καὶ *ἐκάθισεν ἐκ δεξιῶν τοῦ θεοῦ.*** ²⁰ ἐκεῖνοι δὲ ἐξελθόντες ἐκήρυξαν πανταχοῦ, τοῦ κυρίου συνεργοῦντος καὶ τὸν λόγον βεβαιοῦντος διὰ τῶν ἐπακολουθούντων σημείων.

---

* Mark 16 12 f.: Luk 24 13–35.   ** 14–16: Matth 28 16–20.   *** 19: Luk 24 50 51.

Mark 16, 9–20, are wanting in S B it (cod. k) sy³, and they are asserted to be spurious by Eusebius, Quaest. ad Marinum I (Mai, Nova Patr. Bibliotheca, IV 255), who also omits these verses in his division of the Canons; the same opinion was held by Jerome, *Ep.* cxx, 3. The verses are attested, however, by A C D (in D the last portion from v.15 (εὐαγγέλιον) is wanting, owing to the loss of a leaf of the MS) W (though with an important addition to v. 14) Θ λ (ἔν τισι μὲν τῶν ἀντιγράφων ἕως ὦδε πληροῦται ὁ εὐαγγελιστὴς ἕως οὗ καὶ Εὐσέβιος ὁ Παμφίλου ἐκανόνισεν ἐν πολλοῖς δὲ καὶ ταῦτα φέρεται as the title to verses 9–20) φ ℜ and indeed by all the Greek MSS. except S and B. Further by it vg sy° (though through the absence of a leaf verses 9–16 are wanting in sy°) sype sa bo. The earliest witness to verses 9–20 is Irenaeus III, x, 6. Further, preceding verses 9–20, L (as well as **099 0112 274 579 syhl sa aethvar**) read πάντα δὲ τὰ παρηγγελμένα τοῖς περὶ τὸν Πέτρον συντόμως ἐξήγγειλαν. μετὰ δὲ ταῦτα καὶ αὐτὸς ὁ Ἰησοῦς ἐφάνη (> L) αὐτοῖς (> L Ψ ✠ καὶ k) ἀπὸ ἀνατολῆς καὶ ἄχρι δύσεως ἐξαπέστειλεν δι' αὐτῶν τὸ ἱερὸν καὶ ἄφθαρτον κήρυγμα τῆς αἰωνίου σωτηρίας while it (cod k) reads this text in place of verses 9–12.   **14** After ἐπίστευσαν, W adds: κἀκεῖνοι ἀπελογοῦντο λέγοντες, ὅτι ὁ αἰὼν οὗτος τῆς ἀνομίας καὶ τῆς ἀπιστίας ὑπὸ τὸν σατανᾶν ἐστιν τὸν (ὁ W) μὴ ἐῶντα (ἐῶν τὰ W ?) ὑπὸ τῶν πνευμάτων ἀκαθάρτων (ἀκάρθατα W) τὴν ἀληθινὴν (ἀληθείαν W) τοῦ θεοῦ καταλαβέσθαι δύναμιν· διὰ τοῦτο ἀποκάλυψόν σου τὴν δικαιοσύνην ἤδη. ἐκεῖνοι ἔλεγον τῷ Χριστῷ καὶ ὁ Χριστὸς ἐκείνοις προσέλεγεν, ὅτι πεπλήρωται ὁ ὅρος τῶν ἐτῶν τῆς ἐξουσίας τοῦ σατανᾶ, ἀλλὰ ἐγγίζει ἄλλα δεινά, καὶ ὑπὲρ τῶν ἁμαρτησάντων ἐγὼ (ὧν ἐγὼ ἁμαρτησάντων W) παρεδόθην εἰς θάνατον, ἵνα ὑποστρέψωσιν εἰς τὴν ἀλήθειαν καὶ μηκέτι ἁμαρτήσωσιν, ἵνα τὴν ἐν τῷ οὐρανῷ πνευματικὴν καὶ ἄφθαρτον τῆς δικαιοσύνης δόξαν κληρονομήσωσιν. Jerome (*Contra Pelagianos*, ii, 15; ed. Vallarsi II, 758) is also familiar with this Logion: In quibusdam exemplaribus et maxime in graecis codicibus iuxta Marcum in fine eius evangelii scribitur: 'postea quum accubuissent — crediderunt (v.11). et illi satisfaciebant dicentes: saeculum istud iniquitatis et incredulitatis sub satana est, qui non sinit per immundos spiritus veram dei apprehendi virtutem. idcirco iam nunc revela iustitiam tuam'.